Nahrung ist die beste Medizin

ECON Ratgeber

Das Buch

Dieses Buch ist für jeden gesundheitsbewußten Menschen ebenso wie für jeden aufgeschlossenen Mediziner unentbehrlich: Wußten Sie beispielsweise, daß ein bis zwei gedämpfte Karotten pro Tag das Lungenkrebsrisiko mindern? Daß Fisch Herzkrankheiten vorbeugt und Arthritis, Migräne und Nierenbeschwerden lindert? Daß Knoblauch die Immunkräfte der wichtigen »Killerzellen« stärkt, gegen Blutgerinsel und – wie auch Milch, Chilipfeffer und Zwiebeln – gegen chronische Bronchitis wirksam ist? Daß starker Kaffee Asthma bekämpft und grüner und schwarzer Tee die Entwicklung bestimmter Karzinogene blockiert? Durch gezielte Nahrungsaufnahme ist es möglich, akute und chronische Krankheiten zu verhüten oder zu lindern – und das ohne die oftmals bei Medikamenten zu beobachtenden Nebenwirkungen.
Dieses Buch entstand in zweijähriger intensiver Zusammenarbeit der Autorin mit namhaften Ärzten und Wissenschaftlern.

Die Autorin

Jean Carper ist eine Kapazität auf dem Gebiet medizinischer und ernährungswissenschaftlicher Fachpublizistik. Ihre Arbeiten als Funk- und Fernsehjournalistin sind vielfach preisgekrönt.

Jean Carper

Nahrung
ist die beste
Medizin

**Sensationelle Erkenntnisse
über die Heilstoffe
in unseren Lebensmitteln**

ECON Taschenbuch Verlag

3. Auflage 1995
Lizenzausgabe

Veröffentlicht im ECON Taschenbuch Verlag GmbH, Düsseldorf
und Wien, 1994
© 1989 für die deutsche Ausgabe by ECON Verlag GmbH,
Düsseldorf, Wien, New York und Moskau
Titel des englischen Originals: THE FOOD PHARMACY –
Dramatic New Evidence That Food is Your Best Medicine
© 1988 by Jean Carper
Aus dem Englischen übersetzt von Dietlind Kaiser
Umschlaggestaltung: Molesch/Niedertubbesing, Bielefeld
Gesetzt aus der Stone Serif und der Syntax
Satz: HEVO GmbH, Dortmund
Druck und Bindearbeiten: Ebner Ulm
Printed in Germany
ISBN 3-612-20504-8

Dank der Autorin

Mein Dank gilt vor allem den Hunderten von Ärzten und Wissenschaftlern, die durch Interviews, Vorführungen und veröffentlichte Arbeiten dieses Buch möglich gemacht haben. Die Wichtigsten unter ihnen sind die folgenden Wissenschaftler, deren Pionierarbeit ich in *Nahrung ist die beste Medizin* detailliert aufgezeichnet habe: Dr. med. James Anderson, Dr. Warren Burger, Dr. med. Victor Gurewich, Dr. med. Dale Hammerschmidt, Dr. Thomas Kensler, Dr. Jack Konowalchuk, Dr. William Lands, die verstorbene Dr. Marilyn Menkes, Dr. Asaf Qureshi, Dr. Khem Shahani, Dr. Anthony Sobota, Dr. Hans Stich, Dr. Walter Troll, Dr. med. Lee Wattenberg, Dr. med. Robert Yolken und Dr. med. Irwin Ziment.

Besonders danken möchte ich auch Dr. Norman Farnsworth für die Benützung seiner umfangreichen Datenbank über chemische Nahrungsbestandteile und für persönliche Interviews sowie Dr. James Duke vom amerikanischen Landwirtschaftsministerium, der mir ebenfalls seine Unterlagen über die medizinischen Aspekte von Nahrungsmitteln zugänglich machte.

Eine wichtige Rolle in der Geschichte dieses Buchs hat Dr. Walter Mertz gespielt, der Direktor der Human Nutrition Laboratories des amerikanischen Landwirtschaftsministeriums in Beltsville, Maryland. Ohne es zu wissen, gab Dr. Mertz während eines Interviews vor mehreren Jahren den Anstoß für die Idee zu diesem Buch, als er seiner Überzeugung Ausdruck verlieh, die pharmakologische Forschung werde zunehmend auch bei Nahrungsmitteln fündig werden und dabei vieles an alter Überlieferung zu der Heilwirkung von Nahrung bestätigen.

Mein herzlicher Dank gilt außerdem drei Lektorinnen bei Bantam: Grace Bechtold für ihre langjährige Freundschaft und ihre Unterstützung für dieses Buch und meine anderen Bücher bei Bantam; Michelle Rapkin für ihre enthusiastische und hervorragende Redaktion des Manuskripts; und Donna Ruvituso, die dafür sorgt, daß der Herstellungsprozeß so effektiv und schmerzlos wie irgend möglich abläuft.

Wie immer wäre dieses Buch ohne die Unterstützung, den Trost und das Urteilsvermögen meines Agenten Raphael Sagalyn und meiner Freundin Thea Flaum kein solches Vergnügen gewesen.

Inhalt

Dritter Teil

Vorwort

Seit Tausenden von Jahren hat Nahrung als wirkungsvolle Medizin gegolten. Doch im letzten Jahrhundert übernahmen die Wunderwaffen der pharmazeutischen Medikamente das Feld und ließen uns einen großen Teil unseres reichen Erbes an medizinischer Verwendung von Nahrungsmitteln vergessen. Die uralte Vorstellung, daß Lebensmittel bestimmte pharmakologische Eigenschaften haben, die sich zur Förderung der Gesundheit einsetzen lassen, wirkt oft wie reiner Volksglaube und ganz entschieden unzulänglich bei strenger wissenschaftlicher Überprüfung, wie sie im 20. Jahrhundert erforderlich ist. Aber das ändert sich, sobald man genauer hinschaut.

Zu meinem Erstaunen habe ich festgestellt, daß Wissenschaftler auf der ganzen Welt im Verlauf ihrer Routinearbeit ständig verblüffende Arzneimittel in unserer Nahrung entdecken. Daß diese chemischen Wirkstoffe Krankheiten lindern und ihnen vorbeugen können, wurde von etwa dreihundert führenden Wissenschaftlern bestätigt, außerdem durch über fünftausend wissenschaftliche Untersuchungen und Aufsätze, die ich für dieses Buch zu Rate gezogen habe. Als Autorin, die über Medizin und Ernährung schreibt, hat mich die Verbindung zwischen Nahrung und Krankheit schon lange fasziniert. 1985 unternahm ich eine Recherche zur Klärung der Frage, welchen Standpunkt die moderne Wissenschaft in dieser Frage einnimmt, und weiterhin, welche Beweise über die pharmakologische Wirkung von Nahrungsmitteln gesammelt worden waren – nicht von Kräutern und ausgefallenen pflanzlichen Stoffen, die als Medikamente verwendet werden, sondern von alltäglichen Lebensmitteln, wie sie jeder von uns benützt.

Folgendes habe ich herausgefunden:

o Lebensmittel sind voll von pharmakologischen Wirkstoffen.
o Lebensmittel sind tatsächlich im Körper als Arzneimittel wirksam.
o Was Sie essen, kann Ihre Gesundheit auf der Ebene der Zellen beeinflussen.
o Die alten Überlieferungen über Nahrungsmittel stecken voller Weisheit, die sich jetzt wissenschaftlich bestätigen läßt.
o Angesehene Wissenschaftler, die sich bei der Volksheilkunde Anhaltspunkte holen, untersuchen die Zusammenhänge zwischen Ernährung und Krankheit und entdecken in der Lebensmittelapotheke erstaunliche Kräfte.
o Auf der Basis neuer Erkenntnisse über den Verlauf von Krankheiten »verschreiben« etliche Ärzte und Wissenschaftler Nahrungsmittel.
o Sie können etwas für Ihre Gesundheit tun, wenn Sie sich die neuen wissenschaftlichen Erkenntnisse über die therapeutische Wirkung von Nahrungsmitteln zunutze machen.
o Durch kleine Änderungen Ihres Speiseplanes – indem sie bewußt mehr von den Lebensmitteln essen, die sich erwiesenermaßen positiv auf die Gesundheit

auswirken (statt sich ständig darüber Sorgen zu machen, was Ihnen schaden könnte) – ist es möglich,
akute wie chronische Erkrankungen zu lindern oder
ganz zu vermeiden, so zum Beispiel Infektionen,
Herzkrankheiten, hohen Blutdruck, Krebs, Verstopfung und andere Magen-Darm-Erkrankungen, Magengeschwüre, Arthritis, Hautkrankheiten, Kopfschmerzen, Antriebsschwäche und Schlaflosigkeit.

o Kurz gesagt: Eine aufregende Revolution hat eingesetzt und wandelt die Einstellung der wissenschaftlichen Welt zur Ernährung und ihrer medizinischen
Wirkung von Grund auf. Und diese neuen Erkenntnisse über die Lebensmittelapotheke werden dazu
führen, daß sich auch unsere Eßgewohnheiten und
unsere Vorstellungen darüber, wie sich Nahrung zum
Schutz vor Krankheiten einsetzen läßt, einschnei-
dend verändern.

Noch nie zuvor in der Geschichte haben sich Wissenschaftler rund um die Welt zu einer derart aufregenden
Untersuchung der chemischen Grundlage für die be-
merkenswerte Auswirkung der Nahrung auf die
menschliche Gesundheit zusammengetan. Was früher
als Quacksalberei angesehen wurde, als Ammenmär-
chen und medizinische Ketzerei, wird jetzt mit größter
Ernsthaftigkeit erforscht: die Theorie, daß die Nahrung
tatsächlich unsere größte, reichhaltigste Apotheke ist –
ein gigantischer Laden mit einem Riesenangebot fein
abgestimmter rezeptfreier Medikamente aus den geheimnisvollen Produktionsstätten der Natur.
Wir sprechen von einer Lebensmittelapotheke mit un-
vorstellbarer Vielseitigkeit und Vielschichtigkeit, bestehend aus natürlichen Abführmitteln, Beruhigungs-
mitteln, Betablockern, Antibiotika, gerinnungshem-

menden Mitteln, Antidepressiva, Schmerzmitteln, Mitteln zur Senkung des Cholesterinspiegels, Entzündungshemmern, blutdrucksenkenden Mitteln, Lokalanästhetika, Abschwellmitteln, Verdauungsmitteln, Expektorantien, Mitteln gegen Reisekrankheit, Hemmstoffen gegen Krebs, Antioxidantien, Empfängnisverhütungsmitteln, gefäßerweiternden und gefäßverengenden Mitteln, Wirkstoffen gegen Karies, gegen Magengeschwüre, Mitteln zur Regulierung der Insulinproduktion – um nur einige zu nennen.

Die Forschungsergebnisse kommen aus allen Gegenden der Welt und zeigen, daß Lebensmittel und ihre jeweiligen Bestandteile ähnlich wirken wie moderne Medikamente – und manchmal genausogut oder besser —, und zwar ohne deren gefürchtete Nebenwirkungen. Zum Beispiel: Wenn Antibiotika bei der Heilung einer Wunde versagen, hat Zucker fast immer Erfolg. Joghurt schützt das Immunsystem besser als ein eigens zu diesem Zweck entwickeltes Medikament, heilt Durchfall schneller als ein medizinisches Präparat dagegen und enthält Wirkstoffe, die stärkere Antibiotika sind als Penicillin. Zwiebeln erhöhen den heilsamen, das Herzinfarktrisiko mindernden HDL-Cholesterinanteil im Blut wirksamer als die meisten verschriebenen Herzmedikamente, bis hin zum allerneuesten Wundermittel. Wirkstoffe im Knoblauch kommen bei der Verhütung von Blutgerinnseln, die zu Herzinfarkten und Schlaganfällen führen können, dem Aspirin gleich. Fisch (vor allem Makrele) wirkt bei der Senkung von leicht erhöhtem Blutdruck genauso wie die meisten entwässernden Mittel. Ingwer übertrifft bei der Behandlung von Reisekrankheit das Dramamin. Zwei Eßlöffel Zucker vor dem Schlafenge-

Zahlreiche Forschungsergebnisse belegen, daß viele Bestandteile der Nahrung ähnlich wie moderne Medikamente wirken – oder sogar besser

hen sind so wirkungsvoll wie eine Schlaftablette. Rotwein wehrt Bakterien etwa so gut ab wie Penicillin.

Diese weltweite Erforschung der therapeutischen Kräfte von Lebensmitteln ist kein oberflächlicher Zeitvertreib. Sie ist eine ernsthafte wissenschaftliche Aufgabe und fordert die Aufmerksamkeit und Energie einiger der weltweit führenden Wissenschaftler und Ärzte. Schon jetzt hat sie zu einer erstaunlichen neuen Einsicht in das Leistungsvermögen alltäglicher Nahrungsmittel zur Heilung und Verhütung zahlreicher Krankheiten geführt. Ein weiteres Ergebnis ist die Gewinnung und Synthese natürlicher Wirkstoffe aus Lebensmitteln für den therapeutischen Einsatz in konzentrierter Form.

Besonders wichtig daran ist, daß ein großer Teil dieser Erkenntnisse jetzt schon genutzt werden kann – wie Sie in *Nahrung ist die beste Medizin* entdecken werden, dem Ergebnis meiner zweijährigen Recherchen. Dieses Buch unterscheidet sich meines Erachtens von allen anderen Büchern über Nahrung oder Ernährung dadurch, daß es von völlig neuen Erkenntnissen über die möglichen Auswirkungen von Nahrung auf die Gesundheit berichtet, die nichts mit dem herkömmlichen Aspekt des Nährwerts zu tun haben. In *Nahrung ist die beste Medizin* können Sie sich einblenden in die wissenschaftlichen Gespräche, die überall auf der Welt über dieses besonders faszinierende Gemeingut der Menschheit geführt werden: unsere Lebensmittel und ihre Auswirkungen auf unsere Gesundheit.

Dieses Buch möchte

○ Sie auf die sensationellen neuen Erforschungen der pharmakologischen Wirkungen von Lebensmitteln aufmerksam machen, o über die Entstehungsgeschichte der dramatischen Entdeckungen berichten,

o Ihnen ein Verständnis vermitteln für mögliche Abläufe im Körper, bei denen Lebensmittel therapeutische Kräfte entfalten,

o Sie in verständlicher Form über die Pharmakologie der Lebensmittel informieren, über die es wissenschaftlich gesicherte Erkenntnisse gibt, und darüber, wie sie therapeutisch eingesetzt werden können.

Mit anderen Worten, dieses Buch liefert ungeheuer wichtige neue Informationen darüber, wie Ihre Auswahl aus der Lebensmittelapotheke Ihnen dabei helfen kann, gesund zu bleiben, sich besser zu fühlen und länger zu leben.

Wichtiger Hinweis: Einzelne Lebensmittel oder bestimmte Lebensmittel vom selben Typ sollten nie ausschließlich unter Weglassung anderer zur Behandlung oder Verhütung einer bestimmten Krankheit oder zur allgemeinen Wahrung der Gesundheit verwendet werden, außer wenn Ihnen Ihr Arzt dazu rät, mit dem Sie prinzipiell vor Beginn jeder Behandlung oder Diät sprechen sollten. Die Informationen in diesem Buch sind keine medizinischen Ratschläge und werden auch nicht als solche vermittelt. Verschiedene Arten von Nahrung liefern bekannte und unbekannte Substanzen, die für die Gesundheit lebenswichtig sind; deshalb spielt eine abwechslungsreiche Ernährung eine entscheidende Rolle dabei, gesund zu bleiben und gesünder zu werden.

Erster Teil
Nahrung aus neuer Sicht

Knoblauch und andere medizinische Wunder

*Laß Nahrung deine Arznei sein
und Arznei deine Nahrung.*

Hippokrates

Im Georgetown University Hospital roch es so übel nach Knoblauch, daß es Dr. Garagusi kaum aushielt. Und dabei war es seine Idee gewesen. Die Petrischalen waren voller Knoblauch, in den Mülleimern lagen die Schalen der zerstampften Zehen, und der Geruch war so stark, daß einem die Augen tränten, während die Schwaden durch die Kliniklabors trieben, wo Blut und Urin auf Krankheitssymptome analysiert wurden, bis hinein ins Wartezimmer.

Wer konnte es den Schwester verübeln, daß sie sich fragten, ob der angesehene Arzt, ein Fachmann auf dem Gebiet der Antibiotika, den Verstand verloren habe? Was hat Knoblauch mit dem hippokratischen Eid zu tun? Knoblauch ist das Zeug, das Vampire vertreibt. Knoblauch ist das Zeug, von dem man Mundgeruch bekommt, und jetzt verstänkerte es das ganze Krankenhaus.

»Pfui Teufel!« sagte Dr. Vincent F. Garagusi, Leiter der Abteilung für Infektionskrankheiten im Krankenhaus und Professor an der medizinischen Fakultät der Georgetown University, als er sich den Vorfall wieder ins Gedächtnis rief. »Das war ganz schön übel, stimmt's, Ed?« Ed – Edward C. Delaha, der leitende Mikrobiologe im Krankenhaus – war es, der zum Supermarkt hatte gehen und all den Knoblauch einkaufen müssen, ihn zerstampfen und den Bakterien anbieten, die das Knollenzeug so abstoßend fanden, daß sie unverzüglich starben.

Ed pflichtete ihm bei: Der Gestank war wirklich schlimm gewesen, aber es war eben gerade der stinkende Bestandteil des Knoblauchs, der die Bakterien abtötete. Sobald sie mit dem Knoblauchextrakt in Berührung kamen, verschwanden sie, lösten sich in den Petrischalen einfach auf. Es war verblüffend – selbst für zwei Männer, die so viel über die Vernichtung von Bakterien wußten. Die Chinesen hatten also recht, sinnierte Dr. Garagusi.

Der Ausgangspunkt für Dr. Garagusi war derselbe wie für viele andere Wissenschaftler auf der ganzen Welt. Durch irgendein intellektuelles Rätsel, eine merkwürdige Beobachtung oder durch die Berührung mit den Vorstellungen anderer Kulturen geraten sie in den Bann des Geheimnisses, das die heilenden und vorbeugenden Kräfte von Nahrung umgibt. Fast alle sind nach der modernen westlichen Übereinkunft geschult worden, ihr Vertrauen auf das magische Sortiment synthetischer Medikamente zu setzen. Aus dem einen oder anderen Grund reizt es sie jetzt, den Geheimnissen jener von der Natur geschaffenen Apotheke – unserer Ernährung – auf den Grund zu kommen, und dabei könnten sie durchaus auf Informationen stoßen, mit denen verglichen die oft unberechenbaren Erfolgstreffer moderner Medikamente auf den Körper als schwach erscheinen.

So gesehen wirkt es wie Hybris, daß man die Sache nicht schon früher angepackt hat. Bedenken Sie nur die ungeheuren Möglichkeiten. In weniger als fünfzig Jahren hat der Grips menschlicher Chemiker mit der Verkettung von Molekülen zu neuen Verbindungen wunderbare lebensverlängernde pharmazeutische Mittel entwickelt. Was Ihre Erfindungen für unsere Physis bewirken können, ist wahrhaftig ehrfurchtgebietend. Warum sollte es dann so seltsam sein, sich näher mit den Erfindungen eines uralten kosmischen Geistes zu befassen, der seit Hunderttausenden von Jahren chemische Stoffe zu geheimnisvollen Verbindungen zusammengefügt und Pflanzen und andere Lebensmittel damit ausgestattet hat, die wir täglich zu uns nehmen?

Hier ist nicht nur von vereinzelten Heilkräutern die Rede, sondern von den großen Mengen an chemischen Stoffen in Gemüse, Obst, Körnern, Nüssen, Samen, Fisch, von Tieren, ihren Eiern und Ausscheidungen, von Stoffen, die in jedem Augenblick des Tages unsere biologische Verfassung bestimmen.

> Tatsächlich sind unsere Mahlzeiten das größte pharmakologische Experiment der Welt.

Knoblauch für das Gehirn

Eines Tages war Dr. Garagusi ein Artikel im *Chinese Medical Journal* aufgefallen. Chinesische Ärzte in der Provinz Changsha, denen das Geld und die Bezugsquellen für Amphotericin, ein Antimykotikum, fehlten, griffen auf die alte Methode zurück, Knoblauch zu verabreichen. Sie gaben Patienten, die an Kryptokokken-Hirnhautentzündung litten, einer schweren Infektionskrankheit, Knoblauch zu essen und injizierten ihnen Knoblauchsaft. Von sechzehn Patienten, die Knoblauch bekamen, überlebten elf, eine Heilungsquote von 68 Prozent. Nicht schlecht. Sogar verflixt gut, wenn man bedenkt, daß dieser Infekt das Rückenmark und das Gehirn angreift und daß sogar etliche starke Antibiotika die Sperre zwischen Blut und Gehirn nicht überwinden und die Bakterien deshalb nicht angreifen können. Das bedeutete, daß Knoblauch – oder zumindest etliche im Knoblauch enthaltene chemische Stoffe – durch das Blut oder die Rückenmarksflüssigkeit ins Gehirn wanderte und dort die Bakterien abtötete. Und im Gegensatz zu verschreibungspflichtigen Antibiotika hatte der Knoblauch keine schädlichen Nebenwirkungen.

Dr. Garagusi, der neugierig geworden war, schlug in der medizinischen Fachliteratur nach und stellte fest, daß Knoblauch früher ausgiebig bei der Behandlung von Tuberkulose verwendet worden war, die wie die Kryptokokken-Hirnhautentzündung eine Pilzinfektion ist. Bevor es vom Menschen entwickelte Antibiotika gab, war Knoblauch sogar das bevorzugte Mittel gegen Tbc. Um die Jahrhundertwende berichtete der leitende Arzt einer großen Tuberkulosestation in Dublin über erstaunliche Heilerfolge durch das Essen und Inhalieren von Knoblauch und das Einreiben der Brust mit Knoblauchsalbe. Etwa um diese Zeit verglich ein Arzt in New York fünfundfünfzig verschiedene Behandlungsmethoden von Tuberkulose miteinander und stellte fest, daß Knoblauch die beste sei.

Knoblauch tötet schädliche Bakterien und Pilze ab

Dr. Garagusi, der sich gründlich mit Medizingeschichte befaßt hatte, wußte außerdem, daß Knoblauch schon lange als magisches Allheilmittel galt. Den alten Ägyptern war er heilig. Plinius der Ältere, ein römischer Beamter und Naturhistoriker im 1. Jahrhundert nach Christus, empfahl Knoblauch als Mittel gegen nicht weniger als einundsechzig Krankheiten. Und in noch besserer Gesellschaft könnte man sich kaum wiederfinden: Selbst Louis Pasteur goß 1858 einen Klecks Knoblauch in eine Petrischale und berichtete, die Bakterien seien abgetötet worden.

Im Lauf der Jahre haben sich viele Forscher mit der Wirkung des Knoblauchs auf das Blut beschäftigt und nachgewiesen, daß er den Blutdruck senkt und Blutgerinnsel bekämpft. Dr. Garagusi wußte darüber hinaus, daß Forscher an der George Washington University am anderen Ende der Stadt im Knoblauch chemische Stoffe entdeckt hatten, die das Blut verdünnen. In der medizinischen Fachliteratur sind schon viele Berichte über das antibiotische Leistungsvermögen von Knoblauch aufgetaucht, das man vor allem dem Allizin zuschreibt, der Substanz, die den Geruch erzeugt. Das in letzter Zeit erwachte Interesse hat inzwischen Forscher zu dem Versuch bewogen, herauszubekommen, wie es eigentlich zu dem heilsamen Knoblaucheffekt kommt. Etliche von ihnen hoffen, die Wirkstoffe zu pharmazeutischen Medikamenten verarbeiten zu können.

Trotz alledem war das Experiment in Georgetown eine Sache für sich. Dr. Garagusi interessiert sich besonders für einen Typus pilzartiger Bakterien, die Mykobakterien genannt werden. Dieser Bakterientyp war im Labor noch nicht in ausreichendem Maß mit Knoblauch behandelt worden. Wer weiß? Vielleicht reagierte er anders auf die Todesdrohung durch den Knoblauch. Nur weil Knoblauch einer bestimmten Bakterienfamilie zusetzt, heißt das noch lange nicht, daß er auf andere genauso wirkt.

Garagusi und Delaha wußten außerdem, daß die Zerstörung des Menschen durch diese Pilzmikroben immer bedrohlicher wird. Tuberkulose nimmt in den Vereinigten Staaten zu und befällt oft Kranke, die an der Immunschwäche Aids leiden. Eine weitere opportunistische Infektion, die häufig Aids-Opfer niederstreckt, wird durch

Mykobakterium avium ausgelöst, einen Erreger, der früher nur bei Vögeln gefunden wurde. Pilzartige Infekte haben sich in den Vereinigten Staaten seit den letzten fünf, sechs Jahren verdoppelt, wenn nicht verdreifacht. Warum das so ist, weiß niemand, aber Garagusi und Delaha bekamen immer mehr mykobakteriell verseuchte Blutproben auf den Tisch. Wenn Knoblauch tatsächlich so wirkungsvoll gegen diese Art Bakterien war, wie es in dem chinesischen Bericht hieß, dann lohnte es sich auf alle Fälle, der Sache weiter nachzugehen. Dr. Garagusi wollte unbedingt herausfinden, wie die todbringenden Bakterien auf engen Kontakt mit Knoblauch im Labor reagieren würden.

Und so kam es, daß der Leiter des angesehenen Labors im Georgetown University Hospital in Washington, D.C., Knoblauch einkaufen ging.

Die Pointe der Geschichte kennen Sie schon. Der Killerinstinkt des Knoblauchs war zur Stelle. Delaha schälte zehn Knollen Knoblauch und pürierte sie in einem Mixer. Aus dem Knoblauchbrei gewann er den Wirkstoff, das Allizin, und nach etlichem chemischen Brimborium war der Knoblauchextrakt schließlich fertig. Delaha verteilte dreißig Untergruppen von siebzehn verschiedenen Arten Mykobakterien in sterile Petrischalen und fügte dann den Knoblauchextrakt in unterschiedlicher Konzentration hinzu. (Außerdem stand eine vergleichbare Anzahl von Petrischalen mit Bakterienkulturen bereit, die keinem Knoblauch ausgesetzt wurden.)

Die Forscher lehnten sich in den Stühlen zurück, um zu beobachten, ob die Bakterien wuchsen oder nicht. Die Kulturen ohne Knoblauch gediehen prächtig. Die anderen aber, die dem Knoblauch ausgesetzt waren, verfielen, starben ab und vermehrten sich nicht. Der Knoblauch richtete in jeder einzelnen Bakterienkultur verheerenden Schaden an, in unterschiedlichem Ausmaß, darunter auch bei jenen Bakterien, die Tuberkulose verursachen. Gegen die Tbc-Bakterien war er übrigens besonders wirkungsvoll (den Avium-Bakterien dagegen setzte er weit weniger zu).

Ein Pluspunkt also für die Volksmedizin und all die Ärzte von früher, die Knoblauch gegen Tuberkulose verwendeten.

Aber das reicht der modernen Wissenschaft nicht. Daß Nahrungsmittel biologische Wirkungen ausüben, ist für Wissenschaftler wie Dr. Garagusi überhaupt keine Frage. Das Problem ist vielmehr: *Wie* arbeiten sie eigentlich? Und wie stark ist ihre Wirkung?

Auf exakt welche Weise hat der Knoblauch seinen tödlichen Auftrag ausgeführt? Was genau ist den Bakterienzellen zugestoßen, damit sie nicht weiter wuchsen? Wie hat das Allizin, dieser stark riechende chemische Stoff, der freigesetzt wird, wenn man Knoblauch zerkleinert, den Mord bewerkstelligt – die gleiche Art von Tat, mit der es auch den bakteriellen Zellen in den Körpern und Gehirnen der Chinesen den Garaus machte, die an Meningitis litten?

Ah! Für Dr. Garagusi ist das die interessante Frage.

Vielleicht zerreißt der Knoblauch wie die üblichen Antibiotika die Zellwände der Mykobakterien oder greift in ihren Enzymhaushalt ein, so daß sie verhungern.

»Wenn wir das bloß wüßten«, meint Dr. Garagusi. »Das ist die große Frage, etwas, was wir unbedingt herausfinden müssen.«

Wie Dr. Garagusi stellen zahllose andere Ärzte und Wissenschaftler auf der ganzen Welt dieselben Fragen nach den heilenden und vorbeugenden Kräften in unserer Nahrung, und zwar aus Gründen, die im wesentlichen dieselben sind. Ja, der Hauptgrund dafür, Ihnen von der

Arbeit auf diesem Gebiet zu berichten, ist nicht etwa ihre Außergewöhnlichkeit, sondern das genaue Gegenteil.

In Garagusis Fall nimmt die Forschungsarbeit über Knoblauch nur einen Bruchteil seiner Zeit in Anspruch, die er zwischen die täglichen Pflichten als Leiter eines großen Laboratoriums für klinische Diagnostik hineinquetscht. Es geht dabei um eine Art wissenschaftliche »Schwarzarbeit« ohne eigenen Etat, die in der Freizeit eines Wissenschaftlers durchgeführt wird. Ähnliches spielt sich in vielen akademischen Einrichtungen ab. Gleichzeitig kurbeln die riesigen Regierungsmaschinerien in den Vereinigten Staaten wie in anderen Ländern die Suche nach wirksamen Heilstoffen in Lebensmitteln im großen Stil an.

Es ist ein gewaltiges Ereignis.

> Das Streben nach Wissen über die Lebensmittelapotheke ist kein belangloses Ereignis. Es beschäftigt etliche der besten wissenschaftlichen Köpfe der Welt.

Zurück in die Zukunft

Historisch gesehen ist dieser Ausspruch sinnvoll. Der neue wissenschaftliche Vorstoß rückt nach einem kurzen Zwischenspiel, in dem pharmazeutische Medikamente ein therapeutisches Monopol in der Medizin hatten, die Ernährung schlichtweg wieder an ihren herausragenden Platz. Der Flirt der Mediziner mit der Nahrung ist uralt. Rezepte auf Stein und Papyrus, die bis ins Jahr 4000 v. Chr. zurückgehen, nennen Lebensmittel als Medikamente für weitverbreitete Krankheiten. Der

Schon rund 400 Jahre v. Chr. wurden Nahrungsmittel als Arznei angesehen

Vater der modernen Medizin, Hippokrates, erklärte, Nahrung und Arznei seien unzertrennlich. Der große jüdische Arzt und Philosoph Maimonides aus dem 12. Jahrhundert nahm in seine Schrift über Asthma unter die Heilmittel auch Rezepte für Hühnersuppe auf (von denen einige heute wissenschaftlich bestätigt sind). Seit vierzig Jahrhunderten haben asiatische Kulturen zwischen Nahrung und Arznei keinen Unterschied gesehen. Es ist lehrreich und stimmt bescheiden, wenn man bedenkt, daß die heutige Tendenz zwischen Nahrung und Medikamenten einen scharfen Trennstrich zu ziehen, eine erstaunlich kurze Geschichte hat. Wie Dr. med. Irwin Ziment, Professor an der medizinischen Fakultät der University of California at Los Angeles (UCLA), feststellt: »Bis zur Entstehung der modernen Pharmaindustrie im neunzehnten Jahrhundert war die medikamentöse Verwendung von Nahrung immer wichtig.« Dr. Ziment, der Lebensmittel für äußerst effektive Medikamente hält, sieht jetzt eine Rückkehr zu der Vorstellung von Nahrung als Medizin.

Die Faszination der Lebensmittelapotheke macht sich, vor allem in den USA und anderen Bastionen der westlichen Medizin, aus mindestens drei Gründen bemerkbar: durch den Einfluß wissenschaftlicher Ideen aus anderen Kulturen, vor allem aus dem Fernen Osten, durch das Wiederaufleben der Begeisterung für natürliche Dinge (ganzheitliche Medizin, Biokost) und durch die verblüffenden wissenschaftlichen Fortschritte in der Erkenntnis, wie sich Ernährung auf Krankheiten auswirkt. Westliche Wissenschaftler sind dabei, herauszufinden, daß die alten Kulturen zahlreiche Wahrheiten kannten. In den letzten zehn bis fünfzehn Jahren hatte das Erbe anderer Länder, zum Beispiel Chinas, die Zeit, auf wesentliche Wissenschaftler abzufärben. Dementsprechend ist die Achtung vor der althergebrachten Medizin neu erwacht. Unbestreitbar sind Wissenschaftler vor allem in China, Japan, Thailand und Indien, aber auch in Rußland und Mitteleuropa, eher dazu bereit, die Schuld der Medizin den Kräutern und pflanzlichen Heilmitteln gegenüber anzuerkennen, und es ist ihnen nicht die Spur peinlich, Lebensmitteln therapeutische Kräfte zuzuschreiben oder etwa über die heilenden Tugenden des guten alten Tees Lobgesänge anzustimmen.

Ein Plädoyer für den Faktor im grünen Tee

Für viele hochkalibrige Wissenschaftler gilt es als selbstverständlich, daß alte Überlieferungen und moderne Wissenschaft sich bestens miteinander vertragen. Zum Beispiel veröffentlichten 1985 mehrere prominente Wissenschaftler vom japanischen Nationalinstitut für Genetik einen Aufsatz mit dem phantasievollen Titel »Ein Plädoyer für den Faktor im Grünen Tee«. Dort wurde in den höchsten Tönen ein aus japanischen grünen Teeblättern gewonnener Faktor, genannt »Epigallo-Catechin-Gallat« gelobt, der in Labortests als Gegenmittel gegen krebserzeugende chemische Stoffe wirkt. Eingebettet in den Artikel war ein Abschnitt, der auf die Tatsache hinwies, daß »grüner Tee in China seit viertausend Jahren als primitives Heilmittel angesehen wird«. Die Forscher hatten nichts an Berichten auszusetzen, nach denen grüner Tee Blutgefäße schützen, Krebs mildern und die Lebensdauer verlängern könne.

Der springende Punkt dabei ist nicht, ob Tee das alles tatsächlich bewirkt – obwohl erwiesen ist, daß Tee eine starke therapeutische Wirkung haben kann —, sondern daß sich hochrangige Wissenschaftler nicht mehr ge-

gen den Gedanken wehren, daß diese Wirkung überhaupt *möglich* ist.

> Ein großer Teil des neuen wissenschaftlichen Interesses an
> der Lebensmittelapotheke ist eng verbunden mit alter und
> gegenwärtiger Volksheilkunde.

Die sexuelle Signatur der Auster

Wenn alte Weisheiten mit modernen wissenschaftlichen Methoden untersucht werden, hält man manchmal den Atem an. Es gibt eine uralte Theorie, die Lehre
der Signaturen. Der Medizingeschichtler Dr. Benjamin
Lee Gordon schreibt darüber in seinem Buch *Medicine
Troughout Antiquity* (1949): »Diese Lehre war vermutlich
das erste therapeutische System in der Geschichte der
Medizin.« Übersetzungen medizinischer Schriften aus
dem 7. Jahrhundert v. Chr. zeigen, daß die Priesterärzte
im babylonisch-assyrischen Reich diese Lehre zu Rate
zogen, wenn sie Heilmittel verordneten. Die Einfach-
heit der Lehre ist bestechend. Ihr liegt der Gedanke zugrunde, daß es für jeden Teil des menschlichen Körpers
eine erkennbare Entsprechung – eine Art Signatur – in
der Welt der Natur gibt. Diese Vorstellung entspricht
dem alten Glauben, die »kleine Welt« des Menschen
oder des Mikrokosmos sei ein genaues Spiegelbild der
»größeren Welt« oder des Makrokosmos. Deshalb lasse
sich in der Natur für jeden Teil der menschlichen Anato-
mie ein Gegenstück finden.
Im Umgang mit der Krankheit besteht die Herausforde-
rung an den Menschen darin, daß er so klug sein muß,
dieses Gegenstück zu entdecken, mit dem er sich heilen
kann. »Um die Suche leichter zu machen«, schreibt Dr.

Gordon, »hat der Schöpfer alle Dinge gekennzeichnet, die der Menschheit von medizinischem Nutzen sind«, sie dem kranken Körperteil in Form, Farbe, Struktur oder auf andere symbolische Weise ähnlich gemacht. Das bedeutet, wer Gelbsucht hatte, wurde möglicherweise mit einer Mixtur behandelt, deren Basis aus ausgenommenen gelben Fröschen bestand. Rote Haut-

Viele Naturheilstoffe ähneln dem kranken Körperteil symbolisch

flecken erforderten möglicherweise Tierblut oder roten Fruchtsaft. Das Leberblümchen, dessen Blätter ähnlich wie eine Leber geformt sind, galt als Mittel gegen Leberkrankheiten. In der alten asiatischen Heilkunst war die Ginsengwurzel als »Stärkungsmittel für den ganzen Körper« bekannt, als Quelle der Vitalität und eines langen Lebens, weil sie oft einer menschlichen Gestalt ähnelt, mit Kopf, Rumpf, Armen und Beinen. Von allen Kräutern Chinas wird die Ginsengwurzel seit dem Altertum am höchsten als »Lebenselexier« gerühmt.

Wenden wir uns jetzt den Austern zu. Der Gedanke stammt übrigens von Dr. Harold Sandstead von der University of Texas. Austern gelten seit Jahrhunderten als Aphrodisiakum – als Schlüssel zu Potenz und Fruchtbarkeit. Wie kam es eigentlich dazu? Warum sollten Austern sexuell stimulieren? Dr. Sandstead, ein führender Experte auf dem Gebiet der Wirkung von Zink, sagte, er habe darüber nie besonders viel nachgedacht, aber die logische Erklärung sei ihm plötzlich eingefallen: »Vermutlich, weil sie wie menschliche Hoden aussehen.«

Das wäre das Ende der Geschichte, abgesehen von der Tatsache, daß Austern das konzentrierteste Zinkpaket der Natur sind. Sie sind bei weitem zinkhaltiger als jedes andere Nahrungsmittel. Hundert Gramm rohe Austern enthalten siebzig Milligramm Zink, während dieselbe Menge Rinderleber, ebenfalls ein konzentrierter Zinklieferant, nur 3,3 Milligramm enthält. Fachleute meinen, es sei schwierig, genug Zink zu bekommen, wenn man keine Austern esse.

Und was passiert männlichen Wesen, die nicht genug Zink zu sich nehmen? Sie werden nicht geschlechtsreif; ihre Keimdrüsen schrumpfen. Außerdem produzieren normal entwickelte Männer mit Zinkmangel nicht genug Testosteron und Sperma und können dadurch unfruchtbar oder impotent werden. Dr. Ananda A. Prasad, ein Forscher an der Wayne State University in Detroit und eine führende Autorität zum Thema Zink, ist der Meinung, daß schon ein leichter Zinkmangel zu einem dramatischen Rückgang in der Produktion von Testosteron und Sperma führen und Unfruchtbarkeit bewirken kann. Bei einem anderen Forschungsprojekt wurde eine Gruppe von impotenten Männern fast sofort, nachdem sie mehr Zink bekommen hatten, sexuell wieder aktiv. Aphrodisiakum? Lehre der Signaturen? Zufall?

Austern sind das zinkhaltigste Nahrungsmittel – Zinkmangel kann bei Männern zu Impotenz und Unfruchtbarkeit führen

Wenn die Vorstellung dem modernen westlichen Denken auch als haarsträubend primitiv erscheinen mag – es läßt sich trotzdem nicht leugnen, daß Männer, die der Lehre der Signaturen gefolgt sind, tatsächlich seit Tausenden von Jahren Zink geschluckt und damit ihre Chancen zu sexueller Befriedigung und Zeugungsfähigkeit wesentlich verbessert haben.

Und doch bleibt Volksglaube in den Augen der Moderne eben das, als was es gemeinhin gilt – Aberglaube, Torheit, unhaltbar —, solange niemand eine plausible Erklärung dafür findet, warum er möglicherweise zu Recht besteht. Es reicht nicht aus, wenn Dr. Garagusi den starken Verdacht hegt oder auch etlichen der größten Ärzte der Geschichte darin zustimmt, daß Knoblauch Infektionen bekämpft. Ohne Erkenntnisse darüber, wie Nahrung im Körper auf der elementaren Ebene der Zelle selbst arbeitet, werden die Auswirkungen stets nebulös erscheinen mit einer Anmutung von Zauberei. Erst die Einarbeitung von Theorien und eine Sammlung sie unterstützender Fakten heben diese Überlegungen über den Bereich der Volksmedizin und der Quacksalberei hinaus.

> Das gegenwärtige Wissen über Nahrung unterscheidet sich von der alten Überlieferung durch Erkenntnis über die Vorgänge, wie Nahrung die menschliche Physiologie beeinflußt.

Das Pflanzeneldorado

Eine Industrie mit weltweit etwa 46 Milliarden Dollar Umsatz im Jahr hat erfolgreich für ein Bindeglied zwischen Überlieferung und seriöser biologischer Wissenschaft gesorgt: die Pharmaindustrie. Die Entdeckung und Entwicklung neuer, einträglicher Medikamente, die auf Pflanzen basieren, bestätigen, daß die Volksmedizin wahrlich kein reiner Mumpitz ist.

Viele unserer am weitesten verbreiteten Medikamente stammen aus Pflanzen. Ein Studiengebiet der Pharmazie, die Pharmakognosie, befaßt sich mit der Erforschung von Naturprodukten. Wissenschaftler untersuchen die gegenwärtige und historische Verwendung von Pflanzen in der Volksmedizin von Ländern wie China, Afrika und Südamerika. Sobald sie auf Anhaltspunkte für einen konkreten Effekt stoßen, versuchen sie, die entsprechenden chemischen Wirkstoffe herauszufinden und zu isolieren. Manchmal kopieren sie dann die Molekularstruktur und stellen eine synthetische Version des Originalstoffs her; in konzentrierter Form gelangt sie als pharmazeutisches Medikament auf den Markt.

Dr. Norman Farnsworth kann Ihnen über dieses Thema alles erzählen, was Sie wissen wollen. Es ist sein Lebenswerk. Er leitet das vergleichende Forschungsprogramm für pharmazeutische Wissenschaft am College of Pharmacy im Health Sciences Center an der University of Illinois in Chicago. Er hat eine Datenbank namens Napralert aufgebaut, in der etwa 50 000 wissenschaftliche Verweise auf Nahrung und die in ihr enthaltenen chemischen Wirkstoffe gespeichert sind.

Oh, doch, die Volksmedizin hat oft recht, ist sein Kommentar. Das werde durch die Tatsache bewiesen, daß etwa 25 Prozent aller verschreibungspflichtigen Medikamente, die auf der Welt verwendet werden, Derivate pflanzlicher Substanzen sind, sagt er. Er hat diese 140 natürlichen Wirkstoffe, die aus 90 Pflanzenarten gewonnen worden sind, untersucht und dabei festgestellt, daß ein Zusammenhang zu den Heilmitteln der Volksmedizin existiert. In 74 Prozent der Fälle wird der konzentrierte Wirkstoff zur Behandlung derselben Krankheit eingesetzt, zu deren Heilung die entsprechende Pflanze in der Volksmedizin als geeignet geachtet wurde.

25 % der verschreibungspflichtigen Medikamente basieren auf Pflanzenwirkstoffen

Wir verdanken den Pflanzen ungeheuer viel. Im sechzehnten Jahrhundert zwang die Wissenschaft zum ersten Mal einer Pflanze einen chemischen Stoff ab, die Benzoesäure. 1904 schenkte uns der Schlafmohn das Morphin. Danach kam die Pflanzenpharmakologie in Schwung. Heute verläßt sich die westliche Medizin auf die den Pflanzen geklauten Baupläne, um so weitverbreitete Stoffe herzustellen wie Acetyldigoxin, Allantoin, Bromelain, Chinin, Digitoxin, Kodein, L-Dopa, Leurocristin, Papain, Physostigmin, Pseudoephedrin, Reserpin, Scopolamin, Strychnin, Theophyllin und Xanthotoxin. Dabei sind weniger wichtige pflanzliche Medikamente wie zum Beispiel Kampfer, Menthol und Capsaicin oder die frei über den Ladentisch verkäuflichen Mittel, die auf Auszügen aus Pflanzenprodukten beruhen, wie Abführmittel aus Dörrpflaumen, noch nicht einmal berücksichtigt.

Bis heute ist nur eine dürftige Menge (5 bis 10 Prozent) der 250 000 Pflanzengattungen unseres Planeten untersucht worden, berichtet Dr. Farnsworth. »Und nachdem wir bisher nur neunzig Gattungen so viele gute Substanzen abgewonnen haben, können Sie sicher sein, daß da draußen ein reicher, unerforschter Schatz wartet.«

Es besteht kein Zweifel daran, daß Pflanzen – also auch die pflanzlichen Bestandteile unserer Ernährung – pharmakologische Wirkungen ausüben. Das wird durch die Tatsache bewiesen, daß wir ihre Wirkstoffe zu Medikamenten verarbeiten.

Die komplizierte Erbse

Des öfteren passiert allerdings etwas Seltsames, wenn man der Apotheke der Natur einen reinen chemischen Stoff abgewinnt. Er hat nicht dieselbe pharmakologische Kraft wie der ursprüngliche Pflanzenextrakt. Ein Extrakt ist einfach das Konzentrat eines bestimmten Pflanzenteils, wobei die gesamte chemische Zusammensetzung noch intakt ist. Nehmen wir einmal an, Sie vermuten, Erbsen seien ein Empfängnisverhütungsmittel für Männer. (Dafür gibt es Beweise.) Sie isolieren aus

Erbsen einen chemischen Stoff, der offenbar Spermien unterdrückt. Aber bei Versuchen wirkt die einzelne Substanz nicht annähernd so sterilisierend, als wenn man Tiere mit ganzen Erbsen füttert. Oder, wie Dr. Farnsworth sagt: »Nehmen wir mal an, Sie stellen einen Auszug aus einer Pflanze her, die von den Menschen zur Heilung von Schlaflosigkeit verwendet wird. Vom Rohextrakt schlafen die Versuchstiere ein. Sie isolieren zehn Wirkstoffe; fünf davon könnten einem Tier oder einem Menschen zum Schlaf verhelfen; fünf könnten sie wach halten. Alles hängt davon ab, wieviel von jedem Wirkstoff in der Pflanze enthalten war – je

Viele Substanzen entfalten ihre Wirkung nur in Verbindung mit anderen Stoffen

nachdem schlafen Sie ein oder bleiben wach – und wie die Stoffe zusammenwirken.«

Dr. Walter Mertz sagt dasselbe über Vitamine und Minerale. Man kann Nährstoffe vermischen, um ein Lebensmittel zu simulieren, aber das funktioniert einfach nicht: »Wir wissen, wieviel Zink in der Muttermilch enthalten ist, durch die ein Baby prächtig gedeiht. Jetzt statten wir synthetische Kindernahrung mit derselben Menge Zink aus und müssen feststellen, daß das Baby nicht wächst. Die Mixtur ist identisch, denn das wichtigste Kriterium für Babynahrung besteht darin, daß sie der Muttermilch so ähnlich wie möglich ist. Und trotzdem funktioniert das Zink nicht. In der Muttermilch ist etwas anderes enthalten, das für die Wirkung des Zinks sorgt. Wir wissen nicht, was es ist.«

Auch Zitrusfrüchte kann man nicht nur nach ihrem Gehalt an Vitamin C messen. 1985 berichteten kanadische Forscher über eine gründliche Untersuchung von Patienten mit Magenkrebs. Sie stellten fest, daß regelmäßige Vitamin-C-Einnahme (1000 Milligramm pro Tag) zur Verhütung von Magenkrebs beitrug, daß aber schon ein

Deziliter Orangensaft am Tag (mit einem Anteil von nur 37 Milligramm Vitamin C) die Wahrscheinlichkeit von Magenkrebs *doppelt* so stark herabsetzte!

Und die Ballaststoffe. Man kann Pektin aus Äpfeln extrahieren und es Tieren zur Senkung ihres Serumcholesterinspiegels ins Futter geben. Aber das funktioniert nicht annähernd so gut wie das Fruchtfleisch selbst. Und Bohnen. Je nachdem, ob man Bohnen oder den klebrigen Ballaststoffanteil von Bohnen ißt, fällt die Stoffwechselreaktion im Verdauungstrakt völlig unterschiedlich aus. Selbst die Form der Nahrung spielt eine Rolle. Grobgemahlene Kleie wirkt auf den Körper anders als feingemahlene. Und nahezu identische Nährmittel wirken sich nach der Verarbeitung zu Pasta und Brot völlig verschieden auf den Blutzucker und das Insulin aus. Die Forscher halten das für erstaunlich und unerklärlich.

Die chemische Mischung der menschlichen Nahrung ist auf wunderbare Weise vielschichtiger und unergründlicher als eine Zusammenstellung bekannter Nährstoffe und Verbindungen aus ihnen. Den größten Teil seiner Zeit in den Human Nutrition Laboratories des amerikanischen Landwirtschaftsministeriums verbringt Dr. Metz damit, die Untersuchung einzelner Nährstoffe voranzutreiben. Es sei aber unsinnig, davon ist er überzeugt, sich auf Kosten vollständiger Nahrungsmittel auf einzelne Nährstoffe zu verlassen. Leuten, die glauben, sie könnten ihre schlechte Ernährung durch das Einnehmen von Vitaminen, Mineralstoffen und Spurenelementen in Ordnung bringen, sei nicht bewußt, daß sie damit die Vielschichtigkeit des Universums beleidigen: Jedes Nahrungsmittel ist eine riesige chemische Fabrik, die mit zehntausend oder mehr Elementen arbeitet.

Etwa während der erste Hälfte des Jahrhunderts mach-

Jedes Nahrungsmittel ist eine chemische Fabrik

ten die Wissenschaftler einen Bogen um Nahrungsmittel als solche und untersuchten statt dessen die in ihnen enthaltenen einzelnen Nährstoffe. Jetzt geht der Trend in die umgekehrte Richtung: Die Nahrung selbst rückt statt der Nährstoffe in den Mittelpunkt der Aufmerksamkeit.

»Die ausschließliche Beschäftigung mit einzelnen Nährstoffen ist nicht nur unwissenschaftlich, sondern möglicherweise auch gefährlich«, sagt Dr. Mertz. »Nahrungsmittel sind mehr als die Quellen der inzwischen bekannten Nährstoffe. Uns wird allmählich klar, daß selbst Nahrungsmittel, die in der Zusammensetzung ihrer Nährstoffe fast identisch sind, ganz unterschiedliche Auswirkungen auf die Gesundheit haben können.«

Er erkennt außerdem an, daß in etlichen alten Geschichten wissenschaftliche Weisheit zu entdecken ist. In der Juliausgabe von 1984 des *Journal of the American Dietetic Association* schrieb er: »Der uralte Glaube, daß Knoblauch und Zwiebeln gut für das Kreislaufsystem seien, wird gestützt durch moderne Experimente, die zeigen, daß Extrakte aus diesen Quellen hypocholesterinämische (cholesterinsenkende) und antikoagulatorische (blutgerinnungshemmende) Wirkung haben. Der unbewiesene Zusammenhang zwischen dem Verzehr von Joghurt und einem langen Leben erscheint auf der Basis von Tierversuchen in jüngster Zeit plausibel, bei denen an Tieren, die mit Joghurt gefüttert wurden, eine erhöhte Infektionsabwehr nachgewiesen wurde.«

Sollten wir also der alten Nahrungsheilkunde wirklich unsere Aufmerksamkeit zuwenden?

»Ja. Ich glaube, daß wir aus uralten Erfahrungen, die mit der Tradition an uns weitergegeben worden sind, zwischen guten und schlechten Auswirkungen verschiedener Nahrungsmittel zu unterscheiden gelernt haben.

Dieses Wissen ist kostbar und muß ernstgenommen werden. Was uns unsere Großmutter erzählte, ist weit mehr als ein Märchen, das eine alte Frau überliefert. Es ist ein Destillat jahrhundertealter Weisheit, weitergegeben von Generation zu Generation. Wir stehen noch am Anfang, was ihr wissenschaftliches Verständnis anlangt.«

Dr. Mertz stimmt zu, daß es notwendig ist, Nahrungsmittel in einzelne Nährstoffe zu zerlegen, damit ihr Stoffwechsel, ihre gesundheitliche Wirkung untersucht werden können. Aber er warnt: »Diese Methode bringt das Risiko mit sich, unvollständiges Wissen über einzelne Nährstoffe an die Stelle der Lektionen zu setzen, die wir aus unseren historischen Erfahrungen mit Nahrungsmitteln gelernt haben.« Und genau auf diese Lektionen setzt er.

> Wissenschaftler, die in der Nahrung früher nur Zusammenstellungen einzelner Nährstoffe sahen, arbeiten jetzt mit Nachdruck an der Erforschung der weiter reichenden pharmakologischen Vielschichtigkeit von Nahrungsmitteln.

Nicht nur Vitamine und Mineralstoffe

Es reicht nicht mehr aus zu wissen, wieviel Eiweiß, Fett, Kohlehydrate, Vitamine und Minerale in Nahrungsmitteln enthalten sind. Jetzt sind »Nahrungsfaktoren, X-Faktoren, Lebensmittelverbindungen, Begleitstoffe, Antimutagene, Antikarzinogene und winzige Bestandteile der Ernährung« hinzugekommen. Unter den Händen des Chemikers lösen sich die vielschichtigen Rätsel pflanzlichen und tierischen Lebens so gewiß, wie sich in den Labors von Watson und Crick die Geheimnisse des

Lebens enthüllten. Die Suche nach der Zusammensetzung von Nahrungsmitteln führt dazu, daß neue Geheimnisse über Leben und Gesundheit auftauchen. Das ist vielleicht nicht so romantisch wie die Entdeckung der Doppelhelix, könnte aber für die Gesundheit und ein langes Leben genauso wichtig sein.

Diese neuentdeckten Verbindungen in Nahrungsmitteln unterscheiden sich von den Nährstoffen; die meisten haben überhaupt keinen Nährwert; nur selten, wie zum Beispiel beim Betakarotin, erzielen sie sowohl nährende wie auch medikamentöse Wirkungen. Im allgemeinen sind sie in winzigen Mengen vorhanden. Trotz **Die Heilstoffe der** ihres eindeutigen physiologischen Ef- **Nahrung wirken vor** fekts sind sie vermutlich nicht lebensnot- **allem Zellschädigun-** wendig; ohne sie ist man nicht gleich **gen entgegen** dem Verderben preisgegeben. Niemand ist je an Allizinmangel gestorben, nur weil er keinen Knoblauch aß. Aber diese geheimnisvollen Verbindungen in der Nahrung können auf subtile und radikale Weise Einfluß nehmen auf physiologische Mechanismen, die der Schlüssel zu einem längeren Leben und optimaler Gesundheit sind. Manche heilen möglicherweise tatsächlich auch Krankheiten, aber in erster Linie wird von ihnen angenommen, daß sie der langen, hartnäckigen Zersetzung des Körpergewebes vorbeugen, die schließlich zu chronischen Krankheiten führt wie Krebs, Herzkrankheiten, Arthritis, Diabetes und Störungen im Verdauungssystem und im neurologischen Bereich – zu den größten und am wenigsten heilbaren Bedrohungen unserer Gesundheit. Im Gegensatz zu den auf ein einziges Ziel gerichteten modernen Medikamenten ist es bei den Heilstoffen in der Nahrung wahrscheinlicher, daß sie ein Leben lang der wachsenden

Zellschädigung entgegenwirken, die wir Krankheit nennen.

In dem beliebigen Augenblick spielt sich in unseren Zellen ein Krieg ab, der mit chemisch-biologischen Waffen ausgefochten wird. Krankheit ist im wesentlichen eine Ansammlung von Störungen in den Zellen, eine Zusammenballung zellularer Ereignisse, die schließlich den ganzen Körper betreffen. Obwohl man die Krankheit nicht erkennen kann, bevor die Symptome sichtbar werden, tauchen die Symptome nur auf, weil eine entsprechende Anzahl von Zellen den Kampf gegen die bösen Mächte verloren hat. Ob Ihre Gesundheit sich bessert, erhalten bleibt oder Schaden nimmt, hängt von dem ständigen Machtkampf in den einzelnen Zellen ab. Pharmakologisch wirksame chemische Stoffe in der Nahrung können die einzelnen Zellen schützen, indem sie dem Feind den biologischen Weg abschneiden. Ob sie gerade Infektionen abwehren, Arthritis, Krebs, Herzkrankheiten, Diabetes oder Magengeschwüre oder ob sie gegen Depression und Erschöpfung ankämpfen, sie tragen diese Schlacht auf unsichtbaren Schauplätzen aus, durch winzige Gefechte auf der Ebene einzelner Zellen. Wie gut ihnen das gelingt, hängt von unergründlichen biologischen Aktivitäten ab.

> Die Wissenschaftler sind der Erkenntnis auf der Spur, wie Nahrung und ihre chemischen Stoffe Krankheiten auf der Zellebene beeinflussen können.

Neue Theorien über die Macht der Nahrung

Möglich wurde diese Betrachtungsweise von Nahrung zum einen durch die technologische Fähigkeit, che-

misch bedeutsame Nahrungssubstanzen in winzigen
Mengen aufzuspüren und ihre biologische Wirksamkeit
zu testen, zum anderen durch neue Erkenntnisse über
die grundlegenden Mechanismen, die diese chemischen Stoffe zur Bekämpfung von Krankheiten befähi-
gen. Die Wissenschaft kann nur das erkennen, was die
technologischen Möglichkeiten sichtbar machen. Viele
der neuen Entdeckungen über die Wirkungsweise von
Nahrungsmitteln waren erst in den letzten Jahren möglich. Ein bestimmtes Instrument zur Chromatographie
arbeit so genau, daß der Erfinder darüber sagte: »Wenn
Sie einen Zuckerwürfel in ein Reservoir fallen ließen,
könnte ich Ihnen nach der Analyse von ein paar Tropfen
Wasser genau sagen, welche chemischen Stoffe in welchen Mengen in dem Würfel enthalten waren.« Das bedeutet, daß buchstäblich jede Substanz in der Nahrung
gemessen werden kann, auch in winzigen Mengen. Wissenschaftler können außerdem verfolgen, wie chemische Stoffe durch den Körper strömen, die grundlegenden Mechanismen des Lebens analysieren, zum Beispiel
die Aktivität der Enzyme. So lassen sich die antibiotischen und antikarzinogenen Aktivitäten chemischer
Stoffe heute viel schneller untersuchen, als das noch vor
nicht allzu langer Zeit möglich war.
Gleichzeitig decken die Fortschritte bei der Erkenntnis
der Mechanismen, die den Krankheiten zugrunde liegen, die grandiosen Möglichkeiten auf, wie man die zerstörerischen Zellaktivitäten in den Griff bekommen
könnte. Wissenschaftler, die diese Tiefen der Theorie erforschen, erleben Überraschungen à la Jules Verne. Das
ist, als ob man die Welt von Dr. Seuss, dem beliebten
Kinderbuchautor, beträte oder durch die Fabelwelt einer
Geisterbahn führe, wo bei jeder Biegung ein unbekann-
tes Geschöpf auftaucht. Im grenzenlosen Land der me-

dizinischen Hypothesen fliegen die Theorien frei umher, stoßen zusammen, vereinigen sich, bleiben aneinander kleben und bilden seltsame Verbindungen, bevor sie wieder weiterschweben – und all das in dem Bemühen, die Ursachen, Zusammenhänge und damit auch mögliche Heilmittel menschlicher Krankheiten zu entdecken.

Sowohl die Pharmaforschung als auch das aufblühende Feld der Nahrungspharmakologie bemühen sich darum, diese kaleidoskopischen Einblicke in den ständigen Kampf des menschlichen Körpers gegen die Krankheit einzufangen und sich auf sie einzustellen. Zum Beispiel ist jetzt bekannt, daß ein großer Teil der Zellaktivität durch Rezeptoren in der Zellmembran reguliert wird. Sie können sich diese Rezeptoren als eine perfekt gebaute Anlegerstelle vorstellen, an der andere Moleküle und Zellen festmachen und eine vollkommene geometrische Einheit bilden – wie ein Rubrikwürfel, der richtig arrangiert wird, oder ein Raumschiff, das an eine Raumstation ankoppelt. Die Rezeptoren nehmen nur biologische Anleger auf, deren Koppelmechanismus paßt. Wie genau er paßt, entscheidet darüber, wie fest die Koppelung sitzt und wie gut die Beteiligten dementsprechend ihrem Vorhaben gerecht werden können: einer biochemischen Wechselwirkung.

Myriaden von molekularen und zellularen Reaktionen hängen davon ab, daß diese Rezeptoren vorhanden, zugänglich und effektiv sind, und das wiederum entscheidet über Ihren Gesundheitszustand. Die Natur hat diese Rezeptoren nicht für die Bequemlichkeit von Mikroben geschaffen, sondern damit Hormone, Enzyme und andere lebenswichtige Substanzen mit den Zellen in Verbindung treten können. Aber in den Äonen der Evoluti-

Die Rezeptoren: Schaltstellen der Zellaktivitäten

on haben schlaue Bakterien und Viren ebenfalls Koppelmechanismen entwickelt, so daß auch sie über die Rezeptoren mit den Zellen in Verbindung treten können. Ohne eine solche Ankoppelung können weder Bakterien die Zellwände durchbrechen noch Viren gesunde Zellen einnehmen und besetzen in einem Ritual von Zerstörung und Selbstvermehrung.

Enzyme, jene Katalysatoren, ohne die chemische Reaktionen nicht stattfinden, müssen ebenfalls an den Rezeptoren ankoppeln, damit sie die erforderlichen physiologischen Aktionen auslösen können. Wenn Ihre Leberzellen zu wenige oder schlecht funktionierende Rezeptoren haben, die das »bösartige« LDL-Cholesterin (Lipoprotein-Cholesterin geringer Dichte) aus dem Blut saugen, wandern überschüssige Mengen von Cholesterinklümpchen durch den Blutkreislauf, bis sie sich an den Arterienwänden festsetzen und damit das Herzkrankheitsrisiko steigern. Ihre Untersuchung der Bedeutung der Rezeptoren für den Cholesterinstoffwechsel im Blut hat Dr. Michael S. Brown und Dr. Joseph L. Goldstein von der University of Texas 1985 den Nobelpreis für Medizin eingetragen.

Offenbar wirkt sich alles, was das Ankoppeln an die Rezeptoren beeinträchtigt oder fördert, auf die biologischen Abläufe aus. Nehmen wir einmal an, man könnte eine »Rezeptorblockade« aufbauen, ein Hindernis zwischen Rezeptoren und Koppelmechanismen, damit die beiden nicht zusammenkommen können. Das ist ein Plan, mit dem sich die Pharmafirmen ausgiebig beschäftigen, um wirkungsvollere Medikamente zu schaffen, vor allem Mittel gegen die hartnäckigen zweihundert oder mehr Arten von Erkältungsviren. Wenn man einen Stoff finden

Ziel der Forschung ist, wirkungsvolle Medikamente zu finden, die das Andocken schädlicher Viren und Bakterien an die Zellrezeptoren verhindern

könnte, der den Zugang zu den Rezeptoren blockiert, könnte man verhindern, daß die Mikroben gesunde Zellen befallen und zerstören. Oder man könnte Köder in das System einschleusen. Manche Substanzen, darunter auch solche in Nahrungsmitteln, verfügen über Rezeptoren, die denen der menschlichen Zellen so ähnlich sind, daß sie die Mikroben dazu überlisten können, sich an sie anzukoppeln statt an die anfälligen Zellen. Dann tragen sie die Mikroben aus dem Körper hinaus, ohne daß Schaden entsteht.

Die Wissenschaftler machen in immer stärkerem Maß Entdeckungen darüber, wie und warum das Blut fließt; sie analysieren die komplizierten Mechanismen der Gerinnselbildung, zu denen die Wirkungsweise der Blutplättchen (Thrombozyten) gehört, die nur fünf bis zehn Tage leben, ebenso wie den Auflösungsprozeß der Gerinnsel (die Fibrinolyse), der ständig vor sich geht. Wenn man in verschiedenen Stadien der Gerinnungsneigung des Blutes entgegenwirkt, kann das die Anfälligkeit für Herzkrankheiten und Schlaganfälle stark herabsetzen. Forscher haben herausgefunden, daß etliche Viren und Karzinogene, denen wir alle ausgesetzt sind, im menschlichen Körper aktiviert oder belebt werden müssen, ehe sie Schaden anrichten können. Die Störung dieser Aktivierung durch Substanzen in Lebensmitteln eröffnet aufregende Möglichkeiten für die Bekämpfung sowohl akuter als auch chronischer Krankheiten. Enzyme können mittels Substanzen, darunter auch solche in Nahrungsmitteln, unterdrückt oder stimuliert werden und dadurch zur Manipulation von biologischen Abläufen jeder Art beitragen.

Innerhalb der letzten Jahre hat die Medizin mit der Erkenntnis des ungeheuren Leistungsvermögens bestimmter Körperhormone, der Prostaglandine, einen großen Sprung nach vorn gemacht. Oft sind die Prostaglandine hinter den Kulissen für ein verblüffendes Konglomerat biochemischer Prozesse verantwortlich. Sie können unter anderem Schmerzen, Entzündungen, Hautkrankheiten verursachen, träges Blut und Unfruchtbarkeit. Andere Prostaglandine wiederum vermögen den Magen vor schädlichen chemischen Stoffen und vor anderen Störungen des Verdauungstrakts zu schützen. Alles, was die Aktivität der Prostaglandine reguliert – und eine Reihe von Nahrungsmitteln sind dazu in der Lage –, hat weitreichende Auswirkungen auf Ihren Gesundheitszustand. Außerdem haben aufregende Entdeckungen gezeigt, daß chemische Nahrungssubstanzen in das Gehirn vordringen und dadurch, daß sie die Neurotransmitter zum Narren halten, Ihre geistige und seelische Verfassung beeinflussen.

Mit die frappierendsten Theorien in dieser Unterabteilung medizinischer Phantasie gehen davon aus, daß es für grundverschiedene Krankheiten gemeinsame Ursachen gibt, so daß dieselben Nahrungsmittel unterschiedliche Erkrankungen bekämpfen können. Es scheint eine seltsame Verbindung, vielleicht sogar eine gemeinsame Basis von Krankheiten zu geben, die völlig unterschiedlich wirken. Forscher am New York University Medical Center haben Beweise dafür gefunden, daß Herzkrankheiten möglicherweise eine andere Form von Krebs sind oder daß beide Krankheiten zumindest in den Arterien nebeneinander existieren. Dr. Arthur Penn von der New York University und Forscher anderswo haben in sklerotischem Gewebe, das Patienten bei Bypass-Operationen entnommen wurde, Krebsaktivitäten festgestellt. Tumorinfiltrationen in den Arterien begünstigen möglicherweise die Ablagerung von Cholesterin an

Verschiedene Krankheiten können eine gemeinsame Ursache haben

den Wänden und die Entstehung von verhärteten, unelastischen, mit Blutgerinnseln besetzten Arterien, wie sie für Arteriosklerose typisch sind. Eine weitere Hypothese: Möglicherweise schädigt der hohe Insulingehalt im Blutkreislauf von Diabetikern die Arterienwände, was zur Erklärung dafür beitragen würde, warum so viele Diabetiker an Herz- und Gefäßkrankheiten leiden. Außerdem gibt es die Theorie, daß eine besonders aktive Gruppe von Enzymen im Körper, Proteasen genannt, möglicherweise Mechanismen bewirken, die Krebs und Krankheitserreger verschiedener Art aktivieren. Hemmstoffe in Nahrungsmitteln könnten die Proteasen ausschalten.

Viren stehen in dem Verdacht, ein Bindeglied zwischen einer Vielzahl von Krankheiten mit völlig verschiedenen Symptomen darzustellen. Obwohl wir im allgemeinen die Viren für die bösen Buben bei akuten Infektionskrankheiten halten, wie etwa Erkältungen, Grippe und Windpocken, spielen sie in Wahrheit auch eine Rolle bei vielen chronischen Krankheiten, darunter Krebs, Arteriosklerose, Arthritis, und begünstigen Autoimmunkrankheiten wie insulinabhängiger Diabetes, Schmetterlingsflechte, multiple Sklerose und Myasthenia gravis. Es ist vermutet worden, daß Viren dazu beitragen könnten, das Immunsystem außer Kraft zu setzen oder Krankheitsfaktoren zu aktivieren, die sonst unwirksam geblieben wären. Bestimmte Bestandteile in Nahrungsmitteln aber vermögen die Immunität zu stärken.

Eine hervorstechende Theorie besagt, das Altern des Körpers, seine Anfälligkeit für Krebs, Herz- und Gefäßkrankheiten und andere chronische Leiden werde zum Teil durch die Freisetzung geladener Partikel verursacht, die sowohl die Zellen wie ihren genetischen Schlüssel, die DNS, zerstören. Diese freien Radikale rasen durch den Körper, wie der Medizinjournalist Larry Thompson in der *Washington Post* schrieb, »wie wahnsinnige Autofahrer. Sie rasen ziellos in den Zellen herum und beschädigen jedes Molekül schwer, auf das sie treffen. Radikale können die Enzyme lahmlegen, die Hormone und andere Proteine und die Fette in den Zellmembranen.« Die freien Radikale greifen den Körper ständig an, verursachen lebenslange Schäden in Zellen und Organen und sorgen für den körperlichen Verfall, den wir Altern nennen.

Man vermuet, daß viele Erkrankungen durch geladene Partikel, die freien Radikale, ausgelöst werden, da diese schwere Zellschäden verursachen können

Diese verheerenden freien Radikale werden jedoch von Antioxidantien gebremst, chemischen Aasgeiern, die ebenfalls den Körper durchstreifen und die Angreifer jagen. Der Körper kann selbst Stoffe zur Oxidoreduktase produzieren, und viele Nahrungsmittel enthalten ebenfalls Antioxidantien, die Zellen vor der Zerstörung und den zu Krebs führenden anomalen Veränderungen schützen.

Phantastische Entdeckungen sowohl über die Mechanismen, die Krankheiten zugrunde liegen, als auch über die medikamentöse Wirksamkeit von Nahrungsmitteln verleihen zusammengenommen der Lebensmittelapotheke neue Gültigkeit und neues Leben.

Die glücklichen Vegetarier

Zum Teil liegt es an solchen wissenschaftlichen Erkenntnissen, daß die gesundheitlichen Aspekte der Nahrung jetzt eher positiv als negativ gesehen werden; bald wird der Nachdruck eindeutig auf dem Positiven liegen. Wissenschaftler, die ihre Testes im Labor eben erfolgreich abgeschlossen haben, sind Zeugen der Tatsache, daß die Nahrung, auch wenn sie zu schrecklichen Krankheiten führen kann (zum Beispiel zu Herzinfarkten durch zuviel Fett), gleichermaßen lindernd und vorbeugend wirken kann. Es gibt böse Buben in der Ernährung, aber auch rettende Engel. Sich deren Kräfte zunutze zu machen wird jetzt zu einer akzeptierten Methode, die vorhersehbaren schlimmen Auswirkungen falscher Ernährung zu bekämpfen. Wir sind den Schurken nicht mehr einfach ausgeliefert. Wir lernen, wie wir diese inneren Zellgefechte besser dirigieren können, und sind dabei, uns wenigstens zum Teil von der Tyrannei chronischer Krankheit zu befreien.

Viele Experten sind überzeugt davon, daß bestimmte Nahrungsmittel die schädlichen Wirkungen anderer Nahrungsmittel und unverträglicher Substanzen ausgleichen und zum Teil auch als Gegengift gegen unsere gefährliche Umwelt und Lebensweise *Schädliche Nahrungsmittel können* wirken können. Zum Beispiel ist bekannt, *durch gesunde neu-* daß viele Nahrungsmittel Mutagene ent- *tralisiert werden* halten, die zu Krebs führende Zellschäden verursachen können. Aber vor kurzem haben ausführliche Tests, vor allem von japanischen Wissenschaftlern, gezeigt, daß Nahrungsmittel ebenso voller Antimutagene sind, mit denen sich die Krebsbedrohung neutralisieren läßt. Japanischen Untersuchungen zufolge unterdrückt Brokkoli, grüner Pfeffer, Ananas, Schalotten, Äpfel, Ingwer, Kohl und Auberginen allesamt »erstaunlich wirkungsvoll« krebserzeugende Zellmutationen. Blumenkohl, Trauben, Süßkartoffel und Rettich waren »in Maßen wirkungsvoll«. Durch Glück und günstige Umstände sind viele Menschen jetzt schon Nutznießer solchen »pharmakologischen Spürsinns.«

Nirgends läßt sich das besser veranschaulichen als bei den Vegetariern. Bei ihnen sind die Quoten von Krebs, Herzkrankheiten, Schlaganfällen und einer Reihe weiterer chronischer Krankheiten niedriger als bei den Fleischessern. Zu Anfang wurde das damit erklärt, daß sie weniger gesättigtes Fett essen. Später entwickelte sich die Theorie, daß möglicherweise die ballaststoffreicheren Nahrungsmittel, die Vegetarier zu sich nehmen, etliche Wirkungen des Fetts neutralisieren. Dann dämmerte die Erkenntnis, daß möglicherweise Gemüse, Obst, Salate, Nüsse und andere pflanzliche Nahrungsmittel pharmakologisch schützende Stoffe enthalten – die »Nebenbestandteile der Ernährung«, wie Dr. Lee Wattenberg von der University of Minnesota sie nennt –, die den krankheitsverursachenden Angriffen auf die Zellen wahrlich effektiv entgegenwirken.

Diese Vermutung hat so viel Glaubwürdigkeit gewonnen, daß manche Wissenschaftler eine nicht allzu ferne Zukunft voraussehen, in der Nahrungsmittel individuell verordnet werden, um die Gesundheit auf dramatische Weise zu verbessern. Dr. David Jenkens, ein Professor an der University of Toronto und ein führender Experte auf dem Gebiet von Diät und Blutzucker, sieht Nahrungsmittel als unwillkürliche Arzneimittelpackungen an. Er stellt fest, daß »in der Pharmakologie oft von einer Mischtherapie die Rede ist. Und doch ist uns noch nicht bewußt geworden, daß genau das schon jetzt von einer Reihe von Lebensmitteln bewirkt wird – eine Mischtherapie, für die die Lebensmittel selbst sorgen.« Es fehle nur noch daran, sagt er, daß wir Nahrungsmittel spezifisch und wissenschaftlich einsetzen. Aber auch das werde kommen, sobald wir mit unserem Wissen weiter seien.

Das klingt ziemlich revolutionär – Nahrungsmittel auf ärztliche Verordnung.

»Entweder revolutionär oder evolutionär. Aber im Grunde tun wir gar nichts, als daß wir die Denkweise übernehmen, die Apotheker seit Jahrhunderten praktiziert haben, und sie auf Nahrung übertragen. Ich meine damit, daß Nahrung ein Medikament ist, das wir täglich einnehmen. Wir sollten ihre pharmakologischen Wirkungen herausfinden und sie für unsere individuellen Bedürfnisse und unser Wohlergehen einsetzen, genau wie wir es mit den Medikamenten machen.«

Nahrung ist ein Medikament, das wir täglich einnehmen

Viele kommerzielle Interessenten sehen eine glänzende Zukunft für die Lebensmittelapotheke voraus. Manche Firmen analysieren und testen ihre Nahrungsmittelprodukte auf ihr gesundheitsverbesserndes Potential. Andere verstärken bestimmte Nahrungsmittel pharmakologisch. Die Miller Brewing Company verarbeitet zum Beispiel die Gersterückstände beim Bierbrauen zu einem den Cholesterinspiegel senkenden Mehl, das für Frühstücksflocken und Brot verwendet wird. Wissenschaftler sprechen davon, krebsbekämpfende chemische Stoffe aus Nahrungsmitteln wie Sojabohnen zu extrahieren und der Milch hinzuzufügen. Dr. James Tillotson, der Leiter der Forschungsabteilung bei Ocean Spray, wo die Erforschung des Preiselbeersafts vorrangig betrieben wird, glaubt, daß die Regierung eines Tages möglicherweise darauf bestehen wird, nicht nur die Nährstoffe und Zusätze in Lebensmitteln auf dem Etikett auszuweisen, sondern ihre gesamte Wirkung auf die Gesundheit, den gesicherten Erkenntnissen über ihre pharmakologischen Kräfte entsprechend.

Derzeit sind wir alle im Umgang mit unserer Lebensmittelapotheke noch weitgehend auf Vermutungen und praktische Erfahrung angewiesen, bar fast jeden Wissens über die genaue Wirkungsweise. In Zukunft jedoch werden wir zweifellos lernen, biochemische Reaktionen so exakt einzuschätzen, daß die Pharmakologie der Nahrungsmittel genauso zur Routinearbeit werden wird wie die Pharmakologie der Medikamente. Bis dahin ist es noch ein weiter Weg, aber viele Experten sehen darin den aufregenden Schlußpunkt der Pionieruntersuchungen auf dem Gebiet der Lebensmittelapotheke.

Viele Weisheiten der Volksmedizin bewahrheiten sich jetzt voll und ganz, werden bestätigt und rehabilitiert durch gründliche neue Untersuchungen der biochemischen Aktivitäten von Nahrung. Daraus ergibt sich, daß wir alle die Lebensmittelapotheke ernster nehmen können, als es je zuvor möglich war, und dieses Wissen zum Wohl unserer Gesundheit nutzen können.

Eine Revolution hat in unserer Denkweise über Nahrung eingesetzt – und es ist eine herrliche Revolution! Wie Hippokrates kommen auch wir allmählich zu der Erkenntnis, daß Nahrung starke Arznei ist.

Zweiter Teil
Wie Nahrungsmittel Krankheiten bekämpfen

Zwölf Geschichten wissenschaftlicher Untersuchung

Was für Beweise gibt es, daß Nahrung tatsächlich auf grundlegender Ebene eingreifen und die Gesundheit schützen kann? Die Beweise überstürzen sich, im allgemeinen ebenso durch Zufälle wie durch Planung. Aber sobald die geheimnisvollen Mechanismen unserer täglichen Kost erst einmal enthüllt sind, gibt es keinen Zweifel mehr an ihrem schier grenzenlosen Potential. Ich berichte im folgenden über ein Dutzend Fälle, bei denen Wissenschaftler als Pioniere Methoden aufgedeckt haben, mit denen Nahrungsmittel Krankheiten bekämpfen können – vom Kampf gegen Viren bis zur Eindämmung von Krebs.

Diese Fallbeispiele wissenschaftlicher Untersuchungen sind bei weitem keine Abhandlung über alle pharmakologischen Mechanismen, die durch Nahrung bewirkt werden; aber sie veranschaulichen auf spektakuläre Weise verschiedene Methoden, mit denen Nahrungsmittel aller Wahrscheinlichkeit nach in Zellvorgänge eingreifen und Krankheiten abwehren können. In den Forschungsabenteuerberichten tauchen die vielfältigen Leistungen der Lebensmittelapotheke als Antikoagulantien, Blutgerinnselauflöser auf, als Hemmstoffe gegen Prostaglandine (wie Aspirin), Mittel gegen Krebs, Antioxidantien, Antibiotika, Wirkstoffe gegen Viren, als

Mittel zur Stärkung des Immunsystems und zur Regulierung der Antikörper. So verwandeln sich die Aussagen alter Überlieferung in wissenschaftliche Fakten von heute mit grundlegenden Konsequenzen für unsere Denkweise über menschliche Ernährung und ihre fundamentale Einwirkung auf unser Leben.

1. Verdünnt das Blut in den Adern: Der chinesische Pilz

Für Dr. Dale Hammerschmidt war es nicht etwa ein Erlebnis, das ihm das Blut in den Adern gerinnen ließ, ganz im Gegenteil. Angefangen hatte es übrigens ganz alltäglich. Sie müssen wissen, daß Dr. Hammerschmidt, wenn er nicht gerade seinen Pflichten als Hämatologe und Honorarprofessor an der medizinischen Fakultät der University of Michigan nachgeht, dafür bekannt ist, eine heimtückische Ladung von Mapo Tofu zu köcheln. Das ist ein Gericht aus Szechuan, außerdem belegt mit dem Spitznamen »Tofu nach Art der pockennarbigen Mami«. Es ist salzig, süß, stark gewürzt und scharf. So scharf, daß einem die Kehle brennt, die Augen tränen, und außerdem bewirkt es, wie Dr. Hammerschmidt entdecken sollte, seltsame Dinge im Blut. Es dauerte mehrere Tage, bis er das herausbekam.

Dr. Hammerschmidt hatte das Experiment mehrmals ohne Zwischenfälle durchgeführt. Indem er Blut von Patienten mit chronisch myeloischer Leukämie verwendete, wollte er herausfinden, wie bestimmte Krebszellen, Basophile genannt, auf normale, gesunde Thrombozyten reagieren, diese plättchenförmigen Zellenbruchstücke, die bei der Bildung von Blutgerinnseln eine Rolle spielen. Dadurch erhoffte er sich Aufschlüsse darüber, wie der Krebs bei der Zerstörung des Körpers vorging.

An jenem Tag verwendete Dr. Hammerschmidt, wie schon öfter, die eigenen Blutplättchen als »Zielscheiben« in der Überzeugung, sie seien gesund und unbeeinträchtigt von gerinnungshemmenden Medikamenten wie Aspirin. Aber ihm fiel bald auf, daß irgend etwas auf krasse Weise danebenging. Seine Blutplättchen reagierten nicht wie erwartet auf die Leukämiezellen; seine Blutplättchen waren, wie aus mehreren Tests hervorging, nicht normal. Sie waren in ihrer Funktion schwer beeinträchtigt. Einen Augenblick lang ging ihm der schreckliche Gedanke durch den Kopf, es könnte Leukämie sein. Aber ein weiterer Blick zeigte ihm, daß die Anzahl der Plättchen – ihre Verringerung ist ein Hinweis auf Leukämie – in Ordnung war; nur ihre Reaktionen waren völlig daneben. Innerhalb von zwei Tagen waren seine Blutplättchen wieder normal.

Beim Versuch, das Rätsel zu lösen, fiel ihm wieder ein, daß er an jenem Morgen Nasenbluten gehabt und ungewöhnlich lange geblutet hatte, nachdem er sich mit dem Rasiermesser geschnitten hatte. Wenn man sich schneidet, eilen normalerweise Notarzttrupps von Blutplättchen an den Tatort und verkleben miteinander oder vernetzen sich und verschließen so als Stöpsel die Wunde. Daß er stärker und länger blutete, bedeutete, daß irgend etwas die normale Vernetzung der Blutplättchen und damit ihre Fähigkeit, Gerinnsel zu bilden, verhindert hatte. Aber was? Weil es an Medikamenten nicht liegen konnte, kam es vielleicht vom Essen. Er erinnerte sich daran, daß er am Vorabend eines seiner Lieblingsgerichte aus Szechuan gegessen und ihm vielleicht im Übermaß zugesprochen hatte, dem Mapo Tofu. Konnte das etwas damit zu tun haben, daß sein Blut dünner geworden war?

Als typischer Wissenschaftler lud er mehrere seiner Kollegen zu einem ungewöhnlichen Abendessen und zu einem Experiment unter Aufsicht ein. Etliche – die Gruppe, an der das Experiment überprüft werden sollte – bekamen süß-saures Schweinefleisch und die anderen, darunter er selbst, Mapo Tofu nach demselben Rezept wie zuvor. Ein paar Stunden später ließen sie sich alle

Blut abnehmen. Wie erwartet war bei denjenigen, die süß-saures Schweinefleisch gegessen hatten, die Funktion der Blutplättchen normal. Und bei allen vier Mapo-Tofu-Essern war die Vernetzungsneigung der Blutplättchen stark verringert. Es war eindeutig, daß die Zellen nicht wie üblich Substanzen wie Serotonin und Adenosindiphosphat (ADP) freigaben, die benachbarte Blutplättchen dazu bringen, herbeizustürzen und sich in klebriger Kameradschaft zusammenzutun.

Fest entschlossen, die genaue Ursache herauszufinden, unterzogen Dr. Hammerschmidt und seine neugierigen Kollegen jede Zutat von Mapo Tofu einem Test. Sie versetzten normale Blutplättchen mit Extrakten von Ingwer, Sojasauce, Mu-Err-Pilzen, auch Chinamorcheln genannt, und von Jicama (einer rettichähnlichen Pflanze, die Dr. Hammerschmidt als Ersatz für Wasserkastanien verwendet hatte), um zu sehen, was in den Teströhrchen passierte. Zwei Nahrungsmittel erwiesen sich als gerinnungshemmende Stoffe: der Mu-Err-Pilz und die Jicamawurzel.

Der nächste Schritt: Beweis durch den Verzehr (was Wissenschaftler nicht alles auf sich nehmen müssen!). Dr. Hammerschmidt und seine Kollegen aßen 400 Gramm Jicama. Ergebnis: Magenbeschwerden, aber keine beeinträchtigte Funktion der Blutplättchen. Der Kreis der Verdächtigen wurde enger. Nach einer angemessenen Pause aßen sie 70 Gramm Mu-Err-Pilze. Nach drei Stunden wurde ihr Blut einer weiteren Analyse unterzogen, einem Verfahren, bei dem normal funktionierende Blutplättchen gewöhnlich ihre Aktivität deutlich steigern, doch es tat sich gar nichts.

Die Blutplättchen hatten wenig Lust, sich miteinander zu vernetzen; sie gaben keine meßbaren Mengen von Serotonin ab, dem Stoff, der das Signal zum Verdicken des Blutes gibt. Der schwarze Pilz, der in vielen chinesischen Gerichten verwendet wird und auf kantonesisch *mok yhee* heißt, hatte seine gottgegebenen Kräfte unter Beweis gestellt. Gütiger Himmel, die Blutplättchen verhielten sich praktisch so, als seien sie mit Aspirin in Berührung gekommen, einem wohlbekannten Medikament zur Blutverdünnung. *Der schwarze Pilz war ein Antikoagulans!*

Um sicherzugehen, testete Dr. Hammerschmidt sieben weitere Mu-Err-Proben, die er in verschiedenen chinesischen Lebensmittelläden kaufte; alle unterdrückten zu unterschiedlichen Graden die Neigung der Blutplättchen, sich im Teströhrchen zu vernetzen. Als ein gewöhnlicher amerikanischer Champignon, wie man ihn in jedem Supermarkt findet, getestet wurde, war die Wirkung auf die Zusammenballung der Blutplättchen gleich Null. Der Effekt trat nur bei dem exotischen chinesischen Pilz auf.

Dr. Hammerschmidt, der neugierig geworden war, fand heraus, daß der große schwarze Pilz in der alten chinesischen Volksmedizin einen gewaltigen Ruf und eine lange Geschichte hat und daß sage und schreibe seine therapeutische Anwendung den eigenen Beobachtungen im Labor entsprach. Etliche Chinesen aus Taiwan und Hongkong, die in Minneapolis lebten, erklärten einfach, Mu-Err sei »gesund« oder verhelfe »zu längerem Leben«. Andere berichteten von spezifischen Verwendungen, zum Beispiel gegen Kopfschmerzen oder zur Verhütung von Thrombophlebitis nach Entbindungen. Eine Frau sagte: »Dadurch wird das Blut dünner.«

Bei weiteren Nachforschungen stellte Dr. Hammerschmidt fest, daß Mu-Err laut Florence Lins *Chinese Vegetarian Cookbook* als lebensverlängerndes Stärkungsmittel gilt. In Minneapolis wird die weiße Chinamorchel,

Pei-Mu-Err, von chinesischen Kräuterkundlern als Prophylaxe nach einem Herzinfarkt angepriesen. Und ein chinesisches Kräuterheilbuch, *A Barefoot Doctor's Manual*, empfiehlt sie gegen Dysmenorrhoe, Menstruationsbeschwerden.

Es war Dr. Hammerschmidt ein Vergnügen, seine Entdeckungen für das *New England Journal of Medicine* zu Papier zu bringen. Er erwähnte die aufregende Möglichkeit, daß das niedrige Vorkommen von Erkrankungen der Herzkranzgefäße in bestimmten Teilen Chinas auf den regelmäßigen Verzehr von Nahrungsmitteln zurückzuführen sei, die gerinnunsghemmend auf die Blutplättchen wirken, und zwar nicht nur die schwarze Chinamorchel, sondern außerdem Frühlingszwiebeln und Knoblauch (ebenfalls bekannte Antikoagulantia), die sich alle miteinander dazu verschwören, das Blut flüssig zu halten und frei von gefährlichen Gerinnseln. Laut Dr. Hammerschmidt erklärt die blutverdünnende Eigenschaft des Pilzes vermutlich außerdem, warum er als lebensverlängerndes Stärkungsmittel angesehen wird. Darüber aber, welcher chemische Stoff in der Chinamorchel eigentlich diese Wirkung erziele, stellte er keinerlei Vermutungen an.

Wer im *New England Journal of Medicine*, einer Zeitschrift von weltweitem Ruf, veröffentlicht, kann sich darauf verlassen, daß seine Arbeit von vielen anderen führenden Wissenschaftlern beobachtet wird. Hammerschmidts Abenteuer interessierte vor allem zwei angesehene Forscher an der George Washington University, die aus Knoblauch und Zwiebeln Wirkstoffe gegen die Blutgerinnung isoliert hatten. Sie stürzten sich auf den schwarzen Pilz. Bald isolierten sie aus dem schwarzen Mu-Err-Pilz ein Antiko-

Der schwarze Mu-Err-Pilz enthält denselben blutverdünnenden Stoff, Adenosin, wie Zwiebeln und Knoblauch

agulans namens Adenosin – denselben blutverdünnenden Stoff, den sie in Zwiebeln und Knoblauch festgestellt hatten. »Es gibt keinen Zweifel daran«, sagt Dr. John Martyn Bailey, Professor für Biochemie an der GWU, »daß das Adenosin in diesen Nahrungsmitteln genauso wirkt wie ein Antikoagulans; es hat starke Ähnlichkeit mit Aspirin.«

Und es besteht auch kein Zweifel daran, daß die schwarze Chinamorchel auf äußerst subtile Weise im Blut eines Menschen, der sie in kleinen Mengen ißt, in Aktion tritt; sie verändert die Zellreaktionen, die *tiefgreifenden Einfluß haben können auf den Krankheitsprozeß im Lauf eines Lebens.* Es gibt immer wieder Beweise dafür, daß hyperaktive Blutplättchen sich allzu eifrig zusammenklumpen und dickes, träges Blut schaffen, Gerinnsel bilden und, gemeinsam mit dem Cholesterin, an den Arterienwänden von Gehirngefäßen kardiovaskulären Müll aufhäufen, der als Ablagerung oder auch »Verkalkung« bezeichnet wird. Möglicherweise können also solche in Lebensmitteln enthaltene Antikoagulantien zur *Vorbeugung* gegen verengte Arterien, dickflüssiges Blut und schädliche Gerinnsel beitragen – gegen das also, woraus Schlaganfälle und Herzinfarkte entstehen. Doch die Wirkungsweise der Chinamorchel ist so geheimnisvoll und wohltätig, daß ihre Kräfte nicht entdeckt worden wären, hätte sie sich nicht an das Blut eines Menschen herangemacht, der so schlau war, dieses zu bemerken.

Eine solche Entdeckung ist zwar ein glücklicher Zufall, aber die Gegenwart von Antikoagulantien wie Adenosin in Nahrungsmitteln hat nichts Zufälliges an sich. Tests zeigen, wie Dr. Hammerschmidt sagt, daß das Adenosin im Mu-Err-Pilz nur für 60 Prozent der gerinnungshemmenden Wirkung sorgt, und das heißt, daß der Pilz weitere, noch nicht identifizierte blutverdünnende Stoffe enthalten muß. Wenn wir uns also ernsthaft auf die Suche danach machen würden, könnten wir zweifellos zahllose weitere Nahrungsmittel entdecken, die unsichtbare, unbemerkte Antikoagulantien in unser Kreislaufsystem abgeben und die Blutplättchen daran hindern, unverschämte Zusammenballungen zu bilden, die unseren Verfall und unser Ableben beschleunigen. Solche Nahrungsmittel können dazu beitragen, uns genauso wirkungsvoll wie Aspirin oder verschreibungspflichtige Gerinnungshemmer vor Herzinfarkten und Schlaganfällen zu bewahren – und mit viel geringeren Nebenwirkungen.

Dr. Hammerschmidt bereitet weiterhin sein Mapo Tofu zu, und das Gericht verdünnt sein Blut, genauso, wie asiatische Ärzte das seit Jahrhunderten behauptet haben – lange ehe irgend jemand etwas gehört hatte von einem chemischen Stoff namens Adenosin oder von Blutteilchen, die Plättchen genannt werden.

Dr. Hammerschmidts blutverdünnendes Mapo Tofu[1]

10 g getrocknete Mu-Err-Pilze (schwarze Chinamorcheln; genau 1/4 Tasse = knapp 60 ccm);
knapp 250 ml kochendes Wasser (= 1 Tasse = 235 ccm)
1 ca. 8 Zentimeter langes Stück frischer Ingwer
5 Lauchzwiebeln, gehackt (eine gehackte Lauchzwiebel zur späteren Verwendung beiseite stellen)
225 g Hackfleisch vom Rind oder Schwein
2 Eßlöffel Sojasauce
1 Teelöffel Sesamöl
1 Eßlöffel Reiswein (Sake) oder Sherry

---

1 Entnommen E. Schrecker, J. Schrecker und J.F. Chiang, *Mrs Chiang's Szechwan Cookbook* (Harper & Row, New York 1976, überarbeitete Ausgabe 1987, S. 220–224).

8 oder mehr Knoblauchzehen
6 Wasserkastanien (Dose; wahlweise)
2 Teelöffel Speisestärke
60 ml kaltes Wasser
ca. 1 000–1 200 g frischer Tofu
1 Eßlöffel Speisestärke
6 Teelöffel Erdnußöl
1 1/2 Teelöffel Chilikrümel
1 Eßlöffel Chilipaste
1 Teelöffel Zucker
3 Eßlöffel Sojasauce
120 ml Wasser
1 1/2 Teelöffel gemahlener, gerösteter grüner Pfeffer
1 Teelöffel Sesamöl
1 Teelöffel Salz oder je nach Geschmack

Chinamorcheln in eine kleine Schüssel legen und mit
dem kochenden Wasser übergießen. Etwa 15 Minuten
einweichen lassen, bis sie weich und gallertartig sind.
Ingwer schälen und dann in streichholzkopfgroße
Stückchen hacken.
Einen Eßlöffel gehackten Ingwer und eine gehackte
Lauchzwiebel zusammen mit der Sojasauce, dem Sesamöl und Sake oder Sherry zum Hackfleisch geben. Sorgfältig mischen, dann etwa 30 Minuten beiseite stellen.
Knoblauch schälen und grob hacken. Mit dem restlichen gehackten Ingwer vermischen und so lange zer-
kleinern, bis eine dicke Paste entsteht. (Das kann mehrere Minuten dauern, aber Mrs. Chiang weist darauf hin,
daß das Gericht desto besser gelingt, je feiner der Knoblauch und der Ingwer zerkleinert werden.)
Wasserkastanien (falls frisch, erst die dunkle Schale entfernen) in streichholzkopfgroße Stückchen hacken.
Die Speisestärke in einer kleinen Schüssel mit dem Was-

ser anrühren und beiseite stellen. Tofu in zentimenter-
dicke Würfelchen schneiden.

Pilze abgießen, dann abspülen und sorgfältig auf winzige Unreinheiten überprüfen, zum Beispiel kleine Holz-
stückchen, die ihnen noch anhaften könnten. Dann in
streichholzkopfgroße Stückchen hacken.

Kurz vor Kochbeginn die angerührte Speisestärke zur
Fleischmischung geben und sorgfältig vermischen.

Den Wok (hochwandige chinesische Gußeisenpfanne)
oder eine andere Pfanne mit hohem Rand 15 Sekunden
bei mittlerer Hitze vorwärmen, dann das Erdnußöl hineingeben. Die Temperatur ist richtig, wenn sich die ersten Bläschen bilden und leichter Rauch entsteht.

Wenn das Öl soweit ist, rasch die Knoblauch-Ingwer-Mi-
schung hineingeben und bei mittlerer Hitze unter ständigem Rühren etwa 30 Sekunden lang braten, dabei mit
dem Kochlöffel von der Pfannenwand lösen und in der
Pfannenmitte umrühren, damit nichts anhängt oder
anbrennt.

Unter weiterem Rühren die Chilikrümel, die Chilipaste,
die Wasserkastanien und die Chinamorcheln zugeben.
Weitere 30 Sekunden lang unter ständigem Rühren braten.

Fleischmischung hinzugeben und weiter rühren. Besonders darauf achten, daß das Fleisch nicht zusammen-
klumpt.

Wenn das Fleisch etwa eine Minute lang geköchelt und
die rosige Farbe verloren hat, den Tofu und die gehackten Lauchzwiebeln hinzugeben und unter weiterem
Rühren etwa 45 Sekunden andünsten. Dann den Zucker
hinzugeben und weitere 30 Sekunden rühren.

Sojasauce und Wasser dazugießen und die Flüssigkeit
zum Kochen bringen, dann bei mittlerer Hitze den Pfan-
neninhalt zwei weitere Minuten köcheln lassen.

Pfefferkörner zugeben und gründlich umrühren.

Jetzt überprüfen, wieviel Sauce in der Pfanne ist. Wenn sie wäßrig wirkt, die angerührte Speisestärke zugeben. Wenn nur wenig Flüssigkeit in der Pfanne zu sein scheint, ist die Speisestärke überflüssig.

Die Speisestärke vor dem Zugeben unbedingt noch einmal umrühren, dann alles bei mittlerer Hitze so lange weiterrühren, bis die Sauce klar und leicht angedickt ist. Sesamöl hinzufügen und gründlich umrühren; dann, kurz vor dem Servieren, probieren. Das Gericht sollte eindeutig scharf schmecken mit nur einem Hauch von Süße. Salz, soweit nötig, einrühren und servieren.

2. Zwiebeln für das Herz

Vergessen Sie, daß Zwiebeln seit fünftausend Jahren als Mittel gegen buchstäblich alles unter der Sonne verwendet worden sind. Vergessen Sie, daß weder das Gesundheitsministerium noch die Ärztekammer Zwiebeln als Medikamente gegen Herz- und Gefäßkrankheiten aufführen. Vergessen Sie, daß Zwiebeln bei Tagungen über Herzkrankheiten kein heißes Thema sind. Wenn Sie an Stelle des Kardiologen Victor Gurewich gewesen wären, dann wären auch Sie dankbar gewesen für eine Erleuchtung aus einem ägyptischen Papyrus.

Dr. Gurewich, ein Medizinprofessor an der Tufts University, war deprimiert über die Blutbilder seiner Patienten, die einen Herzinfarkt erlitten hatten. Die meisten haben einen extrem niedrigen HDL-(High-density-Lipoprotein)Cholesterinspiegel; das Lipoprotein-Blutfett hoher Dichte ist die wohltätige Cholesterinfraktion, die im Blut wie ein Aasfresser wirkt, das Cholesterin packt und in die Leber trägt, wo es zerstört wird. Menschen mit hohem HDL-Cholesterinspiegel genießen Schutz vor den Verheerungen, die Cholesterin im Blut anrichtet, und vor Herzinfarkten. Etliche Fachleute nennen den HDL-Wert den kritischen Indikator für die Gefahr einer Herzerkrankung. Niedrige HDL-Spiegel fördern Herzinfarkte.

Aber es ist schwierig, den HDL-Spiegel von herzkranken Patienten anzuheben. Dr. Gurewich und sein Team hatten wenig Glück. »Und da sagte ein Chemiker in meinem Labor, aus Polen, wo Naturheilmittel eine alte Tradition haben: ›Versuchen wir's doch mit Zwiebeln‹«, erzählt Dr. Gurewich. »Er war in der volkskundlichen Literatur auf Material gestoßen, aus dem hervorging, daß das funktionieren könnte. Vor allem wurden Zwiebeln in einem alten ägyptischen Papyrus empfohlen, und ich sagte mir, wenn die Weisheit zweitausend Jahre überlebt hatte, könne durchaus etwas dran sein. Also erklärten wir unseren Patienten: ›Wir geben Ihnen jetzt Zwiebeln zu essen.‹« Patienten Zwiebeln zu verschreiben gehört kaum zur Allgemeinpraxis der führenden Kardiologen der Nation. Aber Dr. Gurewich hat makellose medizinische Referenzen. Er leitet außerdem das Labor für Gefäßerkrankungen am St. Elizabeth's Hospital in Boston, und er wußte, daß Zwiebeln wohltätige Wirkungen auf das Blut haben. Darüber hinaus geht Zwiebeln das Risiko schlimmer Nebenwirkungen ab, wie sie therapeutische Medikamente häufig mit sich bringen. Wenn die Zwiebeln wirkten, wäre das besser als alles, was sie bisher versucht hatten; wenn nicht, hatte es wenigstens nicht geschadet. Also bekamen die Patienten ab sofort eine mittelgroße rohe Zwiebel pro Tag. Später zogen es einige vor, den Zwiebelsaft in Kapseln zu sich zu nehmen.

Normalerweise reagiert Blutcholesterin auf Medikamente und auf Veränderungen in der Ernährung. Aber ein Monat verstrich, dann ein weiterer. Etliche Patienten wurden mutlos. Aber dann kamen die ersten Ergebnisse aus dem Labor, die einen wahrnehmbaren Anstieg der HDL-Werte zeigten. Die Ergebnisse häuften sich. »Die Resultate waren verblüffend«, kommentiert Dr. Gurewich. In der Gruppe von zwanzig Patienten, die für die Zwiebeltherapie bestimmt waren, hatten ursprünglich alle niedrige HDL-Werte von weniger als 20 Prozent; normal sind mindestens 25 Prozent. Durch die Zwiebeltherapie stiegen ihre HDL-Werte durchschnittlich um 30 Prozent an und lagen damit bei den meisten im normalen Bereich. Die Zwiebeln senkten nicht immer die Gesamtmenge von Cholesterin im Blut, aber sie bewirkten eine Veränderung im Verhältnis von gutem zu schlechtem Cholesterin, indem sie eine beträchtliche Menge des zerstörerischen LDL-(Low-density-Lipoprotein-)Cholesterins durch das herzschützende HDL-Cholesterin ersetzten. Mit anderen Worten, irgend etwas in den Zwiebeln drückte auf einen biologischen Schalter, der signalisierte, daß mehr HDL produziert werden sollte.

Von Anfang an war deutlich, daß bei manchen Patienten – etwa im Verhältnis eins zu vier – der HDL-Anstieg spektakulär war, bei anderen dagegen aus unbekannten Gründen buchstäblich gar nicht vorhanden. Ein Patient in der Gruppe, dessen HDL-Werte sich nicht steigerten, erlitt einen Herzinfarkt. Aber bei anderen bewirkten die Zwiebeln erstaunliche Verbesserungen im Blutbild und verdoppelten oder verdreifachten gar ihre HDL-Werte. Ein Mann, der damals in den Dreißigern war und in dessen Familie Herzkrankheiten erblich waren, hatte extrem niedrige HDL-Werte von 15 Prozent.

Zwiebeln erhöhen den Anteil des schützenden HDL-Cholesterins im Blut

Seit er Zwiebeln aß, stieg sein HDL-Cholesterinspiegel auf 30 Prozent und hielt sich ein Jahr lang auf diesem Niveau. Dann ging er drei Monate lang auf eine Geschäftsreise nach Mexiko und gab das Zwiebelessen auf. Als er zur Blutuntersuchung ins Labor zurückkehrte, waren seine HDL-Werte wieder auf 15 Prozent zurückgegangen, doch mit erneuter Zwiebeltherapie stiegen sie wieder und blieben auch oben.

Dr. Gurewich sieht in seinem Zwiebelexperiment einen ungeheuren Erfolg. Für seine Herzpatienten sind Zwiebeln zu einer alltäglichen Therapie geworden; 70 bis 75 Prozent von ihnen erleben, wie er sagt, daß ihre HDL-Werte ansteigen. Und inzwischen hat er festgestellt, daß die Hälfte einer mittelgroßen rohen Zwiebel (50 Gramm pro Tag) genauso wirkungsvoll ist wie eine ganze Zwiebel.

Wie diese Wunderknolle den Körper dazu bringt, mehr HDL-Cholesterin zu produzieren, und dadurch das erreicht, was den besten Köpfen in den pharmazeutischen Laboren im großen und ganzen nicht gelungen ist, bleibt vorerst ein völliges Rätsel. »Wir wissen schlicht und einfach noch zuwenig über die Synthese von HDL und über die auslösenden Faktoren, als daß wir auch nur vermuten könnten, worin dieser Aktionsmechanismus im Körper besteht«, sagt Dr. Gurewich. Zu der Frage der Identität des natürlichen chemischen Stoffes, der dieses Wunder im Blut vollbringt, hat Dr. Gurewich sich in seinem Labor für Gefäßkrankheiten auf die Jagd gemacht. Er und seine Chemiker haben inzwischen etwa 150 Substanzen in Zwiebeln identifiziert, aber laut Dr. Gurewich wissen sie »immer noch nicht, welche Substanz genau die HDL-Werte erhöht«.

Immerhin kennen sie ein paar der charakteristischen Eigenschaften. Hitze kann die Wirksamkeit des chemischen Stoffes abtöten. Der HDL-Anstieg ist am höchsten, wenn rohe Zwiebeln verwendet werden, und verringert sich, wenn die Zwiebel gekocht wird. Zwiebeln, die so lange gekocht worden sind, daß sie weich sind, haben keine Wirkung auf das HDL-Cholesterin. Außerdem ist der Wirkstoff auch an den scharfen Geschmack von Zwiebeln gekoppelt. Die besten Ergebnisse erzielen die schärferen weißen und gelben Zwiebelsorten; milde rote Zwiebeln wirken nicht annähernd so gut. Je schärfer die Zwiebel schmeckt, desto besser wirkt sie sich auf die Erhöhung der HDL-Werte aus.

Nur rohe, scharfe Zwiebeln bewirken HDL-Anstieg

Aber das ist noch nicht das Ende der Zwiebelgeschichte. Dr. Gurewich sagt, die Zwiebel verfüge über eine Zusammensetzung von chemischen Stoffen, die auf das Herz- und Gefäßsystem eine vielschichtige chemotherapeutische Wirkung ausübe. Zwiebeln enthalten seinem Bericht zufolge einen Stoff, von dem bekannt ist, daß er den Blutdruck senkt. Wie die schwarze Chinamorchel enthalten Zwiebeln außerdem Adenosin und andere chemische Stoffe, die Blutplättchen an der Zusammenballung hindern. Gleichermaßen wichtig ist, daß die Zwiebel eine weitere Funktion des Blutes beeinflußt: Sie belebt das fibrinolytische oder gerinnselauflösende System. Während also bestimmte Zwiebelsubstanzen die Blutplättchen daran hindern, sich überhaupt zusammenzuballen, arbeiten andere aktiv gegen entstehende Blutgerinnsel an. Dieser gerinnselauflösende chemische Stoff in Zwiebeln wird laut Dr. Gurewich nicht durch Hitze zerstört; deshalb enthalten Zwiebeln – in roher *und* gekochter Form – chemische Stoffe, die zur Bekämpfung von Gerinnseln beitragen.

Diese gerinnselauflösende Aktivität ist wichtiger, als früher erkannt wurde. Neues Beweismaterial von der berühmten Framingham Heart Study in Massachusetts zeigt, daß Menschen mit hohen Fibrinogenwerten im Blut – Fibrinogen ist die wichtigste Substanz bei der Bildung von Blutgerinnseln – mit größerer Wahrscheinlichkeit Schlaganfälle erleiden und Krankheiten der Herzkranzgefäße bekommen. Deshalb könnte zuviel Fibrinogen im Blut nach Meinung der Forscher genauso gefährlich sein wie hoher Blutdruck. Zwiebeln bekämpfen das Fibrinogen.

Gerinnselauflösende Wirkung wird auch durch gekochte Zwiebeln erreicht

Noch aufregender ist, daß Nahrungsmittel, die bei der Fibrinolyse mitwirken – bei der Zerstörung des gefährlichen Fibrinogens —, etliche der gefährlichen, die Arterien schädigenden Wirkungen fetter Nahrung ausgleichen können.

Es überrascht Sie vielleicht zu erfahren, daß schon eine fette Mahlzeit dazu führt, daß Ihr Blut auf meßbare Weise träger wird; die Menge des die Gerinnselbildung fördernden Fibrinogens nimmt zu, die Fibrinolyse verlangsamt sich, das Blut gerinnt schneller, und der Cholesterinspiegel erhöht sich. 1966 lenkte der indische Forscher Dr. N.N. Gupta vom K.G. Medical College in Lucknow als erster die Aufmerksamkeit der Wissenschaft auf die Tatsache, daß Zwiebeln einer Reihe von schädlichen Veränderungen im Blut, die von fetter Nahrung hervorgerufen werden, entgegenwirken können. Er entnahm einer Gruppe Männer je zwei Blutproben: bevor sie eine Mahlzeit mit 90 Prozent Fett – Butter, Sahne und Eier – zu sich genommen hatten, und mehrere Stunden danach. Dann fügte er dem gleichen fettreichen Essen 50 Gramm gebratene Zwiebel hinzu und wiederholte die Prozedur. Die Zwiebel erwies sich als starkes Gegengift: Nicht nur sank der Cholesterinspiegel, die Zwiebeln verhinderten außerdem, daß das Fett die schädlichen gerinnselfördernden Mechanismen in Gang setzte, das Zusammenklumpen der Blutplättchen und die Bildung von Fibrinogen, dem gerinnselbildenden Stoff. Die Zwiebeln zeigten sich als besonders wirksam beim Anwerfen des fibrinolytischen (gerinnselzerstörenden) Systems im Körper.

Eine Reihe von Folgeuntersuchungen ergab, daß gekochte, rohe und getrocknete das Blut ebenso wie gebratene Zwiebeln von den schlimmen Auswirkungen zu fetter Ernährung teilweise reinigte. Deshalb ist es äußerst sinnvoll, rohe Zwiebelscheiben auf einen Hamburger zu legen oder zum Steak ein paar Zwiebelringe zu braten.

Natürlich haben Wissenschaftler nach den Wirkstoffen in der Zwiebel (und ihrem Vetter, dem Knoblauch) gesucht, die diese tiefgreifenden Veränderungen im Blut verursachen. Einige der Stoffe sind bereits identifiziert worden. 1975 isolierte ein britisches Team aus Herzspezialisten und Biochemikern an der University of Newcastle upon Tyne mehrere chemische Stoffe in Zwiebeln, die die Auflösung von Gerinnseln förderten. Einen dieser Stoffe, ein geruchloses Cycloalliin, verabreichten sie in niedrigen Dosen etlichen Patienten und stellten fest, daß es die Fibrinolyse stimulierte.

Gleichzeitig haben Wissenschaftler den faszinierenden Weg verfolgt, den die Zwiebel – vor allem ihre blutverdünnenden chemischen Stoffe – bei ihren pharmazeutischen Aktivitäten nimmt. Damit sind wir wieder bei dem Forschungsteam an der George Washington University, das den blutverdünnenden Stoff in Dr. Hammerschmidts Mu-Err-Pilzen, den schwarzen Chinamorcheln, aufspürte, das Adenosin.

Als erstes müssen Sie wissen, daß die medizinische Fakultät der George Washington University ein bedeutendes Zentrum für die Erforschung der aufregendsten biologischen Wirkstoffe ist, die in den letzten Jahren aufgetaucht sind. Die Prostaglandine, wie sie genannt werden, wurden erst 1964 definiert und beherrschen jetzt den biochemischen Schauplatz der Medizin. Es sind Hormone mit einer Reihe verschiedener Kräfte, und sie verdanken ihren Namen der Tatsache, daß sie 1930 zum ersten Mal in der Prostata entdeckt wurden. Weil sie im Gewebe nur in winzigen Mengen vorhanden sind, dauerte es fast dreißig Jahre, bis die Chemie solche Fortschritte gemacht hatte, daß diese Hormone nachgewiesen und gemessen werden konnten.

Ein großer medizinischer Durchbruch gelang mit der Entdeckung der Prostaglandine, hormonartige Substanzen, die komplexe Vorgänge zwischen und in den Zellen lenken

Diese vielschichtigen chemischen Stoffe verfügen über eine verblüffende Bandbreite von Wirkungen auf eine ganze Reihe von Körperfunktionen. Wenn Sie bei der Suche nach dem eigentlichen Auslöser biochemischer Reaktionen im Körper vorgehen würden wie beim Öffnen ineinander verschachtelter Kartons, würde auf einer der kleineren Schachteln die Aufschrift »Prostaglandine« stehen. Diese chemischen Stoffe lenken komplexe Wechselbeziehungen, von denen das Leben der Zellen abhängt. Die Prostaglandine sind von Zelle zu Zelle wie innerhalb der Zellen als Boten aktiv, die ständig Anweisungen flüstern und die Freigabe oder Blockade des einen oder anderen obskuren chemischen Stoffes anordnen. Es kann gewaltige Auswirkungen auf den Körper haben, wenn man diese chemischen Boten ausschaltet. Nach Jahrhunderten der Unwissenheit haben die Wissenschaftler zum Beispiel durch die Prostaglandinforschung entdeckt, wie Aspirin arbeitet: Es unterdrückt die Zellausscheidung bestimmter Prostaglandine, die Prozesse auslösen, die ihrerseits zu Entzündungen, Schmerzen und der Vernetzung von Blutplättchen führen. So verhindert Aspirin die Zellproduktion eines A-Prostaglandins namens Thromboxan, das den Zellen den Befehl gibt, sich zusammenzuballen. Und darin fußt auch die Annahme, daß Aspirin, indem es das Blut dünner macht, zur Verhütung von Herzinfarkten und Schlaganfällen beiträgt. Bestimmte Stoffe in Zwiebeln bewirken genau dasselbe.

Eben das hat das Meisterteam aus Prostaglandinexperten und Biochemikern an der George Washington University entdeckt. Dr. Jack Y. Vanderhoek, Dr. Amar N. Makheja und Dr. John Martyn Bailey. Dr. Bailey erzählt, wie sie überhaupt zu der Untersuchung kamen: »Wir waren auf Berichte darüber gestoßen, daß Zwiebeln und Knoblauch der Gerinnselbildung vorbeugen. Weil wir uns in erster Linie für die Wirkung von Prostaglandinen auf die Vernetzung von Blutplättchen interessierten, überlegten wir: ›die Frage ist, ob Extrakte aus Zwiebeln und Knoblauch sowohl die Vernetzung der Blutplättchen blockieren als auch die Synthese eines bestimmten Prostaglandins in den Plättchen, das Thromboxan genannt wird.‹ Tatsächlich blockierten sowohl Zwiebeln als auch Knoblauch beides.« Das war ein überzeugender Beweis dafür, daß die Blutplättchen sich nicht zusammenhalten, weil sie das Thromboxan, das ihnen den Befehl dazu gegeben hätte, nicht produzierten.

Die Forscher, die tiefer in den chemischen Prozeß vordrangen, entdeckten, was die Zwiebel- und Knoblauchöle unternahmen, um die Entstehung des schädlichen Prostaglandins zu verhindern: Sie unterdrückten die Aktivität von Enzymen, die zur Auslösung der Produktion des Prostaglandins nötig sind. Und das, sagen die Wissenschaftler, erklärt zumindest eine Methode, wie Zwiebeln als Antikoagulans wirken und das Herz schützen können.

Da ist es kein Wunder, daß es in Frankreich früher üblich war, Pferden Zwiebeln und Knoblauch zu verabreichen, damit sich Blutgerinnsel in ihren Beinen auflösten. Ein gelindes Wunder ist es jedoch, daß dieser therapeutische Brauch nicht bei Menschen weiter verbreitet ist, die in noch nie dagewesenen Zahlen an Herz- und Gefäßkrankheiten sterben. Dr. Gurewichs unorthodoxes Experiment – und die ausgedehnten Forschungen über Zwiebeln und Knoblauch in anderen Ländern zeigen, daß ein Nahrungsmittel Erfolg haben kann, wo pharmazeutische Medikamente versagen. Nur ein einziges cholesterinsenkendes Medikament bisher (Gemfibrozil) erhöht die HDL-Werte in nennenswerter Weise – und zwar nur um 10 Prozent im Durchschnitt. Zwiebeln aber sind, wie Dr. Gurewich bekräftigt, ein wirksames Herzmittel, und damit erweist sich der alte Volksglaube als zutreffend, im Verzehr von Zwiebeln stecke mehr als nur kulinarische Weisheit.

3. Gerste, Hafer und das vegetarische Geheimnis

Wenn es unter den Wissenschaftlern, die sich mit der Lebensmittelapotheke beschäftigen, Vampire gäbe, dann würden sie bestimmt jede Nacht an die Betten von Vegetariern fliegen und ihnen Blut abzapfen, um zu entdecken, warum sie innerhalb des Gesundheitsuniversums derart vom Glück begünstigte Geschöpfe sind. Es läßt sich nicht bestreiten, daß Vegetarier den Fleischessern gegenüber auf der ganzen Linie im Vorteil sind, wenn es darum geht, von chronischen Krankheiten verschont zu bleiben, zum Beispiel von Herzinfarkten, Schlaganfällen, Diabetes, hohem Blutdruck und bestimmten Krebsarten. Bei einer Forschungsarbeit über Herzkrankheiten, über die im *British Medical Journal* vom 6. Juli 1985 berichtet wurde, beobachteten Wissenschaftler elftausend Vegetarier und Fleischesser sieben Jahre lang; die Sterblichkeit unter den Vegetariern war viel geringer. Wenn Sie den Experten glauben, daß der Hauptgrund dafür in der Ernährung liegt und nicht in einer geruhsamen Lebensweise, gibt es für das Verdienst daran zwei Möglichkeiten: den Verzicht auf schädliches Fleisch und/oder die Verwendung pflanzlicher Nahrung.

Gibt es bestimmte Faktoren in den Gemüsen, die den Körper weniger anfällig für Krankheiten machen? Eine Methode das herauszufinden, besteht darin, nach physiologischen Zeichen Ausschau zu halten, durch die sich Vegetarier von anderen Menschen unterscheiden. Zu diesem Zweck haben sich überzeugte Vegetarier die Arme abbinden und sich stechen lassen, haben ihr Blut in zahllose Teströhrchen für die Laboruntersuchung vergossen. Solche Tests zeigen ohne jeden Zweifel einen Unterschied: Vegetarier haben eindeutig weniger Cholesterin im Blut, vor allem vom schädlichen LDL-Typ; ein niedriger Cholesterinspiegel verringert das Risiko eines Herzinfarkts. Und aufregende neue Beweise bestätigen, daß beides, die Reduzierung von zerstörerischem LDL-Cholesterin wie die Erhöhung des gutartigen HDL-Cholesterins, sogar dazu beitragen kann, daß geschädigte Herzkranzgefäße wieder frei von Gerinnseln werden.

Seit Jahren haben Wissenschaftler nach einer einheitlichen Theorie gesucht, die erklärt, wie Pflanzen zur Kontrolle des Cholesterins im Blut beitragen. Das hat zu be-

stechenden Theorien geführt – zu einer, die bei der Erforschung von Gerste entstanden ist, und zu einer zweiten, die sich bei Untersuchungen von Hafer ergeben hat.
Dr. Asaf Qureshi und ein kleines Team von Wissenschaftlern am Institut für Getreideforschung des amerikanischen Landwirtschaftsministeriums in Madison,
Wisconsin, sind überzeugt davon, daß sie in der Gerste
Gerste vermindert die Lösung des vegetarischen Rätsels ge-
die Cholesterinpro- funden haben. Dr. Qureshi, der früher als
duktion der Leber führender Forscher für das Landwirtschaftsministerium tätig war und jetzt unabhängiger
Berater ist, sagt, das sei keine Überraschung. Gerste habe
schließlich in Pakistan, seinem Heimatland, eine lange
Tradition als schützendes Mittel für das Herz. »Mein Vater war Arzt, und er hielt hartnäckig daran fest, daß seine
Patienten aus den Tälern im Punjab, die sehr viel Gerste
aßen, nur selten herzkrank wurden«, sagt Dr. Qureshi,
»und jetzt weiß ich, warum.« Dr. Qureshi geht davon
aus, daß bestimmte Stoffe, die in Pflanzen, darunter Gerste, reichlich vorkommen, als starke Mittel gegen die
Cholesterinproduktion der Leber wirken. »Das ist ein
Hauptgrund dafür, glauben wir, warum Vegetarier sehr
viel weniger Herzkrankheiten haben: Sie stehen ständig
unter dem Einfluß cholesterinsenkender Stoffe.«
Die Theorie beruht auf der nur selten geäußerten Überzeugung, daß man Menschen vor Herzinfarkten bewahren kann, wenn man sie vor der überschüssigen Cholesterinproduktion ihrer Leber bewahrt. Es bleibt weiterhin unbeachtet, daß die *Synthese in der Leber und nicht
der Verzehr von fettreicher, stark cholesterinhaltiger Nahrung* die Hauptursache von Cholesterin im Körper ist.
Wenn Sie die Cholesterinerzeugung in der Leber drosseln, verringern sich im allgemeinen die Serumwerte
der bösen fetten Substanz, und damit verringert sich

auch die Gefahr eines Herzinfarkts. Wenn die Leber weniger Cholesterin ins Blut einschleust, werden Zellen, die LDL-Cholesterin brauchen, zu der Annahme überlistet, es gebe einen Mangel daran. Folglich saugen sie mehr LDL-Cholesterin aus dem Blut heraus.

Das ist die Methode nach der eines der heißesten neuen Herzmedikamente auf dem Markt wirkt – Mevacor von Merck (Lovastatin); es legt ein Enzym in der Leber lahm, das den Ausstoß von LDL-Cholesterin stimuliert. Wäre es nicht großartig, wenn die Natur so aufmerksam wäre, in der Nahrung ebenfalls chemische Regulatoren zu liefern, die – wie das Medikament – die Fähigkeit der Leber lähmen, am laufenden Band zerstörerisches Cholesterin zu produzieren? Genau das dachten die Wissenschaftler in Wisconsin auch.

Die aufregende Suche begann 1977, als Dr. Qureshi eines Tages beschloß, auch den Cholesterinspiegel von Hühnern zu untersuchen, die mit Hafer, Mais, Weizen, Roggen und Gerste gefüttert wurden, zur Überprüfung der Frage, wie schnell sie jeweils wuchsen. Das gehörte gar nicht zum Experiment, aber er segnet den Tag, an dem er dieses denkwürdige Blutopfer verlangte. Als Dr. Qureshi die Cholesterinmengen von Hühnern überprüfte, die mit Mais gefüttert worden waren, fiel ihm nichts Außergewöhnliches auf. Weizen und Roggen drückten das Cholesterin leicht nach unten. Hafer war noch wirkungsvoller, aber Gerste reduzierte das Cholesterin auf 76 Milligramm pro 100 Milliliter – auf fast die Hälfte der Cholesterinmenge bei den Hühnern, die mit Mais gefüttert worden waren. Die mit Gerste gefütterten Hühner hätten als Covergirls für ein Magazin über die Verhütung von Herzkrankheiten posieren können. Irgend etwas in der Gerste sorgte für ein Absacken des Cholesterins.

Anfangs glaubten die Wissenschaftler, der magische Bestandteil sei ein Ballaststoff. Zahlreiche Untersuchungen zeigen, daß Ballaststoffe in der Nahrung, vor allem diejenigen vom löslichen, klebrigen Typ, Cholesterin im Blut unterdrücken. Aber als sie die Gerstenkörner von allen Ballaststoffen befreiten und so den Hühnern fütterten, gingen die Cholesterinwerte immer noch drastisch nach unten. Ballaststoffe? Weg damit! Die Wissenschaftler wußten, daß sie etwas grundlegend Neuem in der Lebensmittelapotheke auf der Spur waren, einem wirksamen neuen Stoff zur Cholesterinbekämpfung.

Das Geheimnis, da waren sie sich einig, lag darin, daß die Leber bei der Synthese von noch mehr Cholesterin versagte, was sich auf träge Enzyme zurückführen ließ. Es war, als ob die Fabrik geschlossen hätte, weil die Arbeiter streikten. Den Enzymen gelang es nicht, Molekülketten zu bilden, die eine Substanz namens Mevalonsäure erzeugen, die sich in Cholesterin umwandelt. Es sind aufeinanderfolgende Reaktionen von etwa zwanzig chemischen Stoffen nötig, damit in der Leber schließlich Cholesterin erzeugt wird. Eine Schlüsselkomponente im frühen Stadium des Cholesterinstoffwechsels ist die Mevalonsäure. Wie Dr. Warren C. Burger, früher ein wichtiges Mitglied des Forschungsteams, feststellt: »Wenn Sie das HMG-CoA-Reduktaseenzym ausschalten oder zum Teil lahmlegen, produziert es die Mevalonsäure nicht mehr, die ihrerseits Cholesterin produziert.« Die Synthese von Cholesterin in der Leber geht also zurück?

»Genau.«

Die Wissenschaftler unternehmen eine Menge von Untersuchungen, um sicherzugehen, daß ihre Ergebnisse kein glücklicher Zufall waren. Sie fütterten noch mehr Hühner mit Mais, Weizen, Roggen, Hafen und Gerste und erzielten dieselben Ergebnisse. Sie schöpften ihren Etat voll aus, um zwei Dutzend Schweine zu testen (die ein Herz- und Gefäßsystem haben, das dem menschlichen recht ähnlich ist), und stellten fest, daß Gerste den Cholesterinspiegel der Schweine um 18 Prozent senkte. Die unausweichliche Schlußfolgerung: Irgend etwas, und was das sein mochte, wußte zu diesem Zeitpunkt Gott allein, in diesem Getreide (und es waren keine Ballaststoffe, darauf bestehen die Wissenschaftler) legte das Enzym lahm, das dazu nötig ist, die Leber zu einer schwungvoll arbeitenden Cholesterinfabrik zu machen. **Der nützliche HDL-Cholesterinspiegel wir durch Gerste nicht gesenkt** Und am wichtigsten dabei war, daß dieser Stoff für eine Verringerung der Produktion des LDL-Cholesterins sorgte, das die Arterienwände zerstört. Der HDL-Cholesterinspiegel, der dazu beiträgt, daß schädliches Cholesterin ausgeschwemmt wird, blieb intakt.

Aber was war die Ursache?

Nach vielen frustrierenden Versuchen, den pharmazeutischen Wirkstoff in der Gerste zu extrahieren, kam 1983 der Durchbruch. Dr. Qureshi isolierte einen Stoff in der Gerste (und im Weizen, im Hafer und im Roggen), der die Fähigkeit der Leber zur Cholesterinsynthese tatsächlich unterdrückt. Er wird Tocotrienol genannt oder, in der Umgangssprache des Teams in Wisconsin, »Inhibitor 1«. Die Forschungsstiftung der ehemaligen Studenten des Instituts meldete den Stoff zum Patent an, in der Hoffnung, er lasse sich zu einem einträglichen Medikament zur Cholesterinbekämpfung entwickeln. Die Wissenschaftler arbeiteten weiter und entdeckten den »Inhibitor 2«, ein Triglyzerid, und »Inhibitor 3« – in den Körnern. Alle drei Stoffe sind in den Körnern von Gerste, Roggen und Hafer durchgehend vorhanden. Aber die bei weitem größten Mengen werden in den Spelzen gefunden, der Hülle der Körner – in dem, was wir Ballaststoffe nennen. Ein Zufall? Sind Ballaststoffe schlicht und einfach unfreiwillige Träger von Stoffen, die starke Wirkungen gegen das Cholesterin haben? Ist das der Grund, warum ballaststoffreiche Körner und Gemüse den Cholesterinspiegel im Blut senken? Und zwar nicht, weil der Ballaststoff selbst über besondere physiologische Aktivitäten verfügt, sondern weil er eine Hülle abgibt für cholesterinsenkende chemische Stoffe? Dr. Qureshi ist dieser Meinung. Andere wieder behaupten, bestimmte Ballaststoffe seien selbst ebenfalls wirksame Mittel zur Cholesterinsenkung, was einen Teil des vegetarischen Geheimnisses erkläre.

Lernen Sie Dr. med. James Anderson kennen, einen berühmten Mann an der medizinischen Fakultät der University of Kentucky. »Dr. Fiber« (Dr. Ballaststoff) hat ein **Ballaststoffe fördern die Gesundheit auf vielfältige Weise** Jahrzehnt mit dem Versuch zugebracht, der pharmakologischen Wirkung von ballaststoffreicher Nahrung auf die Spur zu kommen. Er empfiehlt sie nachdrücklich Diabetikern zur Senkung des Blutzuckers und jedermann zur Bekämpfung der Epidemie an Herz- und Gefäßkrankheiten. Dr. Anderson ist überzeugt davon, daß Ballaststoffe eine Fülle von eigenen pharmakologischen Wirkungen haben – unabhängig von ihren chemischen Mitreisenden – und daß bestimmte Ballaststoffe ebenfalls die Synthese von Cholesterin in der Leber reduzieren können. Für ihn sind es vor allem die Ballaststoffe – die nur in Pflanzen zu finden sind —, die Vegetariern den gesundheitlichen Vorteil verschaffen.

Dr. Anderson ist damit ein gemäßigter amerikanischer Anhänger einer Theorie, die in England seit Anfang der siebziger Jahre von einer Gruppe von Ärzten verfochten wird, darunter Denis Burkitt. Die Hypothese besteht

darin, der Mangel an Ballaststoffen sei eine der Hauptur-
sachen für die heutigen Krankheiten, und Ballaststoffe
könnten fast alles heilen,was Ihnen fehlt, oder vorbeugend dagegen wirken, darunter Diabetes, Koronargefäß-
erkrankungen, hoher Blutdruck, Fettleibigkeit, Hämorrhoiden, Krampfadern, Divertikulose, Hiatushernie,
Gallensteine, Verstopfung, Darmreizungen, Blinddarmentzündung und Krebs, vor allem Dickdarmkrebs.
Es ist nicht das erste Mal, daß die Menschheit derlei ver-
nimmt.
Der Vegetarismus – eine ballaststoffreiche Ernährung,
wenn sie früher auch noch nicht so genannt wurde –
reicht zurück bis ins klassische Griechenland. Im Amerika des 19. Jahrhunderts rühmte der Arzt Sylvester Graham, ein überzeugter Vegetarier, der uns das Grahambrot hinterlassen hat, die Ballaststoffe als den Hauptgrund dafür, daß Gemüse, Obst, Hülsenfrüchte und Körner gesund seien. Er berief sich auf wissenschaftliche
Untersuchungen des angesehenen Physiologen William Beaumont, der 1833 lobend über die Ballaststoffe
schrieb, sie seien vermutlich als Bestandteile der Ernährung fast genauso wichtig wie die Nährstoffe. Damals
waren Grahams magische Brotrezepte das Tagesgespräch zum Thema Ballaststoffe.
Wenn es heute um Ballaststoffe geht, sind Jim Andersons Haferkleie-Muffins das Tagesgespräch (Muffins
sind ein beliebtes amerikanisches Gebäck).
Dr. Anderson stolperte über den Hafer, weil ihm etwas
Seltsames auffiel, wenn Diabetiker ballastreiche Kost
aßen: Nicht nur verbesserte sich der Blutzucker und die
Insulinwerte, sondern es sanken auch der Cholesterinspiegel und der Blutdruck. Aber ihre Triglyzeride – eine
andere Form von Fett – nahmen zu, und das war bedenk-
lich. Etwa um dieselbe Zeit dämmerte ihm etwas Er-

staunliches. Er hatte zunächst angenommen, der schlagartige Rückgang des Cholesterins im Blut und die Verminderung des Blutdruck seien darauf zurückzuführen, daß mit dem größeren Anteil an Kohlehydraten das Fett notwendigerweise aus der Ernährung verdrängt worden sei; ein Mensch kann nur eine bestimmte Anzahl von Kalorien zu sich nehmen, wenn also mehr davon auf Kohlehydrate entfallen, bleiben weniger für den Fettanteil. Weil die Verringerung von Fett, vor allem von gesättigtem tierischen Fett, bekanntermaßen das Cholesterin im Blut senkt, hatte Anderson nicht weiter darüber nachgedacht, auch wenn die Cholesterinwerte weit tiefer sanken, als bei der fettärmeren Ernährung zu erwarten war. Dann kam er plötzlich darauf – natürlich! Vielleicht waren die zusätzlichen Ballaststoffe der Hauptfaktor bei der Senkung des Cholesterins – nicht der Verzicht auf Fett. Vielleicht ließen sich also auch die Ballaststoffe in einer Weise manipulieren, daß sie diesen Rückgang noch besser bewirken und sogar die Triglyzeride und das die Arterien zerstörende LDL-Cholesterin hinausschwemmen konnten, während sie das wohltätige HDL-Cholesterin erhöhten.

Das war eine Vermutung, die ihn mit der Quaker Oats Company in Verbindung brachte und mit einem Produkt, das dort der Tiernahrung hinzugefügt wurde. Dr. Anderson hatte bei seinen Versuchen mit Weizenkleie kein Glück gehabt. (Wie sich inzwischen herausgestellt hat, senkt Weizenkleie das Cholesterin im Blut nicht.) Dann fielen ihm die holländischen Hafermüller ein. Aus Holland kamen Berichte, daß die Müller oft große Mengen von Hafermehl essen – sechs bis sieben Teller am Tag. Und sie sind mit außerordentlich niedrigen Cholesterinwerten gesegnet. Dr. Anderson wußte, daß Hafer einen gallertartigen Ballaststoff enthält, der sich deutlich von dem des Weizens unterscheidet. »Wenn Sie Haferbrei kochen, ist das Zeug, das an der Pfanne hängt, der klebrige Ballaststoff« erklärte Dr. Anderson. (Hafer hat einen besonders hohen Anteil an löslichen Ballaststoffen, Weizen an unlöslichen.) Aber das war eine riesige Menge Hafermehl, die man da hätte essen müssen. Dr. Anderson vermutete, er könne mit Haferkleie, dem konzentrierten Restprodukt nach der Vermahlung des Getreides, eine stärkere Wirkung erzielen. Er wandte sich an Quaker Oats und bat um Kleie. Nachdem sie eine Weile gesucht hatten, trieben sie in ihrer Fabrik zur Verarbeitung von Tiernahrung Haferkleie auf. 1976 schickten sie ein Faß mit hundert Pfund Haferkleie an die medizinische Fakultät der University of Kentucky.

Nachdem Dr. Anderson herausgefunden hatte, was er damit anfangen konnte, reichte die Kleie für genau 533 Portionen. Innerhalb weniger Wochen aß er selbst fünfunddreißig davon. Wie bei vielen Wissenschaftlern deckte sich sein berufliches Interesse mit dem persönlichen. Sein Cholesterinspiegel war bis auf 300 gestiegen und lag zu jener Zeit bei etwa 285. Er achtete etwas sorgfältiger auf seine Ernährung und aß jeden Morgen einen Haferbrei aus etwa 90 Gramm Kleie. (Später lernte er, aus Haferkleie Muffins zu backen.)

Haferkleie senkt ebenfalls erheblich die LDL-Cholesterinwerte und steigert den HDL-Anteil

Seine Augen funkeln, wenn er davon erzählt: »Mein Cholesterinspiegel sank innerhalb von fünf Wochen um 110 Punkte, von 285 auf 175. Soweit ich weiß, war ich der erste Mensch, der je zur Senkung von Cholesterin Kleie gegessen hat. Der Kollege, der im Universitätslabor mein Blut untersuchte, brachte mir die Analyse persönlich vorbei – er war völlig verblüfft über die Ergebnisse. Er wollte wissen, was zum Teufel ich eigentlich machte.«

Die Haferkleie attackierte genau die richtige Cholesterinart, wie weitere Tests zeigten. »Bei den ersten vier Patienten erlebten wir, daß die Haferkleie die bösen Buben, die LDL-Werte, um 58 Prozent reduzierte und tatsächlich, und das ist eine der eigentlichen Überraschungen, die HDL-Werte fast verdoppelte – sie stiegen um 82 Prozent. Es stimmt, wir haben festgestellt, daß die LDL-Werte sanken, nur sie, und die HDL-Werte stiegen. Wir fanden das wirklich aufregend. Genau das brauchten wir zur Bekämpfung von Herzkrankheiten.«

In den nächsten Jahren gab Dr. Anderson Hunderten von Patienten Haferkleie zu essen, manchmal zu Muffins verarbeitet; ihre Cholesterinwerte sanken im Durchschnitt um 20 Prozent. Selbst dann, wenn die Patienten beim Fett keine Einschränkungen machten, sorgte die Haferkleie dafür, daß ihr Cholesterin sank. Dr. Anderson versuchte es auch mit Hülsenfrüchten, die einen hohen Anteil an löslichen Ballaststoffen haben; auch sie wirkten spektakulär. Ballaststoffe sind ein cholesterinsenkendes Mittel – oder, genauer gesagt, wie Dr. Anderson meint, eine ausgesprochen große Gruppe von Heilmitteln.

Wissenschaftler könnten ihre gesamte Laufbahn damit verbringen – und viele wie Dr. Anderson tun es auch —, den Machenschaften jener Substanzen auf die Spur zu kommen, die wir Ballaststoffe nennen.

Ballaststoffe scheinen etwas unaussprechlich Langweiliges zu sein. Aber wenn man sie ißt, sind die physiologischen Folgen ungeheuer. Nachdem sie der Auflösung durch die Magensäure entkommen sind, erreichen Partikel von Ballaststoffen den Dickdarm, wo sich aufregende Dinge tun. Das dortige Schicksal der Ballaststoffe entscheidet über das Ihre – von so unmittelbaren Wirkungen wie Darmbewegungen bis zur langfristigen Bedrohung durch Dickdarmkrebs. Zum Beispiel enden die Ballaststoffe zusammen mit anderen unverdauten Substanzen verstreut über den unteren Verdauungstrakt, wo sie den Angriffen einer Vielzahl von Bakterien ausgesetzt sind. Diese Mikroben reißen buchstäblich auseinander, was sie an Material vorfinden, zergliedern es in einfachere chemische Stoffe, in einem Prozeß, der Fermentation genannt wird. Aus diesem Schlachtfest der Mikrokoben entstehen alle möglichen Nebenprodukte des Stoffwechsels mit physiologischen Eigenschaften, darunter auch Gase und eine Reihe von im Stoffwechsel wirksamen, flüchtigen Fettsäuren mit kurzen Molekülketten.

Was diese flüchtigen Fettsäuren anlangt, sind Wissenschaftler ungeheuer neugierig. Diese Fettsäuren können aus dem Dickdarm direkt in die Leber vorstoßen. Es wird angenommen, daß sie über ein erstaunliches Potential verfügen, was die Regulierung von Funktionen anlangt, die mit dem Cholesterin im Blut und mit Krebs zusammenhängen. Eine dieser Säuren, Propionsäure genannt, ist von Dr. Anderson bei Ratten getestet worden. Diejenigen Nagetiere, die Wasser mit zugesetzter Propionsäure tranken, hatten weniger Cholesterin in Blut und Leber. Dr. Anderson vertritt die Theorie, daß die Ballaststoffe, nach etlichen chemischen Umwandlungen, schließlich zu Propionsäure werden und die Produktion von Cholesterin in der Leber reduzieren (genau wie Dr. Qureshis chemische Stoffe in der Gerste). Dr. Anderson glaubt, das sei die Methode, mit der etwa Bohnen den Cholesterinspiegel senken. Hafer jedoch, der ähnliche Mengen an löslichen Ballaststoffen enthält, arbeitet in keiner Weise nach dieser Methode. Hafer senkt den Cholesterinspiegel offenbar dadurch, daß er Gallensäure aus dem Verdauungstrakt ausschwemmt, die sonst zu

Cholesterin werden könnte, eine ähnliche Wirkungsweise wie bei dem Medikament Cholestyramin.

Ballaststoffe sorgen natürlich auch dafür, daß der Stuhl
umfangreicher wird und den Verdauungstrakt schneller
durchläuft. Das ist ein Hauptgrund dafür, warum von
Ballaststoffen angenommen wird, daß sie dem Dickdarmkrebs vorbeugen. Karzinogene im vergrößerten
Stuhl sind diffuser und wirken weniger direkt auf die
Ballaststoffe beugen Dickdarmwand. Etliche Wissenschaftler
vermutlich Dick- gehen von der Theorie aus, daß pflanzli-
darmkrebs vor che Ballaststoffe an sich oder ihre Meta-
boliten als Mittel gegen Krebs wirken, indem sie zum
Beispiel zur Regulierung des Östrogenspiegels beitragen, der Einfluß hat auf die Entstehung von Brustkrebs.
Selbst die Art von Ballaststoff, die für umfangreicheren,
feuchteren Stuhl sorgt, ist umstritten. Ballaststoffe im
Dickdarm saugen Wasser auf. Seit Jahren nahmen Ärzte
an, der umfangreichste Stuhl werde von den Ballaststoffen verursacht, die am meisten Wasser aufsaugen. Kommerzielle Abführmittel aus Ballaststoffen wurden auf
ihre Wirksamkeit erprobt, indem ihre Fähigkeit, Wasser
aufzunehmen, getestet wurde. Aber umfassende Untersuchungen von Dr. John H. Cummings vom Dunn Clinical Nutrition Centre in Cambridge, England, einem
der führenden Experten der Welt auf dem Gebiet der
Ballaststoffe, ergaben etwas anderes. Er demonstrierte,
daß Nahrungsmittel, wenn man sie zerlegt und die Zellwände extrahiert und dann mit Wasser in Berührung
bringt, auf völlig verschiedene Weise reagieren. Zum
Beispiel schluckt ein Gramm des Zellwandextrakts von
Kartoffeln, Bananen oder Kleie nur drei Gramm Wasser.
Ein Gramm dieses Extrakts aus Gurken, Karotten und
Kopfsalat schluckt zwischen 20 und 24 Gramm Wasser.
Das müßte eigentlich den Kopfsalat zu einem hervorra-

genden Abführmittel und Kleie zu einem wenig taugli-
chen machen. Aber Kleie, obwohl sie im Teströhrchen
nur wenig Wasser aufsaugen kann, ist der bei weitem beste Quellstoff für den Darminhalt und ist das beste bekannte Vorbeugungsmittel gegen Verstopfung und deren Begleiterscheinungen.

Was Dr. Cummings über die Aktivitäten der Ballaststoffe
entdeckte, hängt möglicherweise mit der unerklärlichen medikamentösen Wirkung eines chemischen Stoffes namens Pentose zusammen. Er stellte fest, daß Menschen, die Ballaststoffe mit dem höchste Gehalt an Pentose, einem Zucker in den Zellwänden, essen, einen umfangreichen Stuhl haben. Keine Überraschung: Weizenkleie, das beste Abführmittel der Natur, ist reich an Pentose.

Es gibt also viele Wege, die zu den Gründen dafür führen, daß Vegetarier weniger an chronischen Krankheiten aller Art leiden. Es erscheint gesichert, daß komplexe Pflanzenbestandteile ebenso wie die Ballaststoffe die
Cholesterinproduktion in der Leber drosseln und das
Blut von zuviel Cholesterin entgiften, ganz wie die ausgeklügeltsten Medikamente. Dr. Qureshi glaubt, seine
Entdeckungen über die Gerste seien nicht das Ende,
sondern erst der Anfang. Er sagt, die Natur habe ihre
Gunst weit verteilt, ein Königreich der Pflanzen geschaffen und damit ein reiches Nahrungsangebot zur
Cholesterinsenkung und, alles in allem, von ungeheu-
rem Nutzen für Herz und Gefäße. Chemische Stoffe, die
die Cholesterinherstellung in der Leber bremsen, sind
in Knoblauch, Orangenschalen, Ginseng, Anis, Zitro-
nellöl, Luzerne, Olivenöl, Bier (durch den Hopfen),
Trauben, Wein, Milch und Joghurt gefunden worden –
und natürlich auch in Gerste, Roggen, Hafer und Boh-

nen. Und die Wissenschaft hat mit der Suche erst angefangen.

Die Lehre daraus ist nicht nur, daß Vegetarier sich einer guten Gesundheit erfreuen, sondern daß sie durch den Verzehr von Pflanzennahrung inklusive Körnern ihrem Körper ständig eine Dosis pharmakologisch wirksamer Stoffe zuführen, die als natürliche Heilmittel dafür sorgen, daß ihr Herz und ihre Gefäße besser arbeiten, daß ihr Blut weniger gefährliches Cholesterin enthält, ihre Verdauung besser funktioniert und ihr Körper weniger anfällig für bestimmte Krebsarten ist.

Dr. Andersons cholesterinsenkende Haferkleie-Muffins mit Rosinen

2 1/2 Tassen Haferkleie (knapp 600 ccm)
2 Teelöffel Fruchtzucker
1/2 Tasse Rosinen (knapp 120 ccm)
1 Eßlöffel Backpulver
1/2 Teelöffel Salz
235 ml Magermilch (1 Tasse)
2 Eßlöffel Sojamehl (ersetzt 2 Eier)
1 Eßlöffel Pflanzenöl

Backofen auf 220 Grad vorheizen. Papierbackförmchen verwenden oder Muffinblech einfetten (nur den Boden). Die trockenen Zutaten mit den Rosinen vermischen. Magermilch und Öl zugeben und so lange rühren, bis die trockenen Zutaten durchfeuchtet sind. Die vorbereiteten Backförmchen zu 3/4 füllen. Bei 220 Grad in ca. 17 Minuten goldbraun backen. Ergibt 10 Muffins.

Die Yin-Yang-Therapie des Chilipfeffers

Wenn Sie erkältet sind, sollten Sie im Magen Feuer machen. Die verrückte Annahme, daß das helfe, wurzelt in
einem alten medizinischen Konzept der Ausgleichung
von Gegensätzen. In der antiken griechisch-römischen
Medizin wußte jeder Arzt, der etwas taugte, daß das Gegenmittel, wenn Auswurf auf eine »Störung durch Käl-
te« vorlag, etwas »Heißes« sein mußte. Die traditionelle
asiatische Heilkunde sieht gegen »Yin«–Erkältungsbe-
schwerden heiße, scharf gewürzte »Yang«–Speisen vor.
Daß eine dem Anschein nach derart unwissenschaftli-
che Theorie durchaus Gültigkeit haben könnte, ließ einem Medizintheoretiker und Pharmaexperten von heute keine Ruhe und brachte ihn schließlich dazu, faszinierende Untersuchungen über den Chilipfeffer anzu-
stellen.

Dr. Irwin Ziment stammt aus Großbritannien, wo das Essen im allgemeinen mild ist, was den Engländern, wie er
sagt, nicht bekommt, weil sie außerdem ein feuchtes
Klima haben – das sind seiner Meinung nach zwei Faktoren, die sich mit anderen, zum Beispiel dem Rauchen,
dazu verschwören, daß chronische Bronchitis bei Briten
weit verbreitet ist. Bronchitis, sagt er, sei in Großbritannien viele Jahre lang so häufig gewesen, daß sie als »englische Krankheit« bezeichnet wurde.

Aber Dr. Ziment lebt jetzt in Kalifornien, wo das Essen
alles andere als mild ist – geprägt von vielen scharfen
mexikanischen Saucen, japanischem Wasabi (der ste-
chend scharfen, grünen Mischung aus Meerrettich und
Senf, die zu Sushi und Sashimi serviert wird), Szechuan-
pfeffer, scharf gewürzten indischen Curryragouts und
Thai-Gerichten, von denen einem die Augen tränen. Er
ist sehr dafür. Das ist gut für die Lungen, sagt er. In den

Gegenden der Welt mit scharfer Küche sei die Anfälligkeit für Lungenkrankheiten niedrig, fügt er hinzu. Nach seinen Beobachtungen haben die mexikanischen Einwohner in der Umgebung von Los Angeles weniger Atembeschwerden, obwohl sie rauchen, und wenn sie chronische Bronchitis bekommen, brauchen sie weniger Behandlung. Warum? Weil sie scharfe Speisen essen. Fall sie es nicht schon tun, rät Dr. Ziment seinen Patienten mit Krankheiten der Atemwege wie einem Emphysem oder chronischer Bronchitis, mindestens einmal am Tag eine heiße, scharf gewürzte Mahlzeit zu sich zu nehmen oder ein mit zehn bis zwanzig Tropfen Tabasco versetztes Glas Wasser zu trinken oder Chilischoten zu kauen. Und wenn Sie erkältet sind oder Halsschmerzen haben, empfiehlt Ihnen Dr. Ziment, einen Teelöfel Meerrettich zu reiben und in einem Glas warmen Wasser, vermischt mit etwas Honig zu trinken. Oder kochen Sie sich eine Hühnersuppe mit viel Knoblauch und einem kräftigen Schuß roten oder schwarzen Pfeffers. Das ist der Maßstab, erklärt er, an dem alle anderen Mittel gegen Erkältungen gemessen werden sollten. »Es ist wahrscheinlich das Beste, was es gibt.«

Bedenken Sie, daß Dr. Ziment an der angesehenen medizinischen Fakultät der University of California Professor ist und die Abteilung für Krankheiten der Atemwege am Olive View Medical Center in L. A. leitet. Er ist außerdem eine Autorität auf dem Gebiet der Lungenmedikamente und hat über dieses Thema mehrere Lehrbücher geschrieben. Wenn Sie einen solchen anerkannten Fachmann fragen, ob er es nicht etwas seltsam findet, Chilipfeffer zu empfehlen, weist er darauf hin, daß der Pfeffer durch seine althergebrachte Verwendung ein glaubwürdigeres Heilmittel sei als viele der Medikamen-

Scharfe Speisen wirken gegen Erkrankungen der Atemwege

te im Handel, deren therapeutischer Wert nicht nachgewiesen sei und die möglicherweise Nebenwirkungen hätten.

Ein großer Teil seines Interesses an der Therapie mit Chilipfeffer geht übrigens auf eine intellektuelle Odyssee zurück, die er bei der Recherche für die Lehrbücher unternahm. Er sondierte die medizinhistorische Verwendung von Expektoranzien, einem Gebiet, für das er sich besonders interessiert. Expektorantien sind Mittel, die Ihnen beim Abhusten von Schleim aus den Bronchien oder der Lunge helfen. Starke, verschreibungspflichtige Expektorantien sind bei der Bekämpfung besonders hartnäckiger chronischer Lungenleiden von entscheidender Bedeutung.

Als Dr. Ziment sich näher mit dem Thema befaßte, stellte er fest, daß darüber, »wie die Mittel als Expektorantien genutzt werden sollen, internationale Übereinstimmung besteht«. Und zu seiner Überraschung reicht diese Übereinstimmung weit in die Geschichte zurück. »Mich hat vor allem beeindruckt«, berichtet er, »daß die meisten Arzneimittelbücher aus Europa und Asien Gewürze und Knoblauch als Expektorantien nennen. Sie werden so häufig erwähnt, daß man über ihren Wert nachdenken muß. Und als zweites ist dabei deutlich geworden, daß viele der chemischen Stoffe in diesen Gewürzen den Stoffen, die wir heute in der Schulmedizin als Expektorantien verwenden, erstaunlich ähneln.«

Es ist keine Frage, sagt Dr. Ziment, daß scharfe Speisen seit dem Altertum zur Behandlung von Lungenkrankheiten verwendet worden sind. Er fand heraus, daß medizinische Schriften aus dem alten Ägypten Senf für die Behandlung der Atemwege empfahlen. Hippokrates verordnete Essig und Pfeffer als Heilmittel für die Atemwege. Galen, der große römische Arzt, gab bei Schmer-

zen im Brustkorb Knoblauch den Vorzug. Der Jude
Maimonides aus dem 12. Jahrhundert, ein Experte für
Asthma, empfahl gegen dieses Leiden und »für die Auflösung und den Auswurf von Lungenschleim« scharf gewürzte Hühnersuppe. 1802 riet der englische Arzt Herb-
erden, Asthma auch mit Knoblauch und Senfkörner zu
behandeln. In der asiatischen Medizin werden vor allem
Paprika, schwarzer Pfeffer, Senf, Knoblauch und Kurku-
ma (Gelbwurz) zur Behandlung von Erkältungen, Ne-
benhöhlenentzündungen, Bronchitis und Asthma verwendet. In Rußland wird Meerrettich zur Heilung von
Erkältungen benutzt.

Dr. Ziment entdeckte, daß solche Heilmittel der Volksmedizin, genau wie die modernen Medikamente, eins
gemeinsam haben: Sie alle wirken auf die Zähflüssigkeit
und dadurch auf die Bewegung des Schleims in der Lunge – etwas, womit sich die wenigsten Leute beschäftigen, solange sie keine Schwierigkeiten damit haben.
Normalerweise verläuft die Reise des Schleims durch die
Lunge so unauffällig, daß Sie sich der Routinesäuberung
gar nicht bewußt sind, bei der der Schleim aus den Lungen ausgestoßen und in den Rachen befördert wird, wo
Sie ihn schlucken. Für diesen Transport des Schleims
durch die Atemwege sorgen mit rhythmischen Bewe-
gungen die Zilien, winzige, haarähnliche Zellfortsätze.
Wie die Ruder von Millionen winziger Ruderer, die sich
im Takt bewegen, schlagen die Zilien rasch nach oben
und schnellen wieder zurück und hieven so den Schleim
nach oben und aus den Bronchialästen hinaus. Alles
geht gut, wenn der Schleim so dünn ist, daß ihn die Zili-
en bewegen können.

Bei chronischer Bronchitis – die oft vom Rauchen verursacht wird – verdickt sich der Schleim, wird klebrig und
zäh und verstopft die Atemkanäle. Die Zilien, die von

der Krankheit ebenfalls angegriffen sind, schaffen es nicht mehr, die Sekrete gegen die Schwerkraft zu befördern. Schleim sammelt sich in den kleinen Luftwegen, bleibt dort hängen und reizt die Lungen, führt zu Husten und nach einer Weile zur Infektion. Die Luftwege entzünden sich, das Atmen fällt schwer; wenn der Schleim nicht abgehustet oder ausgeworfen wird, versagen schließlich die Lungen.

Deshalb ist es von entscheidender Bedeutung für die Lungenfunktion, daß die Sekrete regelmäßig entfernt werden. Schon im Altertum wurde entdeckt, daß bestimmte scharfe Nahrungsmittel über sogenannte *mukokinetische* Stoffe verfügen (schleimbewegende Stoffe), die den Schleim verdünnen, regulieren oder aus den Lungen hinausbefördern können. Moderne Medikamente zur Förderung der Entfernung von Sputum aus dem Atemsystem werden mukokinetisch genannt.

Genau diese mukokenitische Wirkung erklärt die pharmakologischen Geheimnisse der scharfen Gewürze. Sie verdünnen **Scharfe Gewürze verdünnen die Lungensekrete** buchstäblich die Lungensekrete, so daß sie abgehustet oder auf normale Weise entfernt werden können. Wie moderne Medikamente arbeiten auch die Gewürze mit etwa einem Dutzend verschiedener Mechanismen; am häufigsten kommt dabei vermutlich laut Dr. Ziment ein Sofortkommunikationssystem zwischen Magen und Lunge zur Wirkung. Bei seiner historischen Suche fiel Dr. Ziment die Tatsache auf, daß die für die Atemwege gemeinhin verschriebenen Heilmittel gleichzeitig Emetika sind – in hohen Dosen führen sie zum Erbrechen. Zum Beispiel Ipekakuanha. In kleinen Dosen ist diese Wurzel ein altmodisches Hustenmittel, eines der ältesten Heilmittel gegen Asthma. Sie erhöht die Produktion von Flüssigkeit in der Lunge und wird heute in größeren Dosen bei Vergiftungen als Brechmittel benutzt. Hier nun Dr. Ziments Theorie über das, was sich abspielt: Ein scharfes Nahrungsmittel trifft auf einen »Empfängerknopf« im Magen, sendet durch den Eingeweidennerv ein Signal ins Gehirn und zurück in die Lunge, wo das Signal der Bronchialdrüsen dazu stimuliert, einen Strom wäßriger Flüssigkeit freizugeben. Weil die Nerven auf dem ganzen Weg der Nahrungsaufnahme erreicht werden können – vom Mund bis zum Magen —, aktiviert derselbe Reflex bestimmte Drüsen, die daraufhin Wasser in Nase und Augen treiben. Wie Dr. Ziment sagt, ist das der Grund dafür, warum »Meerrettich, Pfeffer oder ein scharf gewürztes Essen Ihre Nase und Ihre Nebenhöhlen im Nu reinigen«. In den Lungenflügeln verdünnt der plötzliche Ausstoß von Flüssigkeit den Schleim oder veranlaßt die Drüsen dazu, weniger klebrigen Schleim zu produzieren, so daß er leichter fließt. Die scharfen, aromatischen Nahrungsmittel, vor allem die feurigen Mitglieder der Paprikafamilie, lösen – im Kontakt mit dem Magen – einen inneren Tränenstrom aus, der das System reinigt, Staus in der Nase und in der Lunge auflöst, die Nebenhöhlen ausspült und Reizstoffe wegschwemmt. »Ich glaube, daß scharf gewürzte Speisen bei jedem Leiden gut sind, bei dem sich Sekrete in den Luftwegen bilden, die dicker sind als normal«, sagt Dr. Ziment, »und dazu gehören Nebenhöhlenentzündung, eine Erkältung, die zur Bildung von zähem Schleim führt, und natürlich chronische Bronchitis.«

Es sieht so aus, als ob scharfe Gewürze sowohl zur Abwehr als auch zur Heilung von Bronchitis dienen könnten. Dr. Ziment glaubt, daß viele Menschen zum Teil auch deshalb schwere Bronchitis bekommen, weil sie nichts Scharfes mögen. Wenn er Patienten dazu drängt, es mit scharfer Kost zu versuchen, sind die Ergebnisse »manchmal durchgreifend«. Er rät ihnen »mit etwa zehn Tropfen Tabasco in einem Glas Wasser oder Tomatensaft anzufangen, und wenn sie zehn erträglich finden, schlage ich vor, daß sie zwanzig nehmen. Viele stellen dann fest, daß ihnen das Abhusten der Sekrete viel leichter fällt.«

> Zur Heilung von Bronchitis: täglich 10–20 Tropfen Tabasco in einem Glas Wasser

Der Stoff in dieser scharfen Sauce, der vermutlich den lungenreinigenden Prozeß auslöst, ist das Capsaicin, die Substanz im scharfen roten Pfeffer, an der man sich den Mund verbrennt. Dr. Ziment weist darauf hin, daß das Capsaicin aus einem Stoff gewonnen wird, der die Basis der chemischen Struktur eines Arzneimittels namens Guaifenesin ist. Das Handbuch für Ärzte führt Guaifenesin als Expektorans auf und als Wirkstoff in etwa fünfundsiebzig rezeptfreien und verschreibungspflichtigen Hustensäften, Tabletten gegen Erkältungskrankheiten und Expektorantien, darunter Robitussin, Wicks Hustensaft und Actifed.

Aber Senf, Meerrettich, Curry und Knoblauch wirken im Grunde auf dieselbe Weise, sagt Dr. Ziment. Alle können als Emetika wirken und die Bronchialdrüsen zur Abgabe von Sekreten anregen.

Eines von Dr. Ziments Lieblingsarzneimitteln gegen Krankheiten der Atemwege ist der Knoblauch, ein seiner Meinung nach faszinierendes Naturheilmittel gegen Erkältungen. Er weist darauf hin, daß der wichtigste Aromaträger im Knoblauch, das Alliin, chemisch eng verwandt ist mit einem Medikament namens Mucodyne, einem weitverbreiteten europäischen Mittel zur Regulierung des Schleimflusses. Er

> Knoblauchzehen sind am wirksamsten, wenn sie ganz verwendet oder im Mikrowellenherd gegart werden

meint, Knoblauch könne ein noch wirkungsvolleres Mittel gegen zähflüssigen Schleim sein, wenn man ihn mit Vitamin C kombiniere, weil Vitamin C dazu beitragen könne, Alliin in einen Stoff umzuwandeln, der chemisch dem Mucodyne sehr ähnlich ist. Dadurch, sagt er, bekommt der Einsatz von Knoblauch (verstärkt durch Vitamin C) eine vernünftige pharmakologische Basis als natürlicher mukokinetischer Stoff. Am wirksamsten, rät er, seien die Knoblauchzehen, wenn man sie ganz verwende oder im Mikrowellenherd gare, ehe sie in die Suppe kommen. Das verhindert die Umwandlung von Aliin in Allizin, den stark riechenden chemischen Stoff, der andere therapeutische Eigenschaften hat. Wenn man den Knoblauch zerstampft oder zerschneidet, kommt es schnell zu einer Umwandlung in Allizin. Senf, ein herkömmliches Expektorans, enthält ebenfalls Allylisothiocyanat, das dem Alliin im Knoblauch ähnlich ist.

Scharf gewürzte Speisen könnten der Lunge auch in anderer Hinsicht helfen. Bei einer Untersuchung wurde festgestellt daß Ratten, wenn man ihnen Capsaicin gab, bevor man sie Zigarettenrauch aussetzte, »verschont blieben von Odömen der Atemwege und von Bronchokonstriktionen, die vom Zigarettenrauch und anderen Reizstoffen verursacht werden«. Darüber hinaus häufen sich laut Dr. Ziment die Beweise dafür, daß Lungenschäden, darunter auch Emphyseme, wohl zum Teil von freien Radikalen verursacht werden – von jenen aktiven Sauerstoffmolekülen, die buchstäblich die Zellen auseinanderreißen —, die sich möglicherweise aufsaugen ließen von Sulfhydriden, gewonnen aus chemischen Stoffen in Lebensmitteln wie Knoblauch. »Wenn dieser Theorie nachgegangen wird«, sagt er, »könnte es sich als wahr herausstellen, daß Knoblauch zur Vorbeugung von

Emphysemen oder Bronchienschäden beiträgt, indem er als Antioxidans wirkt und die freien Radikalen aufsagt.« Aus diesem Grund wurde in einem Leitartikel in einer angesehenen Medizinzeitschrift vor kurzem vorgeschlagen, Zigaretten Knoblauch hinzuzufügen.
Dr. Ziments ärztlicher Rat: Essen Sie scharfe Speisen, wenn Sie erkältet sind, Schwierigkeiten mit den Nebenhöhlen, zähflüssigen Lungenschleim, Asthma, Bronchitis oder ein Emphysem haben – oder wenn Sie glauben, Sie seien anfällig für diese Krankheiten. Oder versuchen Sie Ziments Hühnersuppe, ein modernes Heilmittel nach alter Tradition.

Dr. Ziments ärztlich verordnete Hühnersuppe mit Knoblauch gegen Erkältungen und Husten

800 ml Hühnerbrühe
1 Knoblauchknolle (etwa 15 Zehen)
5 Zweige Petersilie, gehackt
6 Zweige Koriander, gehackt (ersatzweise doppelte Menge Petersilie und gemahlener Koriander zum Würzen)
1 Teelöffel Zitronenpfeffer
1 Teelöffel gehackte Minzeblätter
1 Teelöffel gehacktes Basilikum
1 Teelöffel Curry

Knoblauchzehen schälen und mit den anderen Zutaten in einen Topf ohne Deckel geben. Zum Kochen bringen, dann etwa 30 Minuten schwach köcheln lassen. Die Brühe kann dann durchgesiebt werden. Die Kräuter und der Knoblauch können aber auch püriert werden und in der Suppe bleiben. Es ist auch möglich, die Kräuter der Brühe schon püriert hinzuzufügen.

Hinweise für die Anwendung: Die Dämpfe der köchelnden Suppe können während der Zubereitung inhaliert werden. Die Suppe und die Zutaten werden in vier bis acht gleiche Portionen aufgeteilt. Vor dem Essen sollte je eine Portion gegessen werden, ein- bis dreimal am Tag. Es ist dem Patienten unbenommen, je nach Geschmack weitere Zutaten hinzuzufügen (Karotten, Lorbeerblätter, Chilipfefferkrümel). Persönlich wie gesellschaftlich ist es vielleicht ratsam, die Suppe anfangs in verdünnter Form zuzubereiten, bis die Gewöhnung an diese Therapie einsetzt.

Ein heißer Tip für Kalorienbewußte

Von scharf gewürzten Speisen können Sie auf unerwartete Weise profitieren – sie führen zu einer Erhöhung des Stoffwechsels, bei der die Kalorien schneller verbrennen. Es ist kein Geheimnis, daß bestimmte Stoffe in der Nahrung den Stoffwechsel beschleunigen können, den Prozeß, der durch das Verbrennen von Kalorien Wärme erzeugt. Bei einem Test mit zwölf Freiwilligen stellten britische Forscher am Oxforder Polytechnikum fest, daß sich der Stoffwechsel der Versuchspersonen im Durchschnitt um 25 Prozent beschleunigte und daß in den drei der Mahlzeit folgenden Stunden im Durchschnitt 45 Kalorien mehr verbrannt wurden, wenn dem Essen drei Gramm scharfe Chilisauce und drei Gramm scharfer Senf (jeweils etwa drei Fünftel eines Teelöffels) hinzugefügt worden waren. Eine Versuchsperson verbrannte 10 Prozent Kalorien mehr, das heißt 76 eines Frühstücks mit 766 Kalorien, nachdem die scharfen Gewürze hinzugefügt worden waren.

Scharfe Gewürze erhöhen den Stoffwechsel

5. Die großen Entdeckungen über Fisch

Jeder, der Gesundheitsangelegenheiten auch nur ein halbes Ohr schenkt, muß wissen, daß Fett der Feind Nummer eins ist. Uns ist immer wieder gesagt worden, daß zuviel Fett unsere Arterien verstopft und versteift, ominöse Vorgänge auslöst, bei denen die Blutzufuhr zum Gehirn gedrosselt und der pulsierende Muskel, den wir Herz nennen, geschwächt wird. Aber die komplizierten Mechanismen, mit denen das Fett in der Nahrung durch Stoffwechsel in eine Unzahl von Boten im Körper umgewandelt wird, die in einem endlosen Krankheitsprozeß Anweisungen an jede Zelle tragen, werden heute genau unter die Lupe genommen und regen zum Umdenken an. Ob Ihre Arterien geschädigt sind – und Ihr Körper unter beträchtlichem Langzeitchaos leidet –, hängt möglicherweise von der chemischen Zusammensetzung des Fetts und seiner sich daraus ergebenden Wirkung auf den Körper ab. Fette sind verschieden, und insbesondere Fett aus dem Meer ist eine Sache für sich. Denken Sie einen Augenblick lang darüber nach, daß das Fett, das Sie essen, ungeahnte Möglichkeiten hat, vielleicht sogar eine pharmazeutische Wunderdroge enthalten könnte, die dazu imstande ist, die Beschwerden von Dutzenden von Krankheiten zu lindern. Diese Möglichkeit wird von Wissenschaftlern auf der ganzen Welt ernsthaft erörtert, und ihre Erforschung wird von den amerikanischen Gesundheitsbehörden mit Stipendien in Millionen-Dollar-Höhe unterstützt.
Verschwenden Sie keinen Gedanken darauf, daß die Vorstellung, ein einziges Mittel könne eine ganze Reihe von Krankheiten heilen, von der Arthritis bis zur Schuppenflechte, der Inbegriff der Quacksalberei sei, die Antithese zum vergötterten Modell moderner Medikamente,

die mittels spezifischer chemischer Stoffe spezifische Symptome beseitigen. Die Entdeckung der Prostaglandine, jener erstaunlichen Zellkommunikatoren, hat dieser engen Sicht den Garaus gemacht und zu revolutionären Erkenntnissen über die weitverbreiteten Kräfte der Lebensmittelapotheke, darunter speziell eines bestimmten Nahrungsmittels, geführt.

Der Gedanke, daß eine einzige Sache, ganz zu schweigen von gewöhnlichem Fisch, mit der Bekämpfung so vieler scheinbar nicht miteinander verwandter Krankheiten zusammenhängen könnte, wäre noch vor kurzem als wissenschaftlicher Wahnsinn gegeißelt worden. Hier geht es um eine erstaunliche Entdeckung, nämlich der, daß unsere lebenswichtigen Körperfunktionen eng zusammenhängen mit den physiologischen Eigenschaften von Meeresgeschöpfen, die einst unsere Wegbegleiter auf der Evolutionsreise waren und heute als Nahrungsquelle dienen.

Die Nahrung, die das Meer zu bieten hat, ist anders als die des Landes. Ozeanpflanzen – Seetang und Phytoplankton —, von denen sich die Fische ernähren, die wir dann wiederum essen, unterscheiden sich chemisch von den Samen und Körnern der Erde. Wenn wir Fisch essen, ändern sich auch die inneren

Das Essen von Meerestieren hat großen Einfluß auf die inneren Vorgänge in unserem Körper

Vorgänge in unserem Körper – die Art, wie unser Blut fließt, wie sich unsere Arterien zusammenziehen, wie unsere Zellen sich regenerieren und wie unser Immunsystem funktioniert. Die Fischöle stoßen tatsächlich in unsere Zellmembranen vor wie atavistische Invasoren und greifen in die grundlegenden Körpervorgänge ein. Wenn diese Öle von den Enzymen im Körper zerlegt werden, schaffen die sich daraus ergebenden chemischen Reaktionen eine Aktivität, die der pharmazeutischen ähnlich ist, fast identisch mit der von verbreiteten Medikamenten wie Aspirin, Steroiden, Schmerzmitteln, Entwässerungsmitteln, blutdrucksenkenden Mitteln und Antikoagulantien. Diese durch Fischöl ausgelösten Nebenprodukte des Stoffwechsels können auf subtile Weise die Gesundheit fördern oder zerstören, und sie regulieren tatsächlich Mechanismen, die zahlreichen Krankheiten zugrunde liegen. Die unausweichliche Schlußfolgerung: Nahrung aus dem Meer ist ein uralter, starker und lange vernachlässigter Gegenspieler von Krankheiten, dessen Schachzüge die Wissenschaft erst neuerlich zu enträtseln beginnt.

Das alles fing vor fast vierzig Jahren damit an, daß eine medizinische Merkwürdigkeit bei den Eskimos zur Sprache kam. Schon 1950 wurde ein peinliches Paradox entdeckt: Die Eskimos hatten überhaupt keine Herzkrankheiten, obwohl sie eine in hohem Maß fetthaltige Kost aßen, Tran und Robbenfleisch; sie hatten einen ziemlich hohen Cholesterinspiegel, vor allem die Eskimos in Alaska, nicht viel niedriger als die Amerikaner, Dänen und andere Völker, die vom Herzinfarkt bedroht waren. Es lag auf der Hand, daß diese Eskimos nicht dazu taugten, bei einer Kampagne zur Vorbeugung von Herzkrankheiten durch wenig Fett und niedrige Cholesterinwerte als leuchtende Vorbilder zu posieren – auch wenn sie nur selten an Herzkrankheiten litten.

Zwischen 1950 und 1974 zeigten Krankenhausunterlagen aus Grönland, daß innerhalb einer Bevölkerung von 1 800 Eskimos nur drei am Herzinfarkt gestorben waren. Im entsprechenden Zahlenvergleich wären das vierzig tödliche Herzinfarkte in Dänemark und hundert in Amerika gewesen. Die Berichte zeigten darüber hinaus, daß Eskimos den Krankheiten entkommen, die zum Erbe des modernen Menschen gehören: Schuppenflechte, Bronchialasthma, Diabetes, Magengeschwüre, Nierenkrankheiten, multiple Sklerose, Arthritis und andere Krankheiten, die mit dem Immunsystem zusammenhängen.

Weil es nicht länger möglich war, das Paradox zu ignorieren, machten sich ein paar neugierige Seelen daran, sich mit einer Besonderheit im Blut der Eskimos zu beschäftigen, die schon vor etwa fünfhundert Jahren Ärzten aufgefallen war. Das Blut der Eskimos ist weniger klebrig und erstarrt nicht so schnell. Wenn sie sich schneiden, bluten Eskimos länger. Dasselbe Phänomen zeigt sich bei den Familien japanischer Fischerdörfer, die ebenfalls erstaunlich unbehelligt von Herzkrankheiten sind. Für manche Wissenschaftler war das ein Indiz dafür, daß die Cholesterinmenge im Blut nicht *alles* bedeutet – wenn sie auch ein wichtiger Hinweis auf die Gesundheit des Herzens und der Gefäße ist. Andere Faktoren im Blut könnten bei der Vorbeugung gegen Herzinfarkte und Schlaganfälle genauso wichtig oder noch wichtiger sein.

Während also in den fünfziger, sechziger Jahren bis hinein in die achtziger die Kampagne gegen das Cholesterin auf vollen Touren lief, trösteten sich etliche Wissenschaftler mit einer parallel dazu laufenden Forschung, die über das Cholesterin hinausging und sich mit den obskuren Gründen dafür befaßte, warum eigentlich die schrecklichen Ablagerungen die Arterienwände zerstören, warum sich Arterien plötzlich in einem tödlichen Krampf zusammenziehen und weshalb sich die Zellen zu Gerinnseln zusammenballen und den Blutstrom behindern. Indem sie sich den Herzkrankheiten aus einer anderen Richtung näherten, stießen die Forscher prompt auf eine übergreifende Theorie dafür, warum Meeresfett die Eskimos – und durch glückliche Umstände auch andere Menschen – tatsächlich vor kaputten Arterien und anderen Krankheiten bewahrt.

Es hat etwas mit der Tatsache zu tun, daß die Eskimos sich geradezu vollstopfen mit einem einzigartigen Öl, das in Meeresfischen gefunden wird. Sie essen in der Regel pro Tag 380 Gramm Meeresfisch, der reich ist an hochungesättigten essentiellen Fettsäuren, die wegen ihrer chemischen Struktur Omega-3-Fettsäuren genannt werden. (Die letzte Doppelbindung befindet sich in Position 3, vom Ende her gerechnet; das Ende wird von Omega symbolisiert, dem letzten Buchstaben des griechischen Alphabets; deshalb der Name Omega minus drei oder Omega-3.) Im Gegensatz dazu werden das Fett oder Öl von Landpflanzen und das Fleisch von Tieren, die mit solchen Pflanzen ernährt worden sind, dominiert von Omega-6-Fettsäuren, die im Körper auf andere Weise zerlegt werden.

Meeresfisch enthält viel wertvolle Omega-3-Fettsäuren

Wenn Sie nun an Ihre Zellen denken, so sind sie praktisch das, was Sie essen. Wenn Sie viel Fisch essen, sind Ihre Zellen voll von Omega-3-Fettsäuren; wenn Sie viel Nahrung vom Festland essen, werden Ihre Zellen durchspült von Omega-6-Fettsäuren. Ausschlaggebend ist ein gut ausbalanciertes Gleichgewicht. Wenn die Omega-6-Fettsäuren die Oberhand bekommen, wie es bei westlicher, vom Festland gewonnener Nahrung üblich ist, regen sie die Zellen zu hektischer Aktivität an, so daß sie im Überschuß hyperaktive Prostaglandine ausspucken und ähnliche Hormone, die im Körper Verheerungen anrichten.

Die Theorie geht dahin, daß eine übereifrige Produktion von Prostaglandinen und ähnlichen hormonartigen Boten, die Leukotriene genannt werden, den Zellen signalisiert, eine Vielzahl von komplizierten biochemischen Reaktionen durchzuführen, deren Endergebnis verschiedene Krankheiten sind. Natürlich sind auch Prostaglandine und Leukotriene in ausgewogener Balance Wohltäter, die gesundheitsfördernde Reaktionen auslösen. Aber im Überschuß können bestimmte Arten den Körper zerstören, indem sie die Zellen zum Amoklaufen bringen, dazu, Blutgerinnsel zu bilden, Blutgefäße und Bronchialäste willkürlich zusammenzuziehen oder zu dehnen, Herzkrämpfe zu verursachen und ganze Heerscharen von Antikörpern auszuschicken, damit sie vollkommen gesundes Gewebe angreifen und eine Entzündung auslösen, die eine gar nicht vorhandene Bedrohung abwehren soll. Mit anderen Worten, Amok laufende Prostaglandine und ähnliche Zellboten können die geheimen Verursacher aller möglichen Krankheitsprozesse sein.

Und woher kommen die gefährlichen Horden der Prostaglandine? Bei einem medizinischen Durchbruch entdeckten schwedische Forscher 1965, daß Prostaglandine aus einer Fettsäure entstehen, die Arachidonsäure genannt wird. Wenn Sie ungesättigtes Fett in Nahrungsmitteln aus Pflanzen vom Festland essen oder Fleisch von Tieren, die mit solchen Pflanzen aufgezogen worden sind, wird das Fett im Körper in eine Substanz umgewandelt, die Arachidonsäure genannt wird. Enzyme setzen die Arachidonsäure weiter um in physiologisch äußerst wirksame Stoffe, Prostaglandine und Leukotriene. Es liegt auf der Hand, daß der Krankheitsprozeß im Keim erstickt werden könnte, wenn Sie die Umwandlung der Arachidonsäure in krankheitserzeugende Prostaglandine schnell unterdrücken. Und wie können Sie das bewerkstelligen? Indem Sie Meeresfische essen, können Sie nach der Meinung von Wissenschaftlern mehr Omega-3-Fettsäuren in die Zellen einschleusen, die dort die mögliche Zerstörung durch zuviel Omega-6-Fettsäuren verhindern, aus denen Arachidonsäure entsteht. Wenn mehr Meeres-Omega-3-Fettsäuren vorhanden sind, schwächen sie die Neigung der Land-Omega-6-Fettsäuren zum Verrücktspielen ab. Omega-3-Fettsäuren klettern in die Zellmembranen hinein,

Omega-3-Fettsäuren verhindern die schädliche Wirkung von Omega-6-Fettsäuren

vertreiben die übereifrigen Omega-6-Fettsäuren und lassen sich manchmal auf den Rezeptoren der Prostaglandine nieder und verhindern dort deren Fehlverhalten. Dadurch bremsen die Omega-3-Fettsäuren die Geschwindigkeit, mit der Omega-6-Fettsäuren die gewaltige Arachidonmaschinerie dazu bewegen, zu viele möglicherweise zerstörerische Prostaglandine auszuspucken. Die Omega-3-Fettsäuren können außerdem die Überproduktion etlicher bösartiger Prostaglandine verringern und die Produktion wohltätiger Gegenakteure beleben.

Deshalb geht auch die moderne Theorie davon aus, daß die meisten Eskimos in so guter körperlicher Verfassung sind und von chronischen Krankheiten verschont bleiben, weil die regelmäßige Einnahme der fabelhaften Omega-3-Fettsäuren verhindert, daß die Arachidonsäure sich in starke, krankheitserzeugende Stoffe verwandelt. Die fettreiche Ernährung aus dem Meer sorgt zwar nicht für einen extrem niedrigen Cholesterinspiegel, schafft aber trotzdem ein Zellsituation, die das Fett daran hindert, Herzkrankheiten und andere chronische Leiden auszulösen. Die Eskimos sind ein Paradebeispiel dafür, daß Fett keineswegs grundsätzlich ungesund ist. Obwohl ein Kader von Wissenschaftlern der Geschichte vom Fisch schon lange auf der Spur ist, zog sie bis vor kurzem nur wenig Aufmerksamkeit auf sich. Untersuchungen zur Klärung der grundlegenden Mechanismen, die für die Kraft der Meeresnahrung verantwortlich sind, begannen in den siebziger Jahren mit einer Reihe von Entdeckungen über die Launen und die Regulierung der Prostaglandine.

Sie müssen sich vorstellen: Fischöle mit Omega-3-Fettsäuren haben starke Ähnlichkeit mit Aspirin (und anderen entzündungshemmenden Stoffen, Immunregulatoren und Antikoagulantia). Obwohl Aspirin seit dem klassischen Griechenland verwendet wird, entdeckte erst 1971 John Vane, der später den Nobelpreis bekam, den Heilungsmechanismus. Aspirin blockt Enzyme ab, die zu Beschwerden und Krankheiten führende Prostaglandine produzieren. Jedermann wurde aufmerksam.

Fischöle mit Omega-3-Fettsäuren wirken ähnlich wie Aspirin, es blockiert Enzyme, die Krankheiten verursachende Prostaglandine produzieren

Buchstäblich niemand wurde im folgenden Jahr aufmerksam, als ein junger Wissenschaftler aus Michigan auf einer Konferenz in Wien bekanntgab, daß bestimmte Komponenten im Fischöl dasselbe bewirken. Bei der Untersuchung verschiedener Fettsäuren hatte er festgestellt, daß die hochungesättigte Omega-3-Fettsäure ebenfalls die Fähigkeit der Arachidonsäure unterdrückte, Prostaglandine zu erzeugen. Die schwerwiegenden Folgerungen daraus lagen für den Wissenschaftler, Dr. Williams Land, jetzt Professor für Biochemie an der University of Illionis in Chicago, auf der Hand: Auch der Verzehr von Fisch, der reich an Omega-3-Fettsäuren ist, mußte die Prostaglandine eindämmen und damit unerhörte biologische Möglichkeiten eröffnen. Aber die Theorie »fiel durch«, erinnert er sich. Wenige begriffen damals die Gemeinsamkeiten zwischen Fischölen und Aspirin. Die Idee war ihrer Zeit voraus.

Als aber 1975 das Thromboxan entdeckt wurde, ein

Prostaglandin, das den Zellen signalisiert, sich zu gefährlichen Blutgerinnseln zusammenzuballen, was zur Verstopfung von Blutgefäßen führt, und 1979 die Leukotriene, Zellboten, die dazu beitragen, das Immunsystem und den Entzündungsprozeß zu kontrollieren, kam die Forschung auf Trab.

Zwei dänische Forscher, Jorn Dyerberg und Hans Olaf Bang, begannen 1977 mit ihren jetzt berühmten Untersuchungen von Eskimos. Sie analysierten das Blut von Eskimos und bestätigten, daß es dünn war, niedrigere Werte an bösartigem LDL-Cholesterin und höhere an wohltätigem HDL-Cholesterin hatte; sie schrieben das der fischreichen Ernährung zu. Forscher an der University of Oregon gaben einer Gruppe von Amerikanern etwa sechseinhalb Eßlöffel Lachsöl pro Tag und stellten fest, daß es das Cholesterin im Blut leicht unterdrückte, die Triglyzeride heftig und die Blutungsdauer von sieben Minuten auf zehn erhöhte.

Dr. Lands fütterte etwa drei Wochen lang Hunde, Katzen und Mäuse mit Fischöl, das reich an Omega-3-Fettsäuren war. Die Ergebnisse waren spektakulär: weniger (künstlich herbeigeführte) Herzinfarkte und Thrombosen und weniger Arterienschäden. Zum Beispiel stoppt eine Blockierung der Blutgefäße den Blutfluß und führt unausweichlich zu Schäden. Aber das Fischöl lindert die Schäden. Bei Katzen lindert das Fischöl die Hirnschäden durch Schlaganfälle. Hunde, die Öle mit Omega-3-Fettsäuren bekamen, erlitten nur zu 3 Prozent Schäden des Herzmuskels, im Vergleich zu 25 Prozent bei denjenigen, die keine Omega-3-Fettsäuren bekamen. Ein möglicher Grund: Fischöle machen das Blut weniger zähflüssig, so daß es leichter fließt. Ein faszinierendes Phänomen: Zellmembranen voller Omega-3-Fettsäuren sind flüssiger und geschmeidiger; deshalb sind diese Zellen besser dazu in der Lage, sich durch verengte Gefäße hindurchzuquetschen und die Gefäße mit Sauerstoff zu versorgen. Wenn Ihre Blutgefäße enger geworden sind, was nach einem bestimmten Alter fast immer der Fall ist, kann das ein lebensrettendes Manöver sein.

Es gibt keinen Zweifel. Fischöle können vor Thrombosen schützen – vor Gerinnseln, die das Blut blockieren und damit dem Gewebe den lebensspendenden Sauerstoff entziehen. Bei einem frühen Test stellt Dr. Lands an seinem eigenen Blut fest, daß es weniger dazu neigte, zu den Zusammenballungen zu erstarren, aus denen die üblen Blutgerinnsel entstehen, nachdem er einen Monat lang morgens, mittags und abends einen Eßlöffel Fischöl genommen hatte. Andere Untersuchungen zeigen dasselbe. Japaner, die vom Fischfang leben und viel Fisch essen, haben Blut mit einer geringeren Neigung zur Gerinnselbildung als japanische Bauern.

Dr. Lands, ein international anerkannter Theoretiker auf diesem Gebiet, hat festgestellt, daß Prostaglandine und Leukotriene ebenfalls eine Rolle zu spielen scheinen bei der Entstehung von Arterienbelag, Angina pectoris und Gefäßerkrankungen, einer immer häufiger erkannten Todesursache. Vom Prostaglandin Thromboxan zum Beispiel ist bekannt, daß es die Blutgefäße verengt, Gefäßkrämpfe des Herzens und Angina pectoris auslöst. Und von den Kommunikatoren innerhalb der Zelle wird angenommen, daß sie Zellen dazu anleiten, sich an die Arterienwände zu kleben und durchlaufendes Cholesterin anzuziehen, so daß noch größere Belagschichten aus angesaugtem Schutt entstehen. Durch ihren Eingriff in all diese zu Herzkrankheiten führenden Prozesse vermag Meeresnahrung vielen Menschen das Leben zu retten.

Die Beweise dafür, daß Fisch, selbst in bescheidenen

Mengen, vor Herz- und Gefäßkrankheiten schützt, sind jetzt so glaubwürdig, daß in den führenden Medizinzeitschriften der Welt ausführlich darüber berichtet wird. Das Etikett medizinischer Respektabilität bekam die Idee durch drei Artikel, die im Mai 1985 im angesehenen *New England Journal of Medicine* erschienen. Der Knüller war eine Untersuchung holländischer Forscher, die herausgefunden hatten, daß in einer holländischen Kleinstadt, Zutphen, über einen Zeitraum von zwanzig Jahren hinweg im Vergleich zu einer Gruppe von Menschen, die keinen Fisch aß, in einer anderen Gruppe, die mindestens 30 Gramm Fisch am Tag

Bereits zwei Fischgerichte pro Woche können vorbeugend gegen Herzkrankheiten wirken

zu sich nahm, 50 Prozent weniger an Herzkrankheiten gestorben waren. Das bedeute, erklärte der Leiter des Forschungsteams, Dr. Daan Kromhout vom Institut für Sozialmedizin an der Universität Leiden, daß es schon vorbeugend gegen Herzkrankheiten wirken könne, wenn man auch nur zwei Fischgerichte pro Woche esse! Wissenschaftler auf der ganzen Welt beteiligen sich jetzt an der Suche nach dem Wert des Fischöls, vor allem in Japan, der Bundesrepublik und Dänemark. Aber der Wirkung der Omega-3-Fettsäuren auf Herz- und Gefäßkrankheiten gilt höchsten noch die Hälfte dieser Forschung, sagt der Pionier Lands. Er und andere beschäftigen sich jetzt auch mit allen anderen Dingen, die von den amoklaufenden Abkömmlingen der Arachidonsäure angerichtet werden. Wenn die Fischöle, vermutlich deren Omega-3-Komponente, mit solcher Macht in die grundlegenden Mechanismen der Herzkrankheiten eingreifen können, wäre es dann nicht auch möglich, daß die Fischöle, indem sie die Prostaglandinmaschinerie abschalten, gleichzeitig Auswirkungen auf andere Krankheitsprozesse haben?

Nun gilt es, alle Phantasie walten zu lassen: Krebs, Asthma, rheumatische Arthritis, Hauttuberkulose, Schuppenflechte, Störungen des Immunsystems, Kopfschmerzen, hoher Blutdruck und multiple Sklerose sind allesamt Krankheiten, die mit übereifriger Prostaglandinproduktion zusammenhängen. Die Möglichkeiten sind aufregend: Durch die Drosselung der Prostaglandinausschüttung könnten Fischöle auch die Stoffwechselreaktionen kontrollieren, die diese Krankheiten auslösen. In Anbetracht dieses riesigen Potentials unterstützen die amerikanischen Gesundheitsbehörden die Erforschung der Wirkung von Fischölen gegen solche Krankheiten, bei denen Prostaglandine eine Rolle spielen.

Bis jetzt haben die Omega-3-Fettsäuren sowohl bei Menschen als auch bei Tieren erstaunliche Erfolge bei der Bekämpfung zahlreicher Krankheiten erzielt, die von Prostaglandinen ausgelöst werden (einen Überblick darüber finden Sie unter Fisch, Seite 253).

Nichts, was den Fischölen vergleichbar wäre, ist je auf der Bühne der Ernährungsmedizin aufgetaucht. Sind Sie ein Allheilmittel? Das läßt sich nicht sagen. Fachleute betonen jedenfalls, es sei unerläßlich, zwischen möglichen *vorbeugenden* und *heilenden* Wirkungen zu unterscheiden. Sobald eine chronische Krankheit voll entwickelt oder fortgeschritten ist, muß bezweifelt werden, daß Fisch oder die darin enthaltenen Omega-3-Öle die Kraft haben, sie zu heilen, obwohl es durchaus möglich wäre, daß sie die Krankheit zum Stillstand bringen. Mit anderen Worten, Nahrung aus dem Meer wirkt möglicherweise nicht als *heilendes* Mittel gegen das Ergebnis jahrzehntelanger Zellangriffe auf den Körper. Aber wie sieht es mit der *Verhütung* von Krankheiten aus? Das sei ein anderes Kapitel, sagt Dr. Alfred D. Steinberg, ein Arthritisexperte an den National Institutes of Health. »Es ist ein Unterschied, ob man dem Ausbruch einer Krankheit vorbeugt oder die Krankheit behandelt, sobald sie ausgebrochen ist.« Zum Vergleicht führt er an, daß bestimmte Medikamente, die nicht in der Lage sind, eine Krankheit zu heilen, derselben Krankheit mühelos vorbeugen. Fett aus dem Meer könnte als natürliches prophylaktisches Medikament in diese Kategorie fallen.

Dr. Lands meint ebenfalls, der springende Punkt sei nicht, sich auf Fisch als ein Allheilmittel zu konzentrieren. Er sieht das Potential von Fisch vor allem darin, daß er den ständigen Angriff hyperaktiver Prostaglandine auf die Zellen abblockt, der im Lauf der Jahre zu den Symptomen chronischer Krankheiten führt. Die Zukunft im Umgang mit chronischen Krankheiten liegt in der Vorbeugung, nicht in der Behandlung. Er glaubt: »Viele dieser chronischen Krankheiten sind das Endergebnis einer Anhäufung von Angriffen, denen Ihr Körper über die Jahre weg ausgesetzt war. Wenn Sie diesen Knüffen und Schlägen Tag für Tag vorbeugen – indem Sie die ständigen Attacken der Prostaglandine abwehren, zum Beispiel dadurch, daß Sie Ihrem Gewebe neutralisierende Omega-3-Fischöle zuführen –, dann ist es wahrscheinlich, daß Sie einer ganzen Reihe chronischer Krankheiten zuvorkommen können.« Das, sagt er, sei die wahre Botschaft der großartigen Entdeckungen über Fisch.

6. Der Konnex zwischen Kohl und Krebs

Ehrlich gesagt, wenn Sie sich vorgenommen hätten, auf der Suche nach einem neuen Medikament zur Bekämpfung der schlimmsten Geißeln der Menschheit, Krebs, die Apotheke der Natur zu durchstöbern, würden Sie sich dann auch nur einen Augenblick lang beim Kohl aufhalten? Oder beim Brokkoli? Rosenkohl? Blumenkohl? Mit ihren anderen schlichten Verwandten allesamt Mitglieder einer Pflanzenfamilie mit dem botanischen Namen Brassicaceae, auch Kreuzblütler genannt, weil ihre vierblättrigen Blüten irgend jemanden im Mittelalter an ein Kreuz erinnerten?

Nun, es war einmal eine Zeit, da hielten die meisten Menschen eine solche Vorstellung für lächerlich.

Vor nur fünfundzwanzig Jahren kam es wissenschaftlicher Ketzerei und undenkbarer Grausamkeit nahe, auch nur zu unterstellen, Krebs lasse sich in irgendeiner Weise durch Ernährung bekämpfen. Jetzt wissen die Wissenschaftler, daß Moleküle von Nahrungsbestandteilen bei den Kämpfen auf Leben und Tod, die sich zwischen den Zellen abspielen, wirksame Akteure sind. Nahrungssubstanzen können eine erstaunliche Vielfalt von Aktivitäten gegen Krebs bewirken: Sie können die herumstreifenden »freien Radikale«, jene Sauerstoffmoleküle, die Zellschäden und Krebs fördern, packen und zerstören; sie können Stoffe neutralisieren, die Karzinogene aktivieren; sie können Enzyme dazu stimulieren, komplizierte Systeme aufzubauen, die Karzinogene aus dem Körper hinausschwemmen; sie können möglicherweise Boten abfangen, die den Onkogenen im Zellkern signalisieren würden, den Krebsprozeß aufzulösen und zu unterstützen.

Die Forschung vertritt inzwischen die Meinung, daß Nahrungssubstanzen Krebs in buchstäblich jedem Stadium bekämpfen können – von der ersten Einwirkung eines krebserzeugenden Stoffs auf die Zelle bis zum Wachstum von Tumoren Jahrzehnte später. Bestimmte Nahrungsmittel haben wegen ihrer einzigartigen Zusammensetzung vielleicht sogar organspezifische Wirkungsmöglichkeiten, das heißt, sie könnten, genau wie bestimmte Medikamente, besonders gut zum Schutz von bestimmten Organen vor Krebsangriffen imstande sein. Auf diesem besonders düsteren Gebiet der Krebserkrankungen planen die Wissenschaftler jetzt in großen Maßstäben und sehen sogar den Tag voraus, an dem Ernährungsfahrpläne und andere Vorbeugungsmaßnahmen individuell je nach der genetisch identifizierten Anfälligkeit gegen bestimmte Krebsarten verschrieben werden.

Eine stärkere biologische Festung gegen Krebs aufzubauen, ist die Gegenwehr gegen das Verhängnis. Es ist die verwegene Reaktion menschlicher Intelligenz auf die Pest des zwanzigsten Jahrhunderts – Krebs —, verursacht durch Unwissenheit, Sorglosigkeit und, bei etlichen Menschen, schlicht und einfach durch genetisches Pech.

Folge der Umweltverschmutzung: Starke Zunahme karzinogener Stoffe

Versteckte, vielschichtige chemische Manipulationen, die durch Stoffe in der Nahrung ausgelöst werden, versprechen bis zu einem gewissen Grad Rettung; sie könnten die Folgen der Verschmutzung lindern. Luft, Land, Nahrung, Wasser und unsere Körper sind mit Chemikalien durchsetzt, die lebende Zellen in bösartige Geschwülste verwandeln. Wir werden mit Karzinogenen bombardiert; warum führen wir uns dann keine Antikarzinogene zu und schaffen eine ständige Polizeitruppe, die gefährliche chemische Stoffe aufspürt, in die Enge treibt und aus dem Körper verjagt, ehe sie in den Zellen irreparablen Schaden anrichten? Wenn wir Chemotherapie gegen Krebszellen einsetzen, nachdem sie entstanden sind, warum dann keine *Chemoprophylaxe* – bewußter und kontrollierter Einsatz von Stoffen, darunter auch solchen, die reichlich in der

Nahrung vorkommen, um die Wirkungen karzinogener Gifte um uns herum abzublocken, bevor der Krebs den Körper überwältigt hat?

Es ist eine aufregende Idee. Bedanken Sie sich dafür bei Dr. Lee Wattenberg, als dessen Verdient sie gilt. Dr. Wattenberg, Professor für Pathologie an der medizinischen Fakultät der University of Minnesota, ist der allgemein anerkannte Pionier dieses Plans, uns vor Krebs zu retten, einer Krankheit, die sich die Betroffenen meist auch selbst zugezogen haben. Seit Ende der sechziger Jahre führt er, bis vor kurzem so gut wie unbeachtet, komplizierte und oft mühselige Experimente durch, bei denen er die Mechanismen untersucht, durch die chemische Stoffe in einfachen Nahrungsmitteln wie Kohl und Brokkoli in die lebenden Zellen vordringen und dem Krebs Einhalt gebieten könnten. Dr. Wattenberg ist der intellektuelle Mittelpunkt in einem explodierenden wissenschaftlichen Universum, in dem nach Methoden gesucht wird, innere Schutzbarrieren gegen die menschliche Anfälligkeit für Krebs aufzubauen.

Das hat nicht alles mit Kohl angefangen. Aber Kohl war der Auslöser zum Einsatz wissenschaftlicher Phantasie und verlieh einer früher völlig unglaubwürdigen Vorstellung Glaubwürdigkeit.

Dr. Wattenbergs Arbeit bekam rein zufällig Auftrieb durch die Erkenntnisse eines erstklassigen Epidemiologen, Dr. Saxon Graham, Leiter der Abteilung für vorbeugende Medizin an der State University of New York in Buffalo.

Mitte der siebziger Jahre führten Dr. Graham und seine Mitarbeiter im Roswell Park Memorial Institute Gespräche mit 256 weißen, männlichen Patienten, die an Dickdarmkrebs litten, und mit 783 Patienten im selben Alter, die keinen Krebs hatten, durch Zufallsstichprobe ausgewählt. Alle wurden gefragt, wie oft im Monat sie neunzehn Gemüsesorten aßen, darunter Krautsalat, Tomaten, Kohl, Kopfsalat, Gurken, Karotten, Rosenkohl, Brokkoli, Steckrüben und Blumenkohl.

Die Männer, die berichteten, daß sie das meiste Gemüse aßen, hatten das geringste Risiko, Dickdarmkrebs zu bekommen. Das Risiko verringerte sich sogar um so mehr, je mehr Gemüse gegessen wurde. Aß ein Mann mehr als zwei Portionen aus dieser Gemüsegruppe pro Tag, so reduzierte sich die Wahrscheinlichkeit, daß er Dickdarmkrebs bekam, um die Hälfte gegenüber einem, der nie oder weniger als zwanzigmal im Monat Gemüse aß. Es war faszinierend, weil die Gemüse damit eine »dosisbezogene« Wirkung erzielten. Je mehr davon gegessen wurde, desto größer die therapeutische Wirkung. Wissenschaftler sind von dieser Tatsache begeistert, weil sie anzeigt, daß es sich um eine verläßliche Entdeckung und nicht um einen glücklichen Zufall handelt. Wenn zum Beispiel Medikamente getestet werden, wird erwartet, daß sie zu meßbaren, dosisbezogenen Wirkungen führen, weil sonst der Verdacht besteht, sie seien unzuverlässig. Dr. Graham und seine Kollegen waren also hoch erfreut darüber, daß sie zu so einwandfreien dosisbezogenen Ergebnissen kamen.

Dann beschlossen sie, sich die Gemüsesorten einzeln vorzunehmen, und Kohl schnitt sage und schreibe am besten ab und wies außerdem ein fast vollkommenes dosisbezogenes Muster auf. Kurz gesagt: Wer mehr als einmal in der Woche Kohl aß, bekam nur mit einem Drittel der Wahrscheinlichkeit Dickdarmkrebs wie jemand, der niemals Kohl aß, zumindest soweit es sich um männliche Weiße handelte. Mit anderen Worten, eine Portion Kohl pro Woche konnte das Risiko, Dickdarmkrebs zu bekommen, um 66 Prozent verringern!

Selbst wenn man nur einmal in zwei bis drei Wochen Kohl aß, sank das Risiko noch um 40 Prozent. Bei Sauerkraut und Krautsalat zeigte sich ebenfalls, wie auch bei Brokkoli und Rosenkohl, ein dosisbezogener Schutz vor Dickdarmkrebs.

Für die Januarausgabe 1979 des *American Journal of Epidemiology* schrieb Dr. Graham einen Leitartikel, der seine Arbeit zusammenfaßte und kommentierte. Im selben Monat fand eine Tagung von Wissenschaftler zum Thema Krebs und Ernährung in New York City statt. Alle Teilnehmer waren völlig aus dem Häuschen über Dr. Grahams Erkenntnisse. Aber wie bedeutsam sie waren, wurde erst zementiert durch die intellektuelle Brücke, die sie mit den damals neuen Entdeckungen von Dr. Wattenberg verband.

Dr. Wattenbergs Arbeit war das Heureka, das Klicken im Kopf, das Dr. Grahams Erkenntnisse sinnvoll machte. Dr. Wattenberg hatte seit Anfang der siebziger Jahre kleine Mengen von Kreuzblütlergemüsen (Kohl, Brokkoli, Rosenkohl, Blumenkohl und Steckrüben) an Ratten und Mäuse verfüttert, denen er bekannte Karzinogene injiziert hatte, und beobachtet, ob sie Krebs bekamen oder ob es zu Stoffwechselveränderungen in den Organen kam, die die Krebsbildungen verhinderte. Viele Versuchstiere bekamen keinen Krebs; auf seltsame Weise wurden sie durch das Gemüse beschützt. »Interessant, aber...«, sinnierten seine Kollegen.

Dann, in der Maiausgabe 1978 von *Cancer Research*, beschrieb Dr. Wattenberg voller Nachdruck die Auswirkungen. Er hatte aus den Kreuzblütlergemüsen chemische Stoffe isoliert, Indole genannt, und den Versuchstieren als Chemoprophylaxe gegeben, ehe er ihnen die krebserregenden Stoffe spritzte. Auch die reinen Bestandteile des Kohls erwiesen sich als starke Gegengifte gegen die Krebsbildung.

Der Schutz war eindrucksvoll. Ohne Indole bekamen 91 Prozent der mit dem chemischen Karzinogen infizierten Ratten Brustkrebs; mit den Indolen sank die Quote auf nur noch 21 Prozent. Bei einem anderen Test, bei dem Mäusen über einen längeren Zeitraum hinweg eine niedrigere Dosis gegeben wurde, bekamen 100 Prozent ohne Indole Tumore im Vergleich zu nur 44 Prozent bei denen, die Indole bekommen hatten.

Dr. Graham fiel wie allen anderen Fachleuten auf diesem Gebiet die verblüffende Parallele zwischen seinen Erkenntnissen bei Menschen und denen von Dr. Wattenberg bei Tieren auf. Dr. Wattenberg bot eine völlig vernünftige wissenschaftliche Erklärung dafür an, wie derart schlichte Gemüse wie Kohl eine derart starke physiologische Wirkung auf **Kreuzblütlergemüse wie Kohl vermindern das Risiko, Krebs zu bekommen, insbesondere Dickdarmkrebs, erheblich** die Krebsmaschinerie ausüben können. Die Botschaft hallte laut und deutlich wider in der Gemeinde der Wissenschaftler, die sich mit Krebs befassen. Die Krebs- und Ernährungsforschung war unterwegs in eine neue Richtung, mit Kreuzblütlern und Chemoprophylaxe – dem von Dr. Wattenberg geprägten Begriff – als den neuen Schlüsselbegriffen. Heute gibt das National Cancer Institute Millionen Dollar für die Erforschung der Kreuzblütlergemüse aus und lädt Wissenschaftler auf diesem Gebiet zur Bewerbung um Stipendien ein.

Dr. Wattenberg wandte sich jetzt der Aufgabe zu, den raffinierten Tricks auf die Spur zu kommen, mit denen die Kohlbestandteile Krebs bekämpfen, und ähnliches Potential in anderen ganz gewöhnlichen Nahrungsmitteln zu suchen. Wie er und andere gezeigt haben, haben Nahrungswirkstoffe wahrhaftig jede nur erdenkliche

Chance, in den normalerweise langwierigen, langsamen Krebsprozeß mit seiner Inkubationszeit von zwanzig bis zu vierzig oder noch mehr Jahren einzugreifen. Als erstes müssen die Zellen für den Krebs »initiiert« werden, muß ihre DNS, ihr genetisches Material, durch »Angriffe« von Karzinogenen wie ionisierenden Strahlungen, Zigarettenrauch, Pestiziden und unbekannten genetischen Faktoren verändert werden. Die mutierten Zellen beginnen dann möglicherweise damit, sich krankhaft zu teilen, sich stark zu vermehren und sich zu Krebsvorläufern zusammenzuballen, die als präkarzinome Läsionen bezeichnet werden und später zu bösartigen Geschwülsten werden. Ob es zu dieser anormalen Zellteilung und Weiterentwicklung kommt und wie schnell, hängt von Stimulatoren oder »Förderfaktoren« ab. Zigarettenrauch ist beispielsweise ein klassischer Förderfaktor. Der springende Punkt ist, daß die Entwicklung von Krebs ein mehrstufiger, langwieriger Prozeß ist und daß ein Eingriff in jedem Stadium des Weges den tödlichen Marsch verlangsamen oder zum Stillstand bringen kann.

Genau das tun die für die Ernährung selbst weniger wichtigen Stoffe in der Nahrung mit Phantasie und Vielfalt. Manche können die Tumorentwicklung schon bei der Entstehung in der Zelle stoppen. Klopft ein Karzinogen bei einer Zelle an, so kann der richtige Nahrungswirkstoff oder einer seiner Ableger, wenn er gerade zur Stelle ist, möglicherweise die jungfräuliche Zelle vor Vergewaltigung und Verderb ihrer DNS retten. Andere Bestandteile der Nahrung, die als Antioxidantien wirken, können die Förderfaktoren für Krebs aufspüren, fangen und zerstören, die die Wanderung und Vermehrung von schädlichen Zellen anregen und

Die Entstehung von Krebs ist ein mehrstufiger Prozeß, der jedoch in jedem Stadium verlangsamt oder gestoppt werden kann, vor allem durch Hemmstoffe in Nahrungsmitteln

116

somit zur Ausbreitung von Krebs führen. Etliche Nahrungsmittel produzieren in einem wunderbaren »Nummer-Sicher-System« sowohl Hemmstoffe für das früheste Stadium als auch unterdrückende Substanzen für das späte Stadium. Wenn es also der ersten Brigade nicht völlig gelingt, die karzinogenen Eindringlinge zu entwaffnen, greifen andere Streitkräfte ein und verlangsamen den tödlichen Vormarsch.

In peinlich genauen Experimenten hat Dr. Wattenberg eine der staunenswerten Methoden nachgezeichnet, mit denen chemische Nahrungsbestandteile über die Tumorbildung triumphieren. Viele Wirkstoffe gegen Krebs in Nahrungsmitteln, darunter auch im Kohl und seinen Vettern, spielen ihre Kraft mit Hilfe des hervorragenden Entgiftungssystems im Körper aus, erklärt Dr. Wattenberg. Es liegt an diesem nur wenig beachteten System zur Ausscheidung von fremden, giftigen Stoffen, daß wir seit Äonen das Essen von Pflanzen überleben können. Es läßt Nährstoffe hindurch, während es die weniger genießbaren Substanzen abwehrt. Auf ähnliche Weise schlägt das System Angriffe alltäglicher moderner Karzinogene zurück wie Giftstoffe in der Luft, Pestizide, Chemikalien, denen wir bei der Arbeit ausgesetzt sind, und Schadstoffe in der Nahrung. Wie gut dieses Entgiftungssystem arbeitet, hat möglicherweise einen starken Einfluß auf Ihre Widerstandkraft gegen Krebs. Erhöhte Aktivität und vielschichtige Stoffwechselprozesse bestimmter Enzyme scheuchen gefährliche chemische Stoffe aus dem Körper heraus. In Dr. Wattenbergs Worten: »Eine Steigerung der Aktivität dieses Systems könnte die Fähigkeit des Organismus erhöhen, den zu Wucherungen führenden Wirkungen Widerstand zu leisten, die eintreten, wenn der Körper chemischen Karzinogenen ausgesetzt wird.«

Hier das Wesentliche: Nahrungsmittel wie Kohl scheinen das lebenswichtige Entgiftungssystem kräftig anzukurbeln. Bestandteile im Kohl, darunter Indole und chemische Stoffe mit dem zungenbrecherischen Namen Dithiolthione üben einen gewaltigen Einfluß auf Enzyme aus, die das Entgiftungssystem im Griff haben. Wenn diese Enzyme angespornt werden, lebt das Entgiftungssystem auf und gibt eine Flut von Molekülen frei, **Kohlbestandteile aktivieren Enzyme des Entgiftungssystems** die Glutathione genannt werden – eine natürliche Körpersubstanz, die Toxine auf sich ziehen und zerstören kann, darunter auch Karzinogene —, und außerdem Enzyme, die das Glutathionmolekül fest mit dem Karzinogenmolekül verbinden. Stellen Sie sich den Schauplatz wie einen überfüllten Tanzsaal vor, bevölkert von DNS- und Glutathionmolekülen. Ein bösartiges, voll aktiviertes Karzinogen kommt herein. Fall es mit einem DNS-Molekül zusammenstößt, gibt es Ärger. Aber falls es auf ein Glutathionmolekül trifft, wird die neue Zweisamkeit oft durch eine chemische Reaktion beendet; das Karzinogen wird neutralisiert, entgiftet. Je mehr Glutathionmoleküle im Gewebe sind, das liegt auf der Hand, desto größer werden die statistischen Chancen, daß sie auf ein Karzinogenmolekül treffen und es zerstören, so daß die lebenswichtige DNS unbeschadet bleibt. Deshalb könnte es Ihnen möglicherweise zum Verhängnis werden, wenn im dunkelsten Innern Ihres Wesens nicht genug Glutathionmoleküle zur Verfügung stünden.

Dr. Wattenberg und andere haben in vielen Experimenten bewiesen, daß der Enzymentgiftungsmechanismus von Tieren sich beschleunigt, wenn sie mit Kohl und anderen Kreuzblütlergemüsen gefüttert werden. Wenn sie reine, aus Kohl gewonnene chemische Stoffe bekommen, ist es genauso. In beiden Fällen sind die Tiere viel weniger anfällig für Krebs, wenn sie später krebsverursachenden Substanzen ausgesetzt werden.

Dr. Thomas Kensler, Dozent für Toxikologie am Institut für Hygiene und Gesundheit an der Johns Hopkins University verabreicht Tieren Aflatoxin, ein starkes Karzinogen. Einer anderen Gruppe von Versuchstieren gibt er vor dem Aflatoxin Dithiolthione vom Kohltyp. Er untersucht die Zellen der Tiere, die Diothiolthion bekommen haben, und stellt die doppelte Menge von Glutathion und die zehnfache Menge der Enzyme fest, die eine feste Verbindung zwischen dem Glutathion und den Karzinogenen herstellen. Darüber hinaus stellt er fest, daß der Schaden, den das Aflatoxin durch Bindungen an die DNS anrichtet, um 90 Prozent zurückgeht. Folglich gibt es weniger krebsbildende Veränderungen in den Zellen und im Endeffekt viel weniger Tumore. Wie Dr. Kensler sagt: »Dithiolthione gehören zu den stärksten Wirkstoffen gegen Krebs, die wir je gesehen haben. Das ist ziemlich dramatisch.«

Dr. Wattenbergs Tierversuche haben schlüssig erwiesen, daß rohe wie gekochte Kreuzblütlergemüse als auch ihre reinen chemischen Stoffe die Entgiftungsaktivitäten der Enzyme steigern. Aber er hat festgestellt, daß bestimmte Kohlindole nur dann schützend wirken, wenn sie vor einem Karzinogen im Körper ankommen. Wenn das Indol den Schauplatz erreicht, *nachdem* das Karzinogen die Zellen angegriffen hat, scheint seine Kraft begrenzt zu sein. Es kann den Schaden nicht beheben. Aber andere chemische Stoffe in Kreuzblütlern, die Isothiocyanate genannt werden, unterdrückten Dickdarmkrebs bei Ratten, wen sie ihnen eine Woche nach einem bestimmten krebserregenden Stoff verabreicht wurden. Zellen brauchen of-

Bestimmte Kohlsubstanzen wirken nur schützend, wenn sie vor einem Karzinogen im Körper ankommen

fenbar ständig niedrige Dosen der richtigen Nahrungssubstanzen, damit sie die biologischen Barrieren gegen
die Krebsentwicklung aufrechterhalten können.

Zur Unterstützung des Plädoyers für den Kohl und seine
Vettern trägt außerdem eine faszinierende und eindrucksvolle norwegische Untersuchung bei, die sich
mit präkarzinomen Anzeichen im Dickdarm von Menschen beschäftigt hat, und zwar bei Essern und Nichtes-
sern von Kohl. Die Ärzte glauben, daß vollentwickelter
Dickdarmkrebs aus kleinen Dickdarmwucherungen
entsteht, die Polypen genannt werden, oder, im fortge-
schritteneren Stadium, Adenome. Nicht alle dieser an
sich gutartigen Wucherungen werden bösartig, aber die
meisten Experten sind sich einig darüber, daß die Möglichkeit, Dickdarmkrebs zu bekommen, ausgeschaltet
werden kann, wenn man das Auftauchen oder die Ausbreitung solcher Wucherungen unterbindet, die die
Grundlage bilden für die Entstehung von Dickdarm-
und Mastdarmkrebs.

Norwegische Wissenschaftler, die einen Zusammenhang zwischen Ernährung und Krebs nachspürten, untersuchten 1986 den Dickdarm von Menschen, die keine Krebssymptome hatten, auf Anzeichen von Polypen
– jenen winzigen Wucherungen im Dickdarm. Erst untersuchten sie 155 Männer und Frauen mit Hilfe einer
Sigmoidoskopie (Einführung eines beleuchteten Unter-
suchungsrohrs in den Dickdarm), um Polypen oder
Adenome, deren Größe und Anomalität festzustellen. In
den nächsten fünf Tagen wurden dann die Teilnehmer,
die von den Testergebnissen noch nichts wußten, darum gebeten, genau über alles zu berichten, was sie aßen.
78 Personen, etwa die Hälfte, hatten Polypen. Aber verblüffenderweise aß die andere Hälfte *ohne* präkarzinome Anzeichen von Dickdarmkrebs *einen größeren Kalori-*

enanteil in der Form von Kreuzblütlergemüsen – Kohl, Brokkoli, Blumenkohl und Rosenkohl und außerdem mehr Ballaststoffe anderer Art. Die Gemüse schienen sowohl das Wachstum der bedenklichen Zellwucherungen als auch ihre Anomalität zu unterdrücken. Zum Beispiel aßen diejenigen, die die größten, besonders anomalen Adenome hatten – über fünf Millimeter im Durchmesser – am wenigsten Kreuzblütlergemüse, berichtet der Chef des Forschungsteams, Dr. Geir Hoff von der medizinischen Abteilung am Telemark Sentralsjukehus in Skein, Norwegen.

Kohl wird, wie alle anderen Kreuzblütlergemüse, am National Cancer Institute ernstgenommen, in erster Linie zur Vorbeugung von Dickdarmkrebs, möglicherweise auch von Magenkrebs. Eine interne Studie des NCI ergab 1987, daß sechs von sieben großen epidemiologischen Untersuchungen, ähnlich angelegt wie die von Dr. Graham, zu dem Ergebnis gekommen sind, daß Menschen, die mehr Kreuzblütlergemüse essen, weniger Gefahr laufen, an Dickdarmkrebs zu erkranken. Die Untersuchungen kamen aus Israel, Griechenland, Japan, Norwegen und aus den Vereinigten Staaten und erwähnen am häufigsten Kohl, Sauerkraut, Rosenkohl und Brokkoli.

In anderen Untersuchungen wird außerdem darauf hingewiesen, daß zu den bösartigen Erkrankungen, denen möglicherweise durch die große Kreuzblütlerfamilie vorgebeugt werden kann, auch Krebs der Lunge, der Speiseröhre, des Kehlkopfs, des Mastdarms, der Prostata und der Blase gehören.

Wohin wird das alles führen? Dr. Wattenberg meint, man werde schließlich etliche chemische Stoffe der Kreuzblütler extrahieren, synthetisieren und möglicherweise Menschen mit hohem Krebsrisiko verabreichen, zum Beispiel denjenigen, die beruflich krebserregenden Chemikalien ausgesetzt sind.

Bis dahin aber wäre es purer Leichtsinn, die eindringlichen Botschaften aus den Labors und wissenschaftlichen Medien zu überhören: Menschen, die mehr Gemüsearten essen, in denen bekannte krebsbekämpfende chemische Stoffe enthalten sind, bekommen weniger wahrscheinlich Krebs. Die alten Römer setzten ihren Glauben auf drastischere Weise in die Tat um; den Berichten zufolge jagten sie eines Tages ihre Ärzte aus der Stadt und wahrten jahrelang ihre Gesundheit, indem sie Kohlgemüse aßen. Wieder einmal holt die Wissenschaft die Volksheilkunde ein.

Die zwölf krebsbekämpfenden Kreuzblütler

Sie alle haben vierblättrige Blüten, die in den Augen der Botanikgeschichtler einem Kreuz ähnelten; daher der Name Kreuzblütler. Sie haben außerdem chemische Stoffe gemeinsam, die einem Teil der Zerstörung durch Karzinogene entgegenwirken können.

Blumenkohl, Brokkoli, Grünkohl, Kohl, Kohlrabi, Kohlrübe, Kresse, Meerrettich, Rettich, Rosenkohl, Senf, Steckrübe.

7. Die Abwehr durch Nüsse und Samen

Wenn Sie mit Dr. Walter Troll zum Mittagessen gehen, dirigiert er Sie zur Salattheke, wo Sie sich den Teller mit Kichererbsen vollpacken können – einem seiner Lieblingsgemüse. Er ist weniger versessen auf schlichte gekochte Sojabohnen, obwohl sie ihn unter seinen Kollegen berühmt gemacht haben; für ihn schmecken sie ein bißchen fad. Seine Frau backt manchmal Tofukuchen, von dem er sagt, er schmecke ähnlich wie gestürzter Ananaskuchen. Auf einer Japanreise holten sich die Trolls bei japanischen Krebsforschern Ratschläge für das Kochen mit Sojabohnen. Schließlich haben die Japaner den höchsten Verzehr von Sojabohnen auf der Welt, die praktisch ausnahmslos in den Vereinigten Staaten angebaut werden. Ironischerweise, sagt Dr. Troll, sind die *amerikanischen* Sojabohnen vermutlich der Grund dafür, daß die Krebsrate in Japan im allgemeinen unter der amerikanischen liegt (die große Ausnahme ist Magenkrebs, was nach Dr. Trolls Meinung darauf zurückzuführen ist daß die Japaner zuviel salzige Kost essen).

Dr. Troll, Professor für Umweltmedizin an der New York University, propagiert seit 1969 die Ernährung mit Bohnen, Reis, Hülsenfrüchten und Nüssen – seit dem Jahr, in dem er eine umwälzende Entdeckung über eine Gruppe von Stoffen machte, die Proteasehemmstoffe genannt werden und in Samen und Nüssen reichlich vorkommen. Er beharrt darauf, daß diese Stoffe zur Unterdrückung von Krebs beitragen können, indem sie in die Aktivität von körpereigenen Stoffen eingreifen, darunter Onkogene und Enzyme, die Proteasen genannt werden und Krebs fördern können.

Laut Dr. Troll passiert folgendes, wenn Sie Kichererbsen – oder eine andere Hülsenfrucht wie Reis oder Mais – gegessen haben: Die Kichererbsen kommen in den Magen und in den Verdauungstrakt, wo ihre Schale abgerissen wird und sie von den Verdauungssäften in winzige Stückchen zerlegt werden. Aber innerhalb der Kichererbsen befinden sich unzerstörbare Moleküle, die Proteasehemmstoffe, die den Verdauungtrakt überleben. Dr. Troll weiß das: Er hat sie radioaktiv gemacht und ihre Spur in Tieren verfolgt – und »sie kommen wieder völlig intakt heraus«, sagt er.

Die Proteasehemmstoffe sind nicht unserer Bequemlichkeit oder Sicherheit zuliebe geschaffen worden, sondern sollen sicherstellen, daß Pflanzengattungen weiterleben. Zum Beispiel sorgen die Proteasehemmstoffe dafür, daß kostbare Samen den Insekten ein Greuel sind und unverdaulich und dadurch unzerstörbar werden, wenn die Vögel sie fressen; deshalb wird der Samen intakt ausgeschieden und kann neue Pflanzen sprießen lassen. Bis jetzt sind acht verschiedene Proteasehemmstoffe aus der Gruppe der »Samennahrungsmittel« isoliert worden, darunter auch aus Knollen wie Kartoffeln.

Aus einer Vielzahl von Gründen sollten Sie die Belagerung durch diese Proteasehemmstoffe schätzen, sagt Dr. Troll. Einer davon ist, daß sie nachweislich die Aktivität der Proteasen überwachen und eindämmen, die den unangenehmen Hang haben, Krebsprozesse auszulösen und zu fördern. Proteasen sind eiweißspaltende Enzyme, die normale biologische Funktionen wahrnehmen wie zum Beispiel die Verdauung von Eiweiß. Aber bestimmte Proteasen sind außerdem die Helfershelfer und Handlanger von Krebszellen. Weil Krebszellen unwillkommene Neuankömmlinge sind, denen der Körperschutz abgeht, der normalen Zellen zuteil wird, beuten sie Proteasen aus, damit sie gedeihen können. Kollagen, ein Protein, ist beispielsweise ein kräftiges Material, das die Zellwände und die Organe zusammenhält. Wenn Krebszellen sich ausbreiten wollen, müssen sie diese Wände niederreißen, möglicherweise indem sie als Hilfstruppen bestimmte Proteasen, die Kollagenasen, zum Angriff des Kollagens anheuern und

Proteasen, eiweißspaltende Verdauungsenzyme, können auch Krebszellenvermehrung auslösen

sich so Zutritt verschaffen. Wenn entsprechende Proteasehemmstoffe am Schauplatz sind, neigen sie natürlich dazu, die Aktivität der krebsfördernden Kollagenasen zu unterbinden.

Darüber hinaus hat Dr. Troll festgestellt, daß Proteasehemmstoffe eine Fülle von Aktivitäten gegen den Krebs entfalten, daß sie sogar den Mechanismus umstellen, der die ruhelosen und mächtigen Onkogene aktiviert. Onkogene, die erst kürzlich entdeckten intellektuellen Spielzeuge der Krebsforscher, werden als Schlüsselelemente der Krebsentstehung angesehen. Onkogene existieren in jeder normalen Zelle und verhalten sich im allgemeinen ruhig. Durchlaufen Sie aber eine spezifische Mutation, so verwandelt sie sich in Krebsgene und stiften die Zellen dazu an, sich auf hektische Weise in einen Tumor zu vermehren. »Wenn das Onkogen nicht aktiviert wird, schadet es uns nicht«, erklärt Dr. Troll. Inzwischen sind etwa hundert verschiedene Onkogene bekannt. Laut Dr. Troll tragen sie sowohl zur »Krebseinweihung« der Zelle als auch zum langfristigen allmählichen Fortschreiten der Krankheit bei. Weil Proteasehemmstoffe außerdem als Antioxidantien wirken, können sie auch etwas gegen die zellzerstörerischen, weitreichenden, hyperaktiven Sauerstoffmoleküle, die sogenannten »freien Radikale«, ausrichten. Deshalb bieten Proteasehemmstoffe Dr. Troll zufolge »Schutzschirme«, die auf fast jedem

Proteasehemmstoffe wirken wie Schutzschirme im Krebsprozeß, sie können außerdem »freie Radikale« stoppen

Schritt des Weges den Krebsprozeß bekämpfen – von der Verhinderung oder der Wiedergutmachung des Schadens an der DNS bis zur Aushungerung oder Zerstörung vollentwickelter Krebszellen.

Aber im Mittelpunkt von Dr. Trolls Begeisterung über die Proteasehemmstoffe stehen ihre Kräfte, den Krebs zum kritischsten Zeitpunkt für den Menschen abzufangen – wenn die Zellen zur Krebsbildung angeregt sind (ihre DNS geschädigt ist) und anfällig dafür, zu anomalem Wachstum angespornt zu werden. »Wenn wir diesen Ansporn verhindern können, haben wir es geschafft«, meint Dr. Troll. Er glaubt, es sei zu spät, der Anregung selbst zuvorzukommen. »Ich habe das Gefühl, daß wir alle vermutlich schon von der ersten Stufe der Krebsanregung betroffen sind, weil wir den weitverbreiteten Karzinogenen in der Umwelt ausgesetzt sind.« Er setzt auf unsere Chancen, die angeregte Zelle davon abzuhalten, daß sie sich anomal teilt und zu einer bösartigen Masse vermehrt, und dadurch dem langen Marsch des Krankheitsprozesses den Weg abzuschneiden – trotz bereits geschädigter Zellen, aber noch bevor der Tumor unkontrollierbar geworden ist.

Das ist der Punkt, an dem die Onkogene ins Spiel kommen. Dr. Troll glaubt, daß aktivierte Onkogene sowohl die DNS verändern als auch die Zellvermehrung auslösen können, was im Endeffekt zum Krebs führt. Bei einem Experiment nahmen Dr. Troll und sein Kollege Seymour Garte von der New York University ein bösartiges Onkogen aus der DNS menschlicher Blasenkrebszellen und führten es in normale Zellen ein, die daraufhin »durch Teilung zu einer bösartigen Wucherung wurden«. Aber als die Wissenschaftler vier verschiedene Typen von Proteasehemmstoffen hinzufügten, kam es nicht zu den karzinomen Verbindungen.

»Das läuft also darauf hinaus, daß nach Ihren Feststellungen Proteasehemmstoffe tatsächlich das Onkogen daran gehindert haben, aktiv zu werden und Krebs auszulösen?«

»Ja. Möglicherweise sind bösartige Onkogene für jede Zellwucherung und das Wachstum von Tumoren unerläßlich. Wenn Sie also das Onkogen lahmlegen – zum genau richtigen Zeitpunkt auf irgendeine Weise den Auslösemechanismus unterbinden –, wächst der Tumor nicht.« In der Theorie könnte das die Methode sein, mit der Proteasehemmstoffe ein breites Spektrum von Krebsarten in verschiedenen Stadien stören.

Dr. Troll ist sogar davon überzeugt, daß Proteasehemmstoffe noch in den späten Stadien das Fortschreiten von Krebs verlangsamen können, auf ähnliche Weise, wie das die Chemotherapie bewirkt, aber wesentlich zielgerichteter und weniger giftig. Er vermutet, die Anreicherung der Zellen mit Proteasehemmstoffen durch das Essen von Nahrungsmitteln, die reich daran sind, könne das Fortschreiten von Krebs bis zu diesem Zeitpunkt abblocken, an dem die Bösartigkeit sich über den ursprünglichen Schauplatz hinaus ausbreitet, Metastasen bildet. »Sobald die Bildung von Metastasen einsetzt, ist es vermutlich zu spät, auf dem Ernährungsweg einzugreifen«, glaubt er, »aber davor könnte es funktionieren.«

Proteasehemmstoffe stören das Entstehen von Krebs in verschiedenen Stadien

Eine ebenfalls prominente Forscherin auf dem Gebiet von Proteasehemmstoffen, Dr. Ann Kennedy von der Harvard School of Public Health, hat eine wirklich frappierende Entdeckung gemacht. Sie hat sogar festgestellt, daß Proteasehemmstoffe in Gewebekulturen die erste, krebserregende Schädigung von Zellen *beheben* können – etwas, das Wissenschaftler bis dahin für unmöglich gehalten hatten. Es galt als verbindliche Tatsache, daß die zerstörerische Botschaft nie wieder ausradiert werden könne, sobald ein krebserregender Stoff die DNS (Desoxyribonukleinsäure, auch DNA genannt) einer Zelle – ihren dominierenden genetischen Code – verändert hat; die Änderung sei unauslöschlich, und sobald weitere Faktoren, etwa krebsfördernde Stoffe, hinzukommen, beginne die Entwicklung zur Bösartigkeit. Aber Frau Dr. Kennedy hat in Reagenzglasversuchen entdeckt, daß Zellen mit von Karzinogenen verursachten DNS-Schäden nach der Behandlung mit Proteasehemmstoffen wieder in den Normalzustand zurückkehrten; sie verhielten sich, als ob ihre DNS nie angegriffen worden sei. Die Proteasehemmstoffe heilten den genetischen Schaden. Und selbst nach der Entfernung des Proteasehemmstoffs blieben die Zellen normal, fielen nicht in den präkarzinomen Zustand zurück und ließen sich nicht zu anomaler Vermehrung stimulieren, die den Krebsprozeß in Gang bringt.

Weitere Beweise dafür, warum die Wissenschaftler von den krebsbekämpfenden Kräften dieser chemischen Stoffe in Nahrungsmitteln so begeistert sind:

In Laboruntersuchungen hat sich gezeigt, daß Proteasehemmstoffe das Wachstum der Krebszellen in der menschlichen Brust und im menschlichen Dickdarm verlangsamen. Wenn man Tieren diese Sojabohnenbestandteile füttert, blockieren sie Brust-, Haut- und Dickdarmkrebs. Spritzt man Mäusen Proteasehemmstoffe, so rettet sie das vor Strahlungsschäden, die sonst tödlich wären. Sojabohnen, die Proteasehemmstoffe enthalten, unterdrücken bei Mäusen Leberkrebs. Wenn man die Haut von Mäusen mit krebsfördernden Stoffen einreibt, führt das nicht zu Krebs, sobald man diesen Substanzen Proteasehemmstoffe hinzufügt. Das war die große, aufregende Entdeckung, die Dr. Troll 1969 einen Tag bescherte, den »ich nie vergessen werde«, und zahlreiche wissenschaftliche Erprobungen von Proteasehemmstoffen auslöste.

In einem späteren Experiment bewiesen Dr. Troll und seine Kollegen die Wirksamkeit von Sojabohnenstoffen gegen Brustkrebs bei Tieren. Kurz nach der Geburt wurden zwei Gruppen von Ratten unterschiedlich gefüttert. Eine Gruppe fraß Sojabohnen. Dann, im Alter von zwei Monaten, wurden beide Gruppen am ganzen Körper einer Röntgenbestrahlung von dreihundert rad ausgesetzt. 44 Prozent der mit Sojabohnen gefütterten Ratten bekam Brustkrebs, im Vergleich zu 70 Prozent bei denjenigen, die das übliche Rattenfutter gefressen hatten. Frau Dr. Kennedy zeigte, daß diese Lebensmittelstoffe den Mundkrebs bei Hamstern stark unterdrückten. Frau Dr. Kennedy und ihr Team fügten auch dem Futter von Mäusen Sojabohnenextrakt hinzu und stellten fest, daß die Hülsenfrucht Darmkrebs blockierte. Die Wissenschaftlerin glaubt, daß Proteasehemmstoffe wahrscheinlich alle Krebsarten bekämpfen, mit der Ausnahme von Magenkrebs.

Und das wird gestützt von Beweisen am Menschen, die zeigen, daß das Essen von Samenkost möglicherweise dazu beiträgt, sie vor Krebs zu retten. Pelayo Correa vom Medical Center an der Louisiana State University in New Orleans hat eine eindrucksvolle Übersicht über die Eßgewohnheiten und Krebsarten in einundvierzig Ländern zusammengestellt. Er stieß auf eine verblüffende Zunahme des Pro-Kopf-Verzehrs von Reis, Mais und Bohnen in Ländern mit einem niedrigeren Vorkommen von Dickdarm-, Brust- und Prostatakrebs. Die starken Bohnen-, Reis- und Maisesser hatten auch weniger Herzkrankheiten. Dr. Troll berichtet von überzeugenden Forschungsergebnissen, die dahin gehen, daß Proteasehemmstoffe zur Verhinderung der Blutgerinnungsbildung beitragen und vermutlich Herz- und Gefäßkrankheiten reduzieren. Andere Forscher, die bei Frauen, die mehr Getreide und Bohnen aßen, weniger Brust-, Gebärmutter- und Eierstockkrebs feststellten, warfen die

Möglichkeit in die Debatte, daß Saatgutnahrung zum Teil die üblen Wirkungen fettreicher Ernährung ausgleiche, die im Verdacht steht, diese von Hormonen beeinflußten Krebsarten zu fördern.

Lebensmittel, die Proteasehemmstoffe enthalten, könnten außerdem eine kräftige Abwehr gegen Viren aufbauen. Hier der Grund: Etliche Viren müssen aktiviert werden, ehe sie infektiös werden können. Bei diesem Vorhaben unterstützt sie die Bauchspeicheldrüse mit der Produktion von Proteasen, die sie durch den Ausführungsgang in den Magen-Darm-Trakt schleust, wo sie in großer Zahl leben. Obwohl diese Proteaseenzyme zahlreiche lebenserhaltende Stoffwechselaktivitäten regulieren, üben sie außerdem eine besondere Wirkung auf Viren aus. Ein Virus kann über lange Zeiträume hinweg untätig im Magen-Darm-Trakt, in den Atemwegen oder sogar auf einem Papiertaschentuch existieren, aber sobald es unter geeigneten Bedingungen einer Protease begegnet, geht es zu wie bei Dornröschen oder in der dritten Phase des Computerspiels Ms. Pac-Man: Die beiden umarmen und küssen sich, und das Virus wird quicklebendig und vermehrt sich.

Da erscheint der Versuch nur logisch, den aktivierenden Charme dieser Proteaseenzyme auszuschalten, damit die Viren apathisch und ungefährlich bleiben. So tritt das Virus nicht in Aktion, bleibt nicht an den Zellen hängen, sondern wird durch die Eingeweide ausgeschwemmt und landet irgendwo im Abwasserkanal.

Genau das bewirkt natürlich ein Proteasehemmstoff; er nimmt dem Proteaseenzym die Fähigkeit, das Virus zum Leben zu erwecken. Einer herausfordernden Theorie zufolge könnte der Hemmstoff ein Viruspartikel daran hindern, die Proteinhülle abzulegen, und solange es von der Hülle umgeben ist, kann das Partikel nicht in eine Zelle eindringen und dort sein genetisches Material freigeben. Wenn es einem Virus nicht gelingt, so weit vorzudringen, bekommt es keinen Zugang zur genetischen Maschinerie der Zelle und kann sich nicht vermehren. Also ist die Zelle sicher. Im Gegensatz zu den Bakterien können sich Viren nicht aus eigener Kraft reproduzieren. Um eine Infektion zu verbreiten, dringt ein Virus in eine gesunde Zelle ein, übernimmt ihre genetische Maschinerie und benutzt sie dazu, sich zu vermehren, weitere Viren auszuspucken.

Es gibt keinen Zweifel daran, daß Proteasehemmstoffe des Typs, der in Nahrungsmitteln gefunden wird – vor allem in Sojabohnen —, Viren ausschalten können. Forscher an der medizinischen Fakultät der Johns Hopkins University mischten menschliche Rotaviren, die Durchfall und andere Magen-Darm-Krankheiten verursachen, mit ver- **Proteasehemmstoffe können Viren ausschalten** schiedenen Proteasehemmstoffen und ließen sie in menschlichen Zellen ausbrüten. Alle Stoffe dämpften die Viren. Der Sojabohnenhemmstoff macht in hoher Konzentration fast 100 Prozent der Virenaktivität zunichte. Es kam nicht zu zärtlichen Tänzen der Proteaseenzyme mit den Viren, die es den Viren erlaubt hätten, in menschliche Zellen einzudringen.

Als die Forscher die Sojabohnenstoffe Mäusen verabreichten, die mit einem Virus infiziert worden waren, wurden wesentlich weniger Mäuse krank, und die Ansteckungsgefahr sank. Interessanterweise wirkte eine einzige niedrige Dosis des Sojabohnenstoffes nur, wenn sie *vor* der Infizierung mit dem Virus verabreicht wurde – als eine Art virenbekämpfende Vorspeise. Aber wenn der Stoff nach der Infizierung mit dem Virus mehrmals in hohen Dosen verabreicht wurde, unterdrückte er ebenfalls in beträchtlichem Ausmaß die Infektion der Tiere.

Weil zahlreiche Viren erst von Proteasen aktiviert werden müssen, bevor sie gefährlich werden können, bergen die Sojabohnenhemmstoffe durch die Störung dieses grundlegenden Mechanismus ein enormes Potential zum Einsatz gegen ein breites Spektrum von Viren. Zu den Vieren, die ohne das Aktivierungsritual nichts ausrichten können, gehören unter anderem: Myxoviren, eine große Gruppe von Viren, die Influenza und Mumps verursachen können; Retroviren, die mit Leukämie in Verbindung gebracht werden; Coronaviren, die Infektionen der Atemwege verursachen, und Poxviren, die Erreger von Pocken.

Natürliche Proteasehemmstoffe, die Viren entwaffnen, sind viel sicherer als gegenwärtig erhältliche Medikamente gegen Viren. Nur wenige pharmazeutische Medikamente zur Virenbekämpfung sind entwickelt worden, und soweit es sie gibt, führen sie einen Angriff durch, indem sie auf die Nukleinsäuren im Zentrum der genetischen Maschinerie der Zelle einwirken. Dabei wird befürchtet, daß sie möglicherweise in die Nukleinsäuresynthese in normalen Zellen hineinpfuschen und damit Langzeitschäden, womöglich gar Krebs hervorrufen. Die Enzymhemmstoffe in der Nahrung dagegen greifen nach Meinung der Forscher in den Spaltungsprozeß der Proteine ein, der es den Viren ermöglicht, die Zellwände zu durchbrechen, anstatt im Zellkern selbst in Aktion zu treten. Deshalb ist der therapeutische Mechanismus der Natur sanfter und sicherer.

Natürliche Proteasehemmstoffe wirken oft sanfter und sicherer gegen Viren als pharmazeutische Medikamente

Etliche meinen, die Proteasehemmstoffe seien möglicherweise gefährlich, aber die Befürworter halten diese

Furcht für unbegründet. Es ist behauptet worden, daß starke Dosen von Proteasehemmsstoffen das Wachstum verlangsamen, vor allem bei Haustieren. Es gibt außerdem Beweise dafür, daß die Stoffe bei Ratten den Bauchspeicheldrüsenkrebs fördern können. Aber laut Dr. Troll gab es keinerlei Anzeichen von Schäden, als Affen, die dem Menschen biologisch am ähnlichsten sind, Proteasehemmstoffe verabreicht wurden. Er berichtet außerdem, die Stoffe hätten bei Mäusen, Schweinen und Affen keine einzige Krebsart verursacht.

Die Proteasehemmstoffe sind weit verbreitet im Königreich der Pflanzen; daß sie starke Medikamente sind, ist unbestreitbar. Es steht außerdem fest, daß sie in den Magen-Darm-Trakt vordringen. Zumindest bei Tieren üben sie in mehrere Körperregionen krebsbekämpfende Aktivitäten aus. In Experimenten schalten sie krebsbildende Onkogene und Viren aus. Es gehört nicht viel Phantasie zu der Annahme, daß starke Dosen dieser Proteasehemmstoffe ein weiterer schwerwiegender Grund dafür sind, daß das Essen von Gemüse gut für die Gesundheit ist.

Wo Sie Dr. Trolls krebsbekämpfende Mittel finden

Suchen Sie die Proteasehemmstoffe vor allem in den Hülsenfrüchten. In Sojabohnen und Kichererbsen sind sie in der höchsten Konzentration enthalten. Andere reichhaltige Quellen sind Saubohnen (auch Puff- oder Pferdebohnen genannt), Limabohnen, Tofu, chinesische Bohnen oder Langbohnen, Kidneybohnen, Erbsen, Linsen und Mungobohnen (in China vor allem für Bohnensprößlinge verwendet). Alle »Samennahrungsmittel« enthalten in verschiedener Konzentration Pro-

Sojabohnen und Kichererbsen enthalten viel Proteasehemmstoffe

teasehemmstoffe: alle Nußarten (Erdnüsse, Walnüsse, Pekannüsse und so weiter); Knollen- Kartoffeln, Süßkartoffeln (Batate), Taro; Bananen; Getreidekörner – Gerste, Weizen, Hafer, Roggen,Reis, Mais, Sorghumhirse. Obwohl die Proteasehemmstoffe am konzentriertesten in Samenkost vorkommen, werden sie außerdem in hohen Mengen in Auberginen gefunden und in mäßigen Mengen in Spinat, Brokkoli, Rosenkohl, Rettich, Gurke und Ananas. Und kürzlich entdeckte ein prominenter Forscher im Staat Washington, daß 50 Prozent des Eiweißes in einer unreifen Tomate aus Proteasehemmstoffen bestand! Beim Reifen der Tomate verringerten sich diese Stoffe. Weil bisher zu wenige Nahrungsmittel auf ihren Gehalt an Proteasehemmstoffen analysiert worden sind, sind sich die Wissenschaftler einfach noch nicht sicher, welche Nahrungsmittel sich als unerwartet reichhaltige Lieferanten dieser Stoffe erweisen könnten. Viele Proteasehemmstoffe überleben das Kochen und die Zubereitung; zum Beispiel sind hohe Mengen in gekochten Sojabohnen und Tofu und sogar in gebackenem Brot gefunden wurden, vor allem in Vollkornbrot. Dr. Troll wendet allerdings ein, das Kochen zerstöre die Proteasehemmstoffe in Kartoffeln in beträchtlichem Maß. *Rohe* Kartoffeln sind eine viel bessere Quelle.

8. Die Suche nach dem geheimnisvollen Karottenfaktor

Es klingt fast zu hirnrissig, um wahr zu sein – die Vorstellung, daß winzige Mengen arzneimittelähnlicher Verbindungen in Karotten und ähnlichen Gemüsen geschädigte Zellen so aufbauen können, daß sie Angriffen widerstehen, die sonst zu tödlichen, bösartigen Geschwülsten führen würden. Und doch sind in den letzten Jahren Millionen Dollar der Krebsforschungsgelder und eine gewaltige Menge Geisteskraft darauf verwendet worden, die Antwort auf eine fast lachhafte Frage zu finden: Ist es möglich, daß die bescheidene kleine Karotte eine derart grauenhafte Pest der Neuzeit wie den Krebs bekämpfen kann? Weder die Erkenntnisse noch die Konsequenzen daraus sind lächerlich. Mag es noch so erstaunlich erscheinen, aber die Krebsepidemie, die wir der menschlichen Torheit, Zigaretten zu rauchen und auf andere Weise uns und die Umwelt zu vergiften zu verdanken haben, läßt sich möglicherweise durch ein ganz schlichtes Ritual wenigstens teilweise abwehren: dadurch, daß Sie jeden Tag bescheidene Mengen orangefarbener oder dunkelgrüner Pflanzen in den Mund stecken, kauen und verdauen.

Während andere Pflanzenstoffe bisher fast ausschließlich an Tieren und in Reagenzgläsern erprobt werden, ist die Essenz der Karotte schon weitreichend *an Menschen* als Gegengift gegen Krebs getestet worden. Obwohl jedes Nahrungsmittel eine Wundertüte voller chemischer Stoffe darstellt, die möglicherweise Krebs auf breiter Basis attackieren, scheint der Karottenfaktor den Krebsprozeß in einem späteren Stadium zu stören – in der Förderungsphase. Und die orangegelbe Substanz wirkt möglicherweise am besten gegen Krankheiten, die vor allem mit dem Rauchen zusammenhängen. Außerdem beschränkt sich der »Karottenfaktor« nicht nur auf Karotten. Obwohl die chemische Familie, die Karotin oder Karotinoide genannt wird, ihren Namen von der Karotte ableitet, ist ihr Pigment die wichtigste Substanz aller orangefarbenen und dunkelgrünen Gemüsearten. (Grünes Chlorophyll überdeckt die orangegelbe oder rote Färbung.)

Es war ein synthetisches Karotinoid, Betakarotin – in Karotten von Natur aus reichlich vorhanden —, das die Wissenschaftler, deren Arbeit vom National Cancer Institute finanziert wird, in Kapseln an eine ausgewählte Gruppe von Patienten verteilten, in der Hoffnung, der Stoff könne Krebs bekämpfen. Wie kam es dazu? Weil jemandem aufgefallen war, daß Menschen, die Karotten und andere Gemüse essen, die reich an Karotinoiden sind, weniger Krebs haben.

Der Versuch, dem Karottenfaktor auf die Spur zu kommen, erwies sich als steiniger Pfad, voller Biegungen und Überraschungen, und er ist noch lange nicht zu Ende. Am Anfang stand übrigens nicht die Karotte, sondern die Leber – zumindest der Typ von Vitamin A, der in der Leber vorkommt. Entscheidend für die Lösung des Rätsels ist die Tatsache, daß es zwei Formen von Vitamin A gibt: das Retinol aus tierischer Nahrung wie Leber und Milch und das pflanzliche Provitamin Karotin, das vom Körper in verwertbares Retinol umgewandelt wird. 1967 entdeckten Wissenschaftler am National Cancer Institute, daß tierisches Retinol bei Hamstern Krebs der Atemwege unterdrückte. Die Wissenschaftler waren sich schnell sicher, daß sie auf der heißen Spur eines potentiellen Gegengifts gegen Krebs waren.

Versuche mit Karotin an Menschen bei der Krebstherapie erwiesen sich als erfolgreich

Diese Vermutung wurde auf dramatische Weise gestützt durch einen wachsenden Berg von Beweismaterial über den Zusammenhang zwischen hohen Krebsraten und einer Vitamin-A-armen Ernährung. In den siebziger Jahren wurde in fünfzehn Untersuchungen aus Israel, Norwegen, Japan, China, Frankreich, Iran und den Vereinigten Staaten übereinstimmend festgestellt, daß sich bei Menschen, die mehr Vitamin-A-reiche Nahrung aßen, das Krebsrisiko verringerte – vor allem für den Magen, die Lunge, die Speiseröhre, den Dickdarm, Mastdarm und die Blase. Ein entscheidender Anhaltspunkt – der damals falsch eingeschätzt wurde – war die faszinierende Tatsache, daß ganz oben auf der Liste der krebsbekämpfenden Nahrungsmittel orangegelbe und dunkelgrüne Gemüse standen. Weil man sie für bloße Vitamin-A-Fabriken ohne sonstige Talente hielt, wurden diese Gemüse schlicht und einfach mit Vitamin-A-haltiger tierischer Nahrung in einen Topf geworfen.

Niemand machte sich Gedanken darüber. Wissenschaftlich gesehen war es eine vollkommen sinnlose Theorie. Vitamin A kontrolliert die Zellteilung, jenen Vorgang, der durch Krebs außer Rand und Band gerät. Außerdem schützt Vitamin A die Epithelzellen, die den Körper innen und außen verkleiden, die Haut, die Lungen und die Kehle – genau die Körperregionen, die dem Anschein nach durch Vitamin-A-haltige Nahrung vor Krebs bewahrt wurden.

Aber dann stießen die Wissenschaftler auf einen gewaltigen Haken. Die Ergebnisse der Tierversuche waren nicht eindeutig. Niedrige Werte von Vitamin A im Blut waren nicht immer gleichbedeutend mit einem höheren Krebsrisiko. Durch die widersprüchlichen Daten geriet die Theorie von der Krebsbekämpfung durch Vitamin A ins Wanken.

Trotzdem verschwanden die Berichte, in denen dunkelgrüne und orangegelbe Gemüse und Obstsorten als Waffen gegen Krebs genannt wurden, nicht etwa in der Versenkung; sie häuften sich. Die Wissenschaftler kratzten sich verwirrt den Kopf – bis Richard Peto und seine Kollegen vom Imperial Cancer Research Fund in Oxford, England, in einem provozierenden Aufsatz, der 1981 in *Nature* erschien, die rettende Idee hatten. Peto löste das Dilemma, indem er darauf hinweis, es sei das Betakarotin – die Substanz, die zu Vitamin A *umgewandelt* wird, nicht das schon vorgebildete Vitamin A in tierischer Nahrung —, das Obst und Gemüse zu dem Status verhelfe, unter den krebsunterdrückenden Substanzen an erster Stelle zu stehen.

Natürlich! Sein Argument löste einen wissenschaftlichen Seufzer der Erleichterung aus. Gemüse und Obst sind gerammelt voll mit einer Gruppe von etwa fünfhundert Stoffen, die Karotinoide genannt werden, von denen etwa 10 Prozent, darunter das Betakarotin, im Körper in verwertbares Vitamin A umgewandelt werden.

Vitamin-A-Vorstufen wie Betakarotin haben größte Schutzfunktion als krebsunterdrückende Substanzen Unter diesen Karotinoiden, die Vorstufen zum Vitamin A sind, ist das Betakarotin der Superstar. Und es ist konzentriert vorhanden in Karotten, Süßkartoffeln, Kürbis, Spinat und Grünkohl. Fast die ganze Welt (die Vereinigten Staaten ausgenommen) bezieht etwa 90 Prozent ihres Vitamin-A-Bedarfs aus solcher pflanzlicher Nahrung – in Asien sind die grünen Blattgemüse der größte Lieferant.

Als sich ein klares Bild des Karottenfaktors abzeichnete, stießen neue Forschungen auf spektakuläre Dinge. Ein Knüller: Ein Aufsatz des angesehenen Epidemiologen Dr. Richard Shekelle u. a., jetzt an der University of Texas, der 1981 in *The Lancet* erschien. Der Forschungsbericht identifizierte eindeutig das Betakarotin, nicht das Vitamin A, als starken Beschützer vor Lungenkrebs. Die Forscher hatten seit 1957 Buch geführt über zweitausend Männer, wieviel sie von 195 verschiedenen Nahrungsmitteln aßen und wer von ihnen Lungenkrebs bekam. Die Schlußfolgerung: »Eine Ernährung mit relativem Betakarotingehalt reduziert möglicherweise *sogar bei Personen, die viele Jahre lang Zigaretten geraucht ha-*

ben, das Risiko auf Lungenkrebs.« Bei Männern, die am wenigsten karotinhaltige Nahrung gegessen hatten, war es *siebenmal* wahrscheinlicher als bei denjenigen, die sich am karotinreichsten ernährt hatten, daß sie Lungenkrebs bekamen. Dr. Shekelle scheute sich nicht, als Beitrag zur Vorbeugung von Lungenkrebs »eine halbe Tasse Karotten pro Tag« zu empfehlen.

Weil Betakarotin eine alte Substanz ist, schon lange als Medikament in der Dermatologie verwendet wird, buchstäblich ungiftig und von Hoffmann-La Roche in fertiger Form leicht zu bekommen ist, liegt es auf der Hand, es an Tieren auszuprobieren. Der Stoff, von dem angenommen wurde, er sei wirksam gegen Krebs, wurde mit sensationellen Ergebnissen an Versuchstieren getestet. Zum Beispiel setzten Dr. Eli Seifter, Professor für Medizin am Albert Einstein College of Medicin in New York, und seine Kollegen Ratten Karzinogenen aus und verabreichten ihnen dann zwei bis neun Wochen später hohe Dosen Betakarotin. Dr. Seifter beschreibt das Betakarotin als eine Art »Pille danach«. Die Substanz hinderte Tumore am Entstehen und am Wachstum. Im allgemeinen war die Wirksamkeit um so größer, je früher das Betakarotin gegeben wurde, aber es gab eine Gnadenfrist von fünf bis sechs Wochen, in der das Betakarotin dafür sorgte, daß »die Spätstadien der Tumorentwicklung und/oder die frühen Stadien des Tumorwachstums« unterbunden wurden. Wenn das Betakarotin mit therapeutischer Bestrahlung kombiniert wurde, brachte es sogar ausgewachsene Tumore buchstäblich zum Verschwinden. Das entspricht epidemiologischen Beweisen dafür, daß betakarotinhaltige Nahrung etliche der Schäden wiedergutmachen kann, die durch ständige Angriffe durch Karzinogene wie Zigarettenrauch angerichtet worden sind.

Verblüffende Untersuchungen von Micheline Mathews-Roth von der medizinischen Fakultät der Harvard University und Dr. Andrija Kornhauser von der Food and Drug Administration zeigen, daß Versuchstiere, die ultraviolettem Licht ausgesetzt werden, keinen Hautkrebs bekommen – wenn sie mit hohen Dosen von Betakarotin gefüttert werden.

Unter dem Eindruck der wachsenden Beweise dafür, daß Betakarotin eine Wende in der menschlichen Tragödie, die man Krebs nennt, herbeiführen könnte, begann das National Cancer Institute mit ausgedehnten Versuchen an Menschen. Den bekanntesten Test leitet Dr. Charles Hennekens von der Harvard School of Public Health. Dabei nehmen etwa 22 000 Ärzte fünf Jahre lang entweder eine Kapsel mit Betakarotin oder ein Placebo (Substanz ohne Wirkung), um herauszufinden, ob Betakarotin vorbeugend gegen alle Krebsarten wirkt. Außerdem gibt es Tests der Wirkung von Betakarotin gegen bestimmte Krebsarten – sechs Untersuchungen über Lungenkrebs, darunter ein Großversuch in Finnland und einer in China, zwei über Dickdarmkrebs, zwei über Speiseröhrenkrebs (darunter ein Großversuch in China) und drei über Hautkrebs.

Inzwischen häufen sich gute Nachrichten und neue Rätsel über die krebsbekämpfenden Kräfte des Betakarotins. Ein Problem, das die Wissenschaftler quälte, bestand darin, daß es keinen festen Zusammenhang zwischen Vitamin-A-Werten im Blut und den Krebsarten gab. Im Fall *niedriger* Betakarotinwerte aber existiert er! Offenbar erhöht sich die Anfälligkeit für Lungenkrebs, je weniger Betakarotin durch die Adern fließt. Eine bahnbrechende Untersuchung, von der inzwischen verstorbenen Dr. Marilyn Menkes vom Institut für Hygiene und öffentliche Gesundheit an der Johns Hopkins University durchgeführt und 1987 im *New England Journal of Medicine* veröffentlicht, stellte einen erschreckenden Zusammenhang fest zwischen niedrigen Betakarotinwerten im Blut und dem Auftauchen von Lungenkrebs neun Jahre später.

Frau Dr. Menkes und ihr Forschungspartner benutzten Blutproben, die 1974 gesammelt und auf Betakarotin analysiert worden waren; dann ermittelten sie 1983 die Spender und fanden unter ihnen neunundzwanzig mit Lungenkrebs. Sie verglichen die Betaka- **Betakarotinmangel** rotinwerte im Blut von Lungenkrebsop- **erhöht deutlich das** fern mit denen vergleichbarer Spender, **Lungenkrebsrisiko** die keinen Krebs bekamen. Sie stellten mit Sicherheit fest, daß niedrige Betakarotinwerte im Blut Krebs ankündigen. Die Spender mit den niedrigsten Betakarotinwerten bekamen mit 2,2mal so großer Wahrscheinlichkeit Krebs wie diejenigen mit den höchsten Werten. Noch verblüffender war, daß niedrige Betakarotinwerte im Blut auf dramatische Weise mit dem verhornenden Plattenepithelkarzinom zusammenhingen – eine Art Hautkrebs der Lungenwand –, der häufigsten Todesfolge des Zigarettenrauchens. Menschen mit den niedrigsten Betakarotinwerten im Blut hatten im Vergleich mit denjenigen mit den höchsten Werten das *vierfache* Risiko, diesen speziellen Raucherkrebs zu bekommen. Wieviel Betakarotin Sie essen, spiegelt sich im Blut wider.

Frau Dr. Menkes schätzte, daß ein erhöhter Verzehr von betakarotinhaltiger Nahrung zwischen 15 000 und 20 000 Todesfälle durch Lungenkrebs pro Jahr verhindern könnte.

Und wieviel mehr pro Tag müßte man essen, um das zu bewirken?

Laut einer Analyse etwa die Menge, die in einer Karotte gefunden wird.

In *einer* Karotte?

Ja, genau.

Die Wirksamkeit des Karottenfaktors, die immer deutlicher wird, scheint bei der Unterdrückung von Epithelkrebs besonders stark zu sein, vor allem der der Lunge. Die Wissenschaftler billigen mit erstaunlicher Einstimmigkeit den Einsatz von natürlichem Karotin gegen Lungenkrebs. Zehn von elf epidemiologischen Untersuchungen auf der ganzen Welt haben festgestellt, daß *etwas* – im allgemeinen nennen die Forscher dabei das Betakarotin – im dunkelgrünen Blattgemüse und orangegelbem Obst und Gemüse die Gefahr, Lungenkrebs zu bekommen, beträchtlich verringert. Für diejenigen, die karotinreiche Nahrung links liegenlassen, verdoppelt oder verdreifacht sich im Durchschnitt das Lungenkrebsrisiko. Karotinhaltige Kost scheint Nichtraucher, vor allem ehemalige Raucher und, wenn auch nur in geringem Ausmaß, sogar Nochraucher vor der künftigen Katastrophe zu beschützen. Bei jeder wissenschaftlichen Tagung posaunen es die Forscher jedoch in die Welt hinaus, daß der Nutzen des Betakarotins im Vergleich mit der überwältigenden Macht, mit der Zigaretten die Zellen in Richtung Krebs treiben, verschwindend gering ist. Ernährung ist ein schwacher Schutz gegen die karzinogene Katastrophe, die Lungen mit Rauch zu füllen.

Das Essen karotinreicher Kost hilft möglicherweise auch bei der Vorbeugung gegen einen weiteren typischen Raucherkrebs – den Kehlkopfkrebs in der kritischen Phase nach dem Aufgeben des Rauchens. Dorothy Mackerras vom Institut für öffentliche Gesundheit an der University of Texas in Houston sagt über ihre Untersuchung von Arbeitern in einer Chemiefabrik: »Es hat den Anschein, daß Karotin dazu beitragen kann, den

Kehlkopf zu heilen, sobald man mit dem Rauchen aufgehört hat, so daß es weniger wahrscheinlich ist, daß man Kehlkopfkrebs bekommt.« Sie hat festgestellt, daß bei denjenigen, die vor zwei bis zehn Jahren mit dem Rauchen aufgehört hatten, die Esser von wenig Karotin ein fünfeinhalbmal größeres Risiko hatten, Kehlkopfkrebs zu bekommen, als die Esser von karotinreicher Kost. Aber das Karotin beschützte nur *ehemalige* Raucher; es war nicht stark genug, die krebserregenden Kräfte zu überwinden, die ein ständiges Bombardement der Kehlkopfzellen mit Rauch freisetzt. Interessanterweise stellte sie fest, daß das Einnehmen von Vitamin-A-Tabletten – die aus Retinol hergestellt werden – nicht vor Krebs schützt.

Woher kommt die Kraft dieser Karotinoide, vor allem des Betakarotins? Wie wirken sie? Auf welche Weise genau können sie Krebs innerhalb der Zellen bekämpfen? Neue Entdeckungen haben auch hier für Überraschungen und zugleich für eine Perspektive gesundheitlichen Nutzens gesorgt. Ursprünglich wurde angenommen, die Umwandlung des Betakarotins in Vitamin A sorge dafür, daß es zum Gegenspieler des Krebses werde. Aber die Wahrheit ist komplizierter und aufregender. Es hat sich herausgestellt, daß das Betakarotin im Unterschied zu gewöhnlichem Vitamin A ein Antioxidans ist. Dadurch wird es zu einer Art Müllabfuhr, die Karzinogene aufsammelt und abtransportiert. Betakarotin kann gefährliche Moleküle von hyperaktivem Sauerstoff lahmlegen, die im Körper herumrasen und Zerstörung anrichten. Mit anderen Worten, die antioxidatorische Wirkung des Betakarotins beim Schutz von Zellen ist unabhängig von seiner chamäleonartigen Umwandlung in Vitamin A.

Diese Entdeckung öffnet die Schleusen für völlig neue,

ungeheure Möglichkeiten. Die Tatsache, daß Betakarotin ein Antioxidans ist, erweitert seine potentiellen pharmakologischen Eigenschaften über den Schutz vor Krebs hinaus auf alle physiologischen Anwendungsmöglichkeiten von Antioxidantien. Aufregende neue Beweise deuten darauf hin, daß Betakarotin, laut Dr. Norman Krinsky, einer angesehenen Autorität auf dem Gebiet der Antioxidantien und Professor an der medizinischen Fakultät der Tufts University, tatsächlich »weitreichende immunologische Wirkungen« hat. Forscher haben festgestellt, daß es die Produktion von T-Helfer-Zellen stimuliert, lebenswichtigen Vorstufen bei der Bildung von Antikörpern, die immun gegen Infektionen machen. Japanische Wissenschaftler haben herausgefunden, daß Betakarotin dazu beiträgt, sowohl durch Viren als auch durch chemische Stoffe verursachtem Krebs vorzubeugen, indem es die »Immunabwehr stärkt«, das Gewebe weniger anfällig gegen Krebsschäden macht. Als Antioxidans schützt Betakarotin in der Nahrung aller Wahrscheinlichkeit nach Herz und Gefäße, wirkt entzündungshemmend und verzögert sogar das Altern.

Im Unterschied zu Vitamin A wirkt Betakarotin antioxidatorisch, d. h., es kann gefährliche hyperaktive Sauerstoffmoleküle lahmlegen

Dies bedeutet aber auch, daß Betakarotin nicht mehr als der einzige, vielleicht nicht einmal mehr als der wirksamste krebsbekämpfende Stoff in Nahrungsmitteln mit hohem Karotingehalt wie Karotten, Spinat, Grünkohl und Süßkartoffeln angesehen werden kann. Denn wenn die Aktivität von Vitamin A nicht das Hauptkriterium für die krebsbekämpfende Wirksamkeit ist, dann ist es durchaus möglich, daß auch die Hunderte von anderen karotinoiden Pigmenten in diesen Nahrungsmitteln einen Platz an der Sonne verdient haben. Tatsächlich scheinen fast alle Karotinoide in der Nahrung Antioxidantien unterschiedlicher Stärke zu sein. Dr. Krinsky hat zum Beispiel das Kanthaxanthin getestet, ein pflanzliches Karotinoid, das über keinerlei Vitamin-A-Aktivität verfügt. In Reagenzgläsern beugte es ebenfalls der Entwicklung von Krebs in den Zellen vor, und bei Tieren wirkte es gegen Tumore, genau wie das Betakarotin. Dr. Krinsky schreibt die antioxidantischen Wirkungen der Karotinoide unbekannten chemischen Stoffen zu, die nichts mit Vitamin A zu tun haben. Das heißt, daß das Betakarotin kein Monopol auf krebsbekämpfende Wirkung hat.

Etliche Experten nehmen sogar an, daß andere Karotinoide und nicht das Betakarotin in bestimmten Nahrungsmitteln die wichtigsten Gegenspieler von Krebs sind. Laut Dr. Frederick Khachik vom amerikanischen Landwirtschaftsministerium haben Analysen der Nahrungsmittel, die bei epidemiologischen Forschungen am einheitlichsten mit einer Verringerung des Krebsrisikos in Verbindung gebracht wurden – Brokkoli, Rosenkohl, Kohl, Grünkohl und Spinat —, ergeben, daß diese Gemüse andere Karotinoide in wesentlich höherer Konzentration enthalten als das Betakarotin. Nur 19 Prozent des gesamten Karotinoidgehalts von Spinat und Kohl besteht aus Betakarotin und ähnlichem Karotin vom Vitamin-A-Typ. Beim Brokkoli und beim Rosenkohl sind es nur 10, beim Kohl nur 8 Prozent. Diese krebsbekämpfenden Gemüse enthalten jedoch allesamt außergewöhnlich hohe Mengen eines anderen Karotinoids namens Lutein. Dr. Khachik glaubt, daß möglicherweise das Lutein und nicht das Betakarotin das Karotinoid ist, das solche Nahrungsmittel zu Champions in der Krebsbekämpfung macht.

Und das sorgt wirklich dafür, daß Karotten zu einem merkwürdigen aufregenden Gericht werden: Allem Anschein nach wird der Schutz durch Gemüse wie Karotten und Spinat, die einen hohen Gehalt an Karotinoiden haben, nicht durch einen einzigen Schuß Betakarotin bewirkt, sondern durch eine Zusammenwirkung von Hunderten noch ungetesteter antioxidantischer Karotinoide, gemeinsam mit anderen unbekannten Faktoren. Dr. Hans Stich, ein Krebsexperte aus British Columbia, Kanada, nennt das »einen Cocktaileffekt«, der seiner Meinung nach ungenügend erforscht sei. Die Natur richte sich nicht nach Eli Lilly, Hoffmann-La Roche, Searle oder anderen Pharmaherstellern. Es sei wahrscheinlicher, philosophiert er, daß Nahrung eine ganze Dusche von Chemovorbeugung freigebe, der kein einziges Medikament gleichkomme. Er nimmt an, die Mischung von Betakarotin mit anderen Karotinoiden habe eine kumulative Wirkung – stärker und weniger giftig als irgendein chemischer Stoff aus der Nahrung für sich genommen. Dieser Cocktaileffekt, sagt er, sei »vermutlich das, was die Nahrung bewirkt«. Und er ruft uns ins Gedächtnis, daß wir zum gegenwärtigen Zeitpunkt nicht wissen, ob das Betakarotin oder ein anderer bestimmter Karottenfaktor vorbeugend gegen Krebs wirkt. Wir wissen nur, daß diese Wirkung anscheinend eintritt, wenn wir Obst und Gemüse essen.

Deshalb besteht der schwer faßbare Karottenfaktor trotz des gegenwärtigen Flirts mit einer einzigen Karottenessenz – Betakarotin ... mit großer Wahrscheinlichkeit mit der *ganzen Karotte – und dem ganzen Brokkolibüscheln, Rosenkohlköpfchen, den ganzen Kohl- und Spinatblättern.*

Die besten Lieferanten krebsbekämpfender Karotinoide [2]

Aprikosen, vor allem getrocknet (reich an Betakarotin), Brokkoli, Grünkohl (reichster Karotinoidgehalt überhaupt), Karotten (reich an Betakarotin), Kohl, grüne Bestandteile, Kopfsalat, Kürbis (reich an Betakarotin), Rosenkohl, Spinat, Süßkartoffeln (reich an Betakarotin), Tomaten.

9. Das merkwürdige Antibiotikum der Preiselbeere

Dr. Antony Sobota, Professor für Mikrobiologie an der Youngstown State University in Ohio, hatte es nicht darauf abgesehen, sich als Entdecker des »Preiselbeerantibiotikums« einen Namen zu machen. Er suchte nach besseren Behandlungsmethoden für Infektionen der Harnwege. Er unterzog Medikamente gründlichen Tests, um herauszufinden, ob sie nach einer neuen Methode wirkten – nicht durch das Abtöten der Bakterien, sondern dadurch, daß sie das Vordringen der Bakterien an die Oberflächenzellen der Harnwege verhinderten. Die herkömmliche Methode bei der Eindämmung von Infektionen besteht darin, die Bakterien direkt abzutöten oder ihren Lebensprozeß dadurch zu stören, daß man sie an der Vermehrung hindert. Deshalb greifen auch Antibiotika wie Penicillin charakteristischerweise die Zellwand der Bakterie an und hindern die Mikrobe daran, Enzyme oder Nukleinsäuren zu produzieren, die es ihr ermöglichen, sich im Körper auszubreiten und dort Hochburgen aufzubauen.

Im letzten Jahrzehnt haben die Wissenschaftler jedoch

---

2 Regel: Je dunkler das Grün der Blattgemüse und das Orange von Obst und Gemüse, desto höher der Gehalt an Karotinoiden.

starkes Interesse an einer anderen Methode der Bakterienbekämpfung gewonnen: der Unterbindung der Möglichkeit, daß sich die Bakterien überhaupt erst an die Zellen heften. Werden die Bazillen daran gehindert, so lautet die Theorie, können sie auch keine Infektionen verursachen. Wissenschaftler in Schweden hatten herausgefunden, daß Bakterien, die Infektionen der Harnwege verursachen, besonders dazu neigen, Schaden durch diese Anbindung an die Zellen anzurichten; nur die Bakterien, denen es gelang, an Zellen der Harnwege festen Halt zu finden, verursachten Krankheiten. Deshalb, schloß Dr. Sobota, war es möglich, den Krankheitsprozeß im Augenblick der Entstehung zu bekämpfen, noch ehe sich Symptome entwickelten, wenn man die Fähigkeit der Bakterien, sich an Zellen anzuheften, unterband. Es war ziemlich leicht, das zu untersuchen. Dr. Sobota entnahm dem Urin von Frauen Zellen der Blasenoberfläche, versetzte sie dann mit Bakterien und färbte die Bakterien rot. Unter dem Mikroskop konnte er zählen, wie viele der rot gefärbten Bakterien sich an die Zellen anhefteten. Es war dieselbe Situation, die die Bakterien auch in den Harnwegen vorfanden. Wenn sie haftenblieben, verbreiteten sie sich und verursachten eine Infektion.

Mit niedrigen oder subletalen (nicht zum Abtöten der Bakterien ausreichenden) Dosen von Antibiotika wie Ampicillin, einem synthetischen Verwandten des Penicillins, die in der herkömmlichen Medizin zur Behandlung von Infektionen der Harnwege eingesetzt

Preiselbeeren stoppen Bakterien, die Harnweginfektionen auslösen

werden, kam Dr. Sobota zu enttäuschenden Ergebnissen. Wenn er durch das Mikroskop schaute, waren die Bakterien immer noch da und klammerten sich glücklich an die Zelloberflächen. Dann machte ein Student den Vorschlag, er solle es mit Preiselbeersaft versuchen, den ein Krankenhaus am Ort erfolgreich zur Behandlung von doppelseitig Gelähmten einsetzte, die besonders anfällig für Infektionen der Harnwege sind.

Dr. Sobota wußte, daß das nicht verrückt war. Die Hinweise auf Preiselbeeren reichten in der medizinischen Literatur bis ins Jahr 1860 zurück. 1923 gaben zwei amerikanische Ärzte Menschen Preiselbeeren zu essen und stellten in ihrem Urin erhöhte Mengen von Hippursäure fest, einer als antibakteriell bekannten Substanz. Später ermittelten Forscher, die Chininsäure in Preiselbeeren sei der Stoff, der die Hippursäure bildet. Ein Arzt aus Wisconsin berichtete 1962 über große Erfolge, die er dadurch erzielte, daß er Patienten zur Verhütung und Heilung von Erkrankungen der Harnwege zweimal am Tag je knapp 0,2 Liter Preiselbeersaft zu trinken gab; eine sechsundsechzigjährige Frau mit hartnäckiger Nierenentzündung (chronischer Pyelonephritis) war innerhalb von acht Wochen von der Krankheit befreit und weigerte sich noch zweieinhalb Jahre später, den Preiselbeersaft aufzugeben, weil sie darauf schwor, das sei die einzige Arznei, die ihr helfe. Bei einem anderen Versuch besserte sich der Zustand von etwa 70 Prozent einer Gruppe von Männern und Frauen mit akuten Infektionen der Harnwege, nachdem sie drei Wochen lang einen halben Liter handelsüblichen Preiselbeersaft pro Tag getrunken hatten.

In all diesen Jahrzehnten des Vortastens wurde angenommen, die Wirkung der Preiselbeeren beruhe darauf, daß sie den Säurespiegel im Urin erhöhen. Und wie jeder Medizinstudent weiß, ist mit Säure angereicherter Urin wie ein mildes Antibiotikum; er vernichtet oder entwaffnet Bakterien, die sich in den Harnwegen herumtreiben und Ärger machen. Diese naheliegende Erklä-

rung verleiht der Einschätzung der Preiselbeeren in der Volksmedizin und jetzt auch unter Ärzten Glaubwürdigkeit.«Klar, Urologen sagen ihren Patienten, daß sie Preiselbeersaft zur Vorbeugung gegen Infektionen der Harnwege und gegen Nierensteine trinken sollen«, kommentiert Dr. Price Stuart jr., Präsident des amerikanischen Urologenverbandes. »Ich glaube, wir alle sagen das. Die Preiselbeeren erhöhen den Säuregehalt im Urin.«
Aber steckt in dieser leicht feststellbaren biochemischen Reaktion die ganze Wahrheit? Die Natur könnte durchaus raffinierter vorgehen, womit die Ärzte immer noch recht hätten, aber aus dem falsche Grund. Für den legendären Ruf der Preiselbeere könnten kompliziertere, verborgene chemische Vorgänge verantwortlich sein. Dr. Sobota machte sich Gedanken darüber. Vielleicht …
Er besorgte sich in einem Supermarkt Preiselbeernektar und drückte außerdem ganze Preiselbeeren aus. Dann macht er mit den Preiselbeeren dasselbe wie mit den Medikamenten, die er getestet hatte. Als er ins Mikroskop schaute, konnte er sehen, daß die Bakterien ausgerutscht und von den Zellen heruntergekullert waren wie Regentropfen von einem Dach. Sie schienen keinen Halt finden zu können.
»Da gab ich ständig Antibiotika zu und versuchte, die Bazillen an der Verankerung zu hindern, und die Medikamente wirkten nur kläglich. Kaum versuchte ich es mit dem Saft, und er räumte alles weg; er wurde mit allen Bakterien fertig. Ich war schlicht und einfach verblüfft. Ich konnte es nicht glauben.«
Wieviel besser wirkte der Preiselbeersaft als die niedrigen Dosen der Medikamente?
»Absolut frappierend – multipliziert mit zehn.«
Der Saft war zehnmal so wirkungsvoll?

»Stimmt.«

Je höher der Saft konzentriert war, desto größer war die Wirkung. Preiselbeernektar vom Ladenregal – in dem zwischen 25 und 33 Prozent reiner Beerensaft enthalten war – erwies sich jedoch als äußerst wirksam. Die Bakterien waren selbst dann noch in einem hilflosen Zustand, wenn der Saft im Verhältnis eins zu hundert mit Wasser verdünnt war; so wirkungsvoll ist der Stoff.

Laut Dr. Sobota war vermutlich folgendes passiert: Die Bakterien verankern sich an den Zellen mit Hilfe von Tausenden von fadenähnlichen, hohlen Strukturen, die Pili genannt werden. Diese Pili sind Verankerungsfühler, die an der Zelle anlegen. Damit eine vollkommene Verbindung entsteht, haben sowohl die Pili als auch die Zellen Rezeptoren, die genau ineinander passen wie ein Schlüssel ins Schlüsselloch. Auf irgendeine Weise sorgen ein Stoff oder mehrere Stoffe in Preiselbeeren dafür, daß diese Rezeptoren besetzt sind, etwa so, wie wenn ein Schlüsselloch mit Gummi verstopft wird, so daß die Verbindung nicht stattfinden kann. Dr. Sobota ist sich nicht sicher, ob der Preiselbeerfaktor die Bakterien oder die Zellen oder beide verändert, aber die Wirkung läuft auf dasselbe hinaus – eine »Rezeptorblockade«. Wenn sie sich nicht an den Zellen verankern können, werden die Bakterien auf unschädliche Weise mit dem Urinstrom aus dem Körper hinausgespült.

Genau danach hatte Dr. Sobota gesucht – nach einem Stoff, der auf neue, erfindungsreiche Weise gegen Bakterien arbeitet; nur stammte der Stoff nicht aus einer Pharmafabrik, sondern aus einem Lebensmittelladen.

Aber was passiert, wenn der Preiselbeerstoff im Verdauungstrakt zerstört oder lahmgelegt wird und deshalb im menschlichen Körper nicht so arbeitet wie in einer Petrischale? Um sicherzugehen, daß der Preiselbeerfaktor

biologisch aktiv ist, hat Dr. Sobota sowohl Preiselbeersaft als auch, was wichtiger ist, den Urin von Tieren und
Menschen getestet, *nachdem* sie Preiselbeersaft getrunken hatten. Der Wirkstoff war immer noch vorhanden
und aktiv; der Urin enthielt im allgemeinen eine hohe

Der »Preiselbeerfak- Menge des »Preiselbeerfaktors« und er-
tor« verhindert die wies sich als wirksam gegen die Veranke-
Verankerung schädli- rung schädlicher Bazillen an den Zellen.
cher Bakterien an In einer Gruppe von Menschen hatten
Zellen etwa 70 Prozent derjenigen, die einen hal-

ben Liter Preiselbeersaft tranken, wesentlich mehr von
dem antibakteriellen chemischen Stoff im Urin. Der
Faktor zeigte sich innerhalb von einer bis zu drei Stunden nach dem Trinken des Safts im Urin, und es gibt Beweise dafür, daß er zwölf bis fünfzehn Stunden wirksam
blieb.

Daß der Preiselbeerfaktor im Urin überlebte, ist laut Dr.
James Tillotson, dem Abteilungsleiter für Forschung
und Entwicklung bei Ocean Spray, einem Hersteller von
Preiselbeersaft, das Wesentliche an diesem Durchbruch.
»Sobotas Arbeit wird deshalb so neu und aufregend,
weil sie beweist, daß Preiselbeeren etwas Einzigartiges
an sich haben.« Kurz gesagt, der besondere Wirkstoff der
Preiselbeeren gelangt in die Nieren und dann mit dem
Urin in die Blase, wo er eine Zeitlang verweilt; er durchläuft den gesamten Harntrakt, spült an gegen Zellen
und Bakterien, verhindert, daß sie sich miteinander verankern, und hintertreibt vermutlich auf diese Weise
eine Infektion. Er ähnelt einer chemotherapeutischen
Brühe, die den gesamten Harntrakt durchspült.

Während ich das hier schreibe, ist der »Preiselbeerfaktor« noch nicht genau isoliert und identifiziert worden.
Dr. Sobota sucht noch danach, unter Tausenden von
chemischen Stoffen im Urin von Menschen, die Preisel-

beersaft getrunken haben. Forscher in den Laboren von Ocean Spray suchen ebenfalls danach. Und Pharmafirmen haben ihr Interesse daran bekundet, diesen Faktor zu einem Medikament zu verarbeiten, sobald er identifiziert worden ist.

Außergewöhnlich? Ja, wenn man bedenkt, daß hier ein Wissenschaftler endlich eine überraschende Methode entdeckt hat, mit der die Natur schon lange Krankheitserreger bekämpft – indem sie ihre Beute sanft in eine teflonähnliche Beschichtung einhüllt, so daß die Erreger nicht an gesunden Zellen festmachen können —, einen Mechanismus, der erst seit kurzem bei dem Versuch, neue synthetische Mittel gegen Infektionen zu entwickeln, von Pharmafirmen erforscht wird. Aber daß Antibiotika in Nahrungsmitteln *vorhanden* sind, ist durchaus nicht einmalig.

Penicillin wurde aus Brotschimmel isoliert. Bei Menschen, die auf abgelegenen Inseln leben, zeigt sich manchmal ein rätselhafter Widerstand gegen heutige Antibiotika, was darauf hindeutet, daß sie große Dosen von Antibiotika eingenommen haben müssen, die auf natürliche Weise in der Nahrung vorkommen. Und was bedeuten die Entdeckungen, bei denen Tetracyclin – ja, Tetracyclin – in den Skeletten von sudanesischen Nubiern gefunden wurde, die im Jahre 350 in den Nilebenen lebten? Anthropologen haben festgestellt, daß diese Völker erstaunlich wenig Infektionen hatten, was vermutlich auf die Einnahme von natürlichen Antibiotika in Körnern und Bier zurückzuführen ist. Den Berichten nach war außerdem der Prozentsatz von Infektionskrankheiten unter den Arbeitern niedrig, die die Cheopspyramide bauten – ein Anthropologe mutmaßt,

Antibakterielle Stoffe enthalten: Äpfel, Buchweizen, Peperoni, Wasserkastanien, Eier, Knoblauch, Ingwer, Honig, Hopfen, Milch, Zwiebeln, Rettichpflanzen, Tee, Joghurt

das habe an ihrer Ernährung mit »Rettich, Zwiebeln und Knoblauch« gelegen.

Von vielen Gewürzen und Kräutern, die in der herkömmlichen Medizin verwendet wurden, ist bekannt, daß sie über antibiotische Eigenschaften verfügen. In einer Untersuchung wurden sechzig verschiedene chemische Stoffe mit antibakterieller Wirkung aufgezählt, die in Nahrungsmitteln und Pflanzen vorkommen. Zu den alltäglichen Nahrungsmitteln, aus denen bekannte antibakterielle Stoffe isoliert worden sind, gehören Äpfel, Buchweizen, Peperoni (Chilipfefferschoten), Wasserkastanien, Eier, Knoblauch, Ingwer, Honig, Hopfen, Milch, Zwiebeln, Rettichpflanzen, Tee und Joghurt.

Die Preiselbeere ist nicht das einzige starke Antibiotikum, das plötzlich im Arzneimittelschrank der Natur auftaucht. Sie ist nur ein besonders erstaunliches Mittel.

10. Wein, Tee und die wundervollen Phenole

Stellen Sie sich eine Klasse natürlicher Medikamente vor, die so monumental ist, so reichhaltig in der Nahrung vorhanden und so biologisch aktiv, daß ihr Potential beim Schutz der Gesundheit schwindelerregend ist. Wissenschaftler auf der ganzen Welt sind überwältigt von der Fähigkeit dieser Stoffe, Viren und Bakterien auszuschalten, den Krebsprozeß zu stoppen und eine Fülle von Funktionen zu übernehmen, die das Herz und die Gefäße stärken. Über diese Stoffe kommt nicht viel an die Öffentlichkeit, und doch gehört ihre Erforschung als natürliche Krebsbekämpfungsstoffe zu den Prioritäten des National Cancer Institute. Es handelt sich um die mächtigen Polyphenole, zu denen adstringierende Stoffe wie die Tanine gehören, und ihr Ruf als Quelle wissenschaftlicher Faszination wächst. Vielleicht sind sie eine Geheimwaffe gegen eine Reihe von Krankheiten und könnten, wenn sie klug in der Ernährung eingesetzt werden, auf unermeßliche Weise zur Gesundheit beitragen.

Der Kampf zwischen Viren und im Obst enthaltenen Polyphenolen führte zu einer denkwürdigen Forschungsarbeit in Kanada. In den siebziger Jahren fiel zwei Virologen, die im Auftrag der Regierung arbeiteten, auf, daß ein Virus, das mit Erdbeerextrakt in Berührung kam, gelähmt wurde und nicht mehr fähig war, sich wie üblich zu verhalten, das heißt, es konnte eine gesunde Zellwand nicht mehr durchbrechen, seine DNS nicht in den Zellkern einführen und damit die lebenswichtige genetische Maschinerie darauf programmieren, eine große Anzahl neuer Viren zum Angriff auf den Organismus zu produzieren. Mit dem Gedanken an die sich hier ergebende großartige Möglichkeit, Vireninfektionen mit bestimmten Nahrungsmitteln unter Kontrolle zu bekommen, machten sich Dr. Jack Konowalchuk, jetzt im Ruhestand, und Joan I. Speirs vom kanadischen Bureau of Microbial Hazards, Abteilung Lebensmittel, daran, verschiedene Obstextrakte gegen alltägliche infektionserregende Viren auszuprobieren.

Sie züchteten eine Reihe von Viren in Kunststoffschüsseln und stellten dann eine Obstsalat-Einkaufsliste als Futter für die Viren zusammen: ein Pfund Heidelbeeren, anderthalb Pfund blaue Trauben, einen Granatapfel, anderthalb Pfund frische Erdbeeren, zwei große Packungen ungesüßter Tiefkühlerdbeeren von verschiedenen Herstellern und je ein halbes bis ein Pfund Pfirsiche, Pflaumen, Holzäpfel, Wildpreiselbeeren und Himbeeren.

Nach etlichen chemischen Reinigungsprozessen hatten

155

die kanadischen Wissenschaftler schließlich mehrere Behälter mit verschiedenfarbigen flüssigen Obstextrakten parat, die sie dann in unterschiedlichen Mengen in die Reagenzgläser gaben, wo die Viren in Zellgewebskulturen warteten.

Nach vierundzwanzig Stunden inspizierten sie voller Hoffnung die Obst-Viren-Mischung; das Zerstörungswerk war verblüffend und aufregend. Die Viren hatten eindeutig ihr Waterloo erlitten. Nur wenige überlebten.

Viele Obstsorten enthalten Substanzen, die das Eindringen schädlicher Viren in Körperzellen verhindern

Dr. Konowalchuk stellte die Theorie auf, daß die chemischen Stoffe im Obst eine Art biochemischer Sperre um die Viren herum aufbauten, die es verhinderte, daß die Erreger die Zellmembranen in den Gewebskulturen durchbrachen. Weil sie nicht mehr die Macht hatten, in die Zellen vorzudringen und zu ihrer Lebensquelle vorzustoßen, gingen die Viren schlicht und einfach in großer Zahl zugrunde.

Erstaunlicherweise wirkte jeder Obstextrakt gegen die Viren. Obwohl höhere Konzentrationen von Obstextrakt am wirkungsvollsten waren, erwiesen sich sogar niedrigere Dosen als wirksam. Buchstäblich keiner der Polioviren (weniger als ein Prozent) überlebte, nachdem die Erreger vierundzwanzig Stunden lang im Reagenzglas mit dem Extrakt von Heidelbeeren, Trauben, Pflaumen, Granatäpfeln, Himbeeren oder Erdbeeren konfrontiert worden waren. Selbst wenn der Extrakt im Verhältnis zehn zu eins verdünnt wurde, waren so gut wie alle Viren lahmgelegt. Am wenigsten wirksam waren Pfirsiche; und doch neutralisierte selbst verdünnter Pfirsichextrakt noch etwa 80 Prozent der Polioviren.

Die Forscher schlossen daraus, daß die »virenbekämpfenden Komponenten in verschiedenen Früchten und Pflanzen möglicherweise sowohl die Viren als auch die

Gastzellen beeinflussen und dadurch Infektionen verhüten«.

Ermutigt durch die unerwarteten Ergebnisse, testeten die Wissenschaftler daraufhin Äpfel, Trauben, Wein und neunzehn handelsübliche Säfte und Getränke, direkt von den Regalen der Supermärkte bezogen. Frisch ausgepreßter Apfelsaft, handelsüblicher Traubensaft und Wein und Tee erwiesen sich gleichermaßen als außerordentlich wirksam gegen Viren.

Während der Untersuchung hatten sich die Forscher darum bemüht, die aktiven, virenbekämpfenden Stoffe in den Obstsorten zu identifizieren. Bei Äpfeln und Trauben waren sie beispielsweise sicher, daß die Wirkstoffe in der Schale und im Fruchtfleisch saßen. Sie testeten reine Auszüge von Ascorbinsäure, Chlorogensäure, Gallussäure, Vanillin und Tanninsäure oder Tannin (die Gerbsäure, durch die Tee und Wein adstringierend wirken) – lauter Phenole. Die Tanninsäure war ein besonders rabiater Feind der Viren. »Es gibt keinen Zweifel daran, daß die Tannine Virenpartikel einhüllen und neutralisieren«, erklärt Dr. Konowalchuk. »Irgendwie drängt sich das Tannin zwischen das Virus und die Zelloberfläche, so daß das Virus nicht in die Zelle eindringen kann. Deshalb sterben die Viren ab.«

Die kanadischen Forscher waren sicher, daß der wichtigste Wirkstoff gegen Viren in Traubensaft die Polyphenole waren, darunter das Tannin, und vermuteten, das gelte auch für Apfelsaft und Tee. Sie hatte reines Traubentannin aus dem Bordeaux getestet und festgestellt, daß es mehrere Virenarten bekämpfte. Bordeaux. Das schmeckt nach Wein. Genau. Rotweine sind reich an Tanninen. Obwohl auch Weißweine in einem gewissen Maß gegen Viren wirken, waren Rotweine viel wirksamer. Später untersuchte Dr. Konowalchuk mehrere Weine auf ihren Tanningehalt und stellte fest, daß italienische Rotweine mehr Tannine enthielten als französische oder kanadische Weine. Er analysierte Trauben, aus denen in Italien Wein hergestellt wird Er entdeckte sogar, daß Rotwein leider die Viren sogar noch wirkungsvoller bekämpfte als Traubensaft. »Irgend etwas im Wein verbesserte die Wirkung; was das ist, habe ich nicht herausfinden können.«

Zu diesem Zeitpunkt wurde die Forschungsarbeit zu einer wirklich brisanten Sache.

Es ist eine Sache, wenn davon die Rede ist, aus Gesundheitsgründen Apfelsaft und Tee zu trinken; beide gelten als eine Art Muttermilch – aber Wein! Ist es wirklich im Interesse einer vernünftigen Gesundheitspolitik nach infektionsbekämpfenden Eigenschaften eines alkoholischen Getränks zu suchen? Und was sollte das Gerede darüber, Wein gegen den Herpesvirus auszuprobieren? Die Zeitungen hatten ihren Spaß daran.

Dr. Konowalchuk war inzwischen auch besonders fasziniert von der Fähigkeit des Tannins, das Herpes-simplex-Virus abzuwehren, dasjenige, das Bläschenausschlag verursacht. »Ich sagte, hört euch das mal an: Das Herpesvirus ist besonders empfindlich!«

Rotweinkonzentrat kann gegen Herpessimplex-Viren eingesetzt werden

Als er also eines Tages einen Bläschenausschlag hatte, trug er etwas gefriergetrocknetes Rotweinkonzentrat auf, wie es bei den Forschungsarbeiten verwendet wurde (nach seiner Auskunft enthält der klebrige Rückstand, der übrigbleibt, wenn etwas Wein verdunstet ist, ebenfalls konzentrierte Tannine). »Der Schmerz war sofort verschwunden. Die Schwellung ging zurück; es bildete sich keine Kruste. Und damit war es ausgestanden.« Dr. Konowalchuk glaubt, dem Weinextrakt sei es außerdem gelungen, die aufgesprungene Haut der Bläschen zu durchdringen, das Virus zu erreichen und außer Gefecht zu setzen, genau wie er es in den Reagenzgläsern beobachtet hatte. Andere Mitarbeiter im Labor kamen immer häufiger zu ihm und baten um Weinextrakt zur Behandlung ihrer Bläschenausschläge. Und eins führte zum anderen.

Da laut Dr. Konowalchuk Viren derselben Familie häufig ähnlich reagieren, wollte er den Weinextrakt auch am Herpesvirus Typ 2 erproben, demjenigen, der mit Geschlechtskrankheiten in Verbindung steht. Er hatte sogar mit einem Gynäkologen vereinbart, an freiwillig kooperierenden Patienten mit Herpes einen Test durchzuführen, um herauszufinden, ob die konzentrierten Tannine zur Behandlung tauglich waren. Aber dazu kam es nicht. Die Untersuchungen über Trauben wurden durch das Thema Wein sabotiert. Die Auseinandersetzung darüber schreckte die Regierung ab, und Dr. Konowalchuk berichtet, die Mittel seien gestrichen worden. Er zog sich in den Ruhestand zurück, obwohl er seinen Bläschenausschlag immer noch mit gefriergetrocknetem Rotwein behandelt und gelegentlich darüber nachdenkt, ob Italiener, die regelmäßig Rotwein trinken, weniger Virusinfektionen bekommen. Er hält es für wahrscheinlich.

Genauso wahrscheinlich ist es, daß viele Phenole Krebs abwehren und das Körpergewebe ganz allgemein vor jeder Art von Schaden schützen. Phenole sind außerdem starke Antioxidantien – Aasfresser, die jene hyperaktiven, auf Zellzerstörung versessenen freien Sauerstoffradikale in die Enge treiben. Deshalb sind die Polyphenole, wie andere Antioxidantien, allgemeine Wohltäter, Wächter, die die alltäglichen Angriffe auf die Zellen abwehren, durch die der Körper geschwächt wird und zahlreiche Krankheitssymptome entwickelt. Wenn Sie

Polyphenole zu sich nehmen, ist das, als ob Sie sich einer inneren Dusche mit gesundheitsfördernden chemischen Stoffen unterzögen.

Die krebsbekämpfenden Eigenschaften der Phenole werden von den Wissenschaftlern als besonders aufregend empfunden, weil sie Krebs in dreifacher Hinsicht bekämpfen, mittels zumindest folgender drei Mechanismen: Sie können die Bildung von Karzinogenen verhindern, die natürliche Giftabwehr des Körpers stärken und die Förderung von Krebs unterdrücken.

Es gibt keinen Zweifel daran, daß bestimmte Phenole, die in alltäglicher Nahrung weit verbreitet sind – vor allem Koffeinsäure, Ellaginsäure, Ferulinsäure und Gallusgerbsäure –, in Gewebekulturen und bei Tieren Mutationen verhindern oder krebsbekämpfend wirken. Dr. Lee Wattenberg, der Entdecker der gegen Krebs wirksamen chemischen Stoffe im Kohl, hat auch die Pflanzenphenole und ihre antioxidantischen Fähigkeiten, Krebs zu blockieren, ausgedehnten Tests unterzogen. So stellte er beispielsweise fest, daß bei Mäusen, wenn er ihnen Koffein- oder Ferulinsäure verabreichte, ehe er sie krebserregenden Stoffen aussetzte, das Auftreten von Magenkrebs um 40 Prozent zurückging. Japanische Wissenschaftler erklärten 1985, eine Art der Gallusgerbsäure im grünen Tee sei das wirksamste natürliche Antimutagen, das sie bis dahin getestet hätten. Bei sorgfältigen Experimenten beobachteten Michael J. Wargovich von der University of Texas und Harold Newmark, jetzt an der Rutgers University in New Jersey, daß sich bei Mäusen, wenn sie Koffein-, Ferulin- und Ellaginsäure bekommen hatten, bevor sie krebserregenden Stoffen ausgesetzt worden waren, viel weniger Zerstörungen der Nukleinsäuren und der DNS in den Dickdarmzellen zeigten. Daher die Theorie, daß Pflanzenphenole möglicherweise

Krebs vorbeugen, indem sie Hemmstoffe in die Zellen pumpen, die die DNS vor Schaden schützen und sie gegen Karzinogene unempfänglich machen.

Durch ihre antioxidantischen Eigenschaften können Phenole in der Nahrung auch die Bildung der stärksten Familie von Karzinogenen verhindern, die Nitrosamine genannt werden. (Nitrosamine können sich bilden, wenn Salpeternitrite oder -nitrate, die in gepökeltem beziehungsweise geräuchertem Fleisch vorkommen, eine chemische Reaktion mit allgegenwärtigen Stoffen, den Aminen, eingehen. In den siebziger Jahren kam es, vorangetrieben durch die Besorgnis der Gesundheitsbehörden wegen der krebserregenden Nitrosamine in Schinken und anderen zur Haltbarkeit weiterverarbeiteten Fleisch- und Wurstwaren, zu einer **Die Pflanzenphenole Koffein- und Ferulinsäure verhindern die Bildung karzinogener Nitrosamine** breitangelegten Suche nach einer Methode, die gefährliche Umwandlung von Nitriten und Aminen zu Nitrosaminen zu verhindern. Mehrere Wissenschaftler, darunter Newmark, der damals bei Hoffmann-La Roche arbeitete, entdeckten, daß die Vitamine C und E, Antioxidantien, genau das bewirkten, was dazu führte, daß man bei der Verarbeitung solcher Fleisch- und Wurstwaren routinemäßig Vitamin C zusetzte. Zur selben Zeit stellte Newmarks Team jedoch durch reinen Zufall fest, daß zwei Pflanzenphenole, Koffein- und Ferulinsäure, ebenfalls »hervorragend zur Verhinderung der Bildung von Nitrosaminen geeignet waren – sogar weit besser als alles andere, die Vitamine C und E eingeschlossen«.

Dr. Hans Stich an der Universität von British Columbia in Kanada ging diesem Hinweis nach und entdeckte, daß nicht nur reine Koffein- und Ferulinsäure, sondern auch die *alltäglichen* Getränke Tee und Kaffee, die reich an Polyphenolen sind, die Bildung von Nitrosaminen im Verdauungstrakt von Tieren *und* Menschen unterband. Darüber hinaus testete Dr. Stich Pulverkaffee, koffeinfreien Pulverkaffee, Röstkaffee, eine japanische Teesorte, eine schwarze indische Teesorte und eine chinesische Teesorte – und stellte fest, daß sie allesamt im Reagenzglas den mutagenen Prozeß verhinderten, die dem Krebs vorausgeht, *und zwar in Mengen, wie sie normalerweise konsumiert werden.*

Dr. Stich ist überzeugt davon, daß »die Bedeutung der Phenole als antikarzinogene Stoffe unterschätzt wird«. Er weist darauf hin, daß die Betakarotine (ein Gebiet, auf dem er, wie bereits erwähnt, ebenfalls ein prominenter Forscher ist), obwohl sie bei der Suche nach natürlichen Gegengiften gegen Krebs alle anderen Substanzen die Schau gestohlen haben, in Gemüse und Obst viel spärlicher enthalten sind als die Polyphenole; vor allem enthält Obst wenig Betakarotin, ist aber reich an Phenolen verschiedener Art. Er macht darauf aufmerksam, daß Äpfel große Mengen von Phenolen enthalten; trotzdem sind sie noch nicht ernsthaft auf krebsbekämpfende Aktivitäten getestet worden. »Und Wein, Tee und Kaffee sind vollgepackt mit Phenolen.«

Wein könnte also krebsbekämpfend sein?

»Das wäre möglich, vor allem beim Rotwein. Und Bier hat durch den Hopfen einen relativ hohen Phenolgehalt.«

Eine besonders faszinierende Art von Tannin oder Phenol, die im Tee, vor allem im grünen Tee, konzentriert vorkommt, wird Catechin genannt. Dr. Stich glaubt, daß dieses Teecatechin möglicherweise genauso stark zur Unterdrückung der Entstehung von Mundkrebs

Im Tee enthaltene Catechine schützen das Herz- und Gefäßsystem

bei Schnupftabakbenutzern und Tabakkauern, einem großen Problem in bestimmten Teilen der Welt, beitragen könnte wie das Betakarotin. Er hat Catechin aus grünem Tee extrahiert und in Kapseln gefüllt, um es als Prophylaxe bei Menschen zu testen, die ein hohes Mundkrebsrisiko haben.

In vielen weltweiten Untersuchungen haben sich die Polyphenole, vor allem Teecatechine, einen gewaltigen Ruf als Beschützer des Herz- und Gefäßsystems erworben. Zum Beispiel zeigen Experimente, daß Ellaginsäure bei Tieren den Blutdruck senken und bei Menschen und Tieren Blutungen verhindern kann, anscheinend durch die Aktivierung der Blutgerinnung. Das ist keine Überraschung, weil Teecatechine in buchstäblich Hunderten von Experimenten in Rußland und Indien gerühmt worden sind – als Mittel zur Stärkung der Kapillarwände und zur Verlangsamung der Arterioskleroseprozesses. Catechine im grünen Tee werden in der Sowjetunion therapeutisch zur Behandlung von Krankheiten eingesetzt, die auf »Kapillarversagen« zurückgehen. Eine Mischung aus Teepolyphenolen und der halben normalerweise empfohlenen Tagesdosis Vitamin C wurde von sowjetischen Wissenschaftlern an Menschen erprobt: mit dem Ergebnis, daß die Kapillarstärke bis zu fünfmal größer wurde als bei Kontrollpersonen, die keine Polyphenole und kein Vitamin C bekamen. Laut einem vor kurzem veröffentlichten russischen Bericht »ist erwiesen, daß Teecatechine jedem bekannten kapillar- **Die therapeutische** stärkenden Medikament überlegen sind«. **Wirkung von grünem** Von Teeinfusionen wird außerdem be- **Tee ist weitaus höher** richtet, daß sie entzündungshemmend **als die von schwar-** wirken. Grüner Tee war viel wirkungsvol- **zem Tee** ler als schwarze indische Teesorten. Laut russischen Untersuchungen haben Polyphenole im grünen Tee außerdem in Tierversuchen die Widerstandskraft gegen Infek-

163

tionen erhöht, und in Japan sind sie ausgiebig zur Bekämpfung von Ruhr eingesetzt worden.

In einem vor kurzem veröffentlichten Forschungsbericht zum Thema Tee und Gesundheit faßte Michail A. Bokutschawa vom Institut für Biochemie an der sowjetischen Akademie für Wissenschaften die Ergebnisse der Untersuchungen von zwei russischen Wissenschaftlern zusammen und schrieb die therapeutischen Wirkungen vor allem den Eigenschaften der Teecatechine zu. »Es wurde festgestellt, daß der Genuß von aufgebrühtem grünen Tee eine therapeutische Wirkung auf Infektionskrankheiten hatte, vor allem Ruhr. Die Anwendung von aufgebrühtem grünen Tee zur Behandlung von Hypertonie senkte den Blutdruck, linderte Kopfschmerzen und verbesserte den allgemeinen Gesundheitszustand der Patienten. Aufgebrühter grüner Tee hatte einen wohltuenden Einfluß auf Herz und Gefäße, den Flüssigkeitselektrolythaushalt, auf Blutbildung und Nierenfunktion ... es traten keine Fälle von lokaler Blutgerinnselbildung aufgrund von Thrombose auf, trotz der Tatsache, daß keine Antikoagulantien eingesetzt wurden ... Die Gabe von aufgebrühtem grünen Tee innerhalb einer kombinierten antirheumatischen Therapie im akuten Stadium von Rheumatismus zeigte eine günstige Wirkung auf das Allgemeinbefinden und die subjektiven Gefühle der Patienten wie auf die Kapillarwiderstandskraft ... und die Entzündungsprozesse. Aufgebrühter grüner Tee wurde ebenfalls als therapeutisches Mittel gegen chronische Hepatitis eingesetzt, vor allem viralen Ursprungs, und den Berichten nach war die Wirkung wohltätig ... Die Forscher schlossen daraus, daß Teeextrakt als prophylaktisches Medikament zur Vorbeugung von so weitverbreiteten Krankheiten wie erhöhter Blutdruck und Arteriosklerose eingesetzt werden sollten.«

Kein Wunder, daß Dr. Bokutschawa dem Kommentar hinzufügte: »Tee wird oft ein Lebenselexier genannt.« Wie Dr. Stich feststellt: »Phenolen wird nicht annähernd soviel Aufmerksamkeit entgegengebracht, wie sie verdienen.«

Wo die schützenden Polyphenole zu finden sind

Weil es so viele verschiedene Phenole gibt (etwa zweihundert) und jedes möglicherweise andere physiologische Wirkungen hat, ist es schwierig, sich genau darauf festzulegen, welche Nahrungsmittel therapeutisch besonders wirksam sein könnten, und bis jetzt ist noch keine gründliche Analyse des Polyphenolgehalts von Nahrungsmitteln erstellt worden. Stichproben haben jedoch ergeben, daß Äpfel, getrocknete Teetriebe, Kartoffeln und aufgebrühter Kaffee außerordentlich reich sind an Chlorogensäure, von der nachgewiesen ist, daß sie krebsbekämpfende Eigenschaften hat. Trauben, bestimmte Nüsse und Erdbeeren enthalten in hoher Konzentration Ellaginsäure, einen starken Hemmstoff gegen Mutagenese, also bösartige Zellveränderungen. Wein, vor allem Rotwein, ist erstaunlich reich an Gallussäure. (Rotwein enthält außerdem chemische Stoffe, die in Reagenzgläsern möglicherweise Zellmutationen fördern.) Weizenkleie und Gerstenkörner sind reich an Ferulinsäure, einer weiteren Substanz, von der in Laborversuchen nachgewiesen worden ist, daß sie krebsbekämpfend wirkt. Pflaumen, Kirschen, Äpfel, Birnen und Trauben sind reich an Zimtsäure, einem weiteren Phenol, das sich als biologisch aktiv erwiesen hat.

In Tee ist eine geballte Ladung von Phenolen, die als Catechine bekannt sind, wobei grüner Tee doppelt so wirksam ist wie schwarzer Tee. Grüner Tee enthält pro

Gramm getrockneten Tee 80 bis 170 Milligramm Catechin, im Vergleich zu 30 bis 70 Milligramm in schwarzem Tee. Je länger der Tee zieht, desto besser löst sich das Catechin auf. Auch Pulvertee ist reich an Catechin; laut einer Analyse ist das Catechin in grünem Pulvertee in dreimal so hoher Konzentration vorhanden wie in anderen Sorten.

11. Neue phantastische Joghurtgeschichten

Dr. Ilja Metschnikow, ein gebürtiger Russe, war ein recht berühmter Wissenschaftler Ende des 19. Jahrhunderts, ein enger Freund des großen Bakteriologen Louis Pasteur und stellvertretender Leiter des prestigeträchtigen Instituts Pasteur in Paris. Er entdeckte die Phagozyten, Zellen, die dem Körper bei der Abwehr von Krankheiten helfen, indem sie Mikroorganismen in sich aufnehmen und unschädlich machen, und bekam 1908 für seine Arbeit auf dem Gebiet der Immunologie den Nobelpreis. Als Dr. Metschnikow 1916 starb, rühmte ihn die Zeitschrift *Nature* als »eine der bemerkenswertesten Persönlichkeiten in der wissenschaftlichen Welt«.

Es stimmt zwar, daß nur wenige heute noch seine ungeheuren wissenschaftlichen Leistungen aufzählen können, aber so gut wie jedermann, auch wenn es nicht allen bewußt ist, hat er ein Erbe seines fruchtbaren Verstandes hinterlassen – weil er Anfang des 20. Jahrhunderts zwei populärwissenschaftliche Bücher schrieb, *Studien über die Natur des Menschen* und *Beiträge zu einer optimistischen Weltanschauung*. In ihnen verfocht er seine Theorie, daß viele Krankheiten durch mikrobielle Fäulnis in den inneren Organen verursacht werden. Er war der Meinung, dieser Prozeß vergifte den Körper buchstäblich durch die Freisetzung toxischer Stoffe, die die Arterienwände zerstören und zu Senilität und frühem Tod führen.

Er war jedoch überzeugt davon, daß den zerstörerischen Mikroben in den inneren Organen entgegengewirkt werden könne – daß man sie daran hindern könne, sich zu vermehren und ihre Gifte auszuscheiden —, und zwar durch andere Mikroben in vergorener oder »saurer« Milch, die wir als Joghurt kennen. In *Beiträge zu einer optimistischen Weltanschauung* schrieb er: »Seit Urzeiten haben Menschen Mengen von Milchsäurebakterien zu sich genommen, indem sie Nahrungsmittel wie saure Milch, Kefir, Sauerkraut oder Salzgurken, die einen Gärungsprozeß durchlaufen hatten, in rohem Zustand verzehrten. Dadurch haben sie, ohne es zu wissen, die schlimmen Folgen des Fäulnisprozesses in den inneren Organen gemindert.«

Er und seine Kollegen am Institut Pasteur machten sich daran, ihre Theorie an Mäusen zu erproben, mit Hilfe einer Sauermilch aus Bulgarien, die Yahurth genannt wurde. Im Verlauf ihrer Forschungsarbeit isolierten sie aus dem Yahurth eine milchsäureproduzierende Bakterie, die sie den *Bacillus bulgaricus* nannten. Im Zuge des Yahurth-Experiments verabreichten sie Gruppen von Mäusen Milchsäure, verschiedene Mikroben und die neue Mikrobe aus dem bulgarischen Yahurth. Es war eindeutig, daß die Mäuse, die den Bacillus bulgaricus aus dem Yahurth bekamen, am besten gediehen, den größten Nachwuchs hatten und am wenigsten Fäulnissymptome in den inneren Organen aufwiesen; für Dr. Metschnikow ein Anzeichen dafür, daß er tatsächlich recht hatte. Er ging selbst dazu über, pro Tag etwa einen halben Liter dieser ganz besonderen »Sauermilch« zu trinken. Im Jahr 1900 war er sich sicher, eines der Geheimnisse des langen Lebens entdeckt zu haben, und sorgte dafür, daß die »Sauermilch« kommerziell hergestellt wurde, weigerte sich aber gewissenhaft, sich an den Einnahmen beteiligen zu lassen.

Zu seiner großen Begeisterung wurde er überschwemmt von Geschichten, die seinen Glauben an die lebensverlängernden Kräfte des Joghurts bestätigten – über Menschen in Afrika, Frankreich, Osteuropa und sogar in Amerika, die vergorene Milch aßen und erstaunlich lange lebten. Er berichtet: »M. Nogueira hat mir geschrieben, um mir mitzuteilen, wie erstaunt er war, als er nach langer Abwesenheit wieder in den Distrikt Massamedes kam und die Eingeborenen so rüstig vorfand, mit so wenigen Spuren von Senilität. (Sie verzehren reichlich Sauermilch.) ... Und M. Grigoroff, ein bulgarischer Student in Genf, war überrascht über die Anzahl von Hundertjährigen in Bulgarien, einer Gegend, in der Yahurth, eine Sauermilchart, ein Grundnahrungsmittel ist.«

Ja, es ist der große, mit dem Nobelpreis ausgezeichnete Immunologe Dr. Metschnikow, bei dem wir uns bedanken müssen für die eindringlichen, unauslöschlichen Bilder von alten, faltigen Hundertjährigen, die in den Balkanländern herumwandern, fit wie Zwanzigjährige, und uns alle überleben werden, weil sie riesige Mengen von Joghurt essen. Daß zwischen Joghurt und Langlebigkeit eine Verbindung besteht, stammt nicht aus dem nebulösen Dunstkreis der Volksmedizin, sondern ist eine Entdeckung des wissenschaftlichen Genies Dr. Metschnikow, der als erster erkannte, daß die bakterielle Aktivität des Joghurts der Schlüssel ist zur legendären gesundheitlichen Wirkung dieses Nahrungsmittels.

Etliche seiner Kollegen hielten diese Entdeckung nicht für seinen großartigsten Beitrag. In seinem Nachruf in

Nature wurde beklagt, daß »dieses kleine, wenn auch wertvolle Abenteuer, das er auf dem Gebiet der Ernährung unternahm, unglücklicherweise, aber vielleicht unvermeidlicherweise das einzige Detail seiner Arbeit ist, das sich der etwas unberechenbaren Intelligenz des Mannes auf der Straße eingeprägt hat«.

Möglicherweise würde es den Autor des Nachrufs in *Nature* und Dr. Metschnikow amüsieren, wenn sie wüßten, daß ein Dreivierteljahrhundert später wissenschaftliche Köpfe von neuem auf der Suche sind nach den alten Geheimnissen des Joghurts, und daß überall auf der Welt Nagetiere im Dienst der Wissenschaft eifrig damit beschäftigt sind, Joghurt, Yahurth, Kefir, Yakult, Kumyß und Dahi aufzuschlecken, wie die verschiedenen Bezeichnungen lauten. Joghurt ist im Begriff, sich als eines der pharmakologisch wirksamsten Nahrungsmittel zu erweisen, die die Natur zu bieten hat. Sogar auf Gebieten, mit denen sich Dr. Metschnikow nicht beschäftigt hat. Die Joghurtgeschichten mehren sich. Das soll nicht heißen, daß Dr. Metschnikow sich auf **Joghurt enthält eine** lauter abgeklärte Tatsachen bezog. Es **Fülle von bakterien-** muß deutlich gesagt werden, daß nie- **tötenden Substanzen** mand ein Leben lang über Joghurtesser Buch geführt und eine außergewöhnlich lange Lebensdauer festgestellt hat. Weil Geburts- und Sterberegister bei der balkanesischen Landbevölkerung nicht zuverlässig sind, gibt es keinen Beweis dafür, daß diese Menschen, wie Dr. Metschnikows Informanten behaupteten, länger leben. Im übrigen bestand Dr. Metschnikow zwar darauf, die Milchsäure sei der wichtigste therapeutische Stoff im Joghurt, vermutete aber, es seien noch weitere, unbekannte antibakterielle Faktoren vorhanden. Das stimmt. Neue wissenschaftliche Untersuchungen haben festgestellt, daß Joghurt sowohl eine Fülle von bakterienabtö-

tenden Antibiotika als auch andere gesundheitsfördernde Stoffe enthält – eine Tatsache, über die sich Dr. Metschnikow zweifellos freuen würde.

Es ist keine Überraschung, daß viele Forschungsarbeiten, die gegenwärtig durchgeführt werden, zu erklären
versuchen, worin die anerkannten infektionsbekämpfenden Eigenschaften des Joghurts bestehen, und die
Ergebnisse sind zweifellos überzeugend. Zum Beispiel
haben Wissenschaftler vom amerikanischen Landwirtschaftsministerium in Beltsville, Maryland, fast ein
Jahrzehnt lang, bis 1985, eine gründliche Studie über
die Langlebigkeit und die Infektionsquoten von Ratten
erarbeitet, die mit Joghurt ernährt wurden. (Und da
denkt man immer, die Jungs vom Landwirtschaftsministerium seien Langweiler!) Bei einem Test, der vor kurzem gemacht wurde, fütterten Beamte des Landwirtschaftsministeriums Ratten mit Joghurt und Milch und
injizierten ihnen dann massive Dosen von Salmonellen
– von jenen Bakterien, die auch beim Menschen Infektionen verursachen können. Die Ratten, die Joghurt bekamen, wurden nicht so krank wie diejenigen, die mit
Milch ernährt wurden. Und aus der Gruppe der Joghurt-
fresser starben wenige Tiere. Es war eindeutig, daß sie
durch einen Faktor im Joghurt widerstandfähiger gegen
Infektionen wurden und länger am Leben blieben.

Rumänische Wissenschaftler am Institut für Virologie
in Bukarest berichteten im wesentlichen dasselbe von
Mäusen, denen tödliche Dosen von Influenzabazillen
injiziert worden waren. Mäuse, die gleichzeitig mit den
Viren einen Joghurtauszug bekommen hatten, überlebten die Grippeinfektion viel länger und hatten eine viel
geringere Sterblichkeitsrate als Mäuse, die ohne Joghurt
ernährt worden waren. In einem Teilbereich des Ver-
suchs starben 100 Prozent der Mäuse, die nur den Viren

ausgesetzt worden waren, während 100 Prozent der infizierten Mäuse, die mit Joghurt gefüttert worden waren, am Leben blieben.

Es gibt auch Beweise dafür, daß Joghurt bei Menschen Bakterien bekämpft. Im Institut für medizinische Forschung am Michael Reese Hospital in Chigaco bekämpften zwei Gastroenterologen Anfang der sechziger Jahre eine über die ganze Stadt verbreitete Durchfallepidemie mit einem Präparat aus Lactobacillus acidophilus, eine der Bakterien, die besonders häufig zur Herstellung von vergorener Milch eingesetzt werden. Wo herkömmliche Antibiotika oft versagt hatten, wirkten die mit konzentriertem Lactobacillus acidophilus gefüllten Kapseln erstaunlich gut. Von fünfundneunzig Patienten mit schwerem Durchfall ging es allen bis auf zwei fast sofort besser. Dazu gehörten etliche Kranke, bei denen der Durchfall mit dem Gebrauch von Antibiotika und ersten Darmerkrankungen wie Divertikulitis und Dickdarmentzündung zusammenhing, und auch Patienten mit künstlichem Darmausgang.

Bei etlichen Tests war Joghurt üblichen Medikamenten überlegen. Ärzte am Jewish Memorial Hospital in New York City verabreichten 1963 fünfundvierzig Kindern, die mit schwerem Durchfall ins Krankenhaus eingeliefert worden waren, dreimal am Tag 100 Milliliter Magermilchjoghurt. Eine Kontrollgruppe von infizierten Kindern bekam im Gegensatz dazu angemessene Dosen des Medikaments Neomyzin in Kombination mit Kaopectate. Die durchschnittliche Genesungszeit bei den Kindern, die Joghurt bekommen hatten, betrug 2,7 Tage im Vergleich zu 4,8 Tagen bei denjenigen, die mit Kaopectate behandelt worden waren. Joghurt, mit einem Gehalt von Lactobacillus bulgaricus und Streptococcus ther-

mophilus, war bei der Beschleunigung der Genesungszeit fast doppelt so wirkungsvoll.

Eine Reihe von Experimenten, die in den siebziger Jahren durchgeführt wurden, bestätigen, daß Joghurt Organismen im Magen-Darm-Trakt bekämpfen kann. Mehrere Studien in Polen, Jugoslawien und Japan – wo vergorene Milch gründlich erforscht worden ist – haben ergeben, daß Milch mit einem Gehalt an Lactobacillus acidophilus Ruhr linderte. Die Hälfte einer Gruppe von
Kindern mit Salmonellenruhr und zwei Drittel einer
Gruppe mit Bakterienruhr wurden schnell geheilt. Solange sie weiterhin diese Milch tranken, bekam darüber
hinaus keins der Kinder eine schwere Infektion.

1975 trank eine Gruppe von fünfhundert japanischen
Soldaten täglich etwa 200 Milliliter Yakult, ein beliebtes
Getränk aus vergorener Milch. Kein einziger bekam
Ruhr; fünfundfünfzig, also über 10 Prozent aus einer an-
deren Gruppe von fünfhundert Soldaten, die keinen Ya-
kult tranken, erkrankten an Ruhr.

Seit den Tagen von Dr. Metschnikow haben die Wissenschaftler das größte Verdienst an der antimikrobiellen
Wirksamkeit des Joghurts der Milchsäure zugeschrieben, einem Nebenprodukt, das entsteht, wenn der
Milch Bakterienkulturen hinzugefügt werden. Aber
jetzt wissen die Wissenschaftler, daß der Prozeß komplizierter ist; bei der Gärung entstehen einzigartige Antibiotika, genau wie Penicillin in schimmligem Brot.

Bei Durchfallerkran- Dr. Kehm Shahani, Professor für Ernäh-
kungen ist Joghurt rungswissenschaft an der University of
häufig wirksamer als Nebraska, hat den größten Teil seines Be-
Medikamente rufslebens damit verbracht, den gesundheitlichen Geheimnissen des Joghurts auf die Spur zu
kommen, vor allem damit, daß er nach Erklärungen dafür suchte, warum das alte Nahrungsmittel seit Jahrhun-

derten in den Mittelmeerländern als Heilmittel gegen Durchfall bei Kindern verwendet und, mit Wasser verdünnt, von den Schafhirten im Nahen Osten getrunken wird, um Darmkrankheiten vorzubeugen. Im Verlauf dieser Arbeit haben er und andere aus Joghurt und anderen Arten vergorener Milch Stoffe entnommen und im Labor getestet, die antibiotisch wirken.

1963 isolierte Dr. Shahani ein Antibiotikum, das er Acidophilin nannte, weil es in Milch gebildet wurde, die mit dem Lactobacillus acidophilus vergoren worden war. Er erinnert sich gut daran. Er wurde sofort von Pharmafirmen belagert, die hofften, daraus lasse sich das neue Penicillin herstellen. Er tat sich mit dem Pharmakonzern Merck zusammen, der, wie Dr. Shahani sagt, viel Geld auf das Projekt verwendete. Er ließ das Antibiotikum patentieren; aber nach fünf Jahren war keine Wunderwaffe daraus geworden. Er entdeckte dann ein weiteres Antibiotikum im Joghurt, das er Bulgarican nannte, weil es aus der Bakterienkultur des Lactobacillus bulgaricus stammte.

Bis heute haben Forscher, darunter Dr. Shahani, mindestens sieben verschiedene natürliche Antibiotika im Joghurt ermittelt, die eine Reihe von Darmkrankheiten erregenden Mikroorganismen abzutöten vermögen. Außerdem schütten die Lactobacilli im Joghurt andere Mikrobenkiller aus, zum Beispiel Milchsäure, Essigsäure, Benzoesäure und Wasserstoffsuperoxyd.

Wie wirksam sind sie?

Dr. Shahani: »Die antibiotischen Eigenschaften von Acidophilin sind mit der abtötenden Wirkung von Streptomycin, Penicillin, Teramycin und anderen verglichen worden.«

Wie hat es bei diesen Vergleichen abgeschnitten?

»Außerordentlich gut.«

Ist es so wirksam wie die Medikamente?

»Wirksamer.«

Der aufregendste Augenblick für Dr. Shahani war der, in dem er das Acidophilin in eine reine Form brachte; er war der erste, der aus einer vergorenen Milchkultur eine reine antibiotische Substanz extrahierte. Erst dann besteht die Möglichkeit, den Stoff zu einem Medikament zu verarbeiten. Daß diese Antibiotika es nicht geschafft haben, dem Penicillin auf dem Markt Konkurrenz zu machen, stört Dr. Shahani jetzt nicht mehr. Die Zeiten sind vorbei, wo alles und jedes zum Medikament herausdestilliert werden mußte. Es sei weit besser, sagt Dr. Shahani, Joghurt zu essen – denn Joghurt verspricht eine Menge.

Der Immunfaktor

Den Anfang haben neue Studien in Japan, Italien, der Schweiz und in den Laboren von Dr. Shahani gemacht, die darauf hindeuten, daß Joghurt Infektionen möglicherweise nicht nur durch antibiotische Aktivität bekämpft – durch das direkte Abtöten der Mikroben (die Rambo-Taktik in der Bakteriologie) –, **Joghurt erhöht die Produktion von Antikörpern und anderen infektionsbekämpfenden Substanzen** sondern außerdem dadurch, daß er das Immunsystem gegen Krankheitsdrohungen stärkt. Die Erkenntnis, daß Wirkstoffe, darunter auch Medikamente, den Körper zu einer besseren Festung gegen Krankheiten machen können, war ein Schritt auf ein neues Gebiet. In der Krebstherapie werden diese neuen Stoffe biologische Modifikatoren genannt; sie werden außerdem als Immunstimulantien (Stoffe, die das Immunsystem zur Arbeit anregen) oder als Immunpotenzierer (Stoffe, die die Arbeit des Immunsystems verstärken) bezeichnet. In den letzten Jahren sind zahlreiche Medikamente auf den Markt gekommen, die geschwächte Immunsysteme wiederaufbauen sollen.

In Japan werden bestimmte im Joghurt entdeckte Lactobacilli laut eines prominenten italienischen Immunologen, Dr. Claudio DeSimone von der Universität Rom, sogar schon als immunpotenzierende Mittel benützt. Auch Dr. DeSimone hat neuerdings Respekt vor der Wirkung der Bazillen auf die Arbeit des Immunsystems. Bei ausgeklügelten Laboruntersuchungen von Mäusen und menschlichen Zellen, veröffentlicht 1985, entdeckte er, daß Joghurt die Produktion von Antikörpern und anderen infektionsbekämpfenden Substanzen auf dramatische Weise erhöhte. Vor allem der Lactobacillus bulgaricus im Joghurt gab sogenannten Killerzellen, die Infektionen bekämpfen, in großer Zahl Auftrieb und verdreifachte die Menge des Interferons, das von den Zellen hergestellt wird. (Vom Interferon, einer körpereigenen natürlichen Substanz, ist festgestellt worden, daß es gegen ein weites Spektrum von Infektionen wirksam ist. Es ist ebenfalls gegen Krebs getestet worden, aber mit weit geringerem Erfolg.) Die Joghurtbakterien, sagt Dr. DeSimone, verbesserten die Funktion des Immunsystems in den Zellen genauso wirkungsvoll wie ein synthetisches Medikament, das Levälsol, das ausdrücklich zur Stärkung des menschlichen Immunsystems entwickelt worden ist.

Wenn ihrer normalen Ernährung Joghurt hinzugefügt wurde, zeigte sich bei Mäusen innerhalb von fünfzehn Tagen sowohl lokal als auch systemisch – im Verdauungstrakt und im Blutkreislauf – eine Verbesserung der Immunfunktion. Diese doppelte Reaktion deutet darauf hin, daß Joghurt möglicherweise nicht nur Darminfektionen beeinflußt, sondern Infektionen im ganzen Körper.

Dr. DeSimone gibt zu, daß er ziemlich überrascht war, als er zum ersten Mal sah, wie Joghurt auf die T-Zellen von Mäusen wirkte, und noch überraschter, als er feststellte, daß mit Joghurt gefütterte Tiere, wenn sie mit infektiösen Antigenen attackiert wurden, mehr Antikörper bildeten als Tiere, die nur Milch bekamen. »Ich gebe zu, daß ich skeptisch war«, sagt er. »Bei Beginn der Arbeit stand ich auf der anderen Seite. Ich habe geglaubt, das könne wirklich nicht funktionieren.«

Essen Sie jetzt Joghurt?

»Ja.«

Haben Sie vor Ihren Studien Joghurt gegessen?

»Nein.« (Ein breites Lächeln, dann schallendes Gelächter. Ein Wissenschaftler, der dabei ertappt wird, daß er seine Erkenntnisse persönlich interpretiert.)

Sie müssen an Ihre Arbeit glauben?

»Da haben Sie recht. Ich habe meiner Frau empfohlen, ebenfalls Joghurt zu essen.«

Wenn Sie die Immunkompetenz des Körpers stärken, könnte das theoretisch alle Arten von Infektionen bekämpfen, sowohl durch Bakterien als auch durch Viren?

»Ja, ich glaube, schon. Ich glaube, daß das wirksam sein könnte. Wenn Sie Joghurt verabreichen, stimulieren Sie möglicherweise das Immunsystem und potenzieren dadurch den Kampf des Körpers gegen Bakterien.«

Glauben Sie, Joghurt könnte zu einem längeren Leben verhelfen?

»Es ist möglich, daß Sie länger leben können, wenn Sie eine bessere Reaktion haben, eine bessere Abwehr, vielleicht, weil Sie dann weniger Infektionen bekommen.«

Jedenfalls haben Dr. DeSimones joghurtfressende Mäuse länger gelebt.

Der Langlebigkeitsfaktor des Joghurts könnte außerdem mit der Tatsache zusammenhängen, daß Stoffe im Joghurt Krebs bekämpfen können. Einer der frühesten Berichte kam 1962 aus Bulgarien und behauptete, der Lactobacillus verfüge über tumorbekämpfende Eigenschaften. Von 258 Mäusen, denen Sarkome implantiert worden waren, sollten 180 (59 Prozent) durch den Lactobacillus bulgaricus geheilt worden sein. Joghurt als Krebsbekämpfer! Dr. Shahani war völlig aus dem Häuschen. Seit über fünf Jahren versuchte er, in Zusammenarbeit mit Forschern vom Sloan Kettering Institute für Krebsforschung in New York City, krebsbekämpfende Substanzen aus Joghurt zu isolieren. Auszüge aus Lactobacillus bulgaricus und acidophilus zeigten krebsbekämpfende Wirkungen, aber nicht in einem Maß, das Pharmafirmen interessiert oder einen Wirbel in der medizinischen Fachwelt ausgelöst hätten. Bei späteren Studien fand er heraus, daß Joghurt (mit dem Lactobacillus bulgaricus) das Wachstum von Krebszellen in Mäusen um etwa 30 Prozent unterdrückte.

1986 entdeckten französische Wissenschaftler vom Nationalinstitut für Gesundheit und medizinische Forschung in Paris die Möglichkeit, daß Joghurt zur Abwehr von menschlichem Brustkrebs beitragen könne. Sie verglichen die Ernährung von zwei Gruppen von Frauen: 10 Frauen mit Brustkrebs und eine vergleichbare Gruppe von Frauen ohne Brustkrebs. Der Unterschied in der Ernährung war gewaltig: Diejenigen Frauen, die am häufigsten Joghurt aßen, hatten das geringste Brustkrebsrisiko, und das Risiko verringerte sich, je mehr Joghurt verzehrt wurde.

In den siebziger Jahren sammelten sich Forschungsergebnisse zum Thema eines weiteren Rätsels. Die Finnen essen eine eigentlich wenig empfehlenswerte Kost –

reich an Fleisch, Fett, Eiweiß und arm an Ballaststoffen —, genau die Art von Ernährung, der die Wissenschaftler die Schuld an hohen Raten von Dickdarmkrebs geben. Aber in diesem Fall trifft das nicht zu. Genau das Gegenteil ist richtig. Dickdarmkrebs ist in Finnland außergewöhnlich selten. Zur Ernährung der Finnen gehören auch viele Milchprodukte, vor allem Joghurt. Und es steht fest, daß sie große Mengen von Lactobacilli in den inneren Organen speichern. Könnte es da einen Zusammenhang geben? Vielleicht.

Karzinogene, die wie Viren erst aktiviert werden müssen, bevor sie gefährlich werden, durchlaufen dieses Ritual häufig durch Enzyme im Darmtrakt. Neue mikrobiologische Studien bei Tieren und Menschen haben ergeben, daß der Verzehr großer Mengen des Lactobacillus acidophilus die Fähigkeit bestimmter Enzyme dämpfen kann, sonst harmlose Substanzen im Dickdarm in wirksame krebserregende Stoffe umzuwandeln. Und noch eine gute Nachricht: Ratten, die starken Karzinogenen ausgesetzt und dann mit Joghurt gefüttert wurden, waren weniger anfällig für die Entwicklung von Krebs.

Als Asse unter den Forschern widmen sich Dr. Barry R. Goldin und Dr. Sherwood L. Gorbach vom Infectious Disease Service am New England Medical Center in Boston seit über einem Jahrzehnt diesem Gebiet. Ihre neueste Studie hat die Phantasie von Krebstheoretikern entzündet. Unter der Aufsicht der beiden Forscher tranken einundzwanzig gesunde Erwachse unter vierunddreißig Jahren, die keinerlei Darmbeschwerden hatten , etwa einen Monat lang jeden Tag zwei Gläser ganz normale Milch. Dann gingen sie für denselben Zeitraum dazu über, jeden Tag zwei Gläser Sauermilch zu trinken – mit derselben Konzentration von Lactobacilli, die in Sauermilch aus dem Supermarkt und in etlichen Joghurtsorten enthalten ist. Die Forscher maßen in beiden Fällen die Aktivitäten der Karzinogenkatalysatoren im Darm.

Die Veränderung war dramatisch. Während des Zeitraums, in dem die Versuchspersonen Sauermilch tranken, sank die krebsaktivierende Enzymtätigkeit im Dickdarm um 40 bis 80 Prozent. Als sie das Trinken von Sauermilch einstellten, erhöhte sich die Enzymtätigkeit wieder auf das normale karzinogenerzeugende Maß.

Das löste in der tonangebenden Zeitschrift *Nutrition Reviews* einen außergewöhnlich starken Kommentar aus: »Wir erleben die Entwicklung, daß eine neue Begründung für den Verzehr dieser Milchsorten gefunden wird, und zwar der Schutz von Menschen, die sich mit westlicher Kost ernähren, vor Dickdarmkrebs. Weitere Untersuchungen des Potentials ... sind dringend erforderlich. Der Joghurtfaktor darf nicht übersehen werden.« Auf keinen Fall. Schließlich hat Joghurt als gesundes Nahrungsmittel eine erfolgreiche Felderprobung von fünftausend Jahren hinter sich. Die Wissenschaft liefert jetzt lediglich Millionen Menschen eine Fülle neuer Gründe dafür, das auch weiterhin zu glauben, was sie – und die Volksmedizin – schon seit langem für wahr gehalten haben.

12. Milch und Eier: Ein neugieriger Blick in die Zukunft

»Diese Milch trägt garantiert zur Bekämpfung von Erkältungen, Durchfall, Grippe, Masern, Windpocken, Salmonellosen, Staphylokokken, Herpes, Hepatitis und anderen weitverbreiteten Infekten bei. Mit dieser Milch nehmen Sie gleichzeitig viren- und bakterienbekämpfende Arznei zu sich. Vom Gesundheitsministerium anerkannt als natürliches, angereichertes Medikament gegen Infektionen.«

Werden wir in Zukunft derartige Aufschriften auf Lebensmittelpackungen zu sehen bekommen? Einige Experten sind dieser Meinung. Zumindest wird an solchen Plänen gearbeitet – das Allerneueste im Lebensmitteldesign. Wenn man die Tatsache akzeptiert, daß bestimmte Nahrungsmittel aufgrund der glücklichen Fügungen, an denen die Lebensmittelapotheke so reich ist, schon infektionsbekämpfende Stoffe enthalten, warum sollte man sich dann daran hindern lassen, darauf aufbauend Nahrungsmittel zu entwickeln, die besonders stark gegen Infektionen wirken? Das könnten Sie Dr. Robert H. Yolken fragen. Durch seine Untersuchungen ist er in futuristische Visionen eingetaucht, in denen etliche der bescheidenen Gaben der Natur sich umwandeln könnten in krankheitsbekämpfende Supernahrung; ein Sprung in eine neue Dimension, in der die Grenze zwischen Nahrung und Medizin verschwindet. Man könnte das für Science-fiction halten, wäre Dr. Yolken nicht ein so bodenständiger Mensch.

Robert Yolken, Doktor der Medizin, ist Leiter der Abteilung für pädiatrische Infektionskrankheiten an einer der großartigsten Einrichtungen der Medizin, der medizinischen Fakultät an der Johns Hopkins University. Die unerwartete Entdeckung infektionsbekämpfender Stoffe in Nahrungsmitteln faszinierte ihn, weil er eine Mission hat: die Vorbeugung gegen infektiösen Durchfall, vor allem in Entwicklungsländern, wo diese Krankheit lebensgefährlich und für 30 bis 40 Prozent der gesamten Kindersterblichkeit verantwortlich ist. Selbst in den Vereinigten Staaten sorgt infektiöser Durchfall, obwohl er selten zum Tod führt, dafür, daß etwa 50 000 Kinder pro

Jahr ins Krankenhaus kommen und in noch viel größerer Zahl ambulant behandelt werden müssen. Dr. Yolken und seine Kollegen suchen nach billigen, sicheren Stoffen zur Bekämpfung einer bestimmten Virusart, Rotavirus genannt, von dem die Infektion in erster Linie verursacht wird.

Das brachte ihn dazu, mit etlichen neuartigen Ideen zu flirten, und führte zu einer überraschenden Entdeckung bei den Milchviehherden von Maryland.

Vielleicht ist es nur einem Professor möglich, sich ständig der Tatsache bewußt zu sein, daß es zwei Möglichkeiten gibt, wie der Körper mit Antikörpern versorgt wird. Unser Immunsystem stellt eigene Antikörper her. Das sind »aktive Antikörper«; sie behalten den fremden Eindringling ein Leben lang im Gedächtnis. Impfstoffe – niedrige Dosen von Antigenen – zwingen den Körper dazu, aktive Antikörper zu bilden.

Wir können aber auch mit Antikörpern beschenkt werden, die das biologische System eines anderen Lebewesens gebildet hat. Solche »passiven Antikörper« können Schutz auf lange Zeit gewähren – sie haben kein lebenslängliches Gedächtnis. Im neunzehnten Jahrhundert, vor den Antibiotika und Impfstoffen, war die Behandlung mit »passiven Antikörpern« an der Tagesordnung.

Nicht nur die vom Immunsystem selbst gebildeten »aktiven Antikörper«, sondern auch die von anderen Lebewesen produzierten »passiven«, die wir mit der Nahrung aufnehmen, bieten Schutz

Ein Antikörper ist eine der genialsten Schöpfungen der Biologie, ein gesteuertes Geschütz, das in ein bestimmtes Ziel einschlägt. Wenn Sie einem Grippevirus ausgesetzt sind, bildet Ihr Körper eine Reihe von Antikörpern, die nur dieses ganz bestimmte Grippevirus verfolgen. Antikörper sind im allgemeinen keine Mikrobenkiller; sie sind wie Spähtrupps, die feindliche Mikroben in die Enge treiben, entwaffnen und gefangennehmen; dann signalisieren sie anderen Truppen des Immunsystems, das Abtöten zu übernehmen. Meistens eilen weiße »Killer«–Zellen zum Schauplatz und umhüllen oder schlucken die eingedrungene Mikrobe. Je mehr Antikörper vorhanden sind, desto stärker ist theoretisch gesehen der Widerstand des Körpers gegen Krankheiten.

Aber Antikörpertherapie muß nicht unbedingt ein geplantes medizinisches Eingreifen sein, nicht einmal, falls die Visionäre der Medizin sich durchsetzen, ein medizinischer Zufall. Es ist durchaus wieder zeitgemäß, Krankheiten mit passiven Antikörpern zu behandeln. In der Natur ist diese Methode ja auch nie aus der Mode gekommen. Weil Kinder ohne Antikörper geboren werden, nehmen sie mit den ersten Zügen an der Mutterbrust jede Menge passive Antikörper in sich auf. Deshalb gilt Muttermilch als der beste immunologische Schutz für Säuglinge.

Trotzdem wird Sie wahrscheinlich ungeheuer überraschen, daß sich die Behandlung durch passive Antikörper keineswegs auf Babys beschränkt – passive Antikörper sind in der Nahrung weitverbreitet. Kinder und Erwachsene überall auf der Welt nehmen, ohne es zu wissen, in großem Rahmen passive Antikörper zu sich. Es war reiner Zufall, daß Dr. Yolken über den Beweis dafür stolperte.

Muttermilch ist der beste immunologische Schutz für Säuglinge

»Wir suchten für eines unserer Experimente nach Kühen, die über keine Antikörper gegen das Rotavirus verfügten«, erinnert er sich, »aber so gut wie alle hatten welche, was darauf hinwies, daß sie einmal mit Rotaviren infiziert worden waren. Uns ging durch den Kopf, daß sie, wenn sie Antikörper im Serum hatten, auch in der Milch welche haben müßten.«

Aber das schien in der Praxis wenig Bedeutung zu haben. Dr. Yolken war sich sicher, daß die empfindlichen Antikörper beim Pasteurisieren zerstört wurden. Trotzdem beschloß ein Forscherteam der Johns Hopkins University, geleitet von Dr. Yolken, dem Fall nachzugehen. Sie sammelten Proben roher Milch aus über 200 Milchviehherden in Maryland. Sie überredeten Molkereifarmer, ihnen frisch pasteurisierte Milch direkt aus den Transportbehältern zu verkaufen; sie holten Milchpackungen von den Regalen der Supermärkte und Milchgeschäfte in der Gegend von Baltimore. Sie sammelten Fertignahrung für Babys aus Läden in der Gegend und von kommerziellen Herstellern.

Dann träufelten sie verdünnte Milchproben in Reagenzgläser mit Rotavirusantigen; alle in der Milch vorhandenen Antikörper würden sich auf die Reize der Viren stürzen, und mit Hilfe hochentwickelter Technik ließ sich messen, wie viele Antikörper es waren. Als Dr. Yolken die Ausdrucke des Labortests durchging, fiel ihm auf, daß rohe Milch voller Antikörper war. Das war keine Überraschung. Aber die Anzahl der Antikörper in pasteurisierter Milch verblüffte ihn. Er glaubte, es handle sich um einen Fehler. Auch die pasteurisierte Milch wies ausgedehnte Antikörperaktivitäten auf. Ganze 77 Prozent der Antikörper waren der Vernichtung entgangen. »Es ist deutlich, daß Antikörpermoleküle ziemlich abgehärtet sind und eine Behandlung überleben, durch die Milch zum Verzehr geeignet wird«, berichtete er. Darüber hinaus hatten zwei Wochen im Kühlschrank nur geringe Auswirkungen auf die Antikörper in der pasteurisierten Milch. Leider hatte jedoch Erhitzung bei der Verarbeitung in allen einundzwanzig Proben von kommerziell vertriebener Fertignahrung für Babys sämtliche Antikörper vernichtet. Auch in der sterilisierten Dauermilch

(»H-Milch«), die nicht gekühlt werden muß, überlebten nur sehr wenige Antikörper.

Nächste Frage: Waren die Antikörper in der pasteurisierten Milch auch funktionsfähig? Ein kraftloser oder geschädigter Antikörper war überhaupt nicht in der Lage, eine tödliche Umarmung mit dem Virus einzugehen oder die weißen Killerzellen zu alarmieren, damit sie das Massaker übernahmen.

Kein Grund zur Sorge. Bei einem Test, bei dem menschliche Zellen mit menschlichen Rotaviren und Antikörpern vermischt wurden, arbeiteten die Antikörper tadellos. Die Viren verurteilten sich selbst zum Tod, indem **Milch-Fertignahrung** sie sich fest an die Antikörper hefteten, **für Babys zeigt keine** was ihre Bemühungen zunichte machte, **Antikörperaktivität** sich in ihrem Vermehrungsritual an den Zellen festzusetzen und die Zellen zu erobern. Alle dreizehn Proben von Rohmilch und vierzehn Proben von pasteurisierter Milch hinderten die Viren an der Vermehrung. Die H-Milch wies geringe Antikörperaktivität auf, die Fertignahrung für Babys überhaupt keine.

Als nächstes wollten die Wissenschaftler herausfinden, ob gewöhnliche abgepackte Milch mit Antikörpern bei jungen Mäusen tatsächlich infektiöse Gastroenteritis bekämpfte. Sie verabreichten einer Gruppe von fünf Tage alten Mäusen nur das Rotavirus, das mit Sicherheit Durchfall verursacht, und anderen jungen Mäusen eine Mischung aus Rotaviren und den verschiedenen Milchsorten. Alle sechzehn Mäuse, die nur das Rotavirus bekommen hatten, entwickelten Infektionen. Keine von den acht Mäusen, denen die Mischung aus Viren und Rohmilch gefüttert worden war, mit dem höchsten Gehalt an Antikörpern, wies Symptome einer Infektion auf. Und nur eine von acht Mäusen, die pasteurisierte Milch mit den Viren getrunken hatte, bekam den erwarteten Durchfall. Es war eindeutig, daß die Milch mit den Antikörpern zu einem hohen Maß an passiver Immunität verhalf. Die unglücklichen Mäuse, die die Fertignahrung für Babys bekommen hatten, in der keine Antikörper enthalten waren, wurden alle krank.

Darüber hinaus war eine deutliche Reaktion auf die Dosis festzustellen. Die Milch mit der höchsten Antikörperaktivität schützte am besten gegen die Infektion.

Heißt das also, daß jeder, von Babys abgesehen, der ganz gewöhnliche pasteurisierte Milch trinkt, eine Extradosis unerwarteter »passiver Antikörper« bekommt? Ja. Das ist eines der Geschenke der Natur. In der Kuhmilch sind infektionsbekämpfende Stoffe enthalten, gebildet vom biologischen System der Kuh, die uns einen Teil der Mühe ersparen, eigene Abwehrstoffe herzustellen. Aller Wahrscheinlichkeit nach gilt das für die Kühe auf der ganzen Welt. Milchproben aus Panama und Österreich, die von Dr. Yolkens Team getestet wurden, wiesen dieselben Mengen an Antikörpern gegen Rotaviren auf wie die Milch der Kühe von Maryland. Möglicherweise sind Kühe von Natur aus mit Rotaviren infiziert; manche sind dagegen geimpft worden. Was sie zum Bilden von Antikörpern zwingt, die schließlich in der Milch landen.

Dr. Yolkens Team hat nur Antikörper gegen Rotaviren in der Milch untersucht. Er versichert jedoch, daß Kühe uns in ihrer Milch – und damit auch in Joghurt, Käse, Butter und Eis – Antikörper gegen alle Infektionen übermitteln, denen die Kühe ausgesetzt waren. Zum Beispiel berichteten Wissenschaftler vom Institut für Ernährungswissenschaften an der University of Wisconsin in Madison 1986, sie hätten in vierzehn verschiedenen Sorten pasteurisierter Milch aus Lebensmittelläden

In Kuhmilch sind zahlreiche Antikörper gegen Infektionen enthalten

und Restaurants in sechs Bundesstaaten Antikörper gegen die Toxine gefunden, die einen toxischen Schock verursachen. Die Antikörper waren so robust, daß sie sogar mehrere Verarbeitungsprozesse überlebten und im Käse auftauchten.

Das verblüffende Fazit: Jedesmal wenn Sie Milch trinken, bekommen Sie nicht nur Kalzium, Protein und all die anderen Nährstoffe, über die Sie vom Verband der Milchwirtschaft informiert werden, sondern Sie nehmen außerdem einen Klacks Antikörper zu sich, mit derselben Sicherheit, als wenn man sie Ihnen per Spritze oder Schluckimpfung zugeteilt hätte. Die Dosen sind zwar klein, aber vermutlich physiologisch aktiv.

In welchem Maß diese unbeabsichtigten Antikörper menschlichen Infektionen vorbeugen, ist jedoch unbekannt. Dr. Yolken sagt, es sei von entscheidender Wichtigkeit, herauszufinden, wie hoch der Gehalt an Antikörpern sein muß, damit sie menschlichen Infektionen vorbeugen können, und ob die Antikörper nach der Verdauung wirklich noch so intakt sind, daß sie die Mikroben im menschlichen System lahmlegen können. Solche Versuche am Menschen sind erst in den Anfängen. Aber es ist relativ sicher, daß das Trinken von Milch mit einer *ausreichenden* Menge von vorgebildeten Antikörpern bestimmte Infektionen im Menschen unterdrücken kann.

Dr. Yolken gab Kindern menschliches Immunglobulin – das Protein, das die Antikörper trägt —, und zwischen 20 und 50 Prozent der Substanz überlebte die Reise durch den Magen-Darm-Trakt. Dazu kommt noch, daß sich durchfallverursachende Rotaviren im Dünndarm vermehren, gleich neben dem Magen, so daß die Antikörper nicht lange überleben müssen, um ihr Ziel zu erreichen. Dr. Yolken hält bei Infektionen des Magen-Darm-

Trakts eingenommene, vorgebildete passive Antikörper
für wirkungsvoller als die aktiven, die durch die Stimulierung des Immunsystems gebildet werden; eingenommene Antikörper passieren mit Sicherheit den Bereich
des Magen-Darm-Trakts, in dem sich die Viren vermehren.

Weil es keine Gewißheit darüber gibt, ob Milch aus dem
Supermarkt eine zur Vorbeugung von Infektionen ausreichende Menge pharmakologisch wirksamer Antikörper enthält, könnte man nun nach Kühen suchen, die
durch frühere Infektionen eine große Anzahl von Antikörpern gebildet haben. Aber im Vergleich mit Dr. Yolkens großartigem Plan wirkt das ein bißchen albern.

Denken Sie darüber nach: Viele unserer Lebensmittel
werden inzwischen – besonders auch in den USA – zur
Erhöhung des Nährwerts manipuliert. Milchbestandtei-
le, darunter Protein, die Vitamine A und D und sogar
Kalzium werden Molkereiprodukten hinzugefügt. Das
typisch amerikanische Brot würde den Maßstäben der
Regierung nicht genügen, wenn es nicht mit einem
breiten Spektrum von Vitaminen und Mineralstoffen
angereichert wäre. Saftgetränke werden mit Vitamin C
verstärkt. An Frühstücksflocken kommen zusätzliche
Ballaststoffe, Vitamine und Minerale – unter anderem
Stoffe, die von der Natur ursprünglich gar nicht vorgese-
hen waren. Wissenschaftler vom amerikanischen Landwirtschaftsministerium haben sogar eine neue »Super-
karotte« gezüchtet, orangegelber und reicher an Karotin
als je zuvor auf Erden, mit zehnmal soviel Betakarotin
als Gottes übliche Karotten.

Es ist deutlich, daß wir uns bei unserem Bedarf an Vitaminen oder Mineralen nicht auf die Wechselfälle der
Natur verlassen. Warum sollen wir dann dem Zufall vertrauen, wenn es um angemessene Mengen von Lebens-

mittelbestandteilen geht, von denen wir wissen, daß sie biologische Hürden gegen Krankheiten darstellen? Jetzt, wo die Wissenschaft die Geheimnisse physiologisch wirksamer Substanzen in der Nahrung entdeckt, die mit Vitaminen und Mineralen nichts zu tun haben, wird es möglicherweise zur alltäglichen Praxis, von Nahrungsmitteln mehr zu erwarten. Das Anreichern von Nahrungsmitteln könnte in der Zukunft darauf hinauslaufen, daß pharmakologische Manipulationen zur Stärkung der menschlichen Abwehr gegen verschiedene Krankheiten inklusive Infektionen vorgenommen werden. Die Unterscheidung zwischen Lebensmitteln und Medikamenten wird schwächer.

Die Methode besteht darin, in die biologischen Abläufe der Tiere einzugreifen und dadurch sozusagen einen lebendigen Vorrat an Pharmazeutika zu schaffen. Dr. Yolken schlägt vor, Kühe mit bestimmten Dosen von Rotaviren zu infizieren, um sicherzustellen, daß sie Milch geben, die bekannte, zum Schutz gegen Infekte ausreichende Mengen von Antikörpern gegen Viren enthält.

Es ist denkbar, daß in Zukunft Kühe mit bestimmten mikrobiellen Antigenen geimpft werden, um in der Milch die entsprechenden Antikörper zu erzeugen

Derartig angereicherte Milch könnte, sobald erwiesen wäre, daß sie bei Kindern wirkt, in besonders gefährdeten Gegenden der Welt vertrieben oder besonders anfälligen Babys verabreicht werden (darunter auch solche Säuglinge, die keine Muttermilch bekommen), um tödlicher Diarrhöe vorzubeugen. Dr. Yolken gefällt dieser Gedanke besonders gut, weil die Qualitätskontrolle so einfach ist; die Forschung zeigt, daß man Kühe durch die Injektion genau bemessener Dosen von mikrobiellen Antigenen dazu bringen kann, in der Milch genaue Mengen von Antikörpern zu erzeugen. Auf diese Weise könnte man Antikörpermilch mit spezifischen

Mengen und Typen von Antikörpern je nach Bedarf zur Bekämpfung zahlreicher Infekte herstellen, darunter auch solche, gegen die Kühe von Natur aus überhaupt nicht anfällig sind.

Tatsächlich sind menschliche Phantasie und Technologie bereits intensiv in diesem neuen Gebiet engagiert. Deutsche, Schweizer und japanische Wissenschaftler sind schon vorgestoßen in das neue Zeitalter der krankheitsbekämpfenden, am grünen Tisch geplanten Nahrungsmittel – was Begriffen wie gesunde Ernährung, Biokost oder Reformkost eine ganz neue Bedeutung gibt. Forscher am Institut für Medizin, Mikrobiologie und Virologie an der Ruhr-Universität in Bochum impften Kühe, um in der Milch Antikörper gegen eine Bakterie zu erzeugen, Escherichia coli, die ebenfalls häufig Durchfall bei Kindern hervorruft. Dann gaben sie Kindern die antikörperhaltige Milch zu trinken. Es war ein ungeheurer Erfolg. Volle 84 Prozent der kranken Kinder – dreiundvierzig von einundfünfzig –, die die Milch bekommen hatten, waren innerhalb von vierzehn Tagen von der Infektion geheilt. In einer Kontrollgruppe von Kindern, die diese Milch nicht getrunken hatten, war nur eins von neun (11 Prozent) von der Infektion befreit. Wenn man erst einmal über Milch und Antikörper nachdenkt und über die Möglichkeiten, wie sich Nahrung zur Bekämpfung von Infektionen einsetzen läßt, gibt es kein Zurück. Dr. Yolken hatte noch weitere Ideen. Wie sah es mit Eiern aus?

Wie Kühe und Menschen bekommen auch Hühner durch verschiedene Erreger Infektionen, und auch sie bilden Antikörper. War da nicht anzunehmen, daß Antikörper in Eiern auftauchen? Hühner bekommen häufig Rotavirusinfektionen, und das Antigen – die Substanz, die zur Bildung von Antikörpern führt – ähnelt dem des

Menschen. Dr. Yolken hielt es für wahrscheinlich, daß Hühnereier Antikörper enthalten, die dazu in der Lage sind, menschliche Rotaviren abzuwehren. Und falls die Menge nicht ausreichen sollte, könnte man den Hühnern sogar menschliches Antigen injizieren, damit sie Eier legen, in denen die richtige Sorte von Antikörpern reichlich enthalten ist.

In den zwanziger und dreißiger Jahren war es üblich, daß Ärzte Durchfall bei Kindern mit Eigelb behandelten. Dr. Yolkens Vater, ein Kinderarzt, hatte das auch getan. Die Ärzte sagten, das habe gewirkt, aber niemand wußte, warum. War es möglich, daß die Eier schützende Antikörper in den Darmtrakt von Kindern transportierten?

Die Forscher an der Johns Hopkins University kauften also Eier, extrahierten das Eigelb (dort sitzen die Antikörper) und testeten es. In 96 Prozent der Eier wurden Antikörper nachgewiesen. Was die Menge anlangte, war das Spektrum breit; das hing offensichtlich davon ab, wie viele Infektionen die Hühner gehabt hatten. Wieder kamen die Mäuse ins Bild und wurden diesmal statt mit Milch mit Viren und Eiern gefüttert. Aber sie hatten Pech. Die Antikörper in den Eiern reichten nicht aus, um sie zu retten; viele erkrankten an Durchfall.

Dr. Yolken und sein Team ließen sich nicht entmutigen. Statt sich auf den zufällig tierischen Antikörpervorrat zu verlassen, impften sie Hühner mit niedrigen Dosen von Rotaviren. In den nächsten drei Wochen sammelten sie die Eier, die von den Hühnern in den Labors der Johns Hopkins University gelegt wurden, verquirlten das Eigelb, extrahierten das Immunoglobulin und fütterten es zusammen mit den Viren den Mäusen. Die Eier hatten zwanzigmal sowie Antikörper wie von Natur aus. Keine einzige Maus bekam eine Infektion.

Dr. Yolken sieht in Hühnern wahre Antikörperfabriken. Er weist darauf hin, daß ein einziges Huhn im Jahr bis zu dreißig Kilo Immunoglobulin liefern könnte. »Eier haben das Potential, einen großen, preiswerten Vorrat an Antikörpern zu liefern«, erklärt er, »zum Verzehr für alle Altersstufen geeignet.« Theoretisch wäre es möglich, die an Antikörpern reichen Eier zu pulverisieren und als Nahrungszusatz in Entwicklungsländer zu verschicken. Selbst in Amerika ließen sie sich Kuchenmischungen und Brot beifügen. Noch besser wäre vermutlich, einfach das Antigen in Länder der Dritten Welt zu schicken, als Impfstoff für Hühner. »Das Antigen, das für die Impfung gebraucht wird, ist billig«, sagt Dr. Yolken. »Sie brauchen nur jemand, der die Hühner festhält und immunisiert.«

Es ist durchaus möglich, daß in absehbarer Zukunft Milch und Eier als infektionsbekämpfend etikettiert und beworben werden. »Diese Milch enthält Antikörper gegen das Rotavirus und gegen Kolibakterien und kann zur Vorbeugung gegen bestimmte Darminfektionen beitragen, vor allem bei Kindern.«

Wenn er vor die Wahl gestellt würde, gäbe Dr. Yolken den Eiern als dem geeignetsten Transportmittel für die Verteilung von Antikörpern den Vorzug, weil sie billiger sind, überall auf der Welt das üblichere Nahrungsmittel sind und weniger allergische Reaktionen auslösen. Viele Menschen in Ländern der Dritten Welt vertragen keine Milchproteine. Als besonders wirksames infektionsbekämpfendes Getränk könnte man natürlich Milch und Eier miteinander vermengen. »Das ergäbe zumindest eine additive Antikörperwirkung«, sagt Dr. Yolken.

Dieser Gedanke führt uns nicht nur in die Zukunft, sondern möglicherweise auch zurück in die Vergangenheit und erinnert an eine verrückte Prophezeiung in einem

Film von Woody Allen. In seiner futuristischen Komödie *Der Schläfer* sind alle Ernährungsratschläge, die im zwanzigsten Jahrhundert gepredigt worden sind, für falsch erklärt worden. Was früher als schädlich galt – Schnellimbißessen, Schokolade, Fett und Cholesterin –, hat sich jetzt als wohltätig erwiesen. Nach den Prügeln, die Eier wegen ihres hohen Cholesteringehalts und fettreiche Milch in diesem Jahrzehnt bezogen haben, gehören möglicherweise Seelenstärke und Sinn für Humor dazu, sich eine Zukunft vorzustellen, in der der neue Gesundheitscocktail ausgerechnet aus Eiern mit Sahne bestehen könnte!

Bestimmt hält die Kristallkugel noch viele Überraschungen bereit, wenn uns die Erforschung der Lebensmittelapotheke in weiße Flecken auf der Landkarte führt. Aber Fachleute sagen jetzt schon folgendes voraus:

○ Essen wird in Zukunft zunehmend zu einer therapeutischen Erfahrung werden.

○ Zum Schutz ihrer Gesundheit werden die Menschen sich stärker auf Nahrung und weniger auf Medikamente verlassen.

○ Wissenschaftler werden in zunehmendem Maß die pharmakologischen Kräfte von Nahrungsmitteln im menschlichen Körper testen und ihre Wirksamkeit und Sicherheit mit Medikamenten vergleichen.

○ Die Regierung wird Nahrungsmittel systematisch auf ihren Gehalt an pharmakologisch wirksamen Bestandteilen untersuchen lassen, genau wie es jetzt schon mit den Nährstoffen geschieht. Im Augenblick ist es für Wissenschaftler so gut wie unmöglich, das pharmakologische Potential eines Nahrungsmittels richtig einzuschätzen, weil sie nicht wissen, welche chemischen Stoffe darin enthalten sind. Am Anfang wirkt es sinnvoll, die Nahrungsmittel auszuwählen, die am engsten mit niedrigen Sterberaten in der Bevölkerung verbunden sind – zum Beispiel Kohl, Brokkoli, Spinat und so weiter –, und herauszufinden, welche Stoffe sie gemeinsam haben.

○ Wissenschaftler werden versuchen, wirksame und sichere Dosierungen von Nahrungsmitteln zu ermitteln. Zum Beispiel zeigen Experimente, daß sehr hohe Dosen von Capsaicin in Chili bestimmte Krebsarten fördern, daß aber niedrige Dosen den Krebsprozeß verzögern. Darüber hinaus ist es möglich, daß manche chemischen Stoffe in der Nahrung nur auf einem äußerst eingeschränkten Gebiet wirken. Laut Dr. Thomas Kensler trägt ein bestimmter Stoff vielleicht dazu bei, Dickdarmkrebs einzudämmen, wirkt aber nicht gegen vom Rauchen verursachten Lungenkrebs. Eine Nahrungssubstanz, die Dickdarmkrebs bekämpft, könnte möglicherweise sogar Krebs in einem anderen Teil des Körpers fördern. Es ist wichtig, herauszufinden, welche Auswirkungen einzelne Nahrungsmittel als Ganzes auf Krebs haben – und in welchen Mengen —, damit es möglich wird, krebshemmende Nahrung gezielt zur Bekämpfung der Anfälligkeit gegen bestimmte Krebsarten einzusetzen.

○ Die Regierung wird die Erforschungen der Lebensmittelapotheke besser koordinieren. Dr. Norman Farnsworth schlägt die Einrichtung eines amerikanischen Instituts auf nationaler Ebene zum Testen von Nahrungsmitteln und Nahrungsmittelbestandteilen vor. Die USA gehört zu den wenigen Ländern der Welt, die noch kein solches Institut haben.

○ Es wird mehr Nahrungsmittel geben, die mit natürlichen, krankheitsbekämpfenden Stoffen nicht näh-

render Natur angereichert und verstärkt sind, so daß
besonders gesunde Nahrung entsteht.

o Es wird in zunehmendem Maß für die spezifischen gesundheitsfördernden Eigenschaften von Nahrungsmitteln geworben werden.

Die letzten beiden Punkte werden helle Aufregung bei
den Regierungsbeamten auslösen, was die Etikettie-
rung, das Bewerben und die Herstellung neuer Genera-
tionen von gesundheitsfördernden Nahrungsmitteln
anlangt. Was sollen Sie Apfelanbauern sagen, die die
cholesterinsenkenden Eigenschaften ihres Produkts an-
preisen möchten? Zu Zwiebelanbauern, die behaupten,
die weiße Knolle erhöhe die wohltätigen HDL-Choleste-
rinwerte dreimal so stark wie die neueste Wunderdroge?
Zu Wissenschaftlern, die der Milch natürliche, krebsbekämpfende Sojabohnenstoffe hinzufügen wollen? Zu
einem Professor, der vorschlägt, die Biologie von Hühnern so zu manipulieren, daß sie Eier voll von infektionsbekämpfenden Antikörpern produzieren? Zu einem
Arzt an der Westküste, der einen Superfisch züchtet,
reich an Omega-3-Ölen, die allen Krankheiten der
Menschheit vorbeugen sollen? Das alles und mehr gibt
es schon und wird es bald geben, und irgend jemand
wird entscheiden müssen, wo die legitimen Grenzen des
Anspruchs auf Gesundheitsförderung liegen und wie
weit wir bei der Erfüllung des hippokratischen Impera-
tivs gehen sollten, wenn wir eine zeitgemäße Verbindung zwischen Nahrung und Medizin schaffen.
Es kann höchstens noch aufregender werden im Zuge
wissenschaftlicher Erkundung des Terrains der Lebensmittelapotheke.

Dritter Teil
Die Nahrungsmittel:
Eine moderne
Arzneimittelkunde

Eine stets aktuelle Arzneimittelkunde

Der Mensch muß essen, um zu leben,
und nicht leben, um zu essen

Molière

Obwohl die Wissenschaft erst auf der Schwelle durchgreifender Erkenntnisse im Verständnis der Nahrungsmittelapotheke steht, ist es unnötig, auf genaue Definitionen zu warten, ehe man sich diese Information zur Rettung seines Lebens zunutzte macht. Wie wir aus der Vergangenheit wissen, gehen aufschlußreiche Hinweise dem öffentlichen Segen oft um Jahrzehnte voraus, und es kann ein Fehler sein, auf weitere Erkenntnisse zu warten. Ein typischer Fall dafür ist die lange Mißachtung der segensreichen Kraft der Zitrone. Schon im 17. Jahrhundert verordneten aufmerksame Ärzte, unter ihnen John Hall, der Schwiegersohn von William Shakespeare, Brunnenkresse, Wacholderbeeren und Zitrone zur Behandlung von Skorbut. Aber erst 1753 bewies der schottische Marinearzt James Lind in einem berühmten überwachten Experiment, daß das Essen von Zitrusfrüchten Skorbut heilt. Aber weil damals das Vitamin C, der skorbutbekämpfende Stoff, noch nicht entdeckt war und niemand wußte, auf welche Weise Zitrusfrüchte Skorbut bekämpften, erließ die britische Admiralität erst 1795 den Befehl, an alle Mitglieder der Royal Navy täglich eine Ration Zitronen- oder Limonensaft auszugeben. Während dieser vierzigjährigen

Verzögerung starben fast 200 0000 britische Matrosen an Skorbut.

Obwohl die Wissenschaft heute auf vielen Gebieten weit fortgeschritten ist, wissen wir noch immer so wenig über die Pharmakologie von Nahrungsmitteln, daß wir dazu neigen, die Beweise zu übersehen, von denen wir umgeben sind. Wenige von uns wissen auch nur Bescheid über die Experimente, die mit Nahrung unternommen worden sind. Deshalb folgt hier ein aktueller Leitfaden durch die Lebensmittelapotheke – die neuesten wissenschaftlichen Erkenntnisse über den potentiellen therapeutischen Nutzen von fünfundfünfzig alltäglichen Nahrungsmitteln, herausdestilliert aus wissenschaftlichen Zeitschriften, Tagesvorträgen, Aufsätzen, Computerrecherchen in medizinischer und ernährungswissenschaftlicher Literatur, aus Korrespondenz und Interviews mit den führenden Wissenschaftlern auf diesem Gebiet. Es sind nur Nahrungsmittel aufgenommen worden, über die glaubwürdige Recherchen vorliegen. Auch alte Überlieferungen werden aufgeführt, und zumindest teilweise erwiesen sie sich als wissenschaftlich gültig.

Es ist keine Überraschung, daß es sich bei den meisten aufgelisteten Nahrungsmitteln um Obst und Gemüse handelt. Denn es gibt überwältigende Beweise dafür, daß Vegetarier bei der Verhinderung von Krankheiten am besten abschneiden; deshalb ist es naheliegend, daß die Wissenschaftler vor allem in pflanzlicher Nahrung nach medizinischen Kräften suchen und sie dort auch finden. Das heißt nicht, daß jedermann ein strikter Vegetarier sein sollte oder daß tierische Nahrung nutzlos ist (Fleisch hat viele Aspekte, was den Nährwert anlangt), aber es scheint deutlich zu sein, daß das Essen von *mehr* Gemüse, Getreide und Obst nicht nur gesünder ist, sondern auch schlimme Auswirkungen von fleischreicher Ernährung mildern kann, zum Beispiel Herzkrankheiten und Krebs.

Diese Arzneimittelkunde ist weit entfernt von herkömmlicher Ernährungswissenschaft, ja ihre revolutionäre Weiterentwicklung. Denn hier werden die getesteten *pharmakologischen* Eigenschaften eines Nahrungsmittels aufgelistet, die im allgemeinen auf ausgefallene Nahrungsbestandteile zurückzuführen sind und sich von herkömmlichen Nährwerten wie Vitaminen und Mineralstoffen gewaltig unterscheiden.

Einige Hinweise:

○ Wieviel? Die Forscher testen mit Absicht hohe Dosen, um eine Wirkung zu erzielen; wenn also von drei Äpfeln pro Tag festgestellt wurde, daß sie den Blutdruck senkten, heißt das nicht unbedingt, daß so viele Äpfel nötig sind, sondern nur, daß drei die niedrigste Dosis waren, die sich beim Test als wirksam erwies. Es handelt sich außerdem um *durchschnittliche* medizinische Dosen. Genau wie bei den pharmazeutischen Medikamenten reagieren die Menschen auch auf Nahrung grundverschieden. Manche ziehen aus kleinen Mengen von bestimmten Nahrungsmitteln medizinischen Nutzen, manche nur wenig oder gar keinen. Außerdem entscheidend wichtig: Nahrungsmittel haben eine additive Wirkung von unbekannten Anteilen. Falls Sie, um eine cholesterinsenkende Wirkung zu erzielen, keine drei Äpfel essen, stellt sich diese Wirkung vielleicht durch einen Apfel, etwas Haferkleie und Bohnen ein.

○ Die meisten der hier aufgelisteten Nahrungsmittel gelten als langfristige Wirkstoffe der Vorbeugung. Weit niedrigere Dosen dienen wahrscheinlich eher der Vorbeugung als der Heilung einer bestimmten Krankheit.

o In den meisten Fällen ist nicht bekannt, wie lange es dauert, bis bestimmte Nahrungsmittel eine schützende Wirkung ausüben. Der Nutzen kann sofort eintreten, zum Beispiel bei der Fähigkeit des Zuckers, Wunden zu heilen. Andererseits haben Wissenschaftler festgestellt, daß es mindestens zwei Monate dauert, bis Hafer und Zwiebeln das wohltätige HDL-Cholesterin merklich erhöhen.

o Nahrungsmittel enthalten oft widersprüchliche chemische Stoffe – zum Beispiel sowohl Antikarzinogene und Antimutagene als auch Mutagene und krebsfördernde Stoffe oder sowohl Stoffe, die den Cholesterinspiegel erhöhen, als auch Stoffe, die ihn reduzieren. Nur spezifische Tests der ganzen Nahrungsmittel, mit denen Menschen ernährt worden sind, zeigen wirklich, welche chemischen Stoffe im biologischen System Sieger bleiben; achten Sie deshalb besonders auf solche Forschungsergebnisse. Die zweitbesten Hinweise kommen aus der epidemiologischen Forschung, in der die Wissenschaft nach Bindegliedern zwischen Krankheit und Ernährung suchen, indem sie statistisches Material über die Bevölkerung sammeln und analysieren. Tierversuche, die zeigen, daß bestimmte Nahrungsmittel physiologische Wirkungen haben, deuten stark darauf hin, daß im menschlichen Organismus dasselbe eintritt. Experimente im Reagenzglas sind im allgemeinen ein Hinweis darauf, daß ein bestimmtes Nahrungsmittel pharmakologisch aktiv ist. Solche Tests sind auch von entscheidender Bedeutung, weil sie die Mechanismen der Wirkungsweise von Nahrung erhellen.

Die Nahrungskunde soll, wie schon der Name sagt, eine positive und gesundheitsfördernde Wirkung ausüben. Sie liefert Ihnen gültige Argumente dafür, Nahrungsmittel zu essen, die nach jüngster wissenschaftlicher Überzeugung Ihrer Gesundheit dienen und Ihr Leben verlängern werden.
Salute!

Äpfel

Ein Apfel gegessen kurz vor der Nacht,
hat manchen Arzt zum Bettler gemacht.

Alter Reim

Möglicher therapeutischer Nutzen:

○ Ein gutes Herzmittel
○ Senken den Cholesterinspiegel im Blut
○ Senken den Blutdruck
○ Stabilisieren den Blutzucker
○ Dämpfen den Appetit
○ Stecken voller chemischer Stoffe, die bei Tieren Krebs hemmen
○ Apfelsaft tötet infektiöse Viren ab

Wieviel? Zwei bis drei ganze Äpfel pro Tag können den Cholesterinspiegel im Blut senken und das HDL-Cholesterin, das das Herz schützt, leicht erhöhen. Diese Menge kann außerdem den Blutdruck senken und dazu beitragen, daß der Blutzuckerspiegel stabil bleibt. Allgemein gilt: Je höherer Ihr Cholesterinspiegel, desto größer der Nutzeffekt.

Überlieferung

In der griechischen Mythologie schmeckten Äpfel wie Honig und heilten alle Krankheiten. In der amerikanischen Volksmedizin wird der Apfel der »König der Früchte« genannt, gilt als neutralisierendes Mittel gegen jede Art von überschüssiger Säure im Körper und deshalb, wie es in einem Artikel in *American Medicine* von 1972 hieß, als »therapeutisch wirksam bei allen Fällen von Acidose, Gicht, Rheumatismus, Gelbsucht und allen Leber- und Gallenblasenkrankheiten bis zu nervösen Erkrankungen und Hautkrankheiten, die durch eine träge Lebertätigkeit, Übersäuerung und Autointoxikation (Selbstvergiftung des Körpers) verursacht werden«.

Fakten

Es gibt keinen Zweifel daran. Moderne wissenschaftliche Untersuchungen haben festgestellt, daß Äpfel eine vielseitige und wirksame Packung natürlicher Medikamente darstellen und dadurch ihrem Ruf, den Arzt fernzuhalten, gerecht werden.

Schutz für das Herz

Die Frucht trägt dazu bei, Herz und Gefäße gesund zu erhalten. Erst haben Forscher in Italien, dann in Irland und jetzt in Frankreich allesamt bestätigt, daß das Essen von Äpfeln der Cholesterinbildung im Blut einen Riegel vorschiebt. Ein von R. Sablé-Amplis geleitetes Team am Institut für Physiologie an der Paul-Sabatier-Universität in Toulouse stellte verblüfft fest, daß Äpfel bei normalen Hamstern eine Senkung des Cholesterinspiegels um 28 Prozent bewirken und bei Tieren mit genetisch hohem

Cholesterinspiegel einen spektakulären Rückgang um 52 Prozent.

Das brachte Dr. Sablé-Amplis dazu, eine Gruppe gesunder Männer und Frauen darum zu bitten, an ihrer Ernährung nichts zu ändern – bis auf eins: Sie sollten einen Monat lang mindestens zwei Äpfel pro Tag essen, einen gegen 10 Uhr, den zweiten gegen 16 Uhr. Am Ende des Monats hatten die Äpfel bei vierundzwanzig Personen – oder bei 80 Prozent – der Gruppe den Cholesterinspiegel im Blut gesenkt. Bei der Hälfte betrug der Rückgang über 10 Prozent. Bei einer Person sank das Cholesterin um 30 Prozent. Darüber hinaus veränderten die Äpfel das Blut, so daß das gute HDL-Cholesterin stieg und das zerstörerische, die Arterien verstopfende LDL-Cholesterin abnahm.

Dr. Sablé-Amplis glaubt, die Geheimdroge im Apfel sei das Pektin, ein Ballaststoff löslichen Typs, der auch zum Gelieren verwendet wird. Aus Früchten extrahiertes reines Pektin ist ein wohlbekannter Wirkstoff gegen Cholesterin. Aber das Pektin allein ist noch keine Erklärung für die Kräfte des Apfels, denn der ganze Apfel selbst unterdrückt das Cholesterin viel stärker als das gesamte aus einem Apfel herausgepreßte Pektin. Dr. Sablé-Amplis vermutet, das Zusammenwirken des im Apfel enthaltenen Pektins mit anderen Apfelsubstanzen, vielleicht dem Vitamin C, erziele diese verstärkte cholesterinsenkende Wirkung. Neue Untersuchungen in Frankreich versuchen den Mechanismus zu definieren, mit dem Äpfel das Herz schützen.

Blutzucker

Äpfel sind zweifellos gut für Diabetiker und andere, die einen steilen Anstieg des Blutzuckers vermeiden wollen. Äpfel stehen weit unten auf dem »glykämischen Index« (einem Maßstab dafür, wie schnell der Blutzucker nach dem Essen ansteigt), gleich neben getrockneten Bohnen, einem der besten Regulierungsmittel für den Blutzucker. Das heißt, daß ein Apfel, trotz seines natürlichen Zuckergehalts, keinen schnellen Anstieg des Blutzuckers auslöst. Die Frucht drosselt die Insulinproduktion, und Nahrungsmittel, die das bewirken, senken allesamt auch den Serumcholesterinspiegel und den Blutdruck.

Forscher an der prestigeträchtigen Yale University haben sogar herausgefunden, daß man zur Senkung des Blutdrucks möglicherweise nur an Äpfeln *riechen* muß. Dr. Gary Schwartz, der Leiter des Zentrums für Psychophysiologie an der Yale University, berichtet, der Duft von Äpfeln übe auf viele Menschen eine beruhigende und damit auch tendenziell blutdrucksenkende Wirkung aus.

Zur Diät

Weil ganze Äpfel den Glukosespiegel im Blut eine Zeitlang konstant halten, sättigen sie auch stärker als vergleichbare Kohlehydratkalorien aus Apfelsaft oder Apfelmus; ein Plus, wenn sie eine Diät machen. Der Saft bewirkt viel schneller einen Ausstoß von Insulin und ein Absinken des Blutzuckers, wodurch Sie Hunger bekommen. Deshalb sind Äpfel zum Abnehmen viel besser geeignet als Apfelsaft.

Kämpfer gegen Viren und Erkältungen

In der Gesellschaft von Apfelsaft leben Viren nicht lange. Bei Untersuchungen in Kanada erwies sich Apfelsaft vom Supermarktregal im Reagenzglas als hochwirksam bei der Ausschaltung von Polioviren. Im Testvergleich mit achtzehn anderen kommerziell vertriebenen Säften rangierte Apfelsaft ganz oben, zusammen mit Trauben-saft und Tee, weil er dazu imstande war, die Viren hun-dertprozentig zu vernichten. Forscher haben außerdem festgestellt, daß Menschen, die mehr Äpfel essen, weni-ger Erkältungen der oberen Atemwege bekommen.

Forscher an der Michigan State University haben Äpfel sogar als Gesundheitsnahrung auf allen Gebieten be-zeichnet. 1961 verglichen die Wissenschaftler die medi-zinischen Unterlagen von 1 300 Studenten danach, wie viele Äpfel sie aßen, und stellten fest, daß im Vergleich mit denjenigen, die keine Äpfel mochten, die besonders begeisterten Apfelesser um ein Drittel seltener inner-halb eines Zeitraums von drei Jahren die medizinischen Einrichtungen der Universität aufsuchen mußten. Die Apfelesser hatte außerdem weniger Infektionen der obe-ren Atemwege und litten ganz allgemein unter weniger Anspannung und Krankheit, als zu erwarten gewesen wäre.

Wirkstoff gegen Krebs

Ganze frische Äpfel tragen möglicherweise zur Krebsbe-kämpfung bei, weil sie Koffein- oder Chlorogensäure enthalten, die bei mit Karzinogenen versetzten Ver-suchstieren die Krebsbildung hemmen.

Praktische Hinweise

○ Je mehr Äpfel Sie essen – bis zu einem gewissen Punkt –, desto wahrscheinlicher ist es, daß Sie den Chole-sterinspiegel im Blut senken, wobei jedoch die indivi-

duellen Reaktionen je nach körpereigener Chemie
unterschiedlich sind.

o Aus unbekannten Gründen scheint das Essen von Äpfeln den Cholesterinspiegel von Frauen stärker zu
senken als den von Männern.

o Wenn Sie mehr Äpfel essen, ist es in den ersten drei
Wochen möglich, daß Ihr Cholesterinspiegel sogar
steigt; danach aber sinkt er im allgemeinen auf ein
unterdurchschnittliches Maß. Wie die französischen
Untersuchungen zeigen, wirken Äpfel jedoch nicht
bei allen Menschen.

o Essen Sie auf jeden Fall die Schale mit; sie ist besonders reich an Pektin. Apfelsaft enthält wenig Pektin
und eignet sich nicht zur Senkung des Cholesterinspiegels oder des Blutdrucks oder zur Stabilisierung
des Blutzuckers. Apfelsaft enthält außerdem eine viel
niedrigere Konzentration krebsbekämpfender chemischer Stoffe.

Mögliche schädliche Wirkungen

o Vergorener Apfelsaft kann das fibrinolytische (blutgerinnsellösende) System des Körpers hemmen, was
dazu führen könnte, daß das Blut anfälliger für Gerinnsel wird. Unvergorener Apfelsaft hat jedoch keine
schädlichen Wirkungen auf die Blutgerinnselauflö-
sung.

o Selbst in bescheidenen Mengen kann Apfelsaft bei
manchen Kindern chronischen Durchfall verschlimmern. Zwei Forscher an der University of Connecticut
berichteten, mehrere ihrer Patienten im Alter zwischen dreizehn und einunddreißig Monaten, deren
Eltern darüber klagten, Apfelsaft verschlimmere den
Durchfall, hätten auf Apfelsaft mit Stoffwechselsym-

ptomen von Durchfall reagiert. Der Grund ist ein Rätsel; die Forscher nehmen an, daß bestimmte Kinder möglicherweise nicht in der Lage sind, Kohlehydrate richtig zu absorbieren.

Aprikosen

Möglicher therapeutischer Nutzen:

o Am besten wissenschaftlich erfaßt als möglicher Hemmstoff gegen Krebs, vor allem gegen vom Rauchen verursachte Krebsarten, darunter Lungenkrebs

Überlieferung

Wenn es im Hohelied heißt: »Er labt mich mit Äpfeln, denn ich bin krank«, dann sind die Früchte gemeint, die wir heute Aprikosen nennen. Aprikosen, nicht Äpfel, wuchsen im Garten Eden. In der Volksmedizin war der *Kern* ihr wichtigster medizinischer Bestandteil (später eine Quelle des Medikaments Laetrile), obwohl die Frucht selbst im Ruf stand, ein Wirkstoff gegen Krebs zu sein. Und im Himalajakönigreich Hunza (dem Land des Shangrí-La im Roman *Irgendwo in Tibet* und in den beiden Verfilmungen) wird die Aprikose geschätzt als Quelle der Gesundheit und außergewöhnlicher Langlebigkeit. Die Menschen dort essen reichliche Mengen einer wilden Aprikose, die Khubani genannt wird. Wissenschaftler haben ernsthaft unterstellt, daß der mystische Ruf der Aprikose Wahres enthält. Der Nobelpreisträger G. S. Whipple rühmte 1934 die Aprikose sogar als »der Leber gleichwertig bei der Hämoglobinregeneration«.

Fakten

Weil die Aprikose nicht für Spezialuntersuchungen ausgewählt wurde, sind ihre pharmakologischen Kräfte weitgehend unerforscht. Trotzdem stehen Aprikosen weit oben auf der Liste der Früchte und Gemüse, die aller Wahrscheinlichkeit nach zur Vorbeugung gegen bestimmte Krebsarten beitragen, vor allem gegen Krebs der Lunge und möglicherweise auch gegen den in der Bauchspeicheldrüse, beides Krebsarten, deren Behandlung äußerst schwierig ist und die im Zusammenhang mit dem Zigarettenrauchen stehen.

Das liegt daran, daß Aprikosen, wie andere orangegelbe Obst- und Gemüsesorten, hochkonzentrierte Mengen von Betakarotin enthalten, der bereits beschriebenen Vitamin-A-Form, die bei Laborversuchen auf spektakuläre Weise bestimmte Krebsarten, darunter Lungen- und Hautkrebs, entschärft. Statistiken deuten außerdem darauf hin, daß bei Menschen, die viel betakarotinreiches Obst und Gemüse essen, diese Krebsarten wie auch Kehlkopfkrebs weniger häufig vorkommen. Weil das Betakarotin bei Versuchstieren Krebs bekämpft, schreiben die Wissenschaftler häufig dem Betakarotin das Verdienst zu, der wichtigste Schutzfaktor zu sein, aber möglicherweise sind dafür auch andere, noch unentdeckte Stoffe in Aprikosen und ähnlichen Früchten verantwortlich.

Wegen des Betakarotins könnten Aprikosen nach dem gegenwärtigen Wissensstand als mögliche Vorbeugemittel gegen Krebs geeignet sein – besonders empfehlenswert für ehemalige Raucher. Nahrung mit hohem Betakarotingehalt scheint über die Fähigkeit zu verfügen, die latent krebserregenden Wirkungen des schädlichen Zigarettenrauchs abzuschwächen.

Praktische Hinweise

O Wenn der Nutzen maximal sei soll, essen Sie getrocknete Aprikosen; sie enthalten Betakarotin in viel höherer Konzentration als die rohe Frucht.

Mögliche schädliche Wirkungen

O Wegen seines Gehalts an Amygdalin oder Laetrile ist der Kern giftig. Das Essen nennenswerter Mengen der Kernsubstanz hat zu schweren Vergiftungen geführt, vor allem bei Kindern.

Artischocken

Möglicher therapeutischer Nutzen:

O Senken den Cholesterinspiegel im Blut
O Stimulieren Galle und Urin (wirken diuretisch)

Überlieferung

Die Artischocke hat eine lange Geschichte als Diuretikum oder harntreibendes Mittel, als Hilfsmittel bei der Verdauung und zur Senkung des Blutzuckers.

Fakten

In den letzten Jahren haben die Wissenschaftler diese eßbare Distel vernachlässigt. Aber viele Jahre lang sorgte die Artischocke für einen Wirbel an wissenschaftlicher Aufregung und bestätigte dabei einen Teil ihres Rufs in der Volksmedizin. Obwohl die Untersuchungen alt sind, zeigen sie verblüffende physiologische Wirkungen auf den Menschen.

Bei einer Reihe von Untersuchungen stellte 1940 ein japanischer Forscher fest, daß die Artischocke den Gesamtcholesterinspiegel etwas senkte, die Gallenproduktion der Leber stimulierte, als Diuretikum wirkte und »das Wohlbefinden verblüffend« verbesserte. Eine ähnliche Untersuchung, die wenige Jahre später von Schweizer Forschern durchgeführt wurde, ergab, daß der menschliche Cholesterinspiegel nach dem Verzehr von Artischocken beträchtlich sank. Das wurde 1947 bei Tests in Texas bestätigt, bei denen Forscher Versuchspersonen Artischocken zu essen gaben und ebenfalls ein Sinken des Cholesterinspiegels im Blut feststellten.

1970 berichteten russische Wissenschaftler, die eßbaren Teile der Artischocke hätten bei Hunden entzündungshemmend gewirkt. 1969 waren französische Wissenschaftler bei der Behandlung von Leber- und Nierenerkrankungen mit Artischockenextrakt so erfolgreich, daß sie sich die Methode patentieren ließen.

Das Cynarin, ein Stoff in der Artischocke, wurde sogar zu einem Medikament zur Senkung des Cholesterinspiegels verarbeitet. Cynarin ist auch für seine »leberschützende« Einwirkung auf tierische Leberzellen wie lebende Tiere selbst bekannt.

Auberginen

Möglicher therapeutischer Nutzen:

○ Schützen die Arterien von Cholesterinschäden
○ Enthalten chemische Stoffe, die bei Tieren Krebs vorbeugen

○ Enthalten chemische Stoffe, die Krämpfen vorbeugen

Überlieferung

In den Vereinigten Staaten hat dieses Gemüse mit der satinglatten violetten Schale so gut wie keine Medizingeschichte gemacht. Aber in Nigeria steht es in hohem Ansehen als Empfängnisverhütungsmittel, als Wirkstoff gegen Rheuma und als Mittel gegen Krämpfe. In der traditionellen koreanischen Medizin wird die getrocknete Pflanze, einschließlich der Frucht, zur Behandlung von Hexenschuß, Schmerzen, Masern, Magenkrebs und von Alkoholismus verzehrt und zur Heilung von Rheuma, Gastritis und Verbrennungen äußerlich angewendet.

Fakten

Es ist möglich, daß Auberginen arterienschädigenden Angriffen entgegenwirken. Zum Beispiel verhindern sie möglicherweise durch einen glücklichen Zufall, daß der Käse sich in einem Gericht wie Auberginen mit Parmesan schädlich auswirkt. 1947 wurde bei Untersuchungen an der University of Texas festgestellt, daß bestimmte Stoffe in der Aubergine den Anstieg des menschlichen Cholesterinspiegels im Blut hemmen, der durch fetthaltige Nahrung wie Käse verursacht wird.
Der österreichische Wissenschaftler Dr. G.H.A. Mitschek an der Universität Graz unternahm in den siebziger Jahren eine Reihe von Tierversuchen und stellte dasselbe fest. Er fütterte Kaninchen mit einer cholesterinreicher Kost; etlichen gab er außerdem verschiedene Mengen von Auberginen. Als er die Arterien der Tiere untersuchte, fiel ihm auf, daß selbst kleine Auberginengaben die Entwicklung von Fettbelag und Arteriosklero-

se dramatisch verringert hatten. Interessanterweise schienen die Auberginen am besten zu wirken, wenn sie nicht allein, sondern zusammen mit fettreicher, stark cholesterinhaltiger Nahrung verzehrt wurden. Dr. Mitschek stellte die Vermutung an, daß bestimmte chemische Stoffe das Cholesterin im Verdauungstrakt binden und hinausbefördern, so daß es nicht vom Blut absorbiert wird.

Mittel gegen Krämpfe

Das nigerianische Lob, diese Pflanze »lindere die Erregungszustände bei nervösen Krankheiten«, ist ebenfalls wissenschaftlich fundiert. Bei Tests bekamen Mäuse, denen ein Stoff gegeben worden war, der Anfälle hervorruft, mit viel geringerer Wahrscheinlichkeit Krämpfe, wenn ihnen gleichzeitig als Gegengift ein roher Auberginenextrakt verabreicht worden war. Stoffe in der Aubergine, Scopoletin und Scoparon genannt, wirken anscheinend gegen die Krämpfe. Deshalb scheint die Anwendung von Auberginen gegen Epilepsie und anderer Ursachen von Krämpfen, wie sie in der herkömmlichen Medizin praktiziert wird, sinnvoll zu sein.

Wirkstoff gegen Krebs

Kürzlich ist in Tests in Japan festgestellt worden, daß Auberginensaft die Schädigung von Tierzellen (Chromosomenanomalien), die der Krebsbildung vorausgehen, in beträchtlichem Maß unterdrückt. Darüber hinaus enthalten Auberginen Proteasehemmstoffe (Trypsin), Stoffe, von denen angenommen wird, daß sie zur Bekämpfung von Karzinogenen und bestimmten Viren beitragen. Bei einer Untersuchung erwiesen sich Auberginen als das Nahrungsmittel, von dem die Gruppe mit der niedrigsten Rate an Magenkrebs am meisten gegessen hatte.

Widersprüchliche Forschungsergebnisse

Japanische Überprüfungen verschiedener Pflanzen zeigen eine leicht mutagene Wirkung bei Auberginen; das heißt, Auberginen haben im Reagenzglas genetischen Schaden verursacht, wie er mit der Krebsbildung in der Zelle in Zusammenhang steht. Bei einer statistischen Bevölkerungsuntersuchung in Japan wurde der Verzehr von Auberginen mit einer erhöhten Sterblichkeitsrate in Verbindung gebracht.

Bananen

Mögliche therapeutischer Nutzen:

o Verhüten und heilen Magengeschwüre
o Senken den Cholesterinspiegel im Blut

Überlieferung

Wenn man bedenkt, wie weit verbreitet der Verzehr von Bananen (im allgemeinen roh und reif gegessen) und der größeren Pisange, Mehl- oder Kochbananen (oft unreif und gekocht gegessen) ist, die in vielen südamerikanischen und afrikanischen Ländern zu den Grundnahrungsmitteln gehören, dann überrascht es, wie wenig volksmedizinische Hinweise auf ihre therapeutische Kräfte bekannt sind. Selbst die angesehenen Kräuterkundlerin Maud Grieve schrieb 1931 in ihrem Buch *A*

Modern Herbal, daß »die Bananenfamilie vor allem wegen ihres Nährwerts interessant ist, weniger wegen ihrer medizinischen Eigenschaften«.

In der indischen Volksmedizin jedoch erfreut sich die Kochbanane eines hohen Rufs als Heilmittel gegen peptische und duodenale (Zwölffingerdarm-)Geschwüre. Laut der indischen *Materia Medica* (1954) hilft Mehl aus grünen Kochbananen, das zu Chappatis (handgeknetetem Brot) verarbeitet wird, bei Verdauungsstörungen und Blähungen, und »ein dünner Schleim aus Bananenmehl und Milch ist ein angenehmer, leichtverdaulicher Bestandteil der Diät bei Gastritis«.

Fakten

Die aufmerksamen Inder haben recht, wie sich jetzt herausstellt. Es gibt keinen Zweifel daran, daß Kochbananen eine starke medizinische Substanz enthalten, die die geschädigten Zellen schon vorhandener Magengeschwüre heilen und die Bildung neuer Geschwüre abwehren kann. Mehrere angesehene Forscher in Indien und Großbritannien haben in jahrelanger Arbeit die erstaunlichen biologischen Veränderungen erkundet, die Kochbananen an der Magenwand von Tieren bewirken. Die Forscher folgern aus den Versuchen, daß Kochbananen auf dieselbe Weise wirken wie ein Medikament gegen Magengeschwüre, Carbenoxolon, aber ohne die schweren Nebenwirkungen des Medikaments.

Bei neuen Doppelblindversuchen in mehreren medizinischen Zentren in Indien erzielten pulverisierte unreife Kochbananen bei etwa 70 Prozent der Patienten die Heilung von Zwölffingerdarmgeschwüren. Ein Placebo dagegen wirkte nur bei 16 Prozent der Fälle.

*Bananenfressende Ratten bekommen weniger
Magengeschwüre*

Als Heilmittel gegen Magengeschwüre tauchten Bananen Anfang der dreißiger Jahre zum ersten Mal in der medizinischen Literatur auf. Zunächst glaubten die Forscher, daß die Bananen die Magensäure neutralisierten oder daß reife Bananen die Reizung linderten. Tatsächlich bekamen nur wenige der Mäuse, die eine Woche vor der Injektion von geschwürerregenden Stoffen mit in Scheiben geschnittenen reifen Bananen gefüttert wurden, danach Magengeschwüre. Und die Forscher isolierten sogar einen chemischen Stoff in reifen und unreifen Bananen, der die Säuresekretion unterdrückte und dadurch die Entwicklung von Magengeschwüren bei Tieren hemmte.

Aber vor kurzem haben britische und indische Forscherteams entdeckt, was der genaue Grund dafür ist, daß bananenfressende Nagetiere etwa um ein Drittel weniger und nicht so schwere Magengeschwüre bekommen. Die Kochbananen wirken genauso wie die ausgeklügeltsten Medikamente. Es war Professor A.K. Sanyal vom Institut für medizinische Wissenschaften an der Banares-Hindu-Universität in Varanasi, Indien, der das herausfand, gemeinsam mit einem Team britischer Forscher, geleitet von Dr. Ralph Best vom Department of Pharmacy an der University of Aston in Birmingham.

Wenn Sie ein Medikament gegen Magengeschwüre entwickeln wollten, würden Sie vermutlich zuerst nach einem Stoff suchen, der die Zerstörer der Magenwand neutralisiert oder unterdrückt, Säure und Pepsin, ein Verdauungsenzym. Genau das tun herkömmliche Medikamente gegen Magengeschwüre wie zum Beispiel Antazida und Cimetidin (Tagamet). Nur ein Medikament, Carbenoxolon, geht auf andere Weise vor, wird aber selten eingesetzt, weil es außerdem hohen Blutdruck verursacht. Nichtsdestotrotz kopiert es in seiner Wirkungsweise die Natur. Statt die Angreifer auszuschalten, baut das Medikament Carbenoxolon einen besseren Verteidigungswall auf.

Bananen stärken den Magen

Wunder über Wunder, genau das tun nach Meinung der Experten die Kochbananen; sie stärken die Oberflächenzellen der Magenwand und bilden eine stärkere Barrikade gegen schädliche Säfte. Die britischen Forscher waren verblüfft darüber, daß die Mukosa, die Magenschleimhaut, bei Ratten, die mit Bananenpulver gefüttert wurden, sogar *sichtbar* viel dicker war. Als Begleitversuch fütterte sie Ratten entweder mit Bananenpulver oder aber mit Aspirin oder anderen chemischen Stoffen, um herauszufinden, was dann aus dieser entscheidend wichtigen Barrikade wurde. Sie wurde durch Bananenpulver wesentlich dicker, nahm durch Aspirin beträchtlich ab und durch Tagamet sogar noch mehr. Aber bei Ratten, die Aspirin und Bananenpulver bekamen, wehrten die Bananen den schädlichen Erosionseffekt des Medikaments ab; die Magenwand nahm an Dicke trotzdem noch um etwa 20 Prozent zu.
Deshalb stimulieren nach der Meinung von Forschern Bananen die Vermehrung der Zellen der Magenwand und lösen außerdem die Bildung einer schützenden Schleimschicht aus, die schnell die Oberfläche versiegelt und die Hydrochlormagensäure und das Pepsin daran hindert, weiteren Schaden anzurichten. Das Resümee der britischen Forscher: »Die Rolle, die die Banane in der Volksmedizin als Mittel gegen Magen- und Darm-

geschwüre spielt, hat sich offensichtlich bestätigt, zumindest was Magengeschwüre anbelangt ... «

Gut für Blut und Herz

Andere indische Forscher haben vor kurzem entdeckt, daß Ballaststoffe aus unreifen Kochbananen, wenn sie Ratten zusammen mit hohen Cholesterindosen verabreicht wurden, auf dramatische Weise der erwarteten Erhöhung des zerstörerischen Cholesterins im Blut entgegenwirken. Ballaststoffe aus *reifen* Kochbananen nützten nichts. Ratten, die nur Cholesterin bekamen, hatten einen hohen schädlichen LDL-Cholesteringehalt im Blut, 126 Milligramm auf 100 Milliliter. Aber wenn der Ernährung unreife Kochbananen hinzugefügt wurden, stieg der Cholesterinspiegel der Ratten nur auf 44 Milligramm pro 100 Milliliter – erstaunlicherweise nur ein Drittel soviel. Darüber hinaus erhöhten die Kochbananen das wohltätige Cholesterin vom Typ HDL um etwa 30 Prozent. Die Forscher schrieben das in erster Linie dem hohen Gehalt von Hemizellulose-Ballaststoffen in unreifen Kochbananen zu.

Es ist wahrscheinlich, daß auch gewöhnliche Obstbananen den Cholesterinspiegel im Blut senken, weil sie einen hohen Pektingehalt haben, der vom Gewicht her gesehen sogar höher als bei Äpfeln ist, die als cholesterinsenkendes Obst anerkannt sind. Eine mittelgroße Banane enthält soviel Pektin wie ein mittelgroßer Apfel.

Praktische Hinweise

O Halten Sie sich an die grünen Bananen. Unreife, grüne Kochbananen sind am wirksamsten gegen Magengeschwüre. Und im allgemeinen gilt, daß die schützende Wirkung um so stärker ist, je größer die Banane ist. Die Forscher meinen, es sei unwahrscheinlich, daß die reife Frucht eine ausreichende Menge des aktiven chemischen Stoffs enthalte. Die meisten äußerst erfolgreichen Versuche bei Tieren und Menschen sind mit unreifen grünen Kochbananen durchgeführt worden. Sie werden häufig gegart – gekocht, gebraten oder gebacken – und in Afrika, Indien und Südamerika wie Kartoffeln gegessen.

○ Am wirksamsten gegen Magengeschwüre ist das hochkonzentrierte Pulver aus getrockneten, unreifen Kochbananen.

○ Obwohl zunächst bei Untersuchungen festgestellt wurde, daß auch normale Obstbananen – zu unterscheiden von Kochbananen – ebenfalls wirksam gegen Magengeschwüre seien, hat die neuere Forschung das nicht bestätigt.

○ Allem Anschein nach enthält die grüne, unreife Kochbanane auch den besten *das Herz schützenden Ballaststoff*.

Widersprüchliche Forschungsergebnisse

Bei etliche Tierversuchen haben sich Kochbananen nicht als wirksam gegen Magengeschwüre erwiesen. Dr. Sanyal schreibt das den Launen der Natur zu, die ihre therapeutischen Kräfte ungleich verteile, und nicht einem allgemeinen Mangel an Heilwirkung der Früchte.

Bier

Möglicher therapeutischer Nutzen:

○ Beugt einer Verengung der Herzkranzarterien vor
○ Erhöht gutes Blutcholesterin vom Typ HDL

> *Wieviel?* Ein Bier am Tag kann das Blut verändern und das Risiko der Verengung von Koronararterien verringern. Ein halber Liter Bier am Tag kann das wohltätige Cholesterin vom HDL-Typ erhöhen.

Fakten

Zur Beunruhigung mancher und zur Freude anderer tauchen jetzt Beweise dafür auf, daß mäßiges Trinken gut für Ihr Herz- und Gefäßsystem sein könnte. Dr. Richard D. Moore, Dozent an der medizinischen Fakultät der Johns Hopkins University, bat vor kurzem achtundzwanzig gesunde Männer, ein Bier am Tag zu trinken und achtundzwanzig vergleichbare Männer um Abstinenz. Normalerweise tranken alle zwischen zwei und vier alkoholische Getränke pro Woche.

Bei den Biertrinkern tat sich nicht viel im Hinblick auf den gesamten Cholesterinspiegel im Blut oder auf wünschenswerte HDL-Werte und nicht einmal auf das schädliche Cholesterin vom LDL-Typ. Aber – die Biertrinker wiesen einen deutlichen Anstieg einer anderen Blutkomponente auf, eines Proteins namens Apolipoprotein A-1; Menschen mit viel Apo A-1 im Blut erleiden mit geringerer Wahrscheinlichkeit Verengungen der Herzkranzarterien. Interessanterweise sank bei denjenigen, die kein Bier getrunken hatten, der beschützende Apo-A-1-Spiegel leicht ab. Dr. Moore stellte die Theorie auf, daß der Alkohol im Bier die Leberenzyme dazu anregte, mehr Apo A-1 zu produzieren, und zog den Schluß, daß die Blutveränderungen durch ein Bier pro Tag »mit der Zeit zu einem verringerten Risiko für das Herz und die Gefäße führen könnten«.

Das HDL-Rätsel

Seit Jahren streiten sich medizinische Experten darüber, ob alkoholische Getränke einen Anstieg der wichtigen Blutkomponente HDL-Cholesterin bewirken, die schädliches Cholesterin von den Arterienwänden wegtransportiert und in die Leber bringt, wo es zerstört wird. Untersuchungen in kleinem Rahmen sind widersprüchlich ausgefallen. Aber die Wissenschaftler können eine äußerst überzeugende, kürzlich in Großbritannien durchgeführte Studie an hundert Männern und Frauen nicht ignorieren, die ganz offenbar für eine HDL-Erhöhung plädiert.

Die Versuchspersonen wurden darum gebeten, vier Wochen lang mindestens siebenmal pro Woche ein alkoholisches Getränk zu sich zu nehmen und dann weitere vier Wochen lang keinerlei Alkohol zu trinken. Als alkoholisches Getränk galten ein Viertelliter Bier oder Apfelmost, ein Glas Wein oder jeweils soviel Sherry oder Schnaps, wie es 7 bis 9 Gramm Alkohol entsprach. Die meisten tranken zwei alkoholische Getränke pro Tag. Es bestand kein Zweifel daran, daß die Versuchspersonen, solange sie regelmäßig Alkohol tranken, höhere HDL-Werte hatten; bis zu einer Erhöhung um 7 Prozent. Bei ihnen lag außerdem das wichtige Verhältnis von HDL zur Gesamtmenge des Blutcholesterins um 5 Prozent besser.

Am interessantesten für die Wissenschaftler ist die Tatsache, daß der Anstieg sich in der Unterabteilung HDL-2 vollzog, von der angenommen wird, daß sie zum Schutz gegen Herzkrankheiten beiträgt. Vorher hatte die Meinung bestanden, daß alkoholische Getränke nur den HDL-3-Typ erhöhen – der beim Schutz gegen Herzkrankheiten als unerheblich gilt. Die Autoren der Studie kommen zu der Schlußfolgerung, daß mäßiger Konsum von alkoholischen Getränken möglicherweise vor ischämischen Herzkrankheiten (also solche, die mit mangelnder Blutversorgung des Herzens zusammenhängen) schützt.

Das deutsche Experiment

Diese Vermutung wird unterstützt von einem Mammutprojekt, an dem Dr. Peter Cremer und seine Kollegen an der Abteilung für klinische Chemie an der Universität Göttingen arbeiten. Sie verfolgen die Biochemie im Blut und die Herzkrankheiten von über viertausend Männern und Frauen bis in Jahr 1991. Ein vorläufiger Bericht aus einem Land, in dem Bier ein Nationalgetränk ist, stellte 1986 fest, daß Trinker bessere Blutwerte hatten als Nichttrinker. Der Durchschnittswert von nur 42 Milligramm HDL-Cholesterin pro Deziliter bei Nichttrinkern stand einem besseren Schutz von 55 Milligramm pro Deziliter Blut bei denjenigen gegenüber, die pro Tag ein bis anderthalb Gläser tranken. Die mäßigen Trinker hatten außerdem weniger schädliches LDL-Cholesterin im Blut.

Dr. Cremer weist jedoch darauf hin, daß das Trinken nur Menschen mit niedrigem oder mäßigem Cholesterinspiegel von Nutzen war; denjenigen mit hohem Cholesterinspiegel, das heißt mit über 230 Milligramm pro Deziliter, nützt das Trinken von Alkohol nichts.

Sechs von sieben großangelegten Untersuchungen, die 55 000 Menschen auf der ganzen Welt umfassen, kommen zu ähnlichen Ergebnissen und legen den Schluß nahe, daß Menschen, die mäßig Alkohol trinken weniger anfällig für Herzinfarkte sind. Das heißt, daß mäßige Trinker weniger Herzkrankheiten haben als Abstinenzler; bei Alkoholikern sind sie jedoch sehr viel häufiger.

Mögliche schädliche Wirkungen

○ Gicht. Bier hat einen hohen Gehalt an Purin, das vom Körper in Harnsäure umgesetzt wird, und zuviel Harnsäure kann zu Gicht führen, einer Form der Arthritis. Sie verursacht Schmerzen in den Ellbogen, den Füßen und Händen und, ein klassisches Symptom, im großen Zeh. Britische Forscher haben bei einer Untersuchung der Ernährungsgewohnheiten von Männern mit Gicht sogar festgestellt, daß der wichtigste Unterschied zwischen Männern mit und ohne Gicht im starken Bierkonsum bestand. 41 Prozent der Gichtkranken, im Vergleich zu nur 17 Prozent der gesunden Männer, tranken über zweieinhalb Liter Bier am Tag.

○ Blutdruck. Im Vergleich zu alkoholfreiem Bier bewirkte Bier mit Alkohol bei Menschen mit normalen Blutdruck einen Anstieg des diastolischen und des systolischen Blutdrucks.

○ Krebs. Alkohol erhöht bei Männern und Frauen das Risiko auf Dickdarm- und Mastdarmkrebs. Eine weitere Untersuchung zeigte, daß Biertrinker insbesondere zu Krebs der unteren Harnwege neigten – und je mehr Bier sie tranken, desto wahrscheinlicher kam es zu Krebs. Auch Schnapstrinker hatten ein erhöhtes

Risiko; aber interessanterweise war das bei den Weintrinkern nicht der Fall.

o Das Biertrinken ist auch mit Mastdarmkrebs in Verbindung gebracht worden. Eine Untersuchung ergab ein dreifach höheres Risiko bei Biertrinkern, die im Monat mehr als fünfzehn Liter tranken.

o Noch ein betrüblicher Hinweis für Biertrinker. Selbst wenn Zigarettenrauch wegfällt, haben Alkoholkonsumenten, vor allem Biertrinker, eine höhere Lungenkrebsrate.

o Bei einer großangelegten Untersuchung in Frankreich wurde festgestellt, daß Frauen, die alkoholische Getränke zu den Mahlzeiten zu sich nahmen, vor allem Bier und Wein, mit größerer Wahrscheinlichkeit Brustkrebs bekamen, und das Risiko erhöhte sich mit der Menge an Bier, Wein und der Gesamtmenge des Alkoholkonsums. Das Risiko der Trinkerinnen war anderthalbmal so groß. Und bloß drei alkoholische Getränke pro Woche sind in Zusammenhang gebracht worden mit einem höheren Brustkrebsrisiko bei Frauen, vor allem bei den unter fünfzigjährigen.

Widersprüchliche Forschungsergebnisse zu Herzkrankheiten

Bei einem Überblick über die Häufigkeit von Herzkrankheiten und den Konsum von Wein und Bier in siebenundzwanzig Ländern wurde vor kurzem festgestellt, daß Menschen in Nationen mit hohem Bierverbrauch stärker zu ischämischen Herzerkrankungen neigten, in Nationen mit höherem Weinverbrauch war das nicht der Fall.

Eine Großuntersuchung von 2 170 Männern nach dem ersten Herzinfarkt, alle weniger als fünfundfünfzig Jahre alt, kam beim Vergleich mit gesunden Männern zu dem

Ergebnis, daß Bier, Wein oder Schnaps keine schützende Wirkung hatten. Die Forscher schlossen daraus, daß »mäßiger Alkoholkonsum das Risiko, einen nicht tödlichen Myokardinfarkt zu erleiden, nicht verringert«.

Praktische Hinweise

○ Trinken oder nicht trinken. Im Hinblick auf die Gefahren des Biertrinkens und auf das hohe Risiko des Alkoholismus, der Leberzirrhose, der Bauchspeicheldrüsenentzündung, des erhöhten Blutdrucks, der Herzrhythmusstörungen und des fetalen Alkoholsyndroms wirkt es wie heller Wahnsinn, mit dem Trinken von Bier oder anderem Alkohol in der Hoffnung anzufangen, dadurch einen Herzinfarkt zu vermeiden.

○ Es ist jedoch möglich, daß mäßiges Trinken (ein bis zwei Gläser am Tag) den Bonus mit sich bringt, das Herz zu schützen. Wenn Sie also schon jetzt mäßig trinken, können Sie den Nutzen und die Risiken gegeneinander abwägen. Bei starken Trinkern wird jeder kleine Nutzen für das Herz bei weitem überschattet von den Gefahren für die Gesundheit.

Blumenkohl

Möglicher therapeutischer Nutzen:

○ Verringert das Krebsrisiko, vor allem hinsichtlich Dickdarm- und Magenkrebs

Fakten

Blumenkohl steht weit oben auf der Liste der krebsbekämpfenden Gemüse, weil er zur Familie der Kreuzblütler gehört und eng verwandt ist mit Kohl, Brokkoli und Rosenkohl, die allesamt mit niedrigeren Krebsraten in Verbindung gebracht werden, vor allem bei Dickdarm-, Mastdarm, Magenkrebs und möglicherweise auch bei Prostata- und Blasenkrebs.

In mehreren statistischen Untersuchungen rangieren Kreuzblütlergemüse bei denjenigen, die weniger anfällig für diese Krebsarten sind, als beliebte Nahrungsmittel ganz oben. Von den Norwegern, die überdurchschnittlich viele ihrer Kalorien in Form von Blumenkohl zu sich nehmen (und außerdem in Form von Kohl, Brokkoli und Rosenkohl), wurde vor kurzem in einer Studie festgestellt, daß sie weniger und kleinere dem Krebs vorausgehende Polypen im Dickdarm haben.

Wenn Versuchstiere Blumenkohl fressen und dann mit starken Karzinogenen wie etwa Nitrosaminen infiziert werden, bekommen sie nicht so leicht Krebs wie Vergleichstiere, die nicht mit Blumenkohl gefüttert worden sind. Das hat Dr. Lee Wattenberg herausgefunden. Im Vergleich zu nur 63 Prozent der Ratten, die Blumenkohl bekommen hatten, bildete sich bei 94 Prozent der nicht mit Blumenkohl gefütterten Ratten Krebs. Die Wissenschaftler glauben, daß Stoffe im Blumenkohl, zum Beispiel die Indole, die natürliche Abwehr oder das Entgiftungssystem stimulieren und damit die Karzinogene neutralisieren, so daß sie keine Chance haben, die Zellen anzugreifen und in Krebsgewebe zu verwandeln.

Blumenkohl hat keinen hohen Gehalt an Karotinen oder Chlorophyll, deshalb scheint es wenig wahrscheinlich zu sein, daß er Lungenkrebs oder andere vom Rauchen beeinflußte Krebsarten bekämpft.

Bohnen[1]

Möglicher therapeutischer Nutzen:

O Senken Blutcholesterin vom schädlichen Typ
O Enthalten krebshemmende chemische Stoffe
O Kontrollieren Insulin und Blutzucker
O Senken den Blutdruck
O Regulieren die Dickdarmfunktion
O Verhindern und beheben Verstopfung
O Beugen Hämorrhoiden und anderen Darmbeschwerden vor

Wieviel? 1 Tasse (= 235 ccm, ca. 180 g) getrocknete, gekochte Bohnen am Tag (weniger, wenn Sie andere cholesterinsenkende Nahrung essen) sollten das schädliche LDL-Cholesterin senken, Insulin und Blutzucker kontrollieren, den Blutdruck senken – und ebenso für regelmäßigen Stuhlgang sorgen und den Verdauungstrakt so aktivieren, daß Magen-Darm-Beschwerden wie Hämorrhoiden und möglicherweise auch Darmkrebs vorgebeugt wird.

Überlieferung

Mit Knoblauch gekochte Bohnen stehen im Ruf,»sonst unheilbaren Husten« zu kurieren. Manche Menschen glauben auch, daß Bohnen Depressionen lindern.

Fakten

Hülsenfrüchte sind eine wirksame Arznei für das Herz-und Gefäßsystem. Wenn Sie getrocknete Bohnen essen,

---

1 Alle möglichen Bohnensorten, vor allem weiße, rote und schwarze, außerdem Erbsen und Linsen; siehe auch Sojabohnen, S. 415 ff.

werden sie nicht ganz verdaut, so daß der unverdaute Stoff im Dickdarm bleibt, wo ihn Bakterien angreifen. Bei diesem Prozeß werden eine Menge chemischer Stoffe freigesetzt. Und diese Stoffe wirken genau wie Medikamente mit wohltätigen Wirkungen, indem sie zum Beispiel Ihrer Leber auftragen, die Cholesterinproduktion zu verringern, und Ihrem Blut, das Ausschwemmen von gefährlichem LDL-Cholesterin zu beschleunigen. Das ist nach der Meinung von Experten einer der Gründe dafür, daß der Verzehr von Bohnen gut für das Herz ist. Derselbe Prozeß, »Fermentierung« genannt, kann auch krebshemmende chemische Stoffe freisetzen. Als wichtiger therapeutischer Bestandteil von getrockneten Bohnen gilt ein löslicher Ballaststoff.

Dr. James Anderson von der University of Kentucky verschreibt regelmäßig getrocknete Bohnen – 1 Tasse (= 235 ccm) Pintobohnen (gefleckte Feldbohnen) oder Kidneybohnen – zur Senkung des Blutcholesterins. Er hat festgehalten, daß der Cholesterinspiegel im Durchschnitt um 19 Prozent sinkt, sogar bei Männern in mittleren Jahren mit extrem hohem Cholesterinspiegel (über 260 mg/dl). Schlicht und einfach durch das Essen von Bohnen senkte ein Mann seinen Cholesterinspiegel von 274 auf 190; ein anderer verringerte ihn von 218 auf 167. Die Bohnen schwemmten das schädliche Cholesterin – den Typ LDL – aus dem Blut und verbesserten das wichtige Verhältnis von HDL- zu LDL-Cholesterin. Im Durchschnitt verbesserte sich dieses Verhältnis um 17 Prozent.

Gut für Diabetiker

Darüber hinaus sind Hülsenfrüchte wunderbare Insulinregler. Diabetiker vom Typ I, die tägliche Insulinspritzen brauchen, konnten ihren Insulinbedarf um 38 Prozent verringern, wenn sie sich an Dr. Andersons Bohnendiät hielten. Patienten mit Diabetes vom Typ II (im Erwachsenenalter ausgebrochener Diabetes), die nicht genug Insulin produzieren, konnten durch die Bohnenkur fast ganz auf Insulinspritzen verzichten. Der Grund: Bohnen bewirken einen so langsamen Anstieg des Blutzuckers, daß der Körper viel weniger Insulin freisetzen muß, um die Glukose unter Kontrolle zu halten. Wie andere Nahrungsmittel, die reich an Klebstoffen und Pektinen sind, sorgen auch Bohnen für die Bildung von mehr Insulinrezeptoren an den Zellen, was bedeutet, daß das Insulin mehr Anlegeplätze findet und aufgesaugt wird, so daß weniger Insulin im Körper zirkuliert, was gut ist.

Weniger Insulin unterdrückt zum Beispiel Hungergefühle und regt möglicherweise durch einen komplizierten Mechanismus die Ausscheidung von Natrium an, was den Blutdruck senkt. Laut zahlreichen Untersuchungen senkt das Essen von ballastreicher Nahrung wie Bohnen den Blutdruck beträchtlich. Bei Vegetariern gleichen Alters und Geschlechts wurde beispielsweise festgestellt, daß ihr diastolischer Blutdruck (unterer Wert) 18 Prozent unter dem von Fleischessern lag. Selbst Menschen mit normalem Blutdruck konnten ihn um weitere 5 bis 6 Prozent senken, indem sie mehr ballaststoffreiche Nahrung wie Bohnen aßen.

Hemmstoffe gegen Krebs

Setzen Sie auf Bohnen als Vorbeugemittel gegen Krebs. Ein Grund dafür ist, daß Hülsenfrüchte konzentrierte Träger von Proteasehemmstoffen sind, von Enzymen, die der Aktivierung krebsverursachender Stoffe im Körper entgegenwirken können. Die Krebsbiologin Ann Kennedy gab Versuchstieren einen chemischen Stoff, von dem bekannt ist, daß er Mundkrebs verursacht. Sie schrieb: »Wenn die inneren Wangenwände von Hamstern mit Proteasehemmstoffen bestrichen werden, bildet sich kein Krebs.« Wenn man Tiere mit Proteasehemmstoffen fütterte, ging auch die Bildung von Dickdarm- und Brustkrebs zurück.

In der Testreihe fütter Dr. Walter Troll Ratten mit Bohnen – in diesem Fall mit Sojabohnen, aber Dr. Troll glaubt, daß andere Bohnen mit Proteasehemmstoffen dasselbe bewirken. Er setzte die Nagetiere dann starken Röntgenstrahlen aus, von denen bekannt ist, daß sie Brustkrebs verursachen. Nur 44 Prozent der sojabohnenfressenden Tiere bekamen wie erwartet Krebs, im Vergleich zu 74 Prozent, die nicht mit Sojabohnen gefüttert worden waren. Dr. Troll hat festgestellt, daß Proteasehemmstoffe die Onkogene ausschalten können – jene genetischen Träger, die es in jeder normalen Zelle gibt und die, wenn sie aktiviert werden, möglicherweise zu Krebs führen. Er ist überzeugt davon, daß alle »Samenkost«, zu der Bohnen gehören, der dem Krebs vorausgehenden Zellteilung wie auch dem Tumorwachstum vorbeugen können. Deshalb hält er Hülsenfrüchte für besonders wichtig, die seiner Meinung nach sogar ähnlich wie Chemotherapie auf den Krebsprozeß einwirken. Wenn sich allerdings Metastasen gebildet haben, bei fortgeschrittenem Krebs, glaubt Dr. Troll nicht, daß Proteasehemmstoffe helfen können, doch sie werden in wesentlich höheren Dosen auch als mögliche Heilmittel gegen Krebsmetastasen getestet.

Bohnen sind außerdem reich an sogenannten Lignanen. Stoffen, die von sich aus krebsbekämpfend wirken und von Dickdarmbakterien in hormonähnliche Substanzen umgewandelt werden, von denen etliche Wissenschaftler annehmen, daß sie möglicherweise zur Abwehr von Brust- und Dickdarmkrebs beitragen.

Hervorragend für den Dickdarm

Obwohl das ein Thema ist, über das nur Wissenschaftler auf Tagungen mit ernstem Gesicht diskutieren können, ist es eine anerkannte Tatsache, daß ein größerer »Fäkalienausstoß«, also eine größere Kotmenge, ein Zeichen von Gesundheit ist. Und solche Wissenschaftler raten Ihnen dringend, Nahrung zu essen, die den Fäkalienausstoß erhöht. Denn sie sind überzeugt davon, daß Sie auf diese Weise die Symptome von Darmerkrankungen lindern und Ihr Risiko verringern, Dickdarm- oder Mastdarmkrebs, Divertikulitis, Hämorrhoiden und Störungen der Darmfunktion zu bekommen.

Laut Dr. med. Sharon Fleming, der Koryphäe unter den Bohnenforschern, vom Institut für Ernährungswissenschaften an der University of California in Berkeley, bekommen Sie durch Bohnen eindeutig einen viel größeren, weicheren Stuhl. Sie und Ihre Kollegen gaben einer Gruppe von jungen Männern etwa drei Wochen lang jeden Morgen etwa 270 Gramm Kidneybohnen zu essen. Die Forscher wollten herausfinden, wie sich die Bohnen auf die Dickdarmfunktion auswirkten. Die Bohnen wurden dazu zu einer Paste verrührt, und viele der Männer aßen sie auf einer Tortilla, mit Käse belegt. Manche waren begeisterte Bohnenliebhaber – sie aßen pro Woche mindestens drei Portionen Bohnen zu je 170 Gramm; andere rührten Bohnen nur selten an.

Die Forscher kamen zu der Schlußfolgerung, daß Bohnen gut für den Dickdarm sind. Die Bohnen erhöhten den »Fäkalienausstoß« ganz eindeutig und schienen au-

229

ßerdem die Dickdarmbakterien zur Produktion bestimmter Stoffe anzuregen, flüchtiger Fettsäuren, die zur Senkung des Blutcholesterins und des Blutdrucks beitragen und möglicherweise die Bildung von Dickdarmkrebs hemmen. Diese Fettsäuren entstehen bei der Fermentierung von Nahrung, vor allem von löslichen Ballaststoffen, und werden gründlich auf ihr krebsbekämpfendes Potential untersucht. Frau Dr. Flemming empfiehlt Bohnen zur Behandlung von Verstopfung bei Menschen, die nicht unter Darmkrankheiten leiden.

Praktische Hinweise

o Auch gebackene Bohnen zählen, selbst wenn sie aus Dosen stammen. Eine 250-Gramm-Büchse ergibt die tägliche therapeutische Dosis von 180 Gramm. Dr. James Anderson hat ein schlichtes altes Gericht wie Bohnen mit Schweinefleisch getestet und festgestellt, daß er das Blutcholesterin im Durchschnitt um 12 Prozent pro Tag senkte.

Mögliche schädliche Wirkungen

o Australische Forscher haben jedoch kürzlich darauf hingewiesen, daß gebackene Bohnen aus Büchsen höhere Blutzucker- und Insulinwerte verursachten als zu Hause gekochte und danach gebackene Bohnen. Die Forscher warnten Diabetiker vor Hülsenfrüchten aus Dosen.

Das Problem mit den Blähungen

Es ist eindeutig, daß das Essen von Bohnen bei vielen Menschen Gase erzeugt, weil dem Menschen im allgemeinen die Enzyme fehlen, Alpha-Galaktosidasen genannt, die zur Verdauung bestimmter komplexer Bohnenzuckerstoffe nötig sind. Die unverdauten Zuckerstoffe werden dann im unteren Verdauungstrakt von Bakterien angegriffen, wobei verschiedene Gase freigesetzt werden. Aber je häufiger Sie Hülsenfrüchte essen, desto unwahrscheinlicher wird es, daß Ihnen die Gase Unbehagen bereiten, weil sich Menschen, die häufig Bohnen essen, körperlich darauf einstellen. Frau Dr. Fleming hat festgestellt, daß Menschen, die 270 Gramm Kidneybohnen pro Tag aßen, sich innerhalb der ersten zwölf Stunden bis achtundvierzig Stunden über die Gase beklagten; danach verschwand das Unbehagen.

Wie man den Gasen den Garaus macht

Richtiges Einweichen befreit Hülsenfrüchte von den meisten gaserzeugenden Substanzen. Alfred Olson, Forschungschemiker am kalifornischen Forschungszentrum des amerikanischen Landwirtschaftsministeriums, ist der Meinung, daß Sie 90 Prozent der gaserzeugenden Zuckerstoffe in Bohnen auf folgende Weise eliminieren können: die getrockneten Bohnen waschen. Waschwasser weggießen. Die Bohnen dann mit kochendem Wasser übergießen und mindestens vier Stunden einweichen lassen. Einweichwasser ebenfalls wegschütten und zum Kochen frisches Wasser nehmen. Ein Problem: Bei dieser Einweichmethode gehen auch etliche Vitamine und Minerale verloren.

Die besten Sorten	
100 g gekocht	*Lösliche Ballaststoffe in Gramm*
Langbohnen = chinesische Bohnen	4,6
Erbsen, in Dosen	3
Kidneybohnen	2,7
Pintobeans (gefleckte Kidneybohnen)	2,5
Navy beans (kleine weiße Kidneybohnen)	2,5
Linsen	1,9
Spalterbsen	1,9

Dr. Andersons cholesterinbekämpfende Bohnenrezepte[2]
Herzhafter Bohnenauflauf

40 g feingehackte Zwiebeln (1/4 Tasse = knapp 60 ccm)
1 mittelgroße Knoblauchzehe, gehackt
1 Dose (450–500 g) Bohnen in Tomatensauce
250 g Kidneybohnen, gekocht (1 Tasse = 235 ccm)
125 g Baby-Limabohnen, gekocht (1/2 Tasse)
4 Eßlöffel Ketchup
1 Teelöffel Senf
1 Prise Pfeffer

Den Backofen auf 190 Grad vorheizen. Eine Auflaufform einfetten. Alle Zutaten in der Auflaufform mischen. 45 Minuten backen, bis die Masse heiß ist und Blasen wirft; umrühren. Ergibt 6 Beilagenportionen.

---

2 Entnommen Dr. Andersons Buch *Life-Saving Diet,* The Body Press, Tucson 1986

Bohnenburritos

Bohnenpaste (Rezept unten)
8 Tortillas
80 g gehackte Zwiebeln
Etwa 4 Teelöffel Tacosauce
30 g geriebener Chesterkäse
Zur Garnierung: weitere Tacosauce

Bohnenpaste:
2 Scheiben magerer Schinken (je 30 g)
160 g gehackte Zwiebeln (ca. 235 ccm)
2 Dosen rote Bohnen (je 450–500 g)
2 Teelöffel Knoblauchsalz

Den Schinken in einer großen Pfanne knusprig braten.
Aus der Pfanne nehmen und auf Küchenpapier abtrop-
fen lassen. Die Zwiebeln im Schinkenfett weich dün-
sten. Den Schinken zerkrümeln und mit den Bohnen
und dem Knoblauchsalz in die Pfanne geben. Die Bohnen mit dem Kartoffelstampfer zerdrücken. Bei niedriger Hitze unter häufigem Umrühren zehn Minuten
köcheln lassen.
Burritos:
Den Backofen auf 95 Grad vorheizen. 10 Eßlöffel Bohnenpaste auf die Mitte jeder Tortilla geben. Die Zwiebeln über die Bohnen streuen, dann in die Bohnen hin-
eindrücken. 1/2 Teelöffel Tacosauce über Bohnen und
Zwiebeln geben; jede Portion mit 1 1/2 Teelöffeln Käse
bestreuen. Die Tortillas zu rechteckigen Burritos falten
und auf ein ungefettetes Backblech legen. 15 bis 20 Minuten im warmen Ofen lassen, bis alles gut durchwärmt
ist. Falls gewünscht, mit Tacosauce servieren. Ergibt 8
Portionen.

Herzhaftes Linsengericht mit Gerste

350 ml Tomatensaft
60 ml Wasser
50 g Gerste (1/4 Tasse = knapp 60 ccm)
50 g Linsen (knapp 60 ccm)
2 Selleriestauden, gewürfelt
1/2 mittelgroße Zwiebel, in Scheiben geschnitten
1 Karotte, gewürfelt (ca. 60 ccm)
1 große Kartoffel, gewürfelt (ca. 120 ccm)
1 Messerspitze getrocknetes Bohnenkraut
1 Messerspitze getrockneter Kerbel
2 Messerspitzen getrockneter Thymian
1/2 Teelöffel getrockneter Estragon

Tomatensaft, Wasser, Gerste und Linsen in einem mittelgroßen Topf bei mittlerer Hitze 15 Minuten köcheln lassen. Sellerie, Zwiebeln, Karotte, Kartoffel und die Kräuter hinzugeben; 30 Minuten köcheln lassen oder so lange, bis die Linsen und die Gerste weich sind. Ergibt zwei Portionen.

Wenn Ihnen das Natrium in Dosenbohnen Sorgen macht, gießen Sie die Bohnen ab, und waschen Sie sie mit klarem Wasser; das eliminiert etwa die Hälfte des Salzgehalts.

Brokkoli

Möglicher therapeutischer Nutzen:

o Senkt das Krebsrisiko

> *Wieviel?* 80 bis 100 Gramm Brokkoli zusätzlich am Tag schützen möglicherweise gegen verschiedene Krebsarten, vor allem gegen Dickdarm- und Lungenkrebs.

Fakten

Brokkoli scheint ein vielseitiger Krebsbekämpfer zu sein. Als dunkelgrünes Gemüse rangiert er in zahlreichen Laborversuchen, bei denen nach Nahrungsmitteln mit krebsbekämpfendem Potential gesucht wurde, sehr weit oben. Er steht außerdem ganz oben auf der Ernährungsliste von Menschen mit niedrigeren Raten aller Krebsarten, vor allem beim Krebs der Speiseröhre, des Magens, der Lunge, des Kehlkopfs, der Prostata, des Mundes und des Rachens. Als Mitglied der Kreuzblütlerfamilie gilt er als besonders wirksam gegen Dickdarmkrebs. In manchen Tests schneidet der Brokkoli sogar besser ab als sein enger Verwandter, der Kohl, der auf diesem Gebiet ein unumstrittener Superstar ist.

Wie andere Kreuzblütlergemüse ist auch der Brokkoli reich an bekannten Gegengiften gegen Krebs wie den Indolen, den Glucosinolaten und den Dithiolthionen. Brokkoli enthält außerdem, wie Spinat und Grünkohl, Kartinoide, die möglicherweise dafür sorgen, daß er gegen Krebsarten wie den der Lunge besonders wirksam ist. Es liegt vermutlich an seinem reichen Chlorophyllgehalt, daß Brokkoli außerordentlich gut gegen Zellmutationen wirkt, die dem Krebs vorausgehen.

Brokkoli in Buffalo

Als Dr. Saxon Graham in einer bahnbrechenden Untersuchung die Ernährung von mehreren hundert Einwohnern von Buffalo, New York, miteinander verglich, mit und ohne Dickdarm- und Mastdarmkrebs, stellte er fest, daß das Risiko bei denjenigen, die mehr Brokkoli, Kohl und Rosenkohl aßen, geringer war. Und es war dosisabhängig; das Risiko verringerte sich, je mehr Brokkoli gegessen wurde. Zum Beispiel bekamen diejenigen, die nie Brokkoli (oder andere Kreuzblütlergemüse) aßen oder nur bis zu zehnmal im Monat, fast doppelt so wahrscheinlich Dickdarmkrebs wie diejenigen, die über einundzwanzigmal im Monat Brokkoli aßen.

Tests, die Anfang der fünfziger Jahre von der Army durchgeführt wurden, ergaben, daß Brokkoli Meerschweinchen davor bewahrte, an tödlichen Strahlungsdosen zu sterben. Kohl wirkte ebenfalls, aber die Forscher kamen zu der Schlußfolgerung, daß »Brokkoli sogar noch wirksamer« war. Von den Versuchstieren, die mit Brokkoli gefüttert und dann mit 400 rad bestrahlt wurden, überlebten 65 Prozent; alle Meerschweinchen, die bestrahlt, aber nicht mit Brokkoli gefüttert worden waren, starben. Im Vergleich dazu hielt Kohl 52 Prozent der Tiere am Leben.

Möglicherweise trägt Brokkoli sogar zur Abwehr von Gebärmutterhalskrebs bei. In einer Untersuchung von 1983 stellten Dr. James R. Marshall und seine Kollegen in Zusammenarbeit mit Dr. Graham vom Roswell Park Memorial Institute in Buffalo fest, daß es zwar seltsamerweise einen Zusammenhang zwischen dem häufigen Essen von Kreuzblütlergemüse – über viermal pro Woche – und einer höheren Rate von Gebärmutterhalskrebs zu geben schien, Brokkoli aber eine Ausnahme war. Frauen, die mehr Brokkoli aßen, waren weniger anfällig für Gebärmutterhalskrebs.

In einer Studie über Männer mit Lungenkrebs in New Jersey schützte Brokkoli sowohl die Nochraucher als auch Raucher, die innerhalb der letzten fünf Jahren aufgehört hatten. Wer dreimal pro Woche dunkelgrünes Gemüse aß, hatte in den fünf Jahren nach dem Aufgeben des Rauches ein doppelt so hohes Lungenkrebsrisiko wie diejenigen Männer, die das Grünzeug jeden Tag aßen. Die Theorie: Stoffe in den grünen Gemüsen (und in den kräftig orangegelben Gemüsen) wirken als Gegengifte gegen einen Krebsprozeß, der sich noch Jahre fortsetzt, nachdem der Körper Karzinogenen wie Rauch ausgesetzt wurde.

Chilipfeffer

Möglicher therapeutischer Nutzen:

- O Ausgezeichnete Arznei für die Lungen
- O Wirkt als Expektorans
- O Beugt chronischer Bronchitis und Emphysemen vor und lindert diese Krankheiten
- O Wirkt gegen Sekretstau
- O Hilft bei der Auflösung von Blutgerinnseln
- O Betäubt Schmerzen
- O Stimmt euphorisch

Wieviel? Zehn bis zwanzig Tropfen scharfe, rote Chilisauce pro Tag in einem Glas Wasser oder eine scharf gewürzte Mahlzeit dreimal in der Woche können dazu beitragen, die Atemwege frei von Sekretstau zu halten, können chronischer Bronchitis und Erkältungen vorbeugen oder zu ihrer Behandlung dienen. Zwei Teelöffel Jalapeñopfeffer können den blutgerinnsellösenden Mechanismus anregen und gegen Herzkrankheiten und Schlaganfälle schützen.

Überlieferung

1850 empfahl ein medizinisches Fachblatt in Dublin die Anwendung von ein bis zwei Tropfen scharfem Pfefferextrakt auf Watte, gegen den kranken Zahn gedrückt, als sofortiges Mittel gegen Zahnschmerzen. Ein Bericht aus Peru stellte im 19. Jahrhundert fest, Chilipfeffer sei ein hervorragendes Mittel gegen Bindehautentzündung. In Südamerika werden scharfe Peperoni schon seit langer Zeit zur Abtötung von Darmparasiten gegessen. In den USA sollen scharfe Paprikasorten Senilität abwehren, in Japan die Fruchtbarkeit steigern, in England die Menstruation auslösen und auf der ganzen Welt gelten sie als Aphrodisiakum. Chilipfeffer steht außerdem im Ruf, Arthritis zu heilen, Herz- und Gefäßkrankheiten vorzubeugen und das Leben zu verlängern.

Fakten

Scharfe Paprikagewächse, die in Mexiko und in Südamerika heimisch sind, wo sie Kolumbus entdeckte, sind auf der ganzen Welt beliebt geworden, vor allem in Indien und in Asien. Sie sind Bündel medizinisch stark wirksamer Stoffe.

Lungenreiniger

Scharfer Pfeffer verlängert möglicherweise tatsächlich das Leben – laut Dr. Irwin Ziment, eines Lungenexperten, der seinen Patienten mit chronischer Bronchitis und Emphysem Chilipfeffer in verschiedener Form verordnet. »Manchmal ist die Wirkung durchgreifend«, stellt er fest. Er erklärt, Chilipfeffer und andere scharfe Nahrungsmittel seien vermutlich wegen des feurigen Bestandteils Capsaicin – des Stoffes, an dem man sich den Mund verbrennt – Expektorantien wie ganz übliche Medikamente. Dr. Ziment nennt scharfe Gewürze das Robitussin der Natur.

Wenn Ihnen schon einmal die Augen von einer Prise scharfen Pfeffers getränt haben, dann stellen Sie sich dieselbe Wirkung in Ihren Bronchien und Lungen vor. Es kommt zu einer plötzlichen Freisetzung von Flüssigkeit, die den Schleim in den Lungen verdünnt und mitreißt. Laut Dr. Ziment signalisiert Chilipfeffer, der den Magen reizt, den Bronchialzellen, sofort Flüssigkeiten freizusetzen, wodurch die Ausscheidungen von Lunge und Hals weniger klebrig und dick werden. Er ist überzeugt davon, daß der Verzehr von scharfen Peperoni dazu beiträgt, dem Ausbruch von chronischer Bronchitis vorzubeugen und den Krankheitsverlauf zu erleichtern, wenn sie auftritt.

Bei Tierversuchen haben schwedische Forscher tatsächlich festgestellt, daß eine Dosis Capsaicin die Lungen desensibilisierte – sie wehrte etliche der schädlichen Schwellungen in Luftröhren- und Bronchialzellen ab und einen Teil der Bronchienverengungen, die von Zigarettenrauch und anderen Reizstoffen verursacht werden. Deshalb könnte scharfer Pfefferextrakt auch gut für Menschen mit Asthma und andere mit besonders empfindlichen Atemwegen sein. Dr. Ziment weist darauf

hin, daß das Essen von Paprikagewächsen die Nebenhöhlen reinigt, was viele Peperoniliebhaber bestätigen,
und daß Chilipfeffer auch in Fällen von ganz normaler
Erkältung gegen Sekretstau wirkt. »Wenn Sie den scharfen Pfeffer nicht schlucken wollen, können Sie zwanzig
Tropfen Tabasco in ein Glas Wasser geben und damit
gurgeln«, sagt Dr. Ziment. Das ist auch gut gegen Erkältungen.

Schmerzmittel

Unsere Vorfahren hatten recht, wenn sie scharfen Pfefferextrakt als Lokalanästhetikum und als Heilmittel gegen Bindehautentzündung verwendeten. Die Wissenschaftler haben jetzt den Mechanismus aufgedeckt,
durch den das Capsaicin in scharfen Pfefferschoten
Schmerzen unterdrückt. Capsaicin (abgeleitet von latei-
nisch *acer*, beißend) bewirkt in den Nervenzellen die Reduzierung eines Neurotransmitters, Substanz P genannt, der Schmerzempfindungen an das zentrale Nervensystem übermittelt. Capsaicin sorgt also für eine Art
Kurzschluß bei der Wahrnehmung des Schmerzes. Spezifische Untersuchungen bestätigen, daß Capsaicin,
wenn man es mit den Nerven in Berührung bringt, dem
Zahnfleisch die Substanz P entzieht und dadurch die
Schmerzempfindung verringert. Trägt man Capsaicin
auf das Auge auf, wirkt es ebenfalls desensibilisierend
und mildert die Entzündung.
Chilipfefferessenz wird als analgetisches Schmerzmittel
auf allen Gebieten erprobt. Laut Dr. med. Thomas Burks,
dem Leiter der Abteilung für Pharmakologie am Zentrum für Gesundheitswissenschaften der University of
Arizona in Tucson, bekämpft eine einzige Injektion von
Capsaicin bestimmte Arten von chronischen Schmerzen

bei Meerschweinchen auf Wochen hinaus. Wenn man die Haut mit einer Capsaincinsalbe einreibt, wird der Schmerz örtlich betäubt. Dr. Burks hält es für durchaus möglich, daß man aus dem Capsaicin ein Medikament zur Linderung von Schmerzen entwickeln wird, vor allem bei Arthritisschmerzen.

Chilipfeffer für das Herz

Die Thais verwenden Chilipfeffer zum Würzen und zur Appetitanregung bei den Mahlzeiten; deshalb wird ihr Blut mehrmals täglich mit Chilipfefferstoffen versorgt. Unter dem Hinweis darauf, daß deutsche Forscher schon 1965 festgestellt haben, daß Chilipfeffer als fibrinolytisches (gerinnsellösendes) Stimulans gut für das Blut ist, schreiben thailändische Ärzte es dem regelmäßigen Verzehr von Chilipfeffer zu, daß Thromboembolien – lebensgefährliche Blutgerinnsel – bei den Thais selten vorkommen, vor allem im Vergleich mit Amerikanern.

Um diese Theorie zu testen, machten Dr. Sukon Visudhiphan und seine Kollegen am Siriaj-Krankenhaus in Bangkog Reismehlnudeln und würzten jeweils 200 Gramm des Teigs mit zwei Teelöffeln frisch gemahlenem Jalapeñopfeffer. Sie gaben die scharfen Nudeln sechzehn Freiwilligen zu essen und vier anderen normale Nudeln. Bei den Essern der scharf gepfefferten erhöhte sich die gerinnsellösende Aktivität im Blut eindeutig fast sofort; bei denjenigen, die die normalen Nudeln gegessen hatten, kam es zu keinerlei Veränderungen im Blut. Innerhalb von dreißig Minuten nach dem Essen war die gerinnsellösende Aktivität jedoch wieder auf das Normalmaß zurückgegangen. Bei späteren Experimenten stellten die indischen Forscher fest, daß im Vergleich zu fünfundfünfzig in Thailand lebenden Amerikanern achtundachtzig Thais weit höhere gerinnsellösende Aktivitäten im Blut aufweisen. Die Amerikaner hatten mehr Fibrinogen – die gerinnselbildende Substanz – im Blut und weniger gerinnsellösende Aktivität, so daß sie anfälliger waren gegen einen Verschluß der Arterien.

Obwohl der Chilipfeffer kurzlebig ist, meint Dr. Visudhiphan, die *häufige* Stimulierung des gerinnsellösenden Mechanismus durch Chilipfeffer trage dazu bei, die Thais immun gegen Thromboembolien zu machen.

Außerdem ergaben Untersuchungen durch andere indische Biochemiker am Central Food Technological Research Institute in Mysore, daß sowohl getrocknete rote Pfefferschoten als auch reines Capsaicin bei Kaninchen den Cholesterinspiegel im Blut senkten, offenbar indem sie die Cholesterinproduktion in der Leber verringerten. Anschlußuntersuchungen stellten 1985 fest, daß das Capsaicin das Cholesterin und die Triglyzeride selbst dann reduzierte, wenn es Tieren zusammen mit cholesterinreichem Futter verabreicht wurde. Das Capsaicin war stärker als die erwartete schädliche Wirkung des fetten Futters.

Dämpft Schmerzen, macht fröhlich

Während Chilipfeffer im Mund Schmerzen verursacht, schickt er gleichzeitig Signale an das Gehirn, diese Schmerzen abzustellen. Falls Sie je nach dem Verzehr von scharfem Pfeffer ein gewisses Hochgefühl verspürt haben sollten, dann gibt es dafür möglicherweise laut Paul Rozin, eines Psychologen an der University of Pennsylvania, einen guten Grund. Das liegt daran, daß der brennende Schmerz auf der Zunge und im Hals das

Gehirn dazu anregt, Endorphin auszuscheiden – ein natürliches Morphin —, das Schmerzempfindungen dämpft und eine Art Euphorie auslöst. Endorphine sind jene vom Gehirn gebildeten Stoffe, die auch das sogenannte »Läufer-High« hervorrufen. Dr. Rozin, der sich mit der Verwendung von Gewürzen in Mexiko und den vereinigten Staaten wissenschaftlich beschäftigt hat, sagt dazu, daß manche Menschen, die regelmäßig Chilipfeffer essen, sich schließlich dazu »konditionieren«, die angenehmen Endorphine in immer höheren Dosen zu produzieren. Mit anderen Worten, sie werden süchtig nach dem Wohlgefühl, das die hohen Endorphindosen auslösen.

Praktische Hinweise

○ Lernen Sie, es scharf zu mögen. Fangen Sie mit kleinen Dosen an: Wenn Sie vom medizinischen Nutzen des Chilipfeffers profitieren wollen, aber die Schärfe nicht ertragen können, versuchen Sie es zunächst mit kleinen Mengen. Fachleute sagen, so gut wie jeder könne sich allmählich an den scharfen Geschmack gewöhnen und es lernen, ihn zu mögen.

○ Wenn Sie das Brennen lindern wollen, essen Sie wie die Inder kühlen Joghurt zu scharfer Nahrung; das beruhigt die Zunge und den Magen. Oder versuchen Sie es wie die Thais mit Bier zum Essen; es kann beim Feuerlöschen helfen, weil Capsaicin und andere chemische Stoffe, die rote Pfeffersorten beißend scharf machen, laut Marianne Gillette, einer Expertin beim Gewürzhersteller McCormick & Co., sich in Alkohol auflösen. Sie sagt, daß sich die scharfen chemischen Stoffe auch in Fett auflösen, so daß ein paar Schluck Vollmilch oder ein paar Löffel Eiskrem das Feuer in

Ihrem Mund ebenfalls löschen. Milch scheint besser zu wirken als Wasser oder Saftgetränke. Das Brennen dauert nur so lange, bis sich die scharfen Reizstoffe mit Rezeptoren in Ihrem Mund und Hals verbunden haben.

Mögliche schädliche Wirkungen

○ Magengeschwüre? Wenn Sie keine Magengeschwüre haben, gibt es keinerlei Beweise dafür, daß scharfer Pfeffer dem Magen schadet, aber die Forschung hat ergeben, daß roter Chilipfeffer möglicherweise die Magensäure stimuliert und dadurch Magengeschwüre verschlimmern könnte. Ein Bericht im *British Medical Journal* vermerkt jedoch keinerlei schädliche Wirkungen. Eine Gruppe von fünfundzwanzig Personen ernährte sich normal und nahm ein verschriebenes Antazidum (ein die Magensäure bindendes Arzneimittel). Eine andere Gruppe von fünfundzwanzig Patienten nahm das Antazidum, fügte aber jeder Mahlzeit Chilipfeffer hinzu. Nach einem Monat waren die Zwölffingerdarmgeschwüre von 80 Prozent der Personen aus beiden Gruppen gleichermaßen geheilt.

○ Laut Berichten in medizinischen Zeitschriften bekommen manche Menschen, nachdem sie große Mengen Chilipfeffer gegessen hatten, ein Brennen im After, vor allem während der Darmbewegungen. Das wurde bei einem Wettessen von Jalapeñopfeffer in Texas entdeckt. Dieses Brennen hat sogar einen medizinischen Namen: »Jaloproctitis«. Menschen, die an Hämorrhoiden leiden, wären also schlecht beraten, wenn sie scharfen Pfeffer äßen.

○ Krebsrisiko oder Schutz? In einer Untersuchung von Männern wurde 1987 das Essen hoher Mengen von

rotem Chilipulver mit höheren Raten von Mundkrebs, Rachenkrebs, Speiseröhrenkrebs und Kehlkopfkrebs in Verbindung gebracht. Tiere, die extrem
hohe Dosen von rotem Chilipulver bekamen (ein
Prozent der Futtermenge) – Mengen, die weit über das
hinausgehen, was Menschen ertragen könnten —, bildeten mehr Tumore. Andererseits, sagt Dr. Terry Law-
son vom Medical Center der University of Nebraska,
wirkt Capsaicin in *kleinen Dosen* als Antioxidans und
verhindert Zellschäden, wodurch es möglicherweise
gegen Krebs vorbeugt. Es sei nicht unüblich, erklärt
er, daß hohe und niedrigere Dosen desselben chemischen Stoffs bei der Krebsbekämpfung entgegenge-
setzte Wirkungen hätten.

Erbsen

Möglicher therapeutischer Nutzen:

- o Reich an empfängnisverhütenden Stoffen
- o Reich an Bestandteilen, die bei Tieren krebsvorbeugend wirken
- o Beugen Blinddarmentzündungen vor
- o Senken den Cholesterinspiegel im Blut

Überlieferung

In der Volksmedizin wird die Erbse vor allem als Mittel
gegen Fruchtbarkeit gerühmt.

Fakten

Was für eine Überraschung! Zahlreiche Untersuchungen zeigen, daß die schlichten alten grünen Erbsen tatsächlich wohlbekannte Stoffe zur Fruchtbarkeitsverhütung enthalten.

Erstaunlicherweise sind in den letzten Jahren viel Zeit, Energie und Geld darauf verwendet worden, chemische Stoffe in Erbsen in pharmazeutische Empfängnisverhütungsmittel umzuwandeln. »Die Bevölkerungsziffer von Tibet ist in den letzten zweihundert Jahren konstant geblieben, und die Grundnahrungsmittel der Tibetaner sind Gerste und Erbsen.« Aufgrund dieser Beobachtung im Jahre 1949 machte sich der indische Wissenschaftler Dr. S.N. Sanyal vom bakteriologischen Institut in Kalkutta den Nachweis seiner Überzeugung zur Lebensaufgabe, daß der überdurchschnittlich hohe Verzehr von Erbsen tatsächlich den Bevölkerungszuwachs in Tibet eingedämmt habe. Sein Ziel bestand darin, den empfängnisverhütenden Stoff in Erbsen zu identifizieren und in ein fruchtbarkeitssenkendes Medikament zum Einsatz in Indien und auch in der übrigen Welt umzuwandeln. Fast wäre ihm das auch gelungen.

Über Jahre hinweg gehörte es zu den Prioritäten der indischen Regierung, das erstaunliche empfängnisverhütende Geheimnis der Erbse zu isolieren. Schon 1935 hatte ein indischer Professor festgestellt, daß sowohl männliche als auch weibliche Versuchsratten, die nur »Martar« – Erbsen – fraßen, steril waren. Wenn Erbsen 20 Prozent des Futters ausmachten, fielen die Würfe kleiner aus; wenn es 30 Prozent waren, kam es gar nicht erst zu Nachwuchs.

Dr. Sanyal gelang es, den empfängnisverhütenden Stoff in der Erbse zu identifizieren, das M-Xylohydrochinon. Er synthetisierte es, konzentrierte es in Kapseln und gab es Frauen; ihre Schwangerschaftsrate sank um 50 bis 60 Prozent. Wenn Männer die Kapsel mit dem die Fruchtbarkeit dämpfenden Erbsenstoff nahmen, verringerte sich ihre Spermamenge um die Hälfte. Die Erbsensubstanz kam auf irgendeine Weise den Fruchtbarkeitshormonen Progesteron und Östrogen in die Quere. Dr. Sanyals Tests bei Menschen »bestätigen eindeutig die empfängnisverhütenden Eigenschaften des Öls von Pisum sativum (der Erbse) bei oraler Einnahme«, meint auch Dr. Norman Farnsworth von der University of Illinois, ein führender Experte auf dem Gebiet empfängnisverhütender Medikamente. Aber wie er hinzufügt, gelang es den Erbsenstoffen nie, sich einen Platz unter den Empfängnisverhütungsmitteln zu erobern, weil ihre Wirkung nicht an die anderen Pharmazeutika heranreichte, nämlich an die Pille.

Nahrung für Herz und Blut

Weil sie zur Familie der Hülsenfrüchte gehört, ist die Erbse auch gut fürs Herz, denn sie ist reich an löslichen Ballaststoffen, die den Körper dazu stimulieren, weniger schädliches LDL-Cholesterin zu produzieren. Die schlichten alten Dosenerbsen rangieren auf diesem Gebiet gemeinsam mit den Kidneybohnen weit oben; sie enthalten pro 100 Gramm 3 Gramm lösliche Ballaststoffe. Linsen und Spalterbsen sind ebenfalls gut bestückt; ihr Gehalt an löslichen Ballaststoffen pro 100 Gramm beträgt 1,9 Gramm. Das heißt, daß sie ebenfalls zur Regulierung des Blutzuckers beitragen (und deshalb eine vorzügliche Kost für Diabetiker sind) und möglicherweise den Blutdruck senken. Vor mehreren Jahren ergab eine ägyptische Untersuchung, daß eine Injektion von

Erbsenextrakt in die Venen von Hunden eine vorüberge-
hende Senkung des Blutdrucks verursacht.

Hilfsmittel gegen Krebs und Infekte

Da sie zur Gruppe der Samen gehören, sind Erbsen ebenfalls konzentrierte Quellen von Proteasehemmstoffen,
die, wie im zweiten Teil, Kapitel 7, dieses Buches genauer ausgeführt, offenbar bestimmte Viren und chemische
Karzinogene im Körper bekämpfen. In einer Untersuchung wurden Erbsen mit leicht verringerten Raten von
Prostatakrebs in Zusammenhang gebracht.

Aus unbekannten Gründen wirken Erbsen möglicherweise, wie aus einer 1986 in England und in Wales
durchgeführten Untersuchung hervorgeht, auch vorbeugend gegen Blinddarmentzündung. Die Forscher
verglichen die Raten von Blinddarmentzündung in
neunundfünfzig Wohngebieten im Verlauf von fünf
Jahren mit Statistiken über die Ernährungsgewohnheiten und stellten fest, daß ein deutlicher Zusammenhang
besteht zwischen etlichen Gemüsesorten, darunter Erbsen, und einem niedrigen Vorkommen akuter Blinddarmentzündung. Die Forscher an der University of
Southampton vermuten, daß chemische Stoffe in der
kleinen Hülsenfrucht möglicherweise Organismen in
der Blinddarmwand, die zur Infektion und in der Folge
zu starken Schmerzen führen, bekämpfen.

Praktische Hinweise

o Auf keinen Fall sollte man sich darauf verlassen, daß
  Erbsen eine Schwangerschaft verhindern. Andererseits ist es für Männer und Frauen, die Schwierigkeiten haben, Kinder zu bekommen, möglicherweise rat-

sam, Erbsen nicht gerade im Übermaß zu essen, da diese Hülsenfrüchte ohne jeden Zweifel chemische Substanzen enthalten, die eine gewisse empfängnisverhütende Wirkung ausüben.

Erdbeeren

Möglicher therapeutischer Nutzen:

O Zerstören Viren
O Werden in Verbindung gebracht mit weniger Todesfällen durch Krebs

Überlieferung

In früheren Arzneimittelhandbüchern wurden Erdbeeren als milde Abführmittel, Entwässerungsmittel und als Adstringens verwendet. Laut Maud Grieve in ihrem 1931 erschienenen Buch *A Modem Herbal* war Linné der erste, der die Wirksamkeit von Erdbeeren gegen rheumatische Gicht entdeckte und bewies. In der westlichen Volksmedizin ist die Erdbeere als Heilmittel für die Haut gerühmt worden, vor allem gegen Akne, Pilzflechte und chronische Geschwüre. Maud Grieve empfiehlt: »Wenn man gleich nach dem Waschen das Gesicht mit einer aufgeschnittenen Erdbeere einreibt, wird die Haut dadurch weißer, und leichter Sonnenbrand verflüchtigt sich.«

Fakten

Die moderne Wissenschaft hat der Erdbeere wenig Aufmerksamkeit geschenkt, deshalb ist das Ausmaß ihrer

Kräfte unbekannt. Folgendes ist jedoch sicher: Laut kanadischen Studien waren Erdbeeren in pürierter und flüssiger Form im Reagenzglas ähnlich wie anderes Obst recht wirksam bei der Zerstörung verschiedener krankheitsverursachender Viren. Erdbeeren vernichten das Poliovirus, das ECHO-Virus, das REO-Virus, das Cosackievirus und das Herpes-simplex-Virus – lauter weit verbreitete Infektionserreger. Je stärker konzentriert die Frucht ist, desto höher die Wirksamkeit.

Experten glauben, daß Erdbeeren sich außerdem wohltätig auf Herz und Gefäße auswirken und möglicherweise gegen Krebs vorbeugen. Die roten Beeren sind besonders reich an dem Superballaststoff Pektin, der in einer ganzen Reihe von Tests bei Tieren und Menschen den Cholesterinspiegel erheblich senkte. Italienische Forscher haben vor kurzem darauf hingewiesen, daß Erdbeeren die Bildung der Nitrosamine zu hemmen vermögen, die zu den stärksten krebserregenden Stoffen überhaupt gehören und im Verdauungstrakt entstehen können, sobald Nitrit und Amine aufeinander reagieren. Die Beeren enthalten hohe Mengen von Polyphenolen, die krebsbekämpfend wirken und außerdem Antioxidantia sind.

Und in einer Pionierstudie der Krebsforschung rangierten Erdbeeren ganz oben auf einer Liste von acht Nahrungsmitteln, die bei einer Gruppe von 1271 älteren Amerikanern in New Jersey in Verbindung mit einer niedrigeren Rate von Todesfällen durch Krebs hervorstachen. Bei denjenigen, die am meisten Erdbeeren aßen, war die Entwicklung von Krebs dreimal weniger wahrscheinlich als bei denjenigen, die wenig oder keine Erdbeeren aßen.

Feigen

Möglicher therapeutischer Nutzen:

- O Bekämpfen Krebs
- O Saft tötet Bakterien ab
- O Saft tötet Spülwürmer ab
- O Helfen bei der Verdauung

Überlieferung

Die medizinische Verwendung von Feigen ist fast so alt wie die Pflanze selbst. Das Alte Testament erzählt von einem jüdischen König, Hiskia, der »todkrank ward«, durch eine »Drüse«, vermutlich ein Krebsgeschwür. Jesaja ließ »ein Pflaster von Feigen« holen; der König wurde wieder gesund.

Seit Jahrhunderten sind Feigen empfohlen worden zur Behandlung von Krebs, Verstopfung, Skorbut, Hämorrhoiden, Brand, Leberkrankheiten, Geschwüren und Hautausschlägen und zur Wiedergewinnung von Energie und Vitalität.

Plinius der Ältere, der römische Naturforscher (23/24–79 n. Chr.), schrieb: »Feigen sind ein Mittel zur Genesung und die beste Nahrung für Menschen, die von langer Krankheit geschwächt sind ... Ringer und andere Sportler bekamen in vergangenen Zeiten Feigen zu essen.« Der ägyptische König Amosis erklärte 1551 v. Chr., Feigen seien ein Stärkungsmittel für die Gesundheit. Von Aaron Burr, dem amerikanischen Vizepräsidenten unter Thomas Jefferson, wird berichtet, er habe einmal eine geschwollene Kinnbacke, entstellende Pickel und infizierten Hautausschlag gehabt. Nach Anwendungen eines Feigenumschlags seien die Schwellungen am nächsten Morgen beträchtlich zurückgegangen.

Fakten

Zugegeben, das alte hebräische Volksheilmittel, das König Hiskia vom Krebs rettete, wirkt weit hergeholt, aber es gibt moderne Rechtfertigungen dafür, die erklären, warum der Heilwert der Feige in der menschlichen Erfahrung so tiefe Wurzeln geschlagen hat. »Die Verwendung der Feigenfrucht als Stoff zur Krebsbekämpfung ist traditionell auf der ganzen Welt weitverbreitet«, stellen japanische Wissenschaftler vom Institut für physikalische und chemische Forschung am Mitsubishi-Kasei-Institut für Biowissenschaften in Tokio fest, die einen krebsbekämpfenden Stoff aus Feigen isoliert und zur Behandlung von Krebspatienten eingesetzt haben.
Erst verpflanzten die Forscher Adenokarzinome in Mäuse, dann injizierten sie den Tieren ein Destillat aus gefrorenen Feigen, homogenisiert mit Wasser. Durch die Feigeninjektionen schrumpften die Tumore im Durchschnitt um 39 Prozent. Die Japaner identifizierten den Wirkstoff in den Feigen als Benzaldehyd.
Dadurch ermutigt, gaben die Wissenschaftler menschlichen Krebspatienten orale Dosen des Feigendestillats, mit gewissem Erfolg. Später injizierten sie den chemischen Stoff aus den Feigen, und der Erfolg war spektakulär. Vollen 55 Prozent der Patienten mit Krebs im fortgeschrittenen Stadium ging es nach der Injektion von Dosen des Benzaldehydderivats besser. Bei sieben Patienten kam es zu einer vollständigen Remission, bei neunundzwanzig zu einer partiellen Remission. Patienten, denen die Feigensubstanz verabreicht wurde, lebten im allgemeinen länger. »Diese Substanz erwies sich bei bös-

artigen menschlichen Tumoren eindeutig als wirksamer als bei versuchsweise erzeugten Tumoren von Mäusen«, hielten die Forscher fest.

Wissenschaftler haben aus Feigen Enzyme isoliert, Ficine genannt, die bei der Verdauung helfen. Feigensaft hat außerdem in Reagenzglasversuchen Bakterien abgetötet und Spulwürmer bei Hunden.

Fisch

Ein Land mit vielen Heringen kann mit wenig Ärzten auskommen.

Holländisches Sprichwort

Möglicher therapeutischer Nutzen:

- ○ Verdünnt das Blut
- ○ Schützt die Arterien vor Schäden
- ○ Hemmt die Blutgerinnselbildung (antithrombotisch)
- ○ Verringert die Triglyzeride im Blut
- ○ Senkt den Spiegel der schädlichen Cholesterinvariante im Blut
- ○ Senkt den Blutdruck
- ○ Verringert das Risiko von Herzinfarkt und Schlaganfall
- ○ Lindert die Symptome von rheumatischer Arthritis
- ○ Verringert das Risiko von Hauttuberkulose
- ○ Lindert Migränekopfschmerzen
- ○ Wirkt als entzündungshemmender Stoff
- ○ Reguliert das Immunsystem
- ○ Beugt bei Tieren Krebs vor
- ○ Lindert Bronchialasthma

○ Bekämpft Nervenkrankheiten im frühen Stadium
○ Hebt die geistige Energie

Wieviel? Wenn Sie pro Tag nur 30 Gramm Fisch essen – nur eines oder zwei Fischgerichte pro Woche –, verringern sie möglicherweise Ihr Risiko, herzkrank zu werden, um die Hälfte. 100 Gramm Makrele aus der Dose pro Tag senken Ihren Blutdruck um etwa 7 Prozent. 120 Gramm Fisch stimulieren chemische Stoffe in Ihrem Gehirn und steigern Ihre geistige Energie.

Überlieferung

Schon 1766 empfahlen Ärzte in England Lebertran zur Behandlung von chronischem Rheuma und Gicht. Laut der Ausgabe von 1907 des *Dispensatory of the United States* wurde Lebertran regelmäßig bei solchen Krankheiten verordnet und außerdem zur Behandlung »anderer Krankheiten der Gelenke und des Rückgrats, faulender Geschwüre, Rachitis, Hauttuberkulose, Hautausschlag und Lungenschwindsucht«. In der amerikanischen Volksmedizin wird Lebertran seit langem als »Schmiermittel für die Gelenke« und zur Linderung von Arthritis empfohlen. Fisch steht von alters her im Ruf, »Gehirnnahrung« zu sein.

Fakten

Fisch und die in ihm enthaltenen Öle, einst von medizinischen Autoritäten als nutzlose Mittelchen verlacht, werden jetzt Ansprüchen gerecht, die über die kühnsten Phantasien der Volksmedizin hinausgehen, und erweisen sich als eines der vielversprechendsten und vielseitigsten medizinischen Wunder in der Geschichte. Fisch, vor allem besonders fetter Fisch (wie Hering und Lachs), löst arzneimittelähnliche Reaktionen aus, die möglicherweise vor einer langen Reihe von Krankheiten schützen, bei denen das Immunsystem oder die Prostaglandine eine Rolle spielen – jene Boten zwischen den Zellen, die Myriaden von physiologischen Funktionen regulieren, aus denen Krankheiten entstehen.

Jetzt wird davon ausgegangen, daß die einzigartigen Omega-3-Fettsäuren, konzentriert enthalten in Meeresfischen, dazu beitragen, die Überproduktion von hormonähnlichen Substanzen zu hemmen, Prostaglandine und Leukotriene genannt, die im Überschuß übereifrig werden und die Zellen dazu anregen, schädliche Krankheitsprozesse einzuleiten, zum Beispiel Blutgerinnsel, Entzündungen und Immunreaktionen. Omega-3-Öle haben einzigartige chemische Strukturen, die anscheinend diese Krankheitsprozesse auf Zellebene attackieren und damit die gefährlichen Überreaktionen des Stoffwechsels, welche die Prostaglandine zu ihren zerstörerischen Streifzügen stimulieren, abbremsen.

Herzkrankheiten

Es gibt einen festen Zusammenhang zwischen Fisch und den darin enthaltenen Omega-3-Ölen und der Vorbeugung von Herzkrankheiten – möglicherweise dadurch, daß die Fischöle dazu beitragen, Reaktionen abzublocken, die zu den drei schlimmsten Grundübeln bei der Entstehung von Herz- und Gefäßkrankheiten führen: die Bildung von gefährlichem Belag, der die Arterien verengt und den Blutfluß hemmt; die Anhäufung klebriger Blutzellenfragmente, Plättchen genannt, die Gerinnsel bilden; und Krämpfe der Arterien und Blutgefäße, bei denen es zu Konstriktionen kommt, die das

Herz zum Stillstand bringen und die Blutzufuhr zum Gehirn abschnüren, was wiederum Schlaganfälle verursacht.

Bei Versuchen hat sich gezeigt, daß Tiere, wenn sie mit Fischölen gefüttert worden waren und danach Herzinfarkten oder Schlaganfällen durch einen künstlichen Arterienverschluß ausgesetzt wurden, viel weniger Gehirn- und Herzschäden erlitten als diejenigen, die kein Fischöl bekommen hatten. Affen, die mit Fischöl gefüttert wurden, hatten weit weniger Ablagerungen in den Arterien als diejenigen, die gesättigtes Kokosöl bekommen hatten. In zahlreichen Untersuchungen ist festgestellt worden, daß Fischölesser wesentlich dünneres Blut haben, das weniger stark zur Gerinnselbildung neigt. Fischöle senken außerdem den Gehalt von Fetten im Blut, Triglyzeride genannt, und auch das LDL-Cholesterin. Oft senken sie auch den Gesamtgehalt von Cholesterin, aber bei anderen Menschen, die aufgrund von Erbkrankheiten einen hohen Cholesterinspiegel haben, können sie den Cholesteringehalt im Blut auch erhöhen. Offenbar haben die wichtigsten Kräfte bei der Wirkung von Fischöl gegen Herzkrankheiten nichts mit der Beeinflussung des Cholesterinspiegels zu tun.

Es ist unbestreitbar, daß Menschen, die viel Fisch essen, weniger Herzkrankheiten haben. Bei den Eskimos, die im Durchschnitt pro Tag 370 Gramm Meeresfisch mit hohem Omega-3-Gehalt essen, sind Herzinfarkte so gut wie unbekannt. Einwohner japanischer Fischerdörfer, die am Tag etwa 200 Gramm Fisch essen, sind ebenfalls auffällig immun gegen Herzkrankheiten. Eine neue norwegische Untersuchung hat festgestellt, daß schon der Verzehr von nur 100 Gramm Makrele am Tag innerhalb von sechs Wochen das Blut beträchtlich verdünnt. Britische Wissenschaftler berichteten vor kurzem, daß bei einer Großuntersuchung Fischesser die höchsten Konzentrationen von wohltätigem HDL-Cholesterin aufweisen – sogar noch höhere als Vegetarier. Und in einer schwedischen Studie wird berichtet, die Wirkung von Fisch als Schutzfaktor für das Herz sei dosisabhängig: Das niedrigste Risiko hatten diejenigen, die am meisten Fisch aßen.

Selbst kleine Mengen Fisch können Herzkrankheiten in einem beachtlichen Maß abwehren. Eine bahnbrechende Studie von 1985 aus den Niederlanden stellte fest, daß diejenigen Einwohner einer Stadt, die mindestens 30 Gramm Fisch am Tag aßen, ein um 50 Prozent niedrigeres Risiko hatten, einen tödlichen Herzinfarkt zu erleiden, als diejenigen, die keinen Fisch aßen. Die Forscher, geleitet von Dr. Daan Kromhout von der Universität Leiden, empfahlen, zur Verringerung des Risikos, herzkrank zu werden, lediglich ein- bis zweimal in der Woche ein Fischgericht zu essen. Interessanterweise kamen die Forscher nicht zu dem Schluß, die schützende Wirkung von Fisch sei ausschließlich den Omega-3-Fettsäuren zu verdanken. Die Einwohner der Stadt, über die sie zwanzig Jahre lang Buch führten, aßen mehr mageren, an Omega-3-Ölen armen Fisch als fetten Fisch mit hohem Omega-3-Gehalt, und auch magerer Fisch schien die Zahl an Todesfällen durch Herzkrankheiten zu senken. Die Wissenschaftler schlossen daraus, daß auch andere, unbekannte Stoffe im Fisch das Herz schützen.

Es ist erwiesen, daß viele andere Krankheiten, die der Kontrolle durch Prostaglandine unterliegen, von Fisch und den Omega-3-Ölen abgewehrt werden. Jedes Nahrungsmittel, das die Überproduktion dieser Zellboten dämpfen kann, die den Körper zum Wrack machen, könnte ein Gegengift sein gegen eine Reihe von Krank-

heiten, die mit Prostaglandinen und Leukotrienen zusammenhängen.

An der Krebsfront

Es wird angenommen, daß Prostaglandine die Förderung und Metastasenbildung von Krebs regulieren. Eine
Kapazität unter den Forschern auf diesem Gebiet, Dr.
Rashida Karmali von der Rutgers University, sagt: »Jeder
Tumor, den wir untersucht haben, scheint aus Arachidonsäure überschüssige Mengen von Prostaglandinen
zu produzieren.« Studien von Frau Dr. Karmali und anderen Forschern zeigen, daß Fischöle, vermutlich, indem sie diese Überproduktion eindämmen, bei Tieren
Brust-, Bauchspeicheldrüsen-, Lungen-, Prostata- und
Dickdarmkrebs reduzieren. Im Blut und in den Tumoren von Krebspatienten sind hohe Mengen von Prostaglandinen – die krebsfördernd wirken können – entdeckt worden. Es gibt außerdem Hinweise darauf, daß
Faktoren, die hemmend auf die Prostaglandinsynthese
wirken, Brustkrebs vorbeugen. Manche Wissenschaftler
mutmaßen, die niedrige Rate von Brustkrebs bei Japanerinnen und Eskimofrauen hänge mit ihrer an Meeresfisch reichen Ernährung zusammen.

Arthritis: Die Volksmedizin hat recht

Medizinische Schriften ebenso wie die Volksheilkunde
empfehlen seit mindestens zwei Jahrhunderten Fischöl
zur Behandlung von Entzündungskrankheiten wie
rheumatischer Arthritis. Jetzt stellt sich heraus, daß
Omega-3-Fischöle die Arthritissymptome beim Menschen tatsächlich lindern können. Dr. Joel M. Kremer,
Dozent für Medizin am Albany Medical College im Staat

New York, hat festgestellt, daß Patienten, die vierzehn Wochen lang täglich Fischölkapseln (die gleiche Menge, die eine Portion Lachs oder eine Dose Sardinen enthält) nahmen, nur noch halb so anfällige Gelenke und weniger Schmerzen hatten als zuvor und im Verlauf des Tages länger mobil blieben, weil sie nicht so schnell ermüdeten. Die wohltätige Wirkung hielt nach Absetzen der Fischölkapseln noch vier Wochen lang an. Dr. Alfred D. Steinberg vom National Institute für Arthritis und Erkrankungen der Muskeln, Knochen und der Haut sagt, Omega-3-Fischöle seien »ohne jeden Zweifel entzündungshemmende Stoffe«. Dr. Kremer erklärt, daß die Fettsäuren im Fischöl die Produktion von Leukotrien B4 stören, einem starken Auslöser von Entzündungen. »Uns fiel ein deutlicher Zusammenhang auf zwischen dem Rückgang von Leukotrien4 und einer Abnahme der befallenen Gelenke«, berichtet er.

Einer weiteren Immunentzündungskrankheit, Lupus erythematosus (Schmetterlingsflechte), wurde bei Tieren auf dramatische Weise mit Fischölen vorgebeugt. Ein Forscher von Harvard sprach von »der verblüffendsten Schutzwirkung« gegen Entzündungskrankheiten bei Tierversuchen, »die wir je gesehen haben«.

Fisch gegen Migräne

An der University of Cincinnati bekämpften Forscher sowohl Migränekopfschmerzen als auch Nierenerkrankungen mit Omega-3-Fischölen. Bei etwa 60 Prozent der Patienten, die sechs Wochen lang Fischölkapseln nahmen, ließ die Migräne nach. Die Zahl der Anfälle ging im allgemeinen von zwei pro Woche auf zwei in vierzehn Tagen zurück. Die Migräne war außerdem weniger heftig. Männlichen Migränekranken schien das Fischöl besser zu helfen als weiblichen Patienten.

Der Wechsel von anderem tierischen Fett zu Omega-3-Fischölen verlangsamte außerdem bei Nierenkranken im frühen Stadium die Verschlechterung ihres Zustands. Aber bei Patienten mit fortgeschrittenem Nierenleiden oder solchen, die bereits mit Dialyse behandelt wurden, zeigte sich keine Wirkung. »Es hat den Anschein, als müsse das Fischöl bei der Behandlung schon relativ früh eingesetzt werden«, kommentiert Dr. Uno Barcelli, Dozent für Medizin an der University of Cincinnati. Aus irgendeinem Grund schreitet die Krankheit, wie er sagt, unbeeinflußt von der Fischöltherapie fort, sobald ein erheblicher Nierenschaden vorliegt.

Gegenmittel bei Asthma und Schuppenflechte

Asthma scheint eine Entzündungskrankheit zu sein, bei der die Leukotriene außer Rand und Band geraten und bewirken, daß die Bronchien sich zusammenziehen. In etlichen Fällen hat die Einnahme von Fischöl zu spektakulären Linderungen geführt, vermutlich durch die Bekämpfung der Überreaktionen der Leukotriene.

Bei einer Untersuchung besserte sich bei etwa zwei Dritteln der Patienten die Schuppenflechte, wenn sie Omega-3-Fischöle bekamen. Die wohltätigen Öle flossen schnell in das Blut und in die Epidermis der Haut, sagten die Forscher, und je mehr Öle in die Hautzellen gelangten, desto auffälliger war die Besserung.

Hoher Blutdruck

Das Essen von Makrelen kann den Blutdruck senken und niedrig halten. Ostberliner Forscher am Zentralinstitut für Herz- und Gefäßforschung der Akademie der Wissenschaften testeten 24 Männer mit leicht erhöhtem Blutdruck, die nicht medikamentös dagegen behandelt wurden. Zwei Wochen lang aß die Hälfte der Gruppe täglich zwei 200-Gramm-Dosen Makrelen, die reich an Omega-3-Fettsäuren sind. In den nächsten acht Wochen aßen die Männer als »Aufrechterhaltungsdosis« drei Dosen Makrelen pro Woche. Der Gehalt an Omega-3-Fettsäuren in ihrem Blut stieg stark an. Und ihr Blutdruck sank.

Vor dem Test, bei ihrer gewohnten Ernährung, lag ihr Blutdruck im Durchschnitt bei 149 zu 99. Er fiel nach zwei Wochen auf einen Durchschnitt von 136 zu 88 und blieb während des zweimonatigen Tests mit drei Dosen pro Woche bei 140 zu 92. Als sie keine Makrelen mehr aßen, stieg ihr Blutdruck innerhalb von zwei Monaten fast bis zur vorherigen Höhe an. Die Schlußfolgerung: Nicht einmal ganz 100 Gramm Makrele pro Tag senkte über einen längeren Versuchsraum hinweg den Blutdruck um etwa 7 Prozent – von einer Höhe, die möglicherweise medikamentöse Behandlung erforderlich macht, auf einen Wert, bei dem das vermutlich nicht nötig ist. Deshalb könne Makrele, sagten die Wissenschaftler, »empfohlen werden für Grenzfälle oder bei leichter Hypertonie – Fälle, in denen die medikamentöse Behandlung umstritten ist«.

Außerdem weisen die Forscher darauf hin, daß die Dosenmakrelen einen ziemlich hohen Natriumgehalt hatten (1300 Milligramm pro Dose). Selbst unter diesen Umständen setzte sich der Fisch anscheinend gegen die blutdruckerhöhenden Eigenschaften des Natriums durch. Eine Reduzierung des Natriums könnte zu einer weiteren Blutdrucksenkung führen. Die Forscher glauben, daß anderer Fisch mit einem hohen Gehalt an Omega-3-Fettsäuren dasselbe bewirken kann.

Gehirnnahrung

Vielleicht sieht hier die Wirkung nicht ganz so aus, wie unsere Vorfahren meinten, denn das Essen von Fisch macht Sie nicht klüger, als Sie es ohnehin sind, kann Ihnen aber dazu verhelfen, daß Sie über Ihr volles geistiges Potential verfügen, wenn die Fähigkeiten Ihres Gehirns etwas nachlassen. Das haben Tests im Massachusetts Institute of Technology gezeigt.

Dr. Judith Wurtman, die Leiterin der Recherchen, hat festgestellt, daß das Protein im Fisch, die Aminosäure Tyrosin, die Neurotransmitter Norepinephrin und Dopamin auf wunderbare Weise stimuliert, so daß Ihr Verstand mehr Energie bekommt und Sie sich wacher fühlen. Der Fisch stellt dem Gehirn das Tyrosin zur Verfügung, das dann zur Herstellung der chemischen Stoffe verwendet wird, die das Gehirn stimulieren. Allerdings geschieht das nur, wenn das Norepinephrin und das Dopamin schnell gebraucht werden und Ihr Gehirn einen Extraschub brauchen kann. Fisch steigert die geistigen Fähigkeiten also nicht, wenn Ihr Gehirn schon über ausreichende Mengen der anregenden chemischen Stoffe verfügt. Aber wenn Sie eine schwierige Aufgabe zu Ende bringen müssen und sicher sein wollen, daß Ihr Verstand mit voller Kraft arbeitet, wählen Sie Fisch zum Mittag- oder Abendessen.

Frau Dr. Wurtmann setzt Fisch als Nahrung zur Förderung der geistigen Energie auf ihre Vorzugsliste. Sie hat festgestellt, daß die benötigten Mengen für die meisten Menschen gleich groß sind, etwa 90 bis 100 Gramm, möglichst gedünstet oder gegrillt – nicht gebraten oder mit Fett begossen, denn das könnte die Wirkung beeinträchtigen.

Die Steigerung der geistigen Energie wird durch den Stoffwechsel des Proteins bewirkt und hat nichts mit dem Omega-3-Gehalt von Fisch zu tun.

Praktische Hinweise

○ Fisch ist kein Allheilmittel, das dem Schaden einer gefährlichen fettreichen Ernährung entgegenwirken kann. Betrachten Sie Fisch nicht als einen Zusatz, sondern als Ersatz für ungesättigte Fettsäuren (wie Pflanzenöl) und gesättigte Fettsäuren wie im Fleisch. Je weniger Fett Sie insgesamt essen, desto eher können Sie vom Fisch eine stärkere Wirkung erwarten. Die Omega-3-Fettsäuren sind bei fettarmer Ernährung wie der japanischen wesentlich wirkungsvoller. In der klassischen japanischen Küche werden im Gegensatz zu 38 Prozent bei uns nur 20 Prozent der Kalorien in Form von Fett verzehrt. Die Fettsäuren üben ihre Wirkung aus, indem sie andere Fettarten im Gewebe verdünnen; deshalb bedeutet weniger Fett eine höhere Konzentration von Omega-3-Fettsäuren. Eine Autorität auf diesem Gebiet rät, es sei am besten, sowohl weniger gesättigtes Fett als auch weniger Pflanzenöl zu sich zu nehmen und beides durch Fisch zu ersetzen. Dadurch wird die Gesamtmenge von Fett und gesättigtem Fett in der Ernährung niedriger.

○ Seien Sie sich der Tatsache bewußt, daß nicht aller Fisch, der auf den Markt kommt, hohe Mengen an Omega-3-Fettsäuren enthält. Bei vielen Fischsorten ist dieser Gehalt sehr niedrig. Am reichhaltigsten sind Meeresfische wie Hering und Makrele.

Fische, die in Becken oder Teichen aufgezogen wer-

den, bekommen im allgemeinen Landfutter wie Sojabohnen oder Getreide; deshalb nehmen sie die physiologischen Eigenschaften anderer Landtiere an: Sie
sind arm an Öl vom Omega-3-Typ. Wels zum Beispiel
kann so gut wie keine Omega-3-Öle enthalten und in
der Fettzusammensetzung einer »Landratte« wie dem
Huhn ähneln. Gezüchtete oder im Teich aufgezogene
Krabben und Krebs enthielten bei dem Test Fette, die
denen von Landtieren ähnlicher waren als denen ihrer wilden Verwandten im Meer.

o Ähnliches gilt für Fisch aus dem Schnellimbiß. Dr.
Norman Salem vom National Institute für Alkohol-
mißbrauch und Alkoholismus in Bethesda, Maryland, hat in einer Reihe von Fischgerichten aus dem
Schnellimbiß die Omega-3-Fettsäuren gemessen und
festgestellt, daß ein Fischsandwich nur ein Zehntel
des Omega-3-Gehalts einer Büchse Lachs im Fett hatte. Der Grund: Schnellgerichte aus Fisch wie Fischfri-
kadellen werden aus Fischarten hergestellt, die ohnehin schon fettarm und deshalb auch arm an Ome-
ga-3-Fettsäuren sind, und in gesättigtem Fett gebraten, wodurch sich das Verhältnis zwischen gesättigtem und ungesättigtem Fett so verändert, daß Sie
gleich einen Hamburger essen könnten.

Welchen Wert haben Fischölkapseln?

Obwohl Forscher bei Tests reines Fischöl verwenden,
sollten sowohl Kapseln mit konzentrierten Omega-3-
Fettsäuren als auch Lebertran sparsam und mit Vorsicht
genommen werden. Lebertran enthält sehr viel Vitamin
D und Vitamin A, fettlösliche Vitamine, die von der Leber aufgesaugt und in toxischen Mengen gelagert werden können. Manche Experten machen sich Sorgen dar-

über, daß die Einnahme von zu viel Omega-3 in Kapseln eine Bumerangwirkung haben könnte, durch eine Überladung des Systems, die nicht hilfreich ist, sondern schädlich, weil sie den Prostaglandinen Auftrieb gibt. Zuviel Omega-3 kann außerdem die normale Blutgerinnung hemmen und zu übermäßigen Blutungen führen. Fischölkapseln haben darüber hinaus im allgemeinen einen hohen Cholesteringehalt, und diejenigen, bei denen das nicht der Fall ist, fördern möglicherweise die Lipidperoxidation, einen Prozeß, der die Zellen zerstört. Dr. John E. Kinsella, Professor für Ernährungswissenschaften an der Cornell University und ein anerkannter Fachmann auf dem Gebiet der Omega-3-Fettsäuren, meint, circa fünf Gramm konzentriertes Fischöl pro Tag seien ausreichend.

Am wichtigsten dabei ist, daß das reine Öl möglicherweise therapeutisch nicht so wirksam ist wie der Fisch und Meeresfrüchte als solche. Vermutlich wirken die Omega-3-Öle mit anderen Fischbestandteilen zusammen, ist also eher der ganze Fisch als das isolierte Öl die therapeutische Einheit. Niederländische Forscher haben darauf hingewiesen, daß man sich möglicherweise, ohne es zu wissen, um den vollen Schutz bringt, den Meeresfisch zu bieten hat, wenn man sich statt dessen an Fischöl hält.

Eine besondere Warnung an Diabetiker

Forscher haben entdeckt, daß Omega-3-Fischölkapseln Diabetes verschlimmern können, indem sie einen steilen Anstieg des Blutzuckers und eine Verminderung der Insulinausscheidung bewirken.

Mögliche schädliche Wirkungen

o Bedenken Sie, daß manche Süßwasserfische, zum Beispiel Wels und Seeforelle, mit Pestiziden wie Chlorkohlenwasserstoffen oder mit Industriechemikalien wie PVC verseucht sein könnten, die als besonders schädlich für schwangere Frauen gelten.

Pharmazeutischer Fisch – die wirksamsten Arten

Den höchsten Gehalt an Omega-3-Fettsäuren (über 1 Gramm auf 100 Gramm) haben Makrele, Lachs, Blaufisch, Thunfisch, Stör, Hering, Anschovis, Sardinen, Seeforelle.

Gerste

Möglicher therapeutischer Nutzen:

o Senkt den Cholesterinspiegel im Blut
o Hemmt möglicherweise Krebs
o Verbessert die Darmfunktion
o Lindert Verstopfung

Wieviel? Bei Menschen, die dreimal täglich Nahrung aus Gerste zu sich nahmen – Mehl, Grütze, Flocken oder die Körner selbst –, sank das Blutcholesterin um etwa 15 Prozent. Wer jeden Tag drei Brötchen, Muffins oder Hörnchen aus Gerstenmehl ißt, wird völlig von Verstopfung befreit.

Überlieferung

Seit etwa sechstausend Jahren wird Gerste gerühmt als ein Nahrungsmittel, das Kraft und Stärke gibt. Römische Gladiatoren, *Hordearii* (Gerstenesser) genannt, aßen das Korn, um stärker zu werden. In etlichen Gegenden der Welt, vor allem in Südasien, wo Gerste zu den Grundnahrungsmitteln gehört, ist die Rate von Herzkrankheiten niedrig. In Pakistan gilt Gerste zum Beispiel als »Arznei für das Herz«.

Fakten

Die Gerste wird ihrem legendären Ruf gerecht; sie bietet eine pharmakologische Packung zur Abwehr von Herzkrankheiten, gegen Verstopfung und dadurch auch gegen andere Verdauungsprobleme und möglicherweise gegen Krebs.

Arznei für Herz und Gefäße

Gerste scheint auf verschiedene Weise cholesterinsenkend im Blut zu wirken. Eine Methode entspricht derjenigen des neuesten cholesterinbekämpfenden Medikaments, das auf dem Markt der letzte Schrei ist, und besteht darin, die Cholesterinproduktion in der Leber zu stören. Forscher vom amerikanischen Landwirtschaftsministerium in Madison, Wisconsin, haben drei verschiedene Stoffe in der Gerste entdeckt, die die Fähigkeit der Leber unterdrückten, schädliches LDL-Cholesterin herzustellen, das die Blutgefäße schädigt, was zu Herzinfarkten und Schlaganfällen führt. Wenn Schweine Gerste fraßen, sank ihr Cholesterin im Blut um 18 Prozent.
Es gibt keinen Zweifel daran, daß Gerste auch menschliches Blutcholesterin reduzieren kann. Dr. Rosemary K. Newman von der Montana State University stellte bei Männern, die zu Frühstücksflocken, Brötchen, Brot und

Kuchen verarbeitetes Gerstenmehl ohne Spelzen aßen, einen dramatischen Rückgang des Blutcholesterins fest. Die Männer aßen sechs Wochen lang dreimal täglich Gerstenprodukte. Ihr Cholesteringehalt sank im Durchschnitt um 15 Prozent. Je höher die Cholesterinwerte im Blut waren, desto stärker sanken sie bei der Gerstenkur. Bei einer Kontrollgruppe, die dieselben Produkte aß, aber aus Weizenmehl oder Weizenkleie, zeigte sich keine Senkung des Cholesterins. Frau Dr. Newman schreibt den Cholesterinrückgang mindestens teilweise löslichen Betaglukanen zu, klebrigen Ballaststoffen, die eine Besonderheit von Gerste und Hafer sind und nicht in der Außenhülle, sondern in der inneren Zellwand des Korns vorkommen. Frau Dr. Newman arbeitet jetzt gemeinsam mit einer Gruppe schwedischer Wissenschaftler daran, herauszufinden, welche Gerstensorten die beste cholesterinsenkende Wirkung haben.

Experimente an der medizinischen Fakultät der University of Wisconsin zeigen außerdem, daß Kapseln mit Gerstenöl – in dem Stoffe enthalten sind, die die Cholesterinherstellung in der Leber reduzieren – bei Patienten, die eine Herz-Bypass-Operation hinter sich hatten, das Cholesterin im Blut um 9 bis 18 Prozent senkten.

Mittel gegen Krebs

Dr. Charles Elson, Ernährungswissenschaftler an der University of Wisconsin, glaubt, daß chemische Stoffe im Gerstenkorn krebsbekämpfend wirken. Dr. Walter Troll, eine Autorität auf diesem Gebiet, stimmt dem zu: Die Proteasehemmstoffe, die in der Gerste wie in allen Samen enthalten sind, unterdrücken krebserregende Stoffe im Verdauungstrakt und können deshalb als Gegengifte gegen die Krebsbildung wirksam sein.

Mittel zur Stuhlregulierung

Israelische Wissenschaftler haben vorgeschlagen, die entmalzte Gerste, die jetzt beim Bierbrauen als Abfall vergeudet wird, zur Behandlung von Verstopfung zu verwenden. Sie ersetzen Weizenmehl in Keksen und Hörnchen durch Gerstenmehl und gaben das Gebäck neunzehn Patienten, die unter chronischer Verstopfung litten und von Abführmitteln abhängig waren. Bei fünfzehn Personen, also 75 Prozent, die drei bis vier Gerstenkekse am Tag aßen, verschwand die Verstopfung völlig; sie hatte mehr Darmbewegungen, weniger Blähungen und Leibschmerzen, und sie setzten die Abführmittel ab. Bei einem Gegentest zur Bestätigung zeigte sich, daß die Patienten, wenn sie kein Gerstengebäck mehr aßen, so gut wie alle wieder Verstopfung bekamen und innerhalb eines Monats wieder Abführmittel nehmen mußten. Frau Dr. Newman hat bei ihren Untersuchungen ebenfalls festgestellt, daß Gerste ein großartiges Mittel für regelmäßigen Stuhlgang ist.

Praktische Hinweise

○ Im allgemeinen sind sich die Fachleute darüber einig, daß Gerste um so gesünder ist, je weniger sie verarbeitet wird. Am besten sind: Vollkorngerste, die zu Mehl gemahlen werden kann; Gerstengrütze; ein grob geschrotetes, vorgekochtes Produkt und Gerstenflocken – allesamt am ehesten in Reformläden erhältlich. Perlgerste (ohne Spelzen und Vorspelzen), wie man sie auch in Supermärkten findet, ist therapeutisch weniger wirksam, vor allem gegen Verstopfung.
○ Aber selbst Perlgerste ist möglicherweise gut für das Herz. Die Wissenschaftler aus Wisconsin raten zur Verwendung der am wenigsten verarbeiteten Gerste

wie Vollkorngerste oder Vollkorngerstenmehl, wenn die Wirkung besonders stark sein soll. In den Außenschichten finden sich die meisten öllöslichen cholesterinbekämpfenden Stoffe. Andererseits hat Frau Dr. Newman festgestellt, daß sogar geschälte Perlgerste, vor allem von der selteneren spelzenlosen Gerstenart, die von etlichen Herstellern vertrieben wird, cholesterinsenkende Betaglukane enthält. Vermutlich tragen beide Typen von chemischen Stoffen in der Gerste zur Bekämpfung von Cholesterin bei.

o Sie können das Weizenmehl in Kochrezepten ganz oder teilweise durch Gerstenmehl ersetzen.

o Rechnen Sie nicht mit Bier als einem Lieferanten von Gerstenstoffen. So gut wie alle cholesterinsenkenden chemischen Stoffe in der Gerste, die zum Bierbrauen verwendet wird (in den USA etwa ein Viertel der jährlichen Ernte), bleiben in den Rückständen. Nur Spuren davon kommen ins Bier. Ein Teil dieser entmalzten Gerste wird zu Gerstenmehl für Gesundheitsläden, Frühstücksflockenhersteller und Bäckereien verarbeitet.

Frau Dr. Newmans cholesterinsenkende Rezepte

Gerstengrütze mit Gemüse

50 g Gerstengrütze (= 1/4 Tasse[3])
120 ml Wasser
4 gehackte Tomaten
2 Bund gehackte Petersilie (1 Tasse)
4 gehackte Frühlingszwiebeln
1 kleine Gurke, gewürfelt

---

3   Zur Erinnerung: 1 amerikanische Tasseneinheit = 0,235 l oder 235 ccm.

2 Eßlöffel frische Minze, gehackt (oder 1 Eßlöffel getrocknete Minzeblätter)
8 Eßlöffel Olivenöl (1/2 Tasse)
8 Eßlöffel Zitronensaft (1/2 Tasse)
Salz und frisch gemahlener Pfeffer

Grütze eine Stunde lang im Wasser einweichen. In einem Tuch ausdrücken. Mit dem Gemüse und der Minze vermischen. Öl und Zitronensaft hinzugeben. Mit Salz und Pfeffer abschmecken. Kalt stellen oder portionsweise einfrieren. Ergibt acht bis zehn Portionen.

Bananenbrot mit Gerste

350 g Gerstenmehl (=3 Tassen)
1 Teelöffel Salz
3 1/2 Teelöffel Backpulver
3 reife Bananen
235 ml Honig
8 Eßlöffel Öl (1/2 Tasse)
2 große Eier
1 Teelöffel Zitronensaft, 3/4 Teelöffel geriebene Zitronenschale

Backofen auf 180 Grad vorheizen. Die trockenen Zutaten (Gerstenmehl, Salz und Backpulver) miteinander vermischen. Die reifen Bananen mit der Gabel zu einem Brei zerdrücken. Bananen, Honig und Öl in der Küchenmaschine mischen. Eier, Zitronensaft und geriebene Zitronenschale hinzufügen. Die trockenen Zutaten zugeben und bei langsamer Geschwindigkeit 5 Minuten lang rühren. Bei 180 Grad in einer gefetteten, mit Mehl bestreuten Brotform 35–40 Minuten backen. Ergibt zwei Laibe.

Gerstenkleie-Muffins

1/2 l kochendes Wasser (genau: 470 ml)
300 g Gerstenkleieflocken (6 Tassen)
200 g pflanzliches Backfett (1 Tasse)
200 g weißer Zucker (1 Tasse)
200 g brauner Zucker (1 Tasse)
4 Eier
940 ml Buttermilch (4 Tassen)
600 g Gerstenmehl (5 Tassen)
5 Teelöffel Natron

100 Gramm (2 Tassen) der Kleieflocken mit dem kochenden Wasser übergießen; leicht abkühlen lassen. In der Küchenmaschine bei hoher Geschwindigkeit Backfett, den Zucker und die Melasse schaumig rühren. Eier und Buttermilch hinzufügen und gründlich durchrühren. Trockene Zutaten vermischen und zu den feuchten gehen. Rühren, bis alles gut vermengt ist. Die eingeweichten Kleieflocken und die restliche Kleie hinzugeben und alles gut durchrühren. Der Teig kann in einem verschlossenen Behälter im Kühlschrank bis zu vier Wochen lang aufbewahrt und nach Bedarf gebacken werden. Gut eingefettete Muffinformen bis zu 2/3 füllen. 18 Minuten lang bei 200 Grad backen. Ergibt 36 Muffins.

Rieska – schnelles Fladenbrot

250 g Gerstenmehl (2 Tassen)
1/2 Teelöffel Salz
1 Eßlöffel Zucker
2 Teelöffel Backpulver
235 ml unverdünnte Kondensmilch (1 Tasse)
2 Eßlöffel Pflanzenöl

Backofen auf 230 Grad vorheizen. In einer mittelgroßen Schüssel Mehl, Salz, Zucker und Backpulver mischen. Die Kondensmilch und das Öl hinzugeben. Rühren, bis das Mehl ganz durchfeuchtet ist und sich ein fester Teig gebildet hat. Sollte der Teig spröde und das Mehl nicht ganz durchfeuchtet sein, eßlöffelweise mehr Milch zugeben, bis der Teig zusammenhält. Den Teig auf ein gefettetes Backblech geben und mit einem Löffelrücken oder den Händen zu einem fingerdicken, runden Fladen von 20 Zentimeter Durchmesser formen. Mit einer Gabel an mehreren Stellen in den Fladen einstechen. Bei 230 Grad 10 bis 15 Minuten backen, bis der Fladen gebräunt ist. In Stücke schneiden und warm servieren.

Wie Sie Gerstenmehl selbst herstellen können

Wenn Sie ganze Gerstenkörner verwenden, reinigen Sie die Gerste gründlich von losen Spelzen, Unkraut und andere Verunreinigungen. Lassen Sie die Körner durch die Mühle, genau, wie Sie es mit Weizen machen. Variieren Sie den Feinheitsgrad, je nachdem, wie Sie das Mehl verarbeiten wollen. Für Brot oder Brötchen möchten Sie vielleicht etwas gröberes Mehl. Wenn Sie Perlgerste verwenden, können Sie statt der Getreidemühle zum Mahlen auch einen Mixer nehmen. Geben Sie die Perlgerste nacheinander zu je 50 Gramm in den Mixer und mahlen Sie sie bei hoher Geschwindigkeit eine bis drei Minuten lang, je nachdem, wie fein sie das Mehl haben wollen. Da das von Mixer zu Mixer verschieden ist, experimentieren Sie mit Ihrem Küchengerät, bis Sie den Feinheitsgrad bekommen, den Sie brauchen. Kühl aufbewahren, gemahlene Gerste neigt leicht zum Ranzigwerden.

Grapefruit

Möglicher therapeutischer Nutzen:

O Großartig für Herz und Gefäße
O Senkt das Cholesterin im Blut
O Schützt die Arterien vor Krankheiten
O Verringert das Krebsrisiko

Wieviel? Das in zwei Grapefruits pro Tag enthaltene Pektin kann das Cholesterin im Blut bis zu 19 Prozent senken und das entscheidend wichtige Verhältnis zwischen LDL- und HDL-Cholesterin verbessern. Der tägliche Verzehr von Zitrusfrüchten schützt möglicherweise insbesondere vor Magen- und Bauchspeicheldrüsenkrebs.

Überlieferung

310 v. Chr. schrieb der griechische Philosoph Theophrast über Zitronatzitronen (Citrus medica): »Ein Absud des Fruchtfleischs gilt als Gegenmittel gegen Gift und macht außerdem den Atem angenehmer.« Später nannte Plinius der Ältere, der römische Naturforscher, der als erster das Wort Zitrus gebraucht, die Frucht eine Medizin.

Fakten

Es hat sich herausgestellt, daß die Grapefruit eine erstaunliche Arznei für das Herz ist. Sie enthält starke Wirkstoffe, die den Cholesterinspiegel im Blut senken und möglicherweise sogar einen Teil des Arterienbelags beseitigen und dadurch für einen Rückgang der Arteriosklerose sorgen. Vermutlich ist der wichtigste therapeutische Stoff in der Frucht ein Polysaccharid, das nur die Grapefruit aufweist und das in ihrem Pektin (einer Art Ballaststoff) gefunden wird. Laut Dr. James Cerda, Professor für Gastroenterologie an der University von Florida, einem führenden Forscher auf diesem Gebiet, ist das Grapefruitpektin bei der Senkung von Blutcholesterin genauso wirksam wie das Medikament Cholestyramin, »das maßgebliche Medikament zur Reduktion von Plasmacholesterin«.

Beweise für die Wirkung bei Menschen

Dr. Cerda und seine Kollegen fanden heraus, daß bei Menschen mit hohem Cholesterinspiegel im Blut (um 250), die vier Monate lang täglich 15 Gramm Grapefruitpektin in Kapseln zu sich nahmen, das Cholesterin im Durchschnitt um etwa 8 Prozent sank. Bei einem Drittel der Patienten, die Grapefruitpektin bekamen, ging das Cholesterin zwischen 10 und 19 Prozent zurück. Darüber hinaus verbesserte der Grapefruitstoff bei der Hälfte der Freiwilligen das entscheidend wichtige Verhältnis zwischen HDL- und LDL-Cholesterin. »Wenn Sie davon ausgehen, daß jede Reduktion des Cholesterins um ein Prozent das Risiko, herzkrank zu werden, um zwei Prozent verringert, dann sind diese Entdeckungen aufregend«, sagt Dr. Cerda. Und vermutlich sei es noch wirksamer, wenn man die Furcht esse, statt reines Pektin zu nehmen, sagt er, weil andere chemische Stoffe in der Grapefruit wie das Vitamin C aller Wahrscheinlichkeit nach die Wirkung verstärkten (zum Beispiel vermindern Äpfel das Cholesterin im Blut viel stärker als reines Apfelpektin). Die therapeutische Dosis könnte außerdem unter den 15 Gramm liegen, die in dem Versuch getestet wurden. Wieviel Grapefruit nötig ist, um 15

Gramm Pektin zu bekommen, »weiß seltsamerweise niemand«, sagt Dr. Cerda. Neue Analysen zeigen verblüffend abweichende Zahlen. Bei einem Test wurden 15 Gramm Pektin in zwei Grapefruits gefunden, bei einem anderen in fünfzehn Früchten. Dr. Cerdas Rat: »Es könnte von Nutzen sein, eine Grapefruit pro Tag zu essen.«

Dr. Cerda vermutet sogar, daß chemische Stoffe in der Grapefruit einen Rückgang der Arteriosklerose bewirken könnten – daß sie für das Herz- und Gefäßsystem die Uhr zurückstellen –, indem sie die Belagbildung teilweise auflösen, durch die Arterien verengt und verhärtet werden, was zu Herzinfarkten und Schlaganfällen führt.

Bei Tests wiesen Schweine, die mit Grapefruitpektin gefüttert worden waren – zusammen mit einer extrem fetten, cholesterinreichen Ernährung –, bei der Autopsie deutlich weniger geschädigte und verengte Koronararterien und Aorten auf und außerdem einen Rückgang des Cholesterins um 30 Prozent. Das Grapefruitpektin bekämpfte also auf dramatische Weise die schlimmsten Auswirkungen einer fettreichen Ernährung.

Die Theorie: konzentrierte Galakturonsäure in chemischen Stoffen der Grapefruit hat eine ganz eigene Wirkung auf das zerstörerische LDL-Cholesterin, den Hauptbestandteil des die Arterien verstopfenden Belags. Diese Wirkung sorgt möglicherweise dafür, daß etliche Cholesterinablagerungen abgebaut und ausgeschwemmt werden, wodurch die Arterien zum Teil gesunden.

Krebsbekämpfende Kräfte

Zitrusfrüchte, darunter die Grapefruit, haben eindeutig krebsbekämpfende Eigenschaften. Die Experten weisen darauf hin, daß Menschen, die in Gegenden leben, wo hohe Mengen an Zitrusfrüchten verzehrt werden, niedrigere Krebsraten haben. Manche mutmaßen, das liege zum Teil am hohen Gehalt der Frucht an Vitamin C, das ein Antioxidans ist und starke Karzinogene neutralisieren kann. Aber vermutlich tragen auch andere Grapefruitbestandteile dazu bei.

Bei Laborversuchen an Tieren zeigte die Grapefruit eindeutig »Feindseligkeit« gegenüber Krebs. Bei japanischen Versuchen wurde Grapefruitextrakt Mäusen unter die Haut gespritzt, woraufhin das Wachstum ihrer Tumore zum Stillstand und es zu einer teilweisen oder vollständigen Remission der Krankheit kam. Die Japaner haben festgestellt, daß Grapefruitschale ein »erstaunliches Antimutagen« ist, eine Substanz also, die den Zellveränderungen entgegenwirkt, die zu Krebs führen können.

Die Schweden sind berühmt für ihre Untersuchungen über den Zusammenhang zwischen Ernährung und Krebs. Als 1986 die Ernährung einer Gruppe von Patienten mit und ohne Bauchspeicheldrüsenkrebs gründlich analysiert wurde (in einer sogenannten Fallkontrollstudie), erwiesen sich Zitrusfrüchte (und Karotten) als die auffälligsten Schutzfaktoren. Menschen, die fast täglich Zitrusfrüchte aßen, hatten ein beträchtlich geringeres Risiko, Bauchspeicheldrüsenkrebs zu bekommen. Auch in den Niederlanden ist festgestellt worden, daß der Verzehr von Zitrusfrüchten das Risiko von Magenkrebs verringert.

Praktische Hinweise

○ Wenn Sie dem Herzen etwas Gutes tun wollen, essen Sie das Fruchtfleisch der Grapefruit, wenn möglich, einschließlich der Häutchen zwischen den Schnitzen und der weißen Innenhaut der Schale. Das therapeutische Pektin sitzt in den Zellwänden, den »Saftblättern«. Wenn Sie also von der cholesterinsenkenden Wirkung profitieren wollen, müssen Sie die zähen Teile mitessen. Grapefruitsaft allein hat keinen hohen Pektingehalt und senkt das Blutcholesterin nicht.

Grünkohl

Möglicher therapeutischer Nutzen:

o Kein schlechter Tip zur Hemmung verschiedener Krebsarten, vor allem Lungenkrebs

Wieviel? 50 bis 60 Gramm Grünkohl am Tag tragen möglicherweise zur Vorbeugung von Krebs bei. Besonderer Rat an ehemalige Raucher: Essen Sie viel Grünkohl. Es könnte Ihre Widerstandskraft gegen Krebsarten stärken, die mit dem Rauchen ursächlich in Zusammenhang stehen.

Fakten

Grünkohl, der in den Vereinigten Staaten und anderen westlichen Ländern zu wenig beliebt ist und zu selten gegessen wird, scheint bei der Vorbeugung gegen verschiedene Krebsarten, vor allem Lungenkrebs, ein Supergemüse zu sein. Unter den grünen Gemüsen ist er eins der reichsten an Karotinoiden, die krebsbekämpfende Stoffe sind. Zum Beispiel enthält Spinat, eine weitere reichhaltige Quelle, auf 100 Gramm 36 Milligramm Karotinoide; die gleiche Menge Grünkohl enthält mehr als doppelt soviel – 78 Milligramm.

Grünkohl ist außerdem reicher an Betakarotin, der schon mehrfach erwähnten spezifischen Variante der Karotinoide. (Grünkohl enthält davon doppelt soviel wie Spinat.) Betakarotin (vergleiche auch Kapitel 8, zweiter Teil), das vom Körper in Vitamin A umgewandelt wird, wird von etlichen Wissenschaftlern als besonders wirksamer krebsbekämpfender Stoff bezeichnet, wie Tierversuche gezeigt haben. Und falls das noch nicht reicht – Grünkohl ist ein wunderbarer Lieferant von Chlorophyll, einer weiteren Substanz, von der etliche Autoritäten sagen, sie wirke gegen Krebs.

Wenn Ernährung mit Krebsraten in Zusammenhang gebracht wird, stehen dunkelgrüne Gemüse, darunter Grünkohl, als Schutzfaktor immer ganz oben auf der Liste. In zahlreichen Studien ist eine Verbindung hergestellt worden zwischen dem häufigen Verzehr solcher Gemüse zu niedrigeren Raten von Krebs des Magen-Darm-Trakts, der Speiseröhre, des Magens, der Lunge, des Dickdarms und des Rachens, machmal auch zu niedrigeren Raten aller Krebsarten. Daß er ein Mitglied der Kreuzblütlerfamilie ist, verhilft dem Grünkohl möglicherweise zu zusätzlichen Kräften; Kreuzblütler werden in Verbindung gebracht mit einem niedrigeren Vorkommen an Darm-, Prostata- und Magenkrebs.

Vor allem die dunkelgründen Blattgemüse (wie auch orangegelbe Arten) scheinen über einzigartige Kräfte zu verfügen, wenn es darum geht, der Bildung von Lungenkrebs vorzubeugen, bis zu einem gewissen Grad sogar bei Rauchern und noch stärker bei ehemaligen Rauchern. Eine Studie in Singapur ergab, daß Grünkohl, zusammen mit dem in China als Gemüse gegessenen Sareptasenf und anderen dunkelgründen Blattgemüsen besonders wirksam zur Verringerung des Risikos auf Lungenkrebs beiträgt.

Ältere Menschen in New Jersey, die pro Tag etwas mehr als zwei Portionen grünes und gelbes Gemüse aßen, hatten einer neuen Untersuchung zufolge, die einen Zeitraum von fünf Jahren umfaßt, nur ein Drittel der Todesfälle durch Krebs zu verzeichnen im Vergleich zu den Personen, die am Tag nur drei Viertel einer normalen Portion solcher Gemüse aßen.

Praktische Hinweise

o Roh oder gekocht? Überraschenderweise hat eine Analyse des amerikanischen Landwirtschaftsministeriums ergeben, daß Grünkohl beim Garen in der Mikrowelle nur sehr wenig Chlorophyll verliert. Hitze zerstört jedoch einen Teil des Karotinoidgehalts. Andererseits macht das Kochen oft einen höheren Anteil von Karotin für die körperliche Verwendung brauchbar. Die Wahrheit scheint zu sein, daß es klug ist, Grünkohl sowohl gekocht wie roh zu essen.

Hafer

Möglicher therapeutischer Nutzen

o Eine ausgezeichnete Arznei für das Herz
o Senkt den Blutcholesterinspiegel
o Reguliert den Blutzucker
o Enthält Stoffe, die bei Tieren Krebs vorbeugen
o Bekämpft Hautentzündungen
o Wirkt als Abführmittel

Wieviel? Etwa 40 Gramm Haferkleie (gekocht ein großer Teller voll) oder 80 Gramm Hafermehl (gekocht zwei Teller voll) pro Tag können Ihr Blutcholesterin beträchtlich reduzieren. Dadurch bleiben außerdem Ihre Insulin- und Blutzuckerwerte stabil.

Überlieferung

Hafer ist als Stimulans bezeichnet worden, als Mittel gegen Krämpfe, als Abführmittel und als Stärkungsmittel für die Nerven und die Gebärmutter. Zu Anfang unseres Jahrhunderts stand Hafertee außerdem in dem seltsamen Ruf, er könne »die Opiumsucht heilen« und die Gier nach Zigaretten verringern.

Fakten

Hafer ist ein wirksames Stärkungsmittel für das Herz und das Blut. In Form von Mehl oder, noch eindeutiger, in Form von Kleie ist das Haferkorn für viele Menschen ohne jede Frage ein starkes Medikament, das den Cholesterinspiegel im Blut senkt. Hafer ist an Versuchstieren getestet worden und an Menschen mit normalen und hohem Cholesterinspiegel, die sich fettarm oder fettreich ernährten. Die Ergebnisse fielen fast durchweg gleich aus: Hafer unterdrückt das Cholesterin in beträchtlichem, manchmal spektakulärem Maß. Wenn Sie sich über Ihren Cholesterinspiegel Sorgen machen, scheint es kein pharmazeutisch besseres Nahrungsmittel zu geben als Hafer.

Getreide für das Herz

Die meisten Forschungen über Hafer sind von Dr. James

Anderson und seinen Kollegen an der medizinischen Fakultät der University of Kentucky durchgeführt worden. Dr. Anderson hat festgestellt, daß eine tägliche Portion von etwa 40 Gramm Haferkleie ziemlich schnell das schädliche LDL-Cholesterin um durchschnittlich 20 Prozent senkt. Das wohltätige HDL-Cholesterin erhöht sich im Lauf der Zeit im allgemeinen um etwa 15 Prozent.

Haferschrot (grobes Hafermehl) ist weniger wirksam als reine Haferkleie; deshalb brauchen Sie zur Senkung des Cholesterins die doppelte Menge pro Tag. Dr. Anderson mischt häufig Haferkleie mit Haferschrot. Vollkornhafermehl, sagt er, sei etwa so wirksam wie Haferschrot; 80 Gramm pro Tag sollten das Cholesterin reduzieren. Auch Muffins oder Brötchen aus Haferkleie sind wirksam. Bei einem Experiment sank der Cholesterinspiegel gesunder junger Männer, nachdem sie zusätzlich zu ihrer normalen Ernährung vier Haferkleie-Muffins pro Tag aßen, durchschnittlich um 12 Prozent – von 185 auf 164.

Hafer senkt das Cholesterin im Blut in unterschiedlichem Umfang. Ein Mann hatte einen sehr niedrigen Cholesterinspiegel von 150; durch das Essen von Haferkleie sank er auf 120. Bei anderen Personen gingen gefährlich hohe Cholesterinwerte von 350 durch Haferkleie auf 280 zurück. Dr. Andersons Blutcholesterin nahm von 285 auf 175 ab, nachdem er fünf Wochen lang täglich Haferkleie gegessen hatte. Laut Dr. Anderson wirkt Hafer jedoch am besten bei Menschen mit Blutcholesterinwerten zwischen 240 und 300; sie erleben im allgemeinen eine Reduzierung um 23 Prozent. Es dauert etwa drei Wochen, bis sich die Wirkung zeigt.

Expertenbeispiel: Dr. Anderson ißt jeden Tag einen großen Teller einer Mischung aus Haferkleie und Hafermehl mit Rosinen und Magermilch und zusätzlich zum Mittagessen zwei Haferkleie-Muffins.

Bei etwa 15 Prozent der Bevölkerung senkt Haferkleie den Cholesterinspiegel jedoch nicht. Und sie ist auch bei Menschen mit abnorm hohem Cholesterinspiegel – im Bereich zwischen weit über 300 bis 400 —, die an sogenannter familiärer Hypercholesterinämie, einem genetischen Schaden, leiden, nicht erfolgreich.

Das Essen von Hafer wirkt außerdem leicht blutdrucksenkend und trägt dazu bei, die Blutzucker- und Insulinwerte stabil zu halten.

Abführende Wirkung

Obwohl Haferkleie nicht so reich an unlöslichen Ballaststoffen ist wie Weizenkleie, von der bekannt ist, daß sie Verstopfung lindert, wirkt auch Hafer als Abführmittel. Dr. Anderson hat festgestellt, daß Haferkleie und Hafermehl die Stuhlmenge vergrößern und auf vielerlei Weise dem Dickdarm zugute kommen einschließlich der Heilung von Verstopfung. Bei einer französischen Untersuchung ließ man fünfzig ältere Menschen, die mit Verstopfungsbeschwerden zum Arzt kamen, jeden Tag zwei Kekse aus Hafermehl und Haferkleie (»Lejfibre«) essen. Nach zwölf Wochen war die Verstopfung allgemein verschwunden, und die Häufigkeit der Darmbewegungen und die Konsistenz des Stuhls hatten sich verbessert. Als zusätzliches Plus hatten die meisten Versuchsteilnehmer außerdem abgenommen.

Hafer wirkt auch entzündungshemmend bei bestimmten Hautkrankheiten wie Kontaktekzemen. Im Vergleich eines neuen Experiments wurden Haferkörner präpariert, und dabei entdeckte man, daß sie die Biosynthese von Prostaglandinen stark hemmten und daß gründlich gekochter Hafer genauso wirksam wie roher war. Da die Aktivität der Prostaglandine zu Entzündungen führen kann, scheint damit eine plausible Erklärung für die entzündungshemmenden Kräfte des Hafers vorzuliegen und gleichzeitig eine Rechtfertigung der althergebrachten Ansicht, Hafergesichtspackungen seien eine Wohltat für die Haut. Manche Ärzte empfehlen Hafermehlpackungen zur Behandlung von Schuppenflechte.

Wirkstoff gegen Krebs

Weil Hafer zur Nahrungsgruppe der Samen gehört, also Träger des genetischen Materials ist, hat er auch einen hohen Gehalt an jenen Proteasehemmstoffen, die Aktivierung bestimmter Viren und krebserregender chemischer Stoffe im Verdauungstrakt entgegenwirken. Deshalb kann man davon ausgehen, daß Hafer infektions- und krebsbekämpfende Eigenschaften hat, vor allem bei Gefahren im Verdauungsbereich. Durch die Umfangvergrößerung des Stuhls schützt Hafer außerdem offenbar vor Dickdarmkrebs und einer Reihe von Beschwerden wie Divertikulitis und Hämorrhoiden.

Praktische Hinweise

o Wenn Sie die cholesterinsenkende Wirkung konstanter machen wollen, dehnen Sie den Verzehr von Hafer über den Tag aus. Sie könnten Haferspeisen morgens essen und außerdem als abendliches Zwischengericht.

Heidelbeeren

Möglicher therapeutischer Nutzen:

- Bekämpfen Durchfall
- Töten infektiöse Viren ab
- Verhindern Schädigungen der Blutgefäße
- Wirken bei manchen Menschen als Abführmittel

Überlieferung

In Schweden sind Heidelbeeren ein bekanntes Hausmittel gegen Durchfall, und der Glaube, daß Heidelbeeren Infektionen bekämpfen, ist weit verbreitet. Dr. Amr Abdel-Fattah Ismail, früher Pflanzenphysiologe beim amerikanischen Landwirtschaftsministerium und jetzt leitender Mitarbeiter der Maine Wild Blueberry Company, sagt, Blaubeersuppe sei auf europäischen Skihängen als Mittel gegen Erkältungen beliebt. Und in Rodales *Encyclopedia of Natural Home Remedies* steht, daß die »Heidelbeerkur gegen Durchfall« in der westlichen Hemisphäre häufig angewendet werde. Eine Frau aus Quebec berichtet, ihr Vater habe jahrelang an blutigem Durchfall gelitten, bis er auf Heidelbeeren aufmerksam gemacht worden sei. »Wenn jemand in meiner Familie Durchfall hat«, sagt sie, »behandle ich ihn mit Heidelbeeren. Das hilft wirklich.«

Fakten

In Schweden haben Ärzte lange Zeit mit Suppe aus getrockneten Heidelbeeren Durchfall bei Kindern behandelt. Laut Finn Sandberg, Professor der Pharmakognosie am biomedizinischen Zentrum in Uppsala, beträgt die übliche Dosis zwischen 5 und 10 Gramm getrocknete Heidelbeeren.

Es ist unbestreitbar, daß Heidelbeeren hohe Konzentrationen von Stoffen enthalten, die sowohl Bakterien als auch Viren abtöten können. Bei kanadischen Tests zerstörten zerstampfte Heidelbeeren innerhalb von vierundzwanzig Stunden fast 100 Prozent der Polioviren. Die Forscher schrieben das Abtöten der Mikroben Tanninen in der Frucht zu.

Wie die schwarze Johannisbeere ist auch die Heidelbeere reichhaltig an chemischen Stoffen, die sich in schwedischen Tests als durchfallbekämpfend erwiesen haben. Ein aus den Schalen schwarzer Johannisbeeren hergestelltes Pulver wird in Schweden sogar als natürliches Mittel gegen Durchfall vertrieben, auch für den Export. Von allen Obstarten haben die Heidelbeere und die schwarze Johannisbeere den höchsten Gehalt an den Anthozyanoside genannten therapeutischen Stoffen, von denen bewiesen ist, daß sie Bakterien abtöten, vor allem Escherichia coli, eine häufige Ursache von infektiösem Durchfall. Das Mittel gegen Durchfall heißt Pecarin (siehe Johannisbeeren, S. 306 ff.).

Sperre gegen Gehirncholesterin

Dieselben Stoffe in Heidelbeeren und Johannisbeeren schützen möglicherweise, wie andere Forscher entdeckt haben, die Blutgefäße vor den zerstörerischen Ablagerungen, die charakteristisch sind für Arteriosklerose, die krankhafte Veränderung der Arterien. Deshalb schützen diese Stoffe vielleicht vor Herzinfarkten und Schlaganfällen.

Ein Gemeinschaftsteam aus Wissenschaftlern der Pariser Sorbonne und der Semmelweis-Universität für Medizin in Budapest extrahierte Anthozyanoside aus Heidelbeeren und injizierte sie Kaninchen, die cholesterinreich ernährt wurden. Die chemischen Heidelbeerstoffe verhinderten etliche der üblen Wirkungen der Arteriosklerose, die durch die cholesterinreiche Nahrung ausgelöst wurde. Kaninchen, die zu cholesterinreichem Futter die Heidelbeerwirkstoffe bekamen, hatten weniger schlimme Kalzium-Fett-Ablagerungen in den Aorten und weniger schwer geschädigte Blutgefäße im Gehirn als die Tiere, die nur mit Cholesterin gefüttert worden waren.

Die Forscher vermuten, daß die Anthozyanoside die Fähigkeit des Cholesterins verminderten, Gefäßwände zu durchdringen, vor allem im Gehirn, und dadurch das Ausmaß der Schädigung reduzierten. Eine cholesterinreiche Ernährung, sagen die Forscher, macht die Blutgefäßwände durchlässiger. Möglicherweise haben sich die chemischen Stoffe aus den Heidelbeeren also sowohl in den großen als auch in den winzigen Blutgefäßen mit dem Kollagen zusammengetan und eine festere Gefäßwand aufgebaut, die das Cholesterin nicht durchbrechen konnte. Diese natürlichen chemischen Stoffe könnten deshalb partielle Gegenmittel gegen »Arterienverkalkung« sein, indem sie das Cholesterin aus dem Blut fernhalten und so dem Blut freie Bahn durch Herz und Gehirn ermöglichen.

Andere französische Forscher, die Anthozyanoside aus schwarzen Johannisbeeren statt aus Heidelbeeren verwendeten, stellten im wesentlichen dieselbe schützende Wirkung in den Blutgefäßen von Affen fest, jenen Versuchstieren, deren Physiologie der menschlichen am ähnlichsten ist. Auch hier verhinderten die chemischen Stoffe aus den Beeren etliche der durch fettreiche Ernährung verursachten Schäden der Arterien und der kleinen Blutgefäße.

Deutsche Wissenschaftler haben außerdem festgestellt, daß frische Heidelbeeren bei manchen Menschen eine ausgeprägt abführende Wirkung haben.

Honig

Möglicher therapeutischer Nutzen:

o Tötet Bakterien ab
o Desinfiziert Wunden und wunde Stellen
o Verringert die Schmerzempfindung
o Lindert Asthma
o Dämpft Halsschmerzen
o Beruhigt die Nerven, hilft beim Einschlafen
o Lindert Durchfall

Überlieferung

Honig war für die alten Ägypter das, was für die heutige Medizin das Aspirin ist: das beliebteste Heilmittel. Bei den neunhundert Rezepten im Smith-Papyrus, einer ägyptischen medizinischen Schrift, die zwischen 2 600 und 2 200 v. Chr. entstanden ist, wird Honig fünfhundertmal erwähnt. Der Nektar wird allgemein gepriesen als Balsam zur Heilung von Wunden, wunden Stellen und Hautgeschwüren. In Kriegszeiten ist Honig als Antiseptikum von den alten Griechen, Römern, Ägyptern, Assyrern und Chinesen auf Wunden aufgetragen worden wie auch von Deutschen im Ersten Weltkrieg. Hippokrates riet, zur Behandlung von Fieber Honig mit Wasser und anderen medizinischen Substanzen zu vermischen.

In der Ausgabe des Jahres 1811 von *The Edingburgh New*

Dispensatory steht vermerkt: »Seit der Vorzeit wird Honig als Arznei eingesetzt ... er bildet ein hervorragendes Gurgelmittel und erleichtert das Abhusten von zähflüssigem Schleim; und er wird manchmal als lindernde Applikation bei Abszessen angewandt und zur Reinigung von Geschwüren.«

Honig wird oft mit Zitronensaft und Essig zu einem lindernden Hustensaft vermischt. Der Heilpraktiker D. C. Jarvis aus Vermont empfiehlt in seinem Bestseller *Folk Medicine* (1958) Honig gegen Husten, Muskelkrämpfe, verstopfte Nasen, Nebenhöhlenentzündung, Heuschnupfen, Bettnässen bei Kindern und gegen Schlaflosigkeit. »Ein Eßlöffel Honig beim Abendessen«, schreibt er, »bewirkt, daß Sie sich auf das Schlafengehen freuen.«

Fakten

Die Volksmedizin hat völlig recht, wenn sie im Honig einen starken Bakterienkiller, ein Antiseptikum und ein Desinfektionsmittel sieht. Zahlreiche Wissenschaftler von heute haben beobachtet, wie sich Bakterien vor ihren Augen auflösten, sobald sie mit Honig in Berührung kamen. Bei einem interessanten Experiment testete der Chirurg und Medizinhistoriker Guido Manjo die Zusammensetzung einer Wundsalbe aus dem altägyptischen Smith-Papyrus; das Rezept schrieb ein Drittel Honig (»*Byt*«) und zwei Drittel Fett vor. Er war mißtrauisch: »Anfangs habe ich geglaubt, daß dies doch ein fürchterliches Zeug für eine offene Wunde sein würde ... Statt dessen aber verschwanden die Bakterien im Fett prinzipiell, und wenn krankheitserregende Bakterien hinzugefügt wurden, zum Beispiel Escherichia coli oder Staphylococcus aureus, wurden sie genauso schnell abgetötet.«

Honig in die Wunde

Laut Dr. P.J. Armon, einem Arzt in Südafrika, verwenden vor allem in Entwicklungsländern Ärzte Honig routinemäßig als desinfizierende Salbe für Wunden und wunde Stellen. In einer medizinischen Fachzeitschrift berichtete er von hervorragenden Erfolgen beim Einsatz von Honig zur Behandlung infizierter Wunden im Kilimanjaro Christian Medical Center. Der Honig schrieb er, beschleunige die Heilung und halte die Wunde steril, so daß die Notwendigkeit entfalle, Antibiotika einzusetzen.

1970 überraschte ein prominenter britischer Chirurg seine Kollegen mit der Erklärung, er verwende nach Krebsoperationen regelmäßig Honig zur Behandlung offener Wunden. Er habe festgestellt, daß mit Honig bestrichene Wunden schneller heilten und weniger Bakterienkolonien bildeten als Wunden, die mit normalen Antibiotika behandelt worden seien. Zum Beweis gaben er und seine Kollegen Honig in Reagenzgläser mit einem breiten Spektrum infektiöser Organismen. Der Honig tötete sie allesamt ab.

Kur gegen Durchfall

Darüber hinaus stellten südafrikanische Wissenschaftler fest, daß Honig das Wachstum von Krankheitskeimen wie Salmonellen, Shigellen, Escherichia coli und Choleraviren unterdrückte, die allesamt Durchfall verursachen – ein tödlicher Fluch in der Dritten Welt. Am wichtigsten dabei war, daß der Honig auch nachdem man ihn gegessen hatte, seine Kraft gegen die Bakterien im Verdauungstrakt beibehielt und zur Eindämmung des Durchfalls beitrug.

Dr. I.E. Haffejee und Dr. A. Moosa von der pädiatrischen

Abteilung der University of Natal, Durban, Südafrika, gaben bei einem Experiment Kindern mit akuter Gastroenteritis Flüssigkeiten mit Zucker und einer anderen Gruppe Flüssigkeiten mit Honig. Diejenigen, die von Bakterien verursachten Durchfall hatten und Honig bekamen, erholten sich um 40 Prozent schneller. Die unausweichliche Schlußfolgerung der Forscher: Die antibakterielle Aktivität des Honigs im Verdauungstrakt trug zur Heilung des Durchfalls bei.

Darüber, wie Honig die Bakterien außer Gefecht setzt, gibt es keine einheitliche Meinung. Manche Experten sagen, der Zucker im Honig sauge die Feuchtigkeit aus den Bakterien und töte sie auf diese Weise ab. Aber das ist nicht die ganze Antwort. Bei einem Test der anbibiotischen Aktivität des Honigs wurde der Zucker entfernt. Das verbliebene zuckerlose Honigdestillat tötete immer noch ein breites Spektrum von Bakterien genauso wirksam ab wie Streptomycin. Darüberhinaus entwickelten die Keime gegen den Honig keine Resistenz, jedoch gegen Streptomycin.

Asthmamittel – ja oder nein?

Vielleicht wirkt es haarsträubend, daß Honig Asthma bekämpfen könne, wie im Altertum geglaubt wurde. Eine Theorie könnte immerhin dafür sprechen. Wenn Sie Pollenspuren zu sich nehmen, die in Honig gefunden werden, könnte Sie das auf dieselbe Weise gegen Allergien immun machen wie die Injektion von Pollen (Spritzen gegen Allergien). Aber bis vor kurzem schien es zweifelhaft, daß die Pollen im Honig den Verdauungsvorgang überleben und den Blutstrom erreichen.

Dr. U. Wahn von der Kinderklinik der Universität Heidelberg hat jedoch festgestellt, daß Kinder, die eine Pollenlösung tranken, weniger Symptome von Heuschnupfen und allergischem Asthma aufwiesen. Siebzig allergiegefährdete Kinder tranken während der Heuschnupfenzeit täglich und im Winter dreimal in der Woche eine Pollenlösung. 84 Prozent hatten daraufhin weniger allergische Symptome als sonst. Das Tränen der Augen und die Symptome von Bindehautentzündung gingen um 70 Prozent zurück, die Irritationen der Nase um 50 Prozent. Die Forscher schlossen daraus, daß die Pollen den Verdauungsprozeß überlebten und in den Blutstrom gelangten und die Kinder dadurch weniger anfällig gegen Allergien und Asthma machten. Daher könnte der Verzehr von Honig mit seinen Pollenbestandteilen durchaus zu einer ähnlichen Immunisierung gegen Allergien und allergisch bedingtes Asthma führen.

Und ist etwas Wahres an dem Volksglauben, daß Honig Halsschmerzen lindert? Ja, sagt Dr. Robert I. Henkin, ein Spezialist für Krankheiten der Geschmacks- und Geruchsorgane am Georgetown University Medical Center in Washington, D. C. Zum Beispiel hat er festgestellt, daß Süßigkeiten chemische Stoffe im Gehirn aktivieren können, die die Schmerzempfindung dämpfen.

Schlaftrunk

Honig neigt dazu, Sie zu beruhigen und schläfrig zu machen. Im Körper unterliegt Honig demselben Stoffwechselprozeß wie Tafelzucker; und es ist durch Experimente am Massachusetts Institute of Technology erwiesen, daß Zucker mehr Serotonin im Gehirn freisetzt, einen chemischen Stoff, der die Gehirnaktivität beruhigt und zur Entspannung und Schlaf führt.

Mögliche schädliche Wirkungen

○ Geben Sie Kindern unter einem Jahr, so warnen die Gesundheitsminister, keinen Honig. Honig kann bakterielle Botulismussporen enthalten, die im noch nicht entwickelten Verdauungstrakt eines Babys keimen, eine Kolonie bilden und ein tödliches Toxin herstellen. Obwohl Fälle von Botulismus bei Kleinkindern selten sind – 1986 wurden etwa hundert auf der Welt gemeldet, von denen vermutlich ein Drittel von Honig verursacht wurde –, sagen die Fachleute, es lohne sich nicht, das Risiko einzugehen und Babys Honig zu geben.

Das Rezept der Weltgesundheitsorganisation gegen Reisedurchfall

Ein Glas mit einem Viertelliter Orangensaft, einer Prise Tafelsalz und einem halben Teelöffel Honig füllen. In ein zweites Glas einen Viertelliter destilliertes Wasser und ein viertel Teelöffel Natron (Natriumbikarbonat) geben. Aus beiden Gläsern abwechselnd trinken.

Ingwer

Möglicher therapeutischer Nutzen:

○ Beugt der Reisekrankheit vor
○ Verdünnt das Blut
○ Senkt das Cholesterin im Blut
○ Beugt bei Tieren Krebs vor

Wieviel? Etwa ein halber Teelöffel gemahlener Ingwer beugt
der Reisekrankheit vor.

Überlieferung

Ingwer wurde schon vor zweitausend Jahren in chinesischen medizinischen Schriften erwähnt und ist ein Bestandteil etwa der Hälfte aus mehreren Substanzen bestehender Rezepte in der asiatischen Medizin. Bei asiatischen Ärzten gilt frischer Ingwer als gutes Heilmittel gegen Erbrechen, Husten, Blähungen und Fieber, während der konservierte Ingwer (gekocht und getrocknet) gegen Leibschmerzen, Hexenschuß und Durchfall verwendet wird. Afrikaner trinken Ingwer als Aphrodisiakum; Frauen in Neuguinea essen die getrocknete Wurzel als Empfängnisverhütungsmittel. In Indien bekommen Kinder Tee aus frischem Ingwer gegen Keuchhusten.

Fakten

Ingwer hat mehrere medizinische Eigenschaften; wie schon im Altertum vermutet wurde, ist er auf alle Fälle ein Mittel gegen Übelkeit und Erbrechen.

Das Drehstuhlexperiment

Forscher haben bewiesen, daß Ingwer die Übelkeit bei Reisekrankheit sogar noch wirkungsvoller unterdrückt als Dramamin – ein weit verbreitetes Medikament gegen Reisekrankheit. Zum Test setzten die Forscher Menschen, die besonders anfällig für Reisekrankheit waren, in einen Stuhl, der sich wild im Kreis drehte, ein Manöver, bei dem sich der Magen umdreht. Zwanzig Minuten vor dem Test gaben die Wissenschaftler jeder Versuchsperson eine von drei verschiedenen Kapseln, ohne sie über den Inhalt zu informieren. Die eine enthielt ein Placebo (ohne pharmakologische Wirksamkeit), die zweite 940 Milligramm gemahlenen Ingwer, die dritte 100 Milligramm Dramamin.

Keine einzige Versuchsperson, die Dramamin oder das Placebo bekommen hatte, hielt es in dem Drehstuhl sechs Minuten lang ohne Übelkeit oder Brechreiz aus. Aber die volle Hälfte – sechs von zwölf Versuchspersonen – derjenigen, die Ingwer bekommen hatten, überstand den Drehstuhltest ohne Übelkeit. Ingwer erwies sich eindeutig als wirkungsvolleres Gegengift gegen die Reisekrankheit als das oft dagegen verwendete Medikament. Und noch ein Plus: Im Gegensatz zu Dramamin macht Ingwer nicht benommen, weil Ingwer im Verdauungstrakt wirkt und nicht im Gehirn.

Dr. Albert Leung, ein unabhängiger Berater auf dem Gebiet der Pflanzenpharmakologie, sagt, in Asien sei die Wirkung von Ingwer seit Jahrhunderten bekannt. »Auf Schiffen in der Nähe von Hongkong«, sagt er, »können Sie häufig sehen, daß Menschen getrockneten Ingwer kauen.« Die Dosis, die bei dem Drehstuhlexperiment verwendet wurde, betrug etwa einen halben Teelöffel gemahlenen Ingwer.

Erstklassiges Antikoagulans

Der dänische Forscher K.C. Srivastava vom Institut für öffentliche Gesundheit an der Universität Odense erklärt, Ingwer sei in Reagenzgläsern und in den Aorten von Ratten ein wirksameres Antikoagulans als Knoblauch oder Zwiebeln, die beide wohlbekannt sind als Hemmstoffe bei der Gerinnselbildung. Ingwer unterband sogar noch wirkungsvoller als Knoblauch oder

Zwiebeln die Synthese einer Substanz namens Thromboxan, die den Blutplättchen signalisiert, sich zusammenzuballen, was bei der Gerinnselbildung der erste Schritt ist. Und je höher die Ingwerdosis war, desto stärker die Wirkung, obwohl sogar extrem kleine Mengen noch Wirkung zeigten. Das brachte Dr. Srivastava zu der Schlußfolgerung, daß entweder »die Wirkungsweise besonders stark oder der Wirkstoff im Ingwer besonders hoch konzentriert ist.«

Die Marmeladenüberraschung

Daß Ingwer beim Menschen der Blutgerinnselbildung vorbeugt, fand Dr. Charles R. Dorso von der medizinischen Fakultät der Cornell University rein zufällig heraus. Er erlebte etwas ähnliches wie Dr. Dale Hammerschmidt, der die gerinnselhemmenden Eigenschaften der Chinamorcheln (Mu-Err) entdeckte. Wie Dr. Hammerschmidt verwendete Dr. Dorso eigene Blutplättchenzellen bei Experimenten zu »Kontrollzwecken«. Eines Tages fiel auch ihm auf, daß sein Blut nicht so gerann wie üblich.

Der Arzt erinnerte sich daran, daß er am Abend vorher eine große Menge »einer vorzüglichen Marmelade« gegessen hatte, »Ingwer mit Grapefruit von Crabtree und Evelyn in London, deren Hauptbestandteil (15 Prozent) Ingwer ist«. Zu Testzwecken kaufte Dr. Dorso im Supermarkt gemahlenen Ingwer und gab ihn zusammen mit seinen Blutplättchen und denen etlicher Kollegen in Reagenzgläser. Und tatsächlich, die Plättchen wollten sich nicht zusammenballen, nicht einmal dann, als die Forscher die Menge einer Substanz, von der bekannt ist, daß sie das Verkleben von Blutzellen fördert, verdoppelten. Die Wissenschaftler von der Cornell University glauben, daß das Antikoagulans, also der blutverdünnende Stoff, im Ingwer das Gingerol (von *ginger*, engl. für Ingwer) ist, dessen chemische Struktur der von Aspirin, einem ebenfalls stark gerinnselhemmenden Stoff, erstaunlich ähnelt.

Indische Forscher haben außerdem festgestellt, daß Ingwer langfristig den Blutcholesterinspiegel von Ratten »auf dramatische Weise senkt«. Bei Tieren wirkte das Gewürz der Cholesterinerhöhung durch fettreiche Nahrung stark entgegen.

In Japan, wo Ingwer ausführlich untersucht worden ist, haben Wissenschaftler festgestellt, daß sowohl frischer als auch konservierter Ingwer Schmerzen lindert, dem Erbrechen vorbeugt, die Magensekretion reduziert, den Blutdruck senkt und das Herz stimuliert. Pflanzenanalysen japanischer Wissenschaftler zeigen außerdem, daß Ingwer »erstaunlich wirksam« als Antimutagen ist, also Zellmutationen bekämpft, die zu Krebs führen. Bei Mäusen, die mit Ingwer gefüttert wurden, erwies er sich ebenfalls als krebshemmend.

Praktische Hinweise

o Sie können Ingwer gegen Reisekrankheit in Kapseln nehmen; viele Reformläden führen Gelatinekapseln mit gemahlenem Ingwer. Wenn nicht, können Sie Ihren Apotheker darum bitten, Ihnen Kapseln anzufertigen, mit einer Dosis von je 500 Milligramm Ingwer. Nehmen Sie etwa eine halbe Stunde vor Reiseantritt zwei Kapseln. Ein Fachmann warnt davor, einen halben Teelöffel gemahlenen Ingwer so zu nehmen, weil Sie sich daran die Speiseröhre verbrennen könnten.

o Sie können auch einen halben Teelöffel gemahlenen Ingwer im Tee oder einem anderen Getränk zu sich nehmen, empfiehlt Jim Duke, ein Pflanzenexperte vom amerikanischen Landwirtschaftsministerium. Dr. Duke weist darauf hin, daß Sie, wenn Sie frischen Ingwer verwenden, die Dosis verdoppeln, also einen ganzen Teelöffel nehmen sollten. Sie können die Wurzel nach dem Schälen kleingeschnitten oder gerieben einem Getränk hinzufügen.

Joghurt

Möglicher therapeutischer Nutzen:

- Tötet Bakterien ab
- Verhindert und heilt Infektionen im Verdauungstrakt, darunter auch Durchfall
- Senkt das Cholesterin im Blut
- Stärkt das Immunsystem
- Verbessert die Darmfunktion
- Enthält Stoffe, die Magengeschwüren vorbeugen
- Wirkt krebshemmend

Wieviel? Drei 200-g-Becher (genau: 3 Tassen zu je 235 ccm) Joghurt pro Tag haben eine Senkung des Cholesterinspiegels bewirkt. Ein Drittel bis zur Hälfte eines 200-g-Bechers Magermilchjoghurt pro Tag haben Kleinkinder von schwerem Durchfall geheilt.

Überlieferung

Ein Engel soll dem biblischen Abraham die lebensspendenden Eigenschaften von Joghurt enthüllt haben, und das soll die Erklärung für Abrahams langes Leben gewesen sein. Joghurt – vergorene Milch mit lebenden Mikroben – gehört zu den legendären Nahrungsmitteln. Die Menschen im Mittelmeerraum haben Joghurt seit Jahrhunderten zur Bekämpfung von Durchfall und zur Heilung anderer Darmbeschwerden verwendet. Aufgrund der Experimente des Mikrobiologen Dr. Ilja Metschnikow vom Institut Pasteur im 19. Jahrhundert hatte der Joghurt einen spektakulären Auftritt in der modernen Volksmedizin. Dr. Metschnikow erklärte Joghurt zu einem Allheilmittel gegen Herzkrankheiten, Senilität und die allgemeine Verschlechterung des körperlichen Zustands.

Fakten

Joghurt ist im zwanzigsten Jahrhundert wissenschaftlich gründlich untersucht worden; dabei hat sich herausgestellt, daß es sich um einen vielseitigen therapeutischen Stoff handelt. Ein großer Teil seines Nutzens beruht auf den ausgedehnten Aktivitäten, die er im Verdauungstrakt bewirkt. Das herausragende Charakteristikum des Joghurts ist seine Familie natürlicher Bakterien, Lactobacilli genannt, die für die Gärung und dadurch für den säuerlichen Geschmack sorgen. Die therapeutischen Fähigkeiten von Joghurt hängen vom jeweiligen Bakterientyp ab.

Wie Joghurt Durchfall bekämpft

Der Verdauungstrakt ist ein Schlachtfeld für Bakterien, und welche Keime den Krieg im Dickdarm gewinnen, entscheidet über die Verdauungsfunktion, die Bakterienausscheidung und den allgemeinen Gesundheitszustand. Störungen im Ökosystem des Darms und eine überreichliche Vermehrung bestimmter Bakterien, vor allem von Escherichia coli, können zu Durchfall führen. Mehr Lactobacilli aus Joghurt können dafür sorgen, daß die gutartigen Mikroorganismen die schädlichen ausschalten und auf diese Weise die Verdauungsaktivität wieder in Ordnung bringen

Das ist der Grund dafür, warum Joghurt zwei scheinbar widersprüchliche Funktionen erfüllen kann: Durchfall lindern und abführend wirken. Joghurt bewirkt die Vorgänge, die nötig sind, um ein normales Mikrobenverhältnis im Verdauungstrakt wiederherzustellen. Viele Forscher berichten, daß kleine Mengen Joghurt dazu beitragen, durch Lebensmittelvergiftungen oder infektiöse Stoffe verursachte Magen-Darm-Beschweren zu heilen.

Als besonders wirksam hat sich die antibakterielle Aktivität von Joghurt gegen Escherichia coli erwiesen, gegen jene Bakterien, die häufig den sogenannten Reisedurchfall auslösen; Joghurt lindert auch Durchfall, der auf das im allgemeinen von pharmazeutischen Antibiotika verursachte Mikrobenwachstum zurückgeht. Manche Ärzte, die Penicillin verschreiben, raten deshalb: »Essen Sie außerdem etwas Joghurt.«

Natürliche Antibiotika

In der Forschung ist häufig festgestellt worden, daß die aktiven Bakterien im Joghurt und die im Verdauungstrakt freigesetzten Nebenprodukte natürliche Breitbandantibiotika sind. Wissenschaftler haben aus Joghurt und anderen vergorenen Milchsorten *sieben* natürliche Antibiotika isoliert, darunter etliche, deren Kräfte bei der Bakterienabtötung pharmazeutischer Antibiotika wie Terramycin gleichkommen oder sie sogar noch übertreffen. Antibiotika aus Kulturen, die in Amerika und Europa häufig zur Joghurtherstellung verwendet werden (Bulgaricus und Acidophilus), können weit verbreitete Bakterien unterdrücken, die Botulismus, Salmonellen und Staphylokkenvergiftung verursachen. Darüber hinaus produzieren Joghurtbakterien im Verdauungstrakt andere chemische Stoffe, die Bakterien vernichten, durch die Magenverstimmungen oder Infektionen ausgelöst werden können.

Ausführliche Forschungen, vor allem in Mitteleuropa, Japan und in den Vereinigten Staaten, zeigen, daß Joghurt vorbeugend gegen Ruhr und Durchfall wirkt und beide Krankheiten manchmal auch heilt, vor allem Durchfall bei Kindern. In italienischen und russischen Krankenhäusern ist es üblich, Kindern zur Abwehr von Durchfall Joghurt zu geben. Bei einer Studie, die 1963 in einem Krankenhaus in New York City durchgeführt wurde, heilten Ärzte mit 0,09 l ganz normalem Joghurt Kinder mit schwerem Durchfall doppelt so schnell wie mit Neomycin, dem Standardmedikament gegen Durchfall.

Als Prophylaxe gegen Verdauungsbeschwerden scheint Joghurt besonders erfolgreich zu sein. In Japan trat bei einer Gruppe von fünfhundert Soldaten, die täglich Yakult tranken – ein Joghurtgetränk, hergestellt aus Lactobacilli-casei-Kulturen —, keinerlei Ruhr auf. 10 Prozent aus einer vergleichbaren Gruppe, die kein Yakult zu sich nahm, bekamen innerhalb von sechs Monaten Ruhr.

Polnische Kinder, die Joghurt bekommen, sind viel resistenter gegen Grippeinfektionen. Und Mäuse, die bei Tests des amerikanischen Landwirtschaftsministeriums mit Joghurt gefüttert wurden, waren außerdem viel weniger anfällig gegen Salmonelleninfektionen. Die mit Joghurt gefütterten Mäuse lebten auch länger.

Besonders wirksam bei der Bekämpfung von schädli-

chen Bakterien sind die Acidophiluskulturen, die ebenfalls zur Joghurtherstellung verwendet werden. Aus polnischen Studien geht hervor, daß Acidophiluskulturen
Durchfall vorbeugten und heilten. Einer der weltweit
führenden Experten auf dem Gebiet von vergorener
Milch, Dr. Khem Shahani von der University of Nebraska, hält Joghurt für noch besser zur Vorbeugung geeignet als zur Heilung von Durchfall und Ruhr. Er stellt fest:
»Indem man nach dem Auftreten von Durchfallbe-
schwerden Lactobacilli in der Nahrung zu sich nimmt
(besser aber *vor* dem Auftreten), kann man Durchfallerkrankungen verringern.«
Daß Joghurt ein Mikrobenkiller ist, steht seit Jahren
fest; neue Forschungen in Japan, Italien, der Schweiz
und den Vereinigten Staaten haben darüber hinaus ergeben, daß er auch Immunfunktionen der tierischen
und menschlichen Zellen stärkt, indem er sie dazu veranlaßt, mehr Antikörper und andere Killerzellen und
Substanzen zu produzieren, die Krankheiten bekämpfen. Joghurt attackiert Infektionen also mit zwei verschiedenen Methoden: er tötet Bakterien ab und stärkt
das Immunsystem.

Wirkstoff gegen Krebs?

Die Beweise dafür, daß Joghurt möglicherweise zur Vorbeugung von Krebs, und zwar Dickdarmkrebs, beiträgt,
mehren sich. Im letzten Vierteljahrhundert haben Wissenschaftler mehrere krebsbekämpfende Eigenschaften
im Joghurt entdeckt. Es gibt Anzeichen dafür, daß Menschen, die mehr Joghurt essen, weniger anfällig für
Krebs sind. Aufregende Studien des menschlichen Verdauungstrakts, die von Spitzenforschern in Boston
durchgeführt wurden, zeigen außerdem, daß die Acido-

philuskultur dazu beitragen kann, die Aktivität von Enzymen im Dickdarm zu unterdrücken, die harmlose chemische Stoffe in Krebserreger umwandeln. Eine faszinierende französische Studie, die in einer Ausgabe des *Journal of National Cancer Institute* von 1986 veröffentlicht wurde, stellte fest, daß zwar Frauen, die große Mengen von Milchfettprodukten wie Käse aßen, ein hohes Risiko von Brustkrebs hatten, daß jedoch diejenigen, die am meisten Joghurt aßen, das geringste Risiko aufwiesen. Dr. Shahanis Team hat außerdem festgestellt, daß Joghurt oder Milch mit Acidophiluskulturen bei Mäusen krebshemmend wirkt; andere Forscher entdeckten dasselbe bei Ratten.

Magenbalsam

Joghurt enthält fettige Hormonsubstanzen, Prostaglandine E2, von denen bekannt ist, daß sie Magengeschwüren entgegenwirken und außerdem die Magenwand vor giftigen Stoffen wie Zigarettenrauch und Alkohol schützen. Prostaglandin E ist zu einem neuen Medikament gegen Magengeschwüre synthetisiert worden. Vollmilchjoghurt enthält, wenn auch in niedriger Konzentration, biologisch aktives Prostaglandin E, das mit dem des Medikaments identisch ist, sagt Dr. Samuel Money vom Health Science Center der State University of New York in Brooklyn, der zu den Entdeckern der medikamentösen Substanz in Joghurt und Milch gehört. Weil die Prostaglandine im Milchfett sitzen, sind im fettarmen Joghurt und im Magermilchjoghurt weniger dieser aktiven Stoffe enthalten.

Tests bei Menschen mit normalem Cholesterinspiegel haben außerdem ergeben, daß Joghurt das Cholesterin im Blut überraschend stark senkte – zwischen 5 und 10

Prozent innerhalb einer Woche. Die Versuchspersonen aßen drei Becher pasteurisierten oder nicht pasteurisierten Joghurt pro Tag, und ihr Cholesterinspiegel sank. Außerdem erhöhte der Joghurt das wohltätige HDL-Cholesterin.

Obwohl Joghurt in etlichen Berichten wegen seines Gehalts an Tryptophan als leichtes Sedativ bezeichnet worden ist, haben maßgebliche Studien am Massachusetts Institute of Technology ergeben, daß Joghurt in Wahrheit dazu beiträgt, chemische Stoffe im Gehirn zu stimulieren, und dadurch den Verstand wacher macht. Fettarmer Joghurt oder Magermilchjoghurt macht also munter, nicht schläfrig.

Praktische Hinweise

○ Nicht alle Joghurtsorten haben dasselbe therapeutische Potential. Die heilende Wirkung von Joghurt auf den Körper hängt im einzelnen vom Typ und der Menge der Bakterien darin ab. Vergorene Milch, also auch Joghurt, entsteht durch das Hinzufügen eines oder mehrerer Bakterientypen aus der Familie der Lactobacilli. Die Lactobacilli-Acidophilus-Kultur gilt zum Beispiel als besonders nützlich und vielseitig. Nur wenige Joghurtmarken im Handel enthalten Acidophilusbakterien.

○ Meistens steht auf dem Joghurtbecher nicht, welche Bakterienkultur darin enthalten ist; wenn Sie es herausfinden wollen, können Sie an den Hersteller schreiben. Die meisten Joghurtsorten im Handel werden jedoch mit den Lactobacilli bulgariacus und streptococcus thermophilus hergestellt, wenig mit L. acidophilus.

○ Prüfen Sie den Becheraufdruck, um sicherzugehen,

daß der Joghurt »lebende Kulturen« enthält, denn nur dann handelt es sich um echten Joghurt. Joghurt, in dem die Kulturen nach der Gärung durch Pasteurisierung abgetötet werden, büßt den therapeutischen Nutzen ein, vor allem als antibakterieller Stoff. Es kommt hin und wieder vor, daß die Milch durch die Schwindelmethode, ihr Säure hinzuzufügen, gesäuert, verdickt und als Joghurt ausgegeben wird. Dr. Shahani nennt das »gesäuerten Joghurt«, ohne den gesundheitlichen Nutzen von Joghurt, der aus Kulturen hergestellt wird.

○ Wenn Sie gegen Milch allergisch sind, versuchen Sie es mit Joghurt. Es ist bewiesen, daß die meisten Menschen, die Milch nicht vertragen, weil ihnen die Enzyme fehlen, die den Milchzucker (Laktose) zerlegen, Joghurt ohne Beschwerden essen können.

Mögliche schädliche Wirkung

○ Gelegentlich können Menschen mit einer Unverträglichkeit gegen Laktose auch keinen Joghurt essen, ohne einen gereizten Magen zu bekommen. Wer Joghurt verwendet, vor allem für Babys, sollte sich dieser Möglichkeit bewußt sein.

Widersprüchliche Forschungsergebnisse

Bei mehreren Tests an Tieren und Menschen wurde keine Wirkung von Joghurt auf das Blutcholesterin festgestellt. Eine vor kurzem durchgeführte Untersuchung ergab, daß Ratten, die Joghurt bekamen, mehr kleine Tumore im Dickdarm aufwiesen als Ratten, die mit Milch gefüttert worden waren.

Dr. Shahanis hausgemachter Joghurt

Einen Liter Milch zum Kochen bringen; ein paar Minuten lang köcheln lassen; auf Zimmertemperatur abkühlen. Zwei bis drei Eßlöffel Joghurt mit Kulturen von L. bulgaricus und streptococcus thermophilus hinzufügen. Etwas Acidophiluspulver hinzugeben (in Reformläden erhältlich). Gründlich mischen. Zudecken und in den nicht eingeschalteten Backofen stellen. Dick werden lassen. Mit Salz und Pfeffer und/oder Kreuzkümmel abschmecken.

Johannisbeeren

Möglicher therapeutischer Nutzen:

o Wirken vorbeugend und heilend gegen Durchfall
o Schützen die Blutgefäße
o Verlängern das Leben

Überlieferung

Schwarze Johannisbeeren werden seit langer Zeit empfohlen gegen Erkältungen, als Adstringens und als Abführmittel. »Nehmen Sie gegen Halsschmerzen einen Eßlöffel Marmelade oder Gelee aus schwarzen Johannisbeeren; gießen Sie die Portion in einem großen Glas mit heißem Wasser auf. Mehrmals am Tag eingenommen und heiß getrunken, hat dieser Aufguß aus schwarzen Johannisbeeren eine lindernde, entzündungshemmende Wirkung.« *A Modem Herbal* von Maud Grieve, 1931.

Fakten

Neue Beweise geben dem Brauchtum über schwarze Johannisbeeren zum Teil recht. Schwedische Forscher haben vor kurzem sogar schwarze Johannisbeeren zu einem neuen Medikament gegen Durchfall verarbeitet. Das Mittel, Pecarin genannt, wird hergestellt, indem die Schale und die äußere Schicht vom Fruchtfleisch abgelöst werden; die Schalen und die Außenschicht, die 40 Prozent der ganzen Beere ausmachen, werden dann getrocknet und gemahlen, und so entsteht Pecarin. Diese Teile der schwarzen Johannisbeere sind voll von Anthozyanosiden, chemischen Stoffen, von denen bekannt ist, daß sie das Wachstum von Bakterien hemmen, vor allem von Escherichia coli, die bei der Erregung von Durchfall häufig die Hauptrolle spielen. Der Extrakt aus schwarzen Johannisbeeren ist erfolgreich zur Bekämpfung von Magen- und Darminfektionen bei Mäusen und Menschen eingesetzt worden und wird in Schweden und anderen Ländern als pharmazeutisches Medikament verkauft.

Diese Anthozyanoside, die stark konzentriert auch in der ganzen Heidelbeere vorkommen (nicht nur in der Schale wie bei der schwarzen Johannisbeere) haben bei Tierversuchen dazu beigetragen, Blutgefäße vor den Schäden einer cholesterinreichen Ernährung zu schützen; außerdem sind sie entzündungshemmend.

In einer faszinierenden Forschungsarbeit, die 1982 in *Experiment Gerontology* veröffentlicht wurde, entdeckten walisische Wissenschaftler zu ihrer Überraschung, daß mit Flavonoid angereichertes Konzentrat aus schwarzen Johannisbeeren das Leben alternder weiblicher Mäuse beträchtlich verlängerte. Die Forscher waren verblüfft über die Wirkung und äußerten dazu, sie komme ihnen überzeugend vor, weil sie das Leben von

Tieren verlängert habe, die genetisch ohnehin schon für eine lange Lebensdauer programmiert gewesen seien. Die Lebensverlängerung durch die Johannisbeeren kam also, wie lang sie auch ausgefallen sein mag, noch hinzu zu einer genetisch bedingten Langlebigkeit.

Kaffee

Möglicher therapeutischer Nutzen:

o Verbessert die geistige Leistungsfähigkeit
o Lindert Asthma (wirkt bronchienerweiternd)
o Lindert Heuschnupfen
o Steigert die körperliche Energie
o Beugt Löchern in den Zähnen vor
o Enthält chemische Stoffe, die bei Tieren krebsbekämpfend wirken
o Hebt die Stimmung

Wieviel? Die beste Dosis scheint in zwei Tassen Kaffee pro Tag zu bestehen – eine am Morgen und eine am späten Nachmittag. Diese Menge ist genau richtig, um Sie wach und konzentriert zu halten, Ihre Stimmung zu heben und das körperliche Durchhaltevermögen zu stimulieren. Fünf Tassen oder mehr pro Tag können schädlich sein, und Kaffee am Abend ist streng verboten für Menschen, die an Schlaflosigkeit leiden.

Überlieferung

Kaffee ist gepriesen worden als ein Heilmittel für so gut wie alles, das Ihnen fehlt. Er kam übrigens um 1600 herum als Heilmittel und nicht als Getränk aus Arabien nach Europa. Im Frankreich des 17. Jahrhunderts hatten die Ärzte die Aufsicht über den Kaffee; die Bohnen wurden in erster Linie als Medikament verkauft, weniger als Getränk, und Kaffeehändler verhökerten sie als eine Art therapeutisches Allheilmittel. Es sprach sich schnell herum, daß Kaffee den Verstand stimuliert. Französische Dichter, darunter Voltaire, nannten Kaffee »ein dunkles, dem Gehirn äußerst bekömmliches Gebräu«. Außerdem erwarb sich Kaffee den Ruf, ein Mittel für die Atemwege zu sein. Ein Beispiel: »Eines der am weitesten verbreiteten und angesehensten Heilmittel gegen Asthma ist starker Kaffee«, schrieb Dr. Hyde Salter 1859 im *Edinburgh Medical Journal*. Viele Jahre lang wurde allergisches Bronchialasthma mit schwarzem Mokka behandelt.

Fakten

Kaffee gehört zu den beliebtesten Genußmitteln der Welt, ist erwiesenermaßen ein Stärkungsmittel für das Gehirn und die Muskeln, in erster Linie wegen seiner hohen Konzentration von Koffein. Kaffee entspannt außerdem die Bronchialmuskeln, stärkt Ihr Durchhaltevermögen bei sportlicher Betätigung und hat etliche Risikofaktoren, aber nicht annähernd so viele, wie ihm zugeschrieben worden sind.

Geistiges Stimulans

»Koffein ist ein Stimmungsheber, der die Gehirnarbeit beschleunigt. Das ist nicht etwa ein Werbegag, den sich die Kaffeeindustrie aus den Fingern gesaugt hat; das ist eine wissenschaftliche Tatsache«, erklärt Judith Wurtman, eine angesehene Forscherin auf dem Gebiet stimmungshebender Nahrungsmittel beim Massachusetts

Institute of Technology. Wie stark normale Dosen von Koffein die geistige Leistungsfähigkeit erhöhen, hat Dr. Harris Lieberman, ein Psychologe in der Abteilung für Gehirn und kognitive Wissenschaften am Massachusetts Institute of Technology, in einem Test bewiesen.

Um den normalen Kaffeeverbrauch zu simulieren – eine Tasse oder Doppeltasse am Morgen —, gab er einer Gruppe von Männern täglich Koffeinkapseln in verschiedener Dosierung: 32, 64, 128 und 256 Milligramm (32 Milligramm sind etwa die Menge, die ein Glas Cola oder eine Tasse aufgebrühter Tee enthalten; 64 Milligramm enthält eine Tasse Pulverkaffee; eine Tasse aufgebrühter Kaffee hat 128 Milligramm, eine Doppeltasse 256).

Jeden Morgen um acht, nachdem sie zwölf Stunden lang weder etwas gegessen noch getrunken hatten, schluckten die Freiwilligen die Koffeinkapseln. Kurz darauf unterzogen sie sich einer Reihe von Tests auf geistige Wachheit, bei denen die Reaktionszeit, die Aufmerksamkeitsspanne, die Konzentration, der Scharfsinn und die Genauigkeit mit Zahlen bewertet wurden. An anderen Tagen bekamen sie, ohne es zu wissen, gleich aussehende Placebokapseln ohne Koffein.

Die erstaunliche Tatsache: Bei jedem einzelnen der Tests verbesserte das Koffein die geistige Leistung. Noch die kleinste Dosis – 32 Milligramm – regte das Gehirn dazu an, die geistige Funktion zu erhöhen, die Reaktionsschnelligkeit, die Konzentration und die Genauigkeit. Frau Dr. Wurtman interpretiert das so: »Die stimulierende Wirkung von Koffein auf das Gehirn und das Nervensystem führte zu schnellerem Denken und Reagieren, zu größerer Wachheit und Genauigkeit und zu einer längeren Aufmerksamkeitsspanne bei den Freiwilligen, sobald sie ihre Morgendosis dieses chemischen Stoffs bekommen hatten.«

Darüber hinaus stärkte das Koffein die Gehirnkraft der Freiwilligen ganz unabhängig davon, ob sie normalerweise etwas Kaffee, viel Kaffee oder gar keinen Kaffee tranken. Es war schlicht und einfach das Koffein, das die Gehirnfunktionen stimulierte. Bei einer anderen Studie von Dr. Lieberman wurde festgestellt, daß 200 Milligramm Koffein die Leistung während einer Autofahrt beträchtlich verbesserten.

Stimmungsheber

Gleichzeitig kann Koffein die Stimmung mancher Menschen stark aufhellen. Und es ist wahrscheinlich, daß Menschen seit Jahrhunderten koffeinhaltige Getränke wie Kaffee dazu benutzt haben, nicht nur Verstimmungen, sondern auch chronische leichte Depressionen zu bekämpfen. Forscher haben jetzt sogar herausgefunden, wie Kaffee die chemischen Vorgänge im Gehirn auf eine Weise verändert, die Koffein zu einem modernen Medikamenten ähnlichen Antidepressivum macht. Forscher an der Johns Hopkins University und am Karolinska-Institut in Stockholm haben festgestellt, daß Koffeinmoleküle tatsächlich an Gehirnzellen festmachen können und dort die Verankerung eines Neurotransmitters verhindern, der stimmungshebende chemische Stoffe blockiert (das Koffein täuscht die Zellen, weil Koffein in der Form dem natürlichen Neurotransmitter sehr ähnlich ist). Indem es den chemischen Stoffen, die Produzenten »schlechter Laune« freisetzen, den Platz wegnimmt, sorgt das Koffein also dafür, daß gute Laune schaffende chemische Stoffe in Ihrem Gehirn zirkulieren, so daß Sie sich »gut aufgelegt« fühlen. Bei manchen Menschen zaubert schon eine Tasse Kaffee ein Lächeln ins Gesicht und hebt ihre Stimmung über zwei

Stunden lang. Daß Koffein, also Kaffee, ein starkes und ungefährliches Antidepressivum sein kann, scheinen Jahrhunderte des Gebrauchs zu bestätigen.

Koffein wirkt schnell. Es wird rasch absorbiert und zeigt sich etwa fünf Minuten nach dem Konsum in der Gewebeflüssigkeit. Es gelangt schnell und mühelos ins Gehirn und erreicht seine höchste Konzentration im Blut innerhalb von zwanzig bis dreißig Minuten. Danach sinkt der Koffeingehalt in Ihrem Blut in drei bis sechs Stunden auf die Hälfte und in weiteren drei bis sechs Stunden auf ein Viertel. So gut wie alles Koffein wird vom Körper verbraucht; nur ein Prozent wird unverändert ausgeschieden.

Körperliches Stimulans

Als Mittel der Leistungssteigerung ist Koffein bei sportlichen Wettbewerben so bekannt, daß manche Kritiker behaupten, es werde mißbraucht und sei dem »Doping« vergleichbar. Es ist bestens bewiesen, daß Koffein die Zeitspanne verlängert, in der ein Mensch körperlich anstrengende Arbeit leisten kann. Deshalb verbessert Koffein bei ermüdenden Tätigkeiten die Leistung. Gut trainierte Radrennfahrer, denen 330 Milligramm Koffein gegeben wurden, traten um 7 Prozent härter in die Pedale, spürten aber nichts von der vermehrten Anstrengung und hielten etwa 20 Prozent länger durch. Bei einer anderen Studie mit achtzig Versuchspersonen verbesserten sich 54 Prozent nach der Einname von 250 Milligramm Koffein im Weitsprung, 60 Prozent beim Kugelstoßen und 80 Prozent beim Hundertmeterlauf (koffeinfreier Kaffe verursachte übrigens eine Verschlechterung der sportlichen Leistung bei Kurzdisziplinen). Offenbar beugt Koffein einer Ermüdung der Muskeln vor und steigert die Fähigkeit des Körpers, Fett zu Energie zu verbrennen, verschont dabei aber den Zucker, der dann im Gewebe gelagert wird und bei Energiebedarf abgerufen werden kann. Andererseits wirkt sich Koffein möglicherweise beeinträchtigend bei Aufgaben aus, die Fingerkoordination erfordern, zum Beispiel beim Einfädeln einer Nadel, beim Treffen eines kleinen Ziels oder beim Werfen von Darts.

Verbessert die Atmung

Wie in der Volksmedizin behauptet wurde, zeigen neue kanadische Tests, daß starker Kaffee ein gutes Mittel für Asthmapatienten ist. Das Koffein im Kaffee erweitert die Bronchialgefäße und erleichtert Asthmatikern das Atmen. Laut Recherchen, die sowohl bei Kindern als auch bei Erwachsenen angestellt wurden, sollten zwei Viertellitertassen starken, frisch aufgebrühten Kaffees innerhalb einer oder zwei Stunden Erleichterung verschaffen, etwa sechs Stunden lang. Obwohl Koffein im 19. Jahrhundert das Wundermittel gegen Asthma war, wurde es vom Theophyllin überrundet, das seit 1921 ein weit verbreitetes Mittel zur Linderung von Asthma ist. In modernen Tests, bei denen Koffein und Theophyllin, die eine ähnliche chemische Struktur aufweisen, miteinander verglichen wurden, stellten Forscher an der University of Manitoba fest, wie sie im *New England Journal of Medicine* berichteten, daß »Koffein als Mittel zur Bronchialerweiterung bei jungen Patienten mit Asthma genauso wirksam ist wie Theophyllin«. In Wahrheit spaltet sich das Koffein im Körper in andere chemische Stoffe auf, darunter auch Theophyllin.
Auf ähnliche Weise könnte Koffein auch ein gutes Mittel für Heuschnupfenleidende sein, wie Philip Shapiro

vom Albany Medical Center, New York, meint. Zur Behandlung seiner allergischen Rhinitis (die dem Heuschnupfen ähnlich ist) nahm er sechzehn Tage lang abwechselnd Koffeintabletten oder Placebos. Die Tabletten waren mit einem Code gekennzeichnet, aber er wußte nicht, wofür der Code jeweils stand. An den Tagen, an denen er, wie sich herausstellte, das Koffein schluckte – soviel, wie in zwei Tassen starkem Kaffee enthalten ist –, berichtete er, daß er nur zweimal niesen mußte und weniger Beschwerden und Juckreiz hatte, während er an den Tagen, an denen er das Placebo genommen hatte, siebenundzwanzigmal niesen mußte.

Koffein erleichtert das Atmen außerdem, indem es die Ermüdung der Atemmuskeln verringert. Deshalb scheint Kaffee eine gute Medizin für Menschen mit Atemschwierigkeiten zu sein, vor allem für diejenigen, die an chronischen, die Atmung erschwerenden Lungenkrankheiten leiden. Forscher an der Case Western Reserve University haben festgestellt, daß das Koffein in drei Tassen starkem Kaffee Männern und Frauen bei Tests zur Messung der Ermüdungserscheinungen der Atemmuskeln das Atmen erleichterte.

Stärkungsmittel für ältere Menschen

Manche älteren Menschen neigen dazu, daß Ihnen nach dem Essen, vor allem nach dem Frühstück, schwindlig wird – etliche werden sogar ohnmächtig –, weil sich ihr autonomes Nervensystem nicht mehr zur Regulierung des Blutdrucks einschaltet wie noch in jüngeren Jahren. Um das zu korrigieren, empfiehlt ein Ärzteteam von der medizinischen Fakultät der Vanderbilt University zwei Tassen koffeinhaltigen Kaffee zum Frühstück. Bei Tests mit älteren Patienten, die anfällig waren für solche Beschwerden, sorgte das Koffein dafür, den Blutdruck so hoch zu halten, daß der Blutfluß normal war, und beugte dadurch dem Schwindelgefühl vor und hielt die Patienten im Gleichgewicht. Die Ärzte erklärten jedoch, daß man, wenn man Kaffee zur Behandlung solcher Beschwerden einsetze, den restlichen Tag über keinen koffeinhaltigen Kaffee trinken solle, weil zuviel Koffein die Wirkung abschwächen könne. Die Ärzte wiesen außerdem darauf hin, daß der Kaffee sogar noch besser wirke, wenn man ihn *vor* dem Essen trinke.

Wirkstoff gegen Karies

Am angesehenen Forsyth Dental Research Center haben Dr. Shelby Kashket und seine Kollegen festgestellt, daß Kaffee, wegen seines Tanningehalts, die bakteriellen Prozesse stören kann, die zu Zahnverfall führen. Wenn Sie Kaffee trinken, sogar koffeinfreien, spülen Sie Ihre Zähne mit diesen Tanninen, die verhindern, daß sich bakterieller Zahnbelag bildet und Löcher in ihre Zähne bohrt. Kaffee ist, wie Tee und Kakao, eine Munddusche gegen Karies – wenn er ungezuckert genossen wird!

Kaffee und Krebs

Befürchtungen zum Trotz, daß das Kaffeetrinken zu Krebs führen könne, und zwar zu Bauchspeicheldrüsen- und Blasenkrebs, sprechen neue Entdeckungen den Kaffee im allgemeinen von diesem Verdacht frei, und Laborbeweise zeigen, daß chemische Stoffe im Kaffee möglicherweise vorbeugend gegen Krebs wirken. Verschiedene Studien in Japan, Norwegen und den Vereinigten Staaten geben dem Kaffee an keiner Krebsart die Schuld, und schon gar nicht am Bauchspeicheldrüsenkrebs. Norwegische Studien folgern sogar, daß das Kaffeetrinken möglicherweise zur Vorbeugung gegen Dickdarmkrebs beiträgt, vor allem bei denjenigen, die sich fettreich ernähren. Dr. Lee Wattenberg und seine Kollegen an der University of Minnesota haben eindeutig festgestellt, daß grüne Kaffeebohnen bei Versuchstieren stark krebshemmend wirken. Der kanadische Krebsexperte Dr. Hans Stich ist ebenfalls der Meinung, daß Kaffee, wegen seiner Konzentration von Polyphenolen, bei Labortests ein wirksamer Stoff gegen Krebs ist.

Praktische Hinweise

○ Wenn Sie geistig besonders wach sein wolle, trinken Sie früh am Morgen eine Tasse Kaffee. Das ist der Zeitpunkt, zu dem Ihr Gehirn, nach einer Nacht der Entbehrungen, am aufnahmefähigsten für Anregung ist. Trinken Sie dann erst wieder am späten Nachmittag Kaffee; dann kann Ihr Körper wieder eine Koffeinstärkung brauchen. Die Forscher sagen, es sei nicht nötig, tagsüber Kaffee zu trinken, weil die Morgendosis im allgemeinen mehrere Stunden lang anhält. Frau Dr. Wurtman meint, »wenn man zwischendurch noch mehr von dem chemischen Stoff in sich hineinschüttet, ist das fast so, als ob Sie versuchen wollten, Ihr Auto noch besser zum Fahren zu bringen, indem Sie zum Nachtanken anhalten, wenn der Tank noch fast voll ist«. Mit einem zweiten Schub Kaffee am Nachmittag sorgen Sie jedoch dafür, daß Ihr Gehirn etwa weitere sechs Stunden lang auf vollen Touren arbeitet.

○ Wenn Sie Ihre sportliche Leistung steigern wollen, trinken Sie Ihren Kaffee etwa zwanzig Minuten oder eine halbe Stunde vor dem Start.

○ Sie können einen Asthmaanfall lindern, indem Sie zwei Tassen starken schwarzen Kaffee trinken. Kaffee wird besonders empfohlen, weil er viel höhere Konzentrationen von Koffein enthält als Cola, Tee oder Kakao. Die Experten, von denen die Studien stammen, raten trotzdem davon ab, Asthmaanfälle *regelmäßig* mit Kaffee zu behandeln, vor allem bei Kindern, oder Asthmamedikamente durch Kaffee zu ersetzen. Aber nach Meinung der Experten kann Kaffee in Notfällen phantastisch wirken, falls Medikamente gegen Asthma nicht zur Hand sind.

Mögliche schädliche Wirkungen – Märchen und Fakten

○ Kaffee und Blutdruck: Im Gegensatz zu einer weit verbreiteten Meinung trägt mäßiges Kaffeetrinken (laut einer Studie unter sechs Tassen am Tag) nicht dazu bei, den Blutdruck langfristig zu erhöhen, außer bei Rauchern. In Verbindung mit dem Rauchen kann das Koffein den Blutdruck von Menschen, die ohnehin schon an hohem Blutdruck leiden, beträchtlich in die Höhe treiben. Bei anderen hebt Kaffee im allgemeinen normalen Blutdruck an, aber nur vorübergehend. Anscheinend stellt sich der Körper nach wenigen Tagen auf das Koffein ein.
Wenn Sie schon hohen Blutdruck haben, hat es nach der Meinung von Forschern der Vanderbilt University keine blutdrucksenkende Wirkung, wenn Sie Koffein oder Kaffee aufgeben. Und Menschen mit hohem Blutdruck, die keinen Kaffee trinken, leben laut Forschungen am Health Sciences Center der University of Texas nicht länger. 1987 ergab eine italienische Untersuchung von fünfhundert Arbeitern und Arbeiterinnen sogar, daß die gewohnheitsmäßigen Kaffee-

trinker einen etwas niedrigeren Blutdruck hatten, vor allem Nichtraucher.

o Herzkrankheiten: Starker Kaffeekonsum scheint Herzkrankheiten zu fördern. Eine Großuntersuchung der medizinischen Fakultät der Johns Hopkins University stellte 1985 fest, daß Männer, die fünf oder mehr Tassen Kaffee am Tag trinken, fast dreimal so wahrscheinlich Probleme mit dem Herzen bekommen wie diejenigen, die keinen Kaffee trinken. Auch Frauen, die sechs Tassen Kaffee am Tag trinken, erleiden zweieinhalbmal soviel Herzinfarkte. Kaffee kann bei manchen Menschen den Cholesterinspiegel leicht erhöhen, aber aus zweiundzwanzig internationalen Studien geht in der Zusammenfassung hervor, daß das für die meisten Menschen kein großes Problem ist. Die Experten raten jedoch: Wenn Ihr Cholesterinspiegel sehr hoch ist, verzichten Sie einen Monat lang auf Kaffee und stellen Sie dann fest, ob er gesunken ist.

o Magengeschwüre: Vom Kaffee ist bekannt, daß er die Magensekretion stimuliert; deshalb gilt er als schädlich für Patienten mit Magengeschwüren. Eine neue Großuntersuchung in Schweden hat jedoch keine Verbindung hergestellt zwischen dem Kaffeetrinken und der *Bildung* von Magen- oder Zwölffingerdarmgeschwüren. Bedenken Sie: Auch koffeinfreier Kaffee regt die Produktion von Magensäure an; deshalb liegt die Schuld anscheinend nicht beim Koffein.

o Geburtsschäden: Wenn Sie schwanger sind, ist es vernünftig, auf Koffein zu verzichten oder es zu reduzieren. Die amerikanischen Gesundheitsämter rieten 1980 schwangeren Frauen, wegen der Gefahr von Geburtsschäden nicht mehr als zwei Tassen Kaffee am Tag zu trinken.

○ Brustdrüsenerkrankungen: Die Beweise dafür, ob Koffein Brustdrüsenerkrankungen oder »gutartige Knoten« verursacht, sind ein Mischmasch aus Widersprüchen. Seit 1979, nachdem er Studien durchgeführt hat, rät Dr. John Minton von der Ohio State University Frauen dringend, die Methylxanthine, zu denen Koffein gehört, in ihrer Ernährung zu reduzieren, weil er davon überzeugt ist, daß Brustzysten dadurch verschwinden oder zurückgehen. Mehrere Studien bestreiten seine Erkenntnisse. Andere bestätigen sie. Solange sich die Wissenschaftler noch nicht einig sind, kann es nichts schaden, wenn Frauen, die an diesen Beschwerden leiden, auf Koffein und andere Methylxanthine verzichten, um herauszufinden, ob das zu einer Besserung führt.

○ Angstzustände und Panik: Es ist unbestreitbar, daß das Koffein bei manchen anfälligen Menschen Panikzustände auslösen kann, vor allem bei Frauen; Anfälle von Panik können, wenn nichts gegen sie unternommen wird, zu einer voll entwickelten Agoraphobie führen, der Angst davor, die Wohnung zu verlassen. Schon eine so kleine Menge wie zwei Tassen Kaffee am Tag hat Panikzustände ausgelöst, und schon eine Tasse kann deutliche Symptome bewirken. Forscher vom National Institute of Mental Health raten, auf Koffein zu verzichten, wenn Sie anfällig für Panikzustände sind. Anscheinend reagieren manche Menschen überempfindlich auf die Wirkungen, die das Koffein auf das zentrale Nervensystem hat.

○ Kopfschmerzen: Es ist bekannt, daß manche Menschen von Koffein Kopfschmerzen bekommen. Andererseits kann das plötzliche Absetzen von Koffein Entzugskopfschmerzen verursachen. Kopfschmerzen durch Koffeinentzug kann man sogar bekommen, wenn man die Woche über viel Kaffee trinkt und es am Wochenende bleiben läßt. Die Kur: etwas Koffein oder totale Abstinenz.

o Schlaf: Wenn Sie schnell einschlafen und gut schlafen wolle, sollten Sie vor dem Zubettgehen keinen Kaffee trinken – oder, nach Meinung etlicher Experten, nicht nach dem späten Nachmittag. Elektroenzephalogramm-(EEG)-Aufzeichnungen zeigen, daß sich die Muster der Gehirnkurven im Schlaf durch die Reaktion auf reines Koffein und Kaffee verändern, was auf schlechteren Schlaf hindeutet. Koffein kann die Zeitspanne bis zum Einschlafen verlängern, die Gesamtmenge des Schlafs beeinflussen und weniger Tiefschlafphasen bewirken. Viele Studien zeigen, daß sich Ihre Gehirnkurven durch die Reaktion auf Koffein verändern. Laut der American Psychiatric Association kann Kaffeetrinken im Übermaß folgendes verursachen: »Ruhelosigkeit, Angstzustände, Gereiztheit, Erregungszustände, Muskeltremor, Schlaflosigkeit, Kopfschmerzen, Störungen der Sinneswahrnehmungen, Harndrang, Herz- Gefäßsymptome und Magen-Darm-Beschwerden.« Es gibt keinen Zweifel daran, daß es zwischen den Menschen große Unterschiede gibt, was die Koffeinverträglichkeit anlangt, und Koffein kann zu einer langen Liste von Beschwerden führen. Ärzte untersuchten 1985 die Kaffee- und Teetrinkgewohnheiten von 4558 Australiern und hörten zu ihrer Überraschung eine ganze Litanei von Klagen, deren Ernsthaftigkeit mit der Menge des konsumierten Koffeins zunahm. Die häufigsten Symptome sowohl bei Männern als auch bei Frauen waren Herzklopfen, Verdauungsstörungen, Tremor, Kopfschmerzen und Schlaflosigkeit. Die Forscher kamen zu der bestürzenden Schlußfolgerung, daß vier bis fünf Tassen Kaffee am Tag vermutlich für etwa ein Viertel der Fälle von Tremor, Herzklopfen, Kopfschmerzen und Schlaflosigkeit bei den Australiern verantwortlich waren.

o Durchfall: Von Kaffee ist festgestellt worden, daß er bei chronischem Durchfall als »Reizstoff« wirkt; wenn der Kaffee abgesetzt wurde, besserte sich der Durchfall.

Ein königlicher Grund, Kaffee mit Milch zu trinken

Medizinische Kontroversen über den Kaffee sind nichts Neues. Als im 17. Jahrhundert in Frankreich Kaffeehäuser und Cafés aufmachten, war der Kaffee ein ständiges Gesprächsthema. Anfangs billigten ihn die Ärzte, dann lehnten sie ihn ab. Sobald es in den siebziger Jahren des 17. Jahrhunderts Mode wurde, im Privathaushalt Kaffee zu trinken, reagierten die Mediziner darauf; manche Ärzte hatten Bedenken gegen die stimulierende Wirkung dieses Getränks und verboten ihren Patienten, Kaffee zu trinken. Später schrieben Gelehrte Abhandlungen darüber, wie Kaffee »zur Vermeidung und Behandlungen von Krankheiten« eingesetzt werden könne. Aber 1688 schrieb ein Mitglied der königlichen Familie: »Kaffee ist völlig in Ungnade gefallen.« Die Pariser, vor allem das Königshaus, wußten nicht, was sie tun sollten.

Laut dem Historiker Jean Leclant wurde die Situation gerettet durch den genialen Einfall eines Arztes, der dadurch dafür sorgte, daß Kaffee auch weiterhin getrunken wurde: »Monin, ein Arzt aus Grenoble, kam auf den Gedanken, dem Kaffee Milch und Zucker hinzuzufügen.« Damit war dem Streit die Schärfe genommen, wirkte das Genußmittel nahrhafter. Von da an war der

französische Hochadel versessen darauf, »Kaffeemilch«
oder »Milchkaffee« zu trinken.

Kaffeerezept gegen Jet-lag

Charles F. Ehret, ein Biologe am Argonne National La-
boratory in der Nähe von Chicago, glaubt, daß sich Jet-
lag durch richtig dosiertes Koffein lindern lasse. Ehret,
ein Experte für endogene Rhythmik, die biologische
Uhr, sagt, Koffein reguliere die innere Uhr. Hier sein Rezept für Globetrotter:
Trinken Sie am Abreisetag, wenn Sie nach Westen fliegen, morgens drei Tassen schwarzen Kaffee. Wenn Sie
nach Osten fliegen, trinken Sie erst am Abend Kaffee.
Wenn Sie drei Tage vor dem Flug auf Koffein verzichten,
ist die positive Wirkung stärker, sagt Ehret.

Karotten

> *Säet Möhren in eure Gärten und danket*
> *Gott in Demut dafür, denn sie sind ein*
> *großer, unvergleichlicher Segen.*
> Richard Gardiner, um 1599

Möglicher therapeutischer Nutzen:

○ Ein guter Tip zur Krebshemmung, vor allem bei Krebsarten, die mit dem Rauchen zusammenhängen, einschließlich Lungenkrebs
○ Senken das Cholesterin im Blut
○ Beugen der Verstopfung vor

Wieviel? Eine einzige Karotte oder nur 60 Gramm Karotten am Tag scheint das Risiko auf Lungenkrebs mindestens um die Hälfte zu senken, sogar bei ehemaligen starken Rauchern. Zweieinhalb mittelgroße Karotten am Tag haben das Cholesterin im Blut im Durchschnitt um 11 Prozent gesenkt.

Überlieferung

In der amerikanischen Volksmedizin gelten Karotten als Heilmittel gegen allgemeine Nervosität, Asthma, Wassersucht und vor allem gegen Hautkrankheiten.

Fakten

Das aufregendste an Karotten ist, daß sie so ungeheuer vielversprechend sind bei der Eindämmung der schlimmsten, unheilbaren Krebsarten, vor allem von Lungen- und Bauchspeicheldrüsenkrebs. Spannende Studien zeigen, daß schon bescheidene Mengen von Karotten, besonders das Betakarotin in Karotten, möglicherweise sowohl das Fortschreiten von Krebs verzögern als auch den Krebsmechanismus zerstören, der die Zellen in bösartige Wucherungen verwandelt.

Mit erstaunlicher Regelmäßigkeit tauchen Karotten in Untersuchungen auf, die bestimmte Nahrungsmittel als krebsbekämpfend ausweisen. Eine ausgezeichnet dokumentierte schwedische Studie bezeichnete zum Beispiel 1986 Karotten als eines von zwei Nahrungsmitteln, die bei der Abwehr von Bauchspeicheldrüsenkrebs herausragen, einem besonders gefährlichen Tumor, der mit dem Rauchen in Verbindung gebracht wird (das zweite Nahrungsmittel waren Zitrusfrüchte). Wer »fast täglich« Karotten aß, verringerte das Risiko, Bauchspeicheldrüsenkrebs zu bekommen, beträchtlich.

Die Forschungen, die einen Zusammenhang herstellen zwischen Obst und Gemüse mit Betakarotin und weniger Lungenkrebs, sind eindrucksvoll und umfangreich. Zehn von elf internationalen Übersichten über die Ernährung belegen, daß Menschen, die am wenigsten Karotten und andere betakarotinhaltige Nahrung essen, mit größerer Wahrscheinlichkeit Lungenkrebs entwickeln. Dr. Marylin Menkes ermittelte, daß Menschen mit dem niedrigsten Betakarotingehalt im Blut im Vergleich mit denjenigen mit dem höchsten Gehalt mit viermal größerer Wahrscheinlichkeit ein Jahrzehnt später Plattenepithelkarzinome in der Lunge entwickelten, die häufigste vom Zigarettenrauchen verursachte Krebsart.

Zu einem ähnlichen Ergebnis kam ein Team der State University of New York in Buffalo, das feststellte, daß Männer, die am meisten karotinreiche Nahrung aßen, darunter Karotten, mit nur etwa halb so großer Wahrscheinlichkeit Plattenepithelkarzinome in der Lunge bekamen. Ihrer Berechnung nach ist der tägliche Unterschied zwischen den stark gefährdeten und den weniger gefährdeten Krebskandidaten in *einer Karotte* enthalten! Laut Frau Dr. Menkes könnte das Essen von nur einer zusätzlichen Karotte am Tag 15 000 bis 20 000 der jährlichen Todesfälle durch Lungenkrebs in den Vereinigten Staaten verhindern. Selbst nach jahrelangem Rauchen lindern Karotten möglicherweise die Krebsdrohung, indem sie den Krankheitsprozeß verzögern.

Rettung für ehemalige Raucher

In einer bahnbrechenden Studie stellte Dr. Richard Shekelle 1981 eine noch dramatischere Wirkung fest, die das Essen von betakarotinhaltigen Gemüsen, unter denen die Karotte das wichtigste ist, auf Lungenkrebs hat. Er analysierte über einen Zeitraum von neunzehn Jahren hinweg die Eßgewohnheiten und das Lungenkrebsrisiko von etwa zweitausend Männern. Männliche Raucher, sogar diejenigen, die dreißig Jahre lang geraucht hatten, die am wenigsten betakarotinhaltige Nahrung aßen, hatten im Vergleich zu denjenigen, die am meisten betakarotinhaltige Kost, vor allem Karotten, aßen, ein achtmal höheres Risiko, Lungenkrebs zu bekommen. Weil der Krebsprozeß langwierig ist – im allgemeinen vergehen bis zum Auftreten von Krebs drei bis vier Jahrzehnte –, hat es den Anschein, als ob betakarotinhaltige Nahrung die Krebsentwicklung in den späten Stadien hemmt. Deshalb könnten Karotten, wenn jemand mit dem Rauchen aufgehört hat, dazu beitragen, die zu erwartende fortschreitende Zellschädigung zu hemmen.

In einer neuen Studie von Regina G. Ziegler, einer Epidemiologin am National Cancer Institute, über Männer in New Jersey spielten drei Gemüsesorten bei der Vorbeugung von Lungenkrebs die herausragende Rolle – Karotten, Süßkartoffeln und dunkelgelber Winterkürbis. Frau Dr. Ziegler stellte fest, daß Männer, die täglich auch nur 60 Gramm Karotten aßen (oder Süßkartoffeln oder Winterkürbis), halb so wahrscheinlich Lungenkrebs entwickelten wie diejenigen, die diese Gemüse so gut wie gar nicht aßen. Selbst Männer, die zehn Jahre zuvor mit dem Rauchen aufgehört hatten, waren mit größerer Wahrscheinlichkeit gegen Lungenkrebs gefeit, wenn sie Karotten aßen. Unter denjenigen, die eine betakarotinarme Kost aßen, waren diejenigen am anfälligsten für Lungenkrebs, die innerhalb der letzten fünf Jahre mit dem Rauchen aufgehört hatten. In einer Anschlußstudie stellte Frau Dr. Ziegler außerdem fest, daß nichtrauchende Frauen, die Zigarettenrauch ausgesetzt waren, ihr Risiko, Lungenkrebs zu bekommen, beträchtlich durch das Essen von mehr Karotten reduzieren konnten. Darüber hinaus sind betakarotinreiche Gemüse, darunter Karotten, in epidemiologischen Studien in Verbindung gebracht worden mit niedrigeren Risiken auf Krebs des Kehlkopfs, der Speiseröhre, der Prostata, der Blase, der Gebärmutter und, in einer Untersuchung über ältere Menschen in Massachusetts, mit niedrigeren Risiken auf alle Krebsarten. Bei Laborversuchen wurde Leberkrebs gehemmt, wenn Ratten Karotten bekamen.

Gute Nahrung für das Herz

Rohe Karotten senken eindeutig das Cholesterin im Blut. Bei einer Untersuchung ging das Blutcholesterin im Durchschnitt um 11 Prozent zurück, wenn die Versuchspersonen jeden Morgen zum Frühstück 200 Gramm rohe Karotten (etwa zweieinhalb mittelgroße Karotten) aßen. Die Karotten vergrößerten außerdem das Gewicht des Stuhls um etwa 25 Prozent, was dazu beiträgt, den Dickdarm gesund zu erhalten.

Vorbeugend gegen Verstopfung

Manche Gastroenterologen weisen darauf hin, daß Karotten, was nicht allgemein bekannt ist, für den Dickdarm von Nutzen ist, unter anderem auch bei der Linderung von Verstopfung, weil sie die Fähigkeit haben, weicheren, größeren Kot zu bilden. Eine Gruppe führender britischer Ballaststofforscher testete 1978 Ballaststoffe aus Karotten wie auch aus Kleie, Kohl und Äpfeln an neunzig gesunden männlichen Freiwilligen. Sie stellten fest, daß der Karottenballaststoff die Kotmenge vergrößert, was ein Zeichen für die Gesundheit des Dickdarms ist (etwa im selben Maß wie Kohl), aber nur halb so stark wie Weizenkleie. Sie schlossen daraus, daß etwa ein Pfund gekochte Karotten nötig ist, um die Kotmenge zu verdoppeln; im Gegensatz dazu können schon etwa 100 Gramm Weizenkleie dasselbe bewirken. Karotten sorgen, vor allem in Verbindung mit anderer ballaststoffreicher Nahrung, für regelmäßigen Stuhlgang. Die Vergrößerung der Stuhlmenge trägt außerdem möglicherweise zu einer Verringerung des Risikos auf Dickdarmkrebs bei, weil unter anderem auch die Karzinogene verdünnt werden, so daß sie der Dickdarmwand nicht mehr so stark zusetzen können.

Praktische Hinweise

o Wenn Sie den bestmöglichen Schutz vor Krebs erreichen wollen, essen Sie einen Teil der Karotten gekocht. Das Kochen setzt die Karotine frei, von denen angenommen wird, daß sie die wirksamen Stoffe beim Schutz des Gewebes vor karzinogenen Angriffen sind. Aus gekochten Karotten bekommen Sie zwei- bis fünfmal soviel Karotin wie aus rohen. Aber kochen Sie die Karotten nicht zu weich; zerkochte Karotten büßen viel von dem kostbaren Betakarotin ein.

o Glauben Sie nicht, daß Sie weiterhin rauchen können, weil Sie Karotten essen. Karotten sind kein Ersatz dafür, mit dem Rauchen aufzuhören; sie können die fortgesetzten Angriffe des Zigarettenrauchs nicht abwehren. Während Karotten Ihr Risiko möglicherweise halbieren, wird es durch Rauchen zehnmal höher.

o Ehemalige Raucher, vor allem diejenigen, die eben erst aufgehört haben, sollten regelmäßig Karotten essen, um möglicherweise mit dem Rauchen zusammenhängende Krebsarten in der Entwicklung abzufangen. Manche Experten haben sogar festgestellt, daß es möglicherweise auch für Nochraucher von Nutzen ist, Karotten und andere karotinhaltige Kost zu essen. Den besten Schutz scheinen dadurch aber leichte Nochraucher zu bekommen. Es ist unbekannt, ob es für starke Nochraucher von Nutzen ist, mehr Karotten zu essen.

Kartoffeln

Möglicher therapeutischer Nutzen:

○ Enthalten chemische Stoffe, die möglicherweise krebshemmend wirken

Überlieferung

Seltsamerweise wird Kartoffeln nachgesagt, sie seien gut gegen Rheumatismus. Es gab eine Zeit, in der Frauen Taschen in den Kleidern hatten, die dazu dienten, rohe Kartoffeln zur Rheumaabwehr mit sich herumzutragen. Roher Kartoffelsaft und heißes Kartoffelwasser, auf die schmerzenden Stellen aufgetragen, sollten Gicht, Rheumatismus, Hexenschuß, Verstauchungen und Prellungen lindern. Früher empfahlen amerikanische Ärzte das Essen von Kartoffeln zur Reinigung des Bluts, gegen Verdauungsstörungen und als Verdauungshilfe.

Fakten

Wenn man bedenkt, wie ungeheuer beliebt Kartoffeln sind, dann sind die wissenschaftlichen Beweise über die

Pharmakologie dieses Gemüses, die nichts mit dem Nährwert zu tun hat, unglaublich spärlich.

Stoffe gegen Krebs

Es ist möglich, daß Kartoffeln über ein Potential gegen Krebs und gegen Viren verfügen, obwohl sie selten auf der Liste der Nahrungsmittel auftauchen, die von denjenigen mit niedrigen Krebsraten bevorzugt werden. Weiße Kartoffeln enthalten, vor allem roh, hohe Konzentrationen von Proteasehemmstoffen, Substanzen, von denen bekannt ist, daß sie bestimmte Viren und Karzinogene neutralisieren. Forscher haben kürzlich sogar entdeckt, daß unter den Hemmstoffen verschiedener untersuchter Nahrungsmittel die aus Kartoffeln extrahierten die stärkste virenbekämpfende Wirkung hatten. Die chemischen Stoffe aus der Kartoffel bremsten die Viren sogar noch besser als die Hemmstoffe aus Sojabohnen, die als die stärksten virenbekämpfenden Substanzen gelten.

Kartoffeln, vor allem ihre Schalen, sind reich an Chlorogensäure, einem Polyphenol, die krebserregenden Zellmutationen vorbeugt. Tests, die Anfang der fünfziger Jahre von Forschern an der Florida State University durchgeführt wurden, ergaben, daß Kartoffelschalen über antioxidatorische Aktivitäten verfügten, was bedeutet, daß sie die sogenannten »freien Radikale« neutralisieren konnten, die zahlreiche Zellschäden verursachen, darunter auch solche, die zu Krebs führen.

Mögliche schädliche Wirkung

○ Kartoffeln stehen weit oben auf dem »glykämischen Index«; das heißt, daß sie den Insulin- und Blutzuckerspiegel schnell erhöhen, und das könnte für Diabetiker schädlich sein.

Kirschen

Möglicher therapeutischer Nutzen:

o Beugen Karies vor

Überlieferung

Im antiken Griechenland verschrieben Ärzte Kirschen gegen Epilepsie. In den zwanziger Jahren priesen amerikanische Ärzte schwarze Kirschen zur Heilung von Nierensteinen und Gallenblasenerkrankungen an und rote Kirschen zur Schleimlösung. 1950 schrieb Dr. Ludwig Blau in *Texas Reports on Biology and Medicine*, er behandle seine schlimme Gicht, die ihn an den Rollstuhl fesselte, indem er täglich sechs bis acht Kirschen esse. Er erklärte, solange er sich an die Kirschen halte, bleibe er von der Gicht verschont. Er hatte keine wissenschaftliche Erklärung für diese Entdeckung, aber er wies darauf hin, daß mindestens zwölf andere Menschen, die Kirschen aßen oder Kirschsaft tranken, ebenfalls von der Gicht geheilt wurden. Die Zeitschrift *Prevention* druckte seinen Rat nach, und seitdem haben Dutzende von Menschen, die an Gicht litten, Leserbriefe geschrieben und erklärt, auch ihnen hätten rote oder schwarze Kirschen – anfangs fünfzehn bis fünfundzwanzig Stück, später zehn pro Tag – geholfen.

Fakten

Der einzige neuere wissenschaftliche Hinweis auf den therapeutischen Wert von Kirschen besteht darin, daß der Saft sich als wirksamer antibakterieller Stoff gegen Zahnverfall erwiesen hat. In einer Studie am Forsyth Dental Center unterband schwarzer Kirschsaft 89 Prozent der Enzymaktivitäten, die zur Bildung von Belag führen, einer Vorstufe von Karies.

Knoblauch

> *Iß Lauch im März,*
> *wilden Knoblauch im Mai,*
> *dann haben die Ärzte das Jahr über*
> *frei.*
> Alter walisischer Reim

Möglicher therapeutischer Nutzen:

- Bekämpft Infektionen
- Enthält chemische Stoffe, die Krebs vorbeugen
- Verdünnt das Blut (Antikoagulans)
- Senkt den Blutdruck, Cholesterin, Triglyzeride
- Stimuliert das Immunsystem
- Beugt chronischer Bronchitis vor und lindert sie
- Wirkt als Expektorans und abschwellend auf die Nasenschleimhaut

Wieviel? Schon eine halbe rohe Knoblauchzehe pro Tag kann die blutgerinnsellösende Aktivität steigern, die zur Vorbeugung von Herzinfarkten und Schlaganfällen beiträgt. Nur zwei rote Knoblauchzehen täglich können bei Herzpatienten das Blutcholesterin niedrig halten.

Überlieferung

Knoblauch hat im medizinischen Brauchtum einen ehrfurchtsgebietenden Ruf. Seit Tausenden von Jahren haben Priester, Ärzte und andere Hüter der allgemeinen Erfahrungen die wundersame Kunde von seinen Heilkräften weitergegeben. Ein medizinischer Papyrus aus Ägypten, der um 1500 v. Chr. entstanden ist, enthält zweiundzwanzig Knoblauchrezepte gegen Beschwerden wie Kopfschmerzen, Halskrankheiten und körperliche Schwäche. (Beim Bau der Cheopspyramide von Gise sollen die Arbeiter Knoblauch gegessen haben, um Kraft zu bekommen.) In seiner *Historia Naturalis* empfahl Plinius Knoblauchrezepte gegen einundsechzig Krankheiten, darunter Magen-Darm-Störungen, Hunde- und Schlangenbisse, Skorpionstiche, Asthma, Rheumatismus, Hämorrhoiden, Magengeschwüre, Appetitmangel, Krämpfe, Tumore und Schwindsucht. Hippokrates verordnete Knoblauch als Abführmittel, Entwässerungsmittel und zur Heilung von Gebärmuttertumoren. Seit Jahrhunderten raten chinesische und japanische Ärzte zu Knoblauch gegen hohen Blutdruck. Im ersten Jahrhundert verwendeten indische Ärzte, wie es die Charaka-Samhita lehrte, eine bedeutende indische medizinische Schrift, Knoblauch und Zwiebeln, um Herzkrankheiten und Rheuma vorzubeugen. Im England der Shakespearezeit wurde Knoblauch als Aphrodisiakum gerühmt.

Knoblauch ist ein weitverbreitetes Antibiotikum. Um die Jahrhundertwende waren Salben, Umschläge und Inhalationsmittel aus Knoblauch die beliebtesten Medikamente gegen Tuberkulose. Im ersten Weltkrieg wurde Knoblauch zur Bekämpfung von Typhus und Ruhr verwendet. Im zweiten Weltkrieg berichteten britische Ärzte, die Behandlung von Kriegsverletzungen mit Knoblauch habe zu vollem Erfolg geführt. Sogar Dr. Albert Schweitzer setzte Knoblauch gegen Typhus und Cholera ein.

Fakten

Die Beweise für das therapeutische Potential von Knoblauch sind fast so eindrucksvoll wie die Überlieferung. Die National Library of Medicine in Bethesda, Maryland, eine hoch angesehene Fundgrube medizinischer Literatur, enthält etwa 125 wissenschaftliche Abhandlungen über Knoblauch, die seit 1983 veröffentlicht worden sind. Knoblauchanalysen zeigen starke Wirkstoffe, die anscheinend Herzkrankheiten, Schlaganfälle, Krebs und ein breites Spektrum von Infektionen an der Entwicklung hemmen.

Antibiotikum

Es ist unbestreitbar, daß Knoblauch Bakterien zerstört. 1944 identifizierte ein Chemiker, Chester J. Cavallito, die Geruchssubstanz im Knoblauch, das Allizin, als Antibiotikum. Bei Tests wurde sogar festgestellt, daß roher Knoblauch stärker wirkt als Penicillin und Tetracyclin. Buchstäblich Hunderte von Studien bestätigen, daß Knoblauch ein Breitbandantibiotikum ist gegen eine lange Liste von Mikroben, die Krankheiten verbreiten,

darunter Botulismus, Tuberkulose, Durchfall, Staphylo-
kokkenerkrankungen, Ruhr und typhusähnliche Erkrankungen. Vor kurzem wurden siebenundzwanzig
verschiedene infektiöse Stoffe aufgelistet, die Knoblauch unterdrückt. Mit den Worten eines Forschers:
»Unter allen mikrobenbekämpfenden Substanzen, die
wir kennen, hat Knoblauch das breiteste Spektrum. Er
ist antibakteriell, bekämpft Pilze, Parasiten, Protozoen
und Viren«.

Allizin, der stark riechende, antibakterielle Stoff, wird
gebildet, wenn Knoblauch geschnitten oder zerdrückt
wird. Wenn das Aroma – also das Allizin – zerstört wird,
wie beim Kochen, ist Knoblauch kein Mikrobenkiller
mehr, obwohl er andere therapeutische Kunststücke
vollbringt.

In vielen Ländern wird Knoblauch von der Schulmedizin als antibakterieller Stoff eingesetzt. In Japan dient
eine kalt verarbeitete, geruchlose Substanz aus rohem
Knoblauch, Kyolin genannt, als Antibiotikum. In der
Sowjetunion gilt Knoblauch als das »russische Penicillin« und wird so häufig verwendet, daß Berichten zufolge einmal 500 Tonnen Knoblauch von der Regierung
importiert wurden, um eine Grippeepidemie zu bekämpfen. Die Knolle ist außerdem ein sowjetisches
Heilmittel gegen Erkältungen, Keuchhusten und Darmstörungen. Polnischen Kindern wird häufig ein Knoblauchpräparat gegen Gastroenterokolitis, Dyspepsie,
Lungenentzündung, Sepsis und Nephrose verschrieben.

Bei einer verblüffenden Demonstration der Kräfte des
Knoblauchs verwendeten ihn chinesische Ärzte vor kurzem in hohen Dosen zur Heilung von Kryptokokken-
Meningitis, einer Pilzinfektion, die häufig tödlich en-
det. Über einen Zeitraum von fünf Jahren hinweg verab-

reichten die Ärzte in einundzwanzig Fällen dieser Krankheit nur Knoblauchinfusionen; sechs Patienten wurden vollständig geheilt, fünf ging es zumindest besser. Knoblauch bekämpft mykobakterielle Infektionen (wie zum Beispiel Tuberkulose), indem er die Bakterien abtötet, aber die chinesischen Forscher kamen zu der Schlußfolgerung, daß ein Teil der heilenden Wirkung auf die Stimulation der immunologischen Funktionen der Patienten zurückging, die der Knoblauch bewirkte.

Knoblauchesser stützen das Immunsystem

Genau das dokumentierten Forscher aus Florida 1987. Dr. Tarig Abdullah und seine Kollegen am Akbar Clinic and Research Center in Panama City, Florida, entdeckten, daß sowohl roher Knoblauch als auch der japanische Knoblauchextrakt, Kyolin, die Kräfte der natürlichen Killerzellen des Immunsystems auf dramatische Weise steigerten – und das ist die vorderste Linie der Abwehr gegen Infektionskrankheiten und möglicherweise auch gegen Krebs. Neun Menschen, darunter die Forscher, aßen große Mengen rohen Knoblauchs – Dr. Abdullah aß zwischen zwölf und fünfzehn Zehen am Tag –, neun andere nahmen Kyolin und neun weitere nahmen gar nichts. Dann wurden die natürlichen Killerzellen aus dem Blut der Versuchspersonen mit Krebszellen vermischt. Die Killerzellen aus dem Blut derjenigen, die Knoblauch gegessen oder das Knoblauchmedikament genommen hatten, *zerstörten zwischen 140 und 160 Prozent mehr Krebszellen* als die Killerzellen derjenigen, die keinen Knoblauch genommen hatten.
Dr. Abdullah sagt, die Entdeckung habe nicht nur Auswirkungen auf Infektionen und Krebs, sondern auch auf Aids. Bei Aids versagt das Immunsystem. Knoblauch,

sagt Dr. Abdullah, könne möglicherweise die Immunabwehr von Aids-Patienten stimulieren und außerdem die
vielen Infektionen durch Mycobakterien direkt bekämpfen, denen Aids-Patienten zum Opfer fallen. Dr.
Abdullah ist überzeugt davon, daß auch *niedrigere* Dosen
von Knoblauch das Immunsystem stärken, aber er nahm
mit Absicht eine hohe Dosis, um sicherzugehen, daß
eine Wirkung eintrat. Er plant Tests, bei denen er Knoblauch bei Aids-Patienten einsetzen will.

Expertenbeispiel: Dr. Abdullah ißt täglich zwei rohe
Knoblauchzehen und berichtet, daß er seit Beginn der
Knoblauchkur keine Erkältung mehr hatte – seit 1973.

Herznahrung

Medizinische Zeitschriften sind voll von Recherchen,
die zeigen: Knoblauch nimmt sich äußerst positiv auf
das Herz- und Gefäßsystem aus. Knoblauch senkt eindeutig den menschlichen Cholesterinspiegel und bewirkt andere Veränderungen im Blut, die vor Herzkrankheiten schützen – zum Beispiel verdünnt er das Blut und
beugt Embolien vor, inneren Blutgerinnseln. Der indische Forscher Arun K. Bordia vom Bombay Hospital Research Centre hat festgestellt, daß ein Gramm roher
Knoblauch pro Kilogramm Körpergewicht (etwa achtzehn mittelgroße Knoblauchzehen für einen Menschen
der 55 Kilo wiegt), selbst bei Patienten mit Herzkrankheiten die Neigung des Bluts verringerte, gefährliche
Gerinnsel zu bilden. Das gerinnsellösende System (die
fibrinolytische Aktivität) arbeitete drei Monate lang bei
gesunden Menschen um 130 Prozent besser und bei
Herzpatienten um 83 Prozent. Nach Abschluß der Knob-
lauchbehandlung wurde es wieder träge.

Bei der Senkung des Blutcholesterins erwies sich Knoblauch in Tierversuchen als wirkungsvoller als das herkömmliche Medikament Clofibrat. Bei indischen Tests an Menschen reduzierte frischer Knoblauch (etwa zwei Eßlöffel für einen Menschen, der 55 Kilo wiegt), täglich eingenommen, das Blutcholesterin auf drastische Weise: Es sank innerhalb von zwei Monaten im Durchschnitt von 305 auf 218.

1987 erzielten Dr. Bejamin Lau und seine Kollegen an der kalifornischen Loma Linda University aufsehenerregende Ergebnisse durch Kyolin, den japanischen konzentrierten Knoblauchextrakt. Etwa ein Gramm pro Tag (nach Dr. Laus Berechnung etwa 30 g Knoblauch oder neun Zehen) senkten bei etwa 60 bis 70 Prozent der Freiwilligen das schädliche LDL-Cholesterin und die Triglyzeride. Das wohltätige HDL-Cholesterin stieg. Im allgemeinen reduzierte sich das Cholesterin um etwa 10 Prozent, und bei manchen sogar um 50 Prozent. Interessanterweise stieg der Cholesterinspiegel bei Dr. Laus Versuch in den ersten Monaten der Behandlung zunächst an und sank dann nach fünf bis sechs Monaten. Er glaubt, die Steigerung am Anfang sei ein Anzeichen dafür, daß das Cholesterin aus dem Gewebe ins Blut geschwemmt und danach ausgeschieden werde.

Erstaunlich niedrige Dosen von Knoblauch haben dazu beigetragen, äußerst anfällige Arterien zu entlasten. Der indische Forscher Dr. M. Sucur gab zweihundert Patienten mit extrem hohem Cholesterinspiegel frisch geschälten Knoblauch. Nach fünfundzwanzig Tagen sank bei so gut wie allen das Cholesterin. Die Dosis: nur 15 Gramm täglich – etwa fünf mittelgroße Zehen. Dr. Sucur stellte außerdem fest, daß nur zwei rohe Zehen pro Tag genügten, das Cholesterin niedrig zu halten, wenn es erst einmal gesunken war.

Nur zwei Knoblauchzehen pro Tag waren nötig, um das Blut einer Gruppe von Vegetariern, die zur indischen Religionsgemeinschaft des Dschainismus gehörten, in einem tadellosen Zustand zu halten. Diejenigen unter ihnen, die soviel Knoblauch aßen, hatten einen Cholesterinspiegel, der durchschnittlich bei 159 lag, im Vergleich zu 208 bei denjenigen, die keinen Knoblauch zu sich nahmen. Selbst diejenigen, die pro Woche drei Knoblauchzehen aßen, hatten weniger Cholesterin im Blut als die Knoblauchverächter. (Die, die Knoblauch zu sich nahmen, aßen außerdem mehr Zwiebeln – ob Zwiebeln und Knoblauch zusammenwirkten und dadurch von größerem Nutzen waren als eines der beiden Nahrungsmittel allein, ist nicht bekannt.) Andere Bluttests ergaben: Das Blut der Personen, die leidenschaftlich gern Knoblauch und Zwiebeln essen, neigt bedeutend weniger zum Gerinnen, schützt also vor Herzkrankheiten, als das Blut der Personen, die auf den Verzehr der Zehen bzw. des Lauchgemüses verzichten.

Bei Versuchen, neue Medikamente gegen Herzkrankheiten zu entwickeln, hat Dr. Eric Block, Leiter der chemischen Fakultät der State University of New York in Albany, einen chemischen Stoff im Knoblauch entdeckt, den er Ajoen nennt (»ajo« ist das spanische Wort für Knoblauch), das bei Labortests den Gerinnungsprozeß genauso wirksam stört wie eines der ältesten blutverdünnenden Medikamente: Aspirin. »Als thrombosebekämpfender Stoff ist Ajoen mindestens so stark wie Aspirin«, stellt Dr. Block fest. (Aspirin wird von medizinischen Fachleuten als starker Hemmstoff gegen die Blutgerinnselbildung geschätzt und gilt als vorbeugendes Mittel gegen Herzinfarkte und Schlaganfälle.) Als Dr. Block Kaninchen eine einzige Dosis Ajoen gab, ging die Plättchenballung um 100 Prozent zurück; das hielt volle vierundzwanzig Stunden lang an. Dr. Block sieht in dem Knoblauchstoff ein vielversprechendes Antikoagulans mit nur wenigen Nebenwirkungen.

Lungenschutz

Dr. Irwin Ziment verordnet regelmäßig Knoblauch zur Schleimhautabschwellung, als Expektorans bei gewöhnlichen Erkältungen und zur »Schleimregulierung« bei chronischer Bronchitis. Er hat etwas Wahres entdeckt am hartnäckigen Volksglauben, Knoblauch sei ein Heilmittel gegen Erkältungen und Lungenkrankheiten. Dr. Ziment, ein Experte für Pharmazeutika, ist überzeugt davon, daß Knoblauch auf dieselbe Weise wirkt wie kommerziell vertriebene Mittel zum Abhusten und zur Schleimhautabschwellung. Die Schärfe des Knoblauchs reizt den Magen, der daraufhin der Lunge signalisiert, Flüssigkeiten freizugeben, die den Schleim verdünnen, so daß die Lunge ihn ausstoßen kann.

Regelmäßige Dosen von Knoblauch (und anderen scharfen Gewürzen) tragen, wie Dr. Ziment glaubt, dazu bei, daß besonders anfällige Menschen von schwächender, chronischer Bronchitis verschont bleiben. »Das wirkt als Prophylaxe«, erklärt er, »indem der Schleim auch weiterhin normal durch die Lungen bewegt wird«. Polnische Ärzte haben außerdem Knoblauchextrakt zur Behandlung von Kindern benutzt, die an akuter und chronischer Bronchitis und an Bronchialasthma litten.

Die krebsbekämpfende Knolle

In den Kreisen der Krebsforscher hat Knoblauch einen hohen Stellenwert. Schon 1952 setzten russische Wissenschaftler Knoblauchextrakt erfolgreich gegen Tumore im menschlichen Körper ein. Zahlreiche Tierversuche zeigen außerdem: Frischer Knoblauch macht Tiere gegen Tumorbildung immun und kann, wenn die Tumorbildung schon eingesetzt hat, diese rückgängig machen. In einem Fall injizierten japanische Wissenschaftler zweimal Tumorzellen in Mäuse (die zweite Injektion erfolgte eine Woche nach der ersten). Mäuse, die außerdem frischen Knoblauch bekamen, waren gegen die zweite Injektion mit Tumorzellen viel widerstandsfähiger. Der frische Knoblauch machte dem Brustkrebs der Mäuse sogar gänzlich den Garaus. Die Forscher schrieben das dem Allizin im Knoblauch zu.

Einigermaßen verblüfft entdeckten die japanischen Wissenschaftler außerdem, daß Knoblauchextrakt als starkes Antioxidans gegen die sogenannte »Lipidperoxidation« wirkt, durch die schädliche Sauerstoffe in die Zellen gelangen können, die sie dann zerstören. Bei Mäusen erwies sich Knoblauch sogar als besseres Antioxidans als das Vitamin E, einer der besten Stoffe für den Rückgang von Leberschäden.

Bei Experimenten in den Vereinigten Staaten wurde 1987 festgestellt daß Knoblauch bei Tieren den Blasenkrebs wirkungsvoller abwehrte als ein bekannter Krebs»impfstoff« namens BCG.

Beweise dafür, daß Menschen, die Knoblauch essen, weniger zur Krebsbildung neigen, gehen aus dem Vergleich der Eßgewohnheiten in zwei Bezirken der chinesischen Provinz Shandong hervor. Die Einwohner des Bezirks Gangshan essen etwa 20 Gramm Knoblauch pro Tag (etwa sieben Zehen); sie haben eine Rate von tödlichem Magenkrebs, die 3,45 auf 100 000 Menschen beträgt. Im benachbarten Bezirk Quixia machen sich die Einwohner nichts aus Knoblauch und essen ihn selten; dort sterben 40 von 100 000 Menschen an Magenkrebs.

Das Risiko, tödlichen Magenkrebs zu bekommen, liegt also in diesem Falle bei denjenigen, die keinen Knoblauch essen, fast zwölfmal so hoch.

Am M.D. Anderson Hospital and Tumor Institute in Houston, Texas, haben Forscher, die Schwefelstoffe aus Knoblauch (und Zwiebeln) testeten, festgestellt, daß diese Substanzen Mäuse vor Dickdarmkrebs retteten, indem sie die Umwandlung chemischer Stoffe in starke Karzinogene verhinderten. Beim National Cancer Institute stehen Schwefelstoffe aus dem Knoblauch weit oben auf der Liste der potentiellen natürlichen »Chemopräventivmittel«.

Praktische Hinweise

o Das Problem mit dem Atem: Wenn nicht alle Knoblauch essen, kann der Mensch, der es tut, leicht durch seinen Atem unangenehm auffallen. Wissenschaftler diskutieren seit mindestens fünfzig Jahren darüber, wie man den Mundgeruch, der durch Knoblauch hervorgerufen wird, loswerden oder eindämmen kann. Manche empfehlen starken Kaffee, Honig, Joghurt oder ein Glas Milch. Die Franzosen dagegen bezeichnen Rotwein als ein wirksames Mittel. Auch von Nelken wird eine gewisse Wirkung angenommen. Am häufigsten wird jedoch empfohlen, Petersilie zu kauen – weil das Chlorophyll in dem Kraut den Knoblauchgeruch angeblich beseitigt. Wenn Sie den Knoblauchgeruch an den Händen loswerden wollen, reinigen Sie sie mit Zitrone – oder Sie waschen sie in kaltem Wasser, reiben sie anschließend mit Salz ein, und waschen sie zum Schluß mit warmem Seifenwasser ab. Das empfiehlt die Zeitschrift *Natural History*.

o Verwenden Sie in erster Linie frischen Knoblauch. Am

besten ist es, wenn Sie ihn selber anbauen. Leider gibt es, je nachdem wie die Bodenbedingungen sind, große Unterschiede bei Qualität und Wirkung der einzelnen therapeutischen chemischen Stoffe. Das ist auch ein Grund dafür, warum die Testergebnisse der therapeutischen Fähigkeiten von Knoblauch nicht immer einheitlich sind.

○ Roh oder gekocht? Wenn er Bakterien abtöten, die Immunfunktionen stärken und vorbeugend gegen Krebs wirken soll, muß Knoblauch roh sein. Gekochter Knoblauch kann hingegen das Blutcholesterin senken, dazu beitragen, das Blut dünn zu halten, und abschwellend auf die Schleimhäute wirken, als Hustenarznei, Schleimregulator und als Präventivmittel gegen Bronchitis. Bester Rat: Essen Sie ihn roh und gekocht.

○ Was ist mit Knoblauchöl, mit Kapseln, Tabletten, Spezialpräparaten? Viele von ihnen, warnen die Experten, enthalten nichts oder nur wenig von den wirksamen Knoblauchstoffen. Dr. Abdullah stieß bei seiner Suche nur auf ein wirksames, kommerziell vertriebenes Knoblauchpräparat – das japanische Kyolin. – Das enthielt den Wirkstoff, der zur Verbesserung der immunologischen Funktion nötig ist. Bei einem umfassenden Überblick über die internationale Knoblauchforschung kamen zwei britische Autoren in *CRC Critical Reviews in Food Science and Nutrition* zu der Schlußfolgerung: »Es gibt keine Beweise für die Annahme, daß ... Knoblauchpräparate dem frischen oder gekochten Gemüse in irgendeiner Weise überlegen sind.«

Mögliche schädliche Wirkung

o Knoblauch löst bei manchen Menschen allergische Reaktionen aus.

Fünftausend Jahre Heilung durch Knoblauch und Zwiebeln

In alten Kulturen wurden keine Nahrungsmittel ihrer magischen und gesundheitlichen Eigenschaften wegen so geschätzt wie Knoblauch und seine Kusine, die Zwiebel, beide Mitglieder der Alliumfamilie. Diese Gemüse sind fast so alt wie die Landwirtschaft und gehören zu den ersten Nutzpflanzen, die angebaut wurden. Beweise dafür, daß Knoblauch und Zwiebeln gegessen, eine Rolle bei religiösen Riten spielten und als Heilgetränk verwendet wurden, tauchen schon im alten Sumer auf (4000 v. Chr.). Knoblauchknollen sind auch an den Wänden von Grabkammern im alten Ägypten abgebildet (3200 v. Chr.) und sind in der Umgebung des Königspalastes in Knossos auf Kreta und in den Ruinen von Pompeji und Herculaneum (100 n. Chr.) ausgegraben worden.

Seit Jahrhunderten sind Knoblauch und Zwiebeln folgendermaßen verwendet worden: als Antikoagulantien, Antiseptika, entzündungshemmende Stoffe, Diuretika, Beruhigungsmittel, Wurmmittel, Haarwuchsmittel, Aphrodisiaka, gegen Blähungen, Tumore, für Umschläge und Zugpflaster.

Zu den Krankheiten und Beschwerden, von denen behauptet wurde, sie könnten durch Knoblauch und Zwiebeln geheilt werden, gehören die folgenden: Arteriosklerose, Arthritis, Asthma, Augenbrennen, Bluthochdruck, Bleivergiftung, Bronchitis, Cholera, Darmblähungen, Diabetes, Dyspepsie, Epilepsie, Erkältungen,Fußpilz, Gelbsucht, Grippe, Haarausfall, Hämorrhoiden, Hundebisse, Katarrh, Krampfanfälle, Krebs, Laryngitis, Lepra, Lippen- und Mundentzündungen, Malaria, Masern, Meningitis, Milzvergrößerung, Nikotinvergiftung, Phtisis, Pocken, Rheumatismus, Ringelflechte, Ruhr, Schuppen, Sepsis, Skorbut, Skorpionstiche, Tuberkulose, Typhoid, Verstopfung, Wassersucht, Windpocken, Wundbrand.

Kohl

Möglicher therapeutischer Nutzen:

o Senkt das Krebsrisiko, vor allem auf Dickdarmkrebs
o Beugt Magengeschwüren vor und heilt sie (vor allem der Saft)
o Stimuliert das Immunsystem
o Tötet Bakterien und Viren ab
o Fördert das Wachstum

> *Wieviel?* Wenn Sie nur einmal in der Woche Kohl essen, roh, gekocht oder als Sauerkraut, könnten Sie Ihr Risiko, Dickdarmkrebs zu bekommen, um 66 Prozent verringern! Weil eine Dosisabhängigkeit vorhanden zu sein scheint, läßt sich die krebsbekämpfende Wirkung wahrscheinlich steigern, wenn man häufiger Kohl ißt.

Überlieferung

Kohl hat schon lange einen festen Platz in der Volksmedizin und wird hoch geschätzt. Cato der Ältere (234–149 v. Chr.) schrieb: »Er reinigt Wunden von Eiter und hilft gegen Krebs, heilt da, wo keine andere Behandlung etwas nützt ...« Im antiken Rom galt Kohl als Allheilmittel. Das belegen auch die Worte eines Historikers aus dem 16. Jahrhundert:»Als die alten Römer die Ärzte aus ihrem Reich verjagt hatten, hielten sie sich viele Jahre lang durch Kohlgemüse gesund, die sie gegen jede Krankheit einnahmen.«

Laut Dr. A.M. Liebstein (in *American Medicine*, 1927) ist Kohl im 20. Jahrhundert »therapeutisch wirksam bei Skorbut, Augenkrankheiten, Gicht, Rheumatismus, eitrigem Ausfluß, Asthma, Tuberkulose, Krebs, Wundbrand ... Kohl ist ausgezeichnet geeignet als belebender Stoff, als Blutreiniger und zur Skorbutbekämpfung.« Die moderne amerikanische Volksmedizin rühmt Kohl außerdem als Mittel gegen Magengeschwüre.

Fakten

Kohl ist ohne jeden Zweifel – bei aller Bescheidenheit und Geringschätzung, die er oft erfährt – eines der wirkungsvollsten Heilmittel in der Lebensmittelapotheke. Kohl scheint ein Virtuose der pharmakologischen Wirkung zu sein, ein konzentriertes Paket mehrerer bekannter therapeutischer Stoffe, wird er doch sehr geschätzt wegen seines Potentials, Krebs vorzubeugen, vor allem Dickdarmkrebs.

Kohl rettet bestrahlte Versuchstiere

Die ersten modernen wissenschaftlichen Hinweise tauchten 1931 auf: Ein deutscher Wissenschaftler, der mit tödlicher Bestrahlung experimentierte, entdeckte, daß Kaninchen eine normalerweise tödliche Strahlendosis überlebten, wenn sie vor der Bestrahlung mit Kohlblättern gefüttert worden waren. Französische Wissenschaftler stellten 1950 dasselbe fest. Bei ausgedehnten Experimenten fütterten 1959 zwei Forscher der amerikanischen Streitkräfte Meerschweinchen vor und nach einer tödlichen Röntgenbestrahlung von 400 rad am ganzen Körper mit gewürfeltem rohen Kohl (oder mit Brokkoli oder roter Bete). Wie nicht anders zu erwarten, starben alle die Meerschweinchen, die nicht mit Gemüse gefüttert worden waren, innerhalb von fünfzig Tagen. Über 50 Prozent derjenigen, die vor der Bestrahlung Kohl bekommen hatten, überlebten jedoch. Diejenigen, denen nach der Bestrahlung Kohl gefüttert worden war, lebten ebenfalls länger. Mit der größten Wahrscheinlichkeit überlebten jene Meerschweinchen, die sowohl vor als auch nach der Bestrahlung Kohl (oder Brokkoli) gefressen hatten (rote Bete hatten keine Schutzwirkung).

Nahrung für Langlebigkeit

In Studien, die sich mit den beim Menschen am stärksten krebsbekämpfenden Nahrungsmitteln befassen, taucht Kohl mit erstaunlicher Regelmäßigkeit ganz oben auf. Umfangreiche Bevölkerungsstatistiken in Griechenland, Japan und den Vereinigten Staaten bringen Kohl mit einem vorzüglichen Schutz vor Dickdarmkrebs in Verbindung. Eine langjährige Großuntersuchung in fünf Gegenden Japans, die 1986 veröffentlicht wurde, kam zu der Schlußfolgerung, daß diejenigen Menschen, die am meisten Kohl aßen, die geringste Sterblichkeitsrate bei allen Todesursachen aufwiesen, was dem Kohl zu einem neuen Status verhalf: Gemeinsam mit Joghurt und Olivenöl rangiert er jetzt als potentieller Verlängerer des Lebens.

An erster Stelle gegen den Dickdarmkrebs

Vor kurzem stellten griechische Ärzte beim Vergleich der Ernährung von hunderten Patienten mit Dickdarm- oder Mastdarmkrebs und der von Patienten gleichen Alters und Geschlechts ohne Krebs fest, daß die Krebsopfer weit weniger Gemüse aßen, vor allem Kohl, Spinat, Kopfsalat und rote Bete. Diejenigen, die am wenigsten Gemüse aßen, hatten, verglichen mit denjenigen, die am meisten davon verzehrten, ein achtmal höheres Risiko. Dr. Saxon Graham, der die Ernährung von Hunderten von Patienten analysiert hat, identifizierte Gemüse als Beschützer vor Dickdarm- und Mastdarmkrebs. Bei weiteren Untersuchungen erwies sich Kohl als der Schutzfaktor Nummer eins: Männer, die einmal in der Woche Kohl aßen, waren in bezug auf Dickdarmkrebs um zwei Drittel weniger gefährdet (weitere Einzelheiten siehe S. 109 ff.). Weltweit kommen sechs von sieben umfangreichen Bevölkerungsstudien zu der Schlußfolgerung, daß Kreuzblütlergemüse, darunter also auch Kohl, das Risiko auf Dickdarmkrebs reduzieren.

Die Gründe dafür

Die Rolle des Kohls wird besonders faszinierend durch die Tatsache, daß Wissenschaftler diese Erkenntnisse bestätigen und in chemischen Begriffen erklären können. In den siebziger Jahren isolierte Dr. Lee Wattenberg chemische Stoffe aus der Kohlfamilie, Indole genannt, die bei Tieren die Krebsbildung hemmten. Er und andere arbeiteten sorgfältig aus, wie diese und andere Stoffe im Kohl, darunter die Dithiolthione, bei Tieren die Aktivierung von krebserregenden Substanzen unterdrücken. Kohl und seine Vettern, Rosenkohl, Brokkoli und Blumenkohl, scheinen die Zellen gegen die allerersten Angriffe, die normalhin zu voll entwickeltem Krebs führen können, zu schützen.

Eine Reihe neuer Forschungen

Die Wissenschaft hat den Kohl als krebsbekämpfenden Stoff schon lange entdeckt: In Reagenzgläsern unterdrückt Kohlsaft präkarzinome Zellveränderungen, die zu Krebs führen. Deshalb wird Kohl als »Desmutagen« eingeschätzt, als chemischer Gegenspieler von Krebs. Die Japaner sahen schließlich im Kohl ein derart starkes Desmutagen, daß sie 1980 zwei Verfahren zur Isolierung der krebsbekämpfenden Aminosäure aus Kohlsaft zum Patent anmeldeten.

Die Kreuzblütlerfamilie, deren berühmtestes Mitglied der Kohl ist, weist mehr bekannte krebsbekämpfende Stoffe auf als jede andere Gemüseart. Zu den bekannten krebsbekämpfenden Stoffen im Kohl gehören Chlorophyll, Dithiolthione, bestimmte Flavonoide, Indole, Isothiozyanate, Phenole wie Koffein- und Ferulinsäure und die Vitamine E und C.

Infektionsbekämpfer?

In Reagenzgläsern kann Kohl Bakterien und Viren zerstören. Rumänische Wissenschaftler, die nach Nahrungsmitteln suchten, mit denen sich ein defektes Immunsystem wieder in Ordnung bringen ließe, stellten 1986 fest, daß Kohl die Immunfunktion von in Reagenzgläsern wachsenden Tierzellen stärkte: Das Gemüse stimulierte die Produktion von mehr Antikörpern. Meerschweinchen beispielsweise, die mit Kohl gefüttert wurden, wuchsen schneller, was Forscher zu der Schlußfolgerung veranlaßte, Kohl enthalte einen unbekannten

»Wachstumsfaktor«. Das Essen von Kohl trägt außerdem dazu bei, daß pharmazeutische Medikamente im Körper schneller einem Stoffwechsel unterzogen werden, vor allem Azetaminophen.

Expertenbeispiel: Jim Duke, der Leiter der Abteilung für Heilpflanzen im amerikanischen Landwirtschaftsministerium, ißt zur Vorbeugung von Dickdarmkrebs, der in seiner Familie häufig aufgetreten ist, jeden Tag Kohl – meistens mittags einen großen Teller Krautsalat.

Kohl und Magengeschwüre

In den vierziger Jahren stieß ein prominenter amerikanischer Arzt darauf, daß frischer Kohl ein natürliches Medikament gegen Magengeschwüre ist. Dr. Garnett Cheney, ein Professor an der medizinischen Fakultät der Stanford University, gab Meerschweinchen mit einer Pipette kleine Mengen Kohlsaft; dann versuchte er, Magengeschwüre herbeizuführen; kein einziges Meerschweinchen bekam den erwarteten Magenschaden.
Von seinen Tierversuchen ausgehend, rechnete Dr. Cheney hoch, daß ein Liter Kohlsaft am Tag bei einem Patienten, der mit den normalhin üblichen Magengeschwüren belastet ist, heilend wirken müßte. Er testete den Kohlsaft an fünfundfünfzig Kranken mit Magen-, Zwölffingerdarm- und Leerdarmgeschwüren. Alle bis auf drei fühlten sich besser und Röntgenaufnahmen bewiesen, daß die Geschwüre geheilt waren. Dr. Cheney erklärte, im Vergleich zur üblichen Behandlung habe der Kohl die Heildauer von Magengeschwüren um 83 Prozent, die von Zwölffingerdarmgeschwüren um 72 Prozent reduziert.
Später unternahm er mit einem Kohlsaftkonzentrat ei-

nen Doppelblindversuch im Gefängnis San Quentin. Es ist belegt, daß 92 Prozent von fünfundvierzig Patienten, die drei Wochen lang täglich Kohlkonzentrat bekamen, von ihren Magengeschwüren geheilt wurden. Im Vergleich dazu wurden nur 32 Prozent von Kranken mit Magengeschwüren gesund, die Placebos bekommen hatten. Und als die noch nicht Geheilten zur Kohlkur übergingen, verheilten auch ihre Magengeschwüre nach drei Wochen.

Weil der Verzehr derart großer Mengen von Kohlsaft mühsam war, versuchte Dr. Cheney, ein Medikament aus diesen wirksamen Stoffen herzustellen. Aber das schlug fehl. Eine Pharmafirma, die das Kohlderivat vermarkten wollte, hatte Schwierigkeiten, einen Kohlextrakt herzustellen, der genauso wirksam war wie Kohlsaft. Letztendlich verlor die Pharmaindustrie das Interesse an diesem Gemüse.

Kohl bleibt aktuell

Um zu beweisen, daß der Gedanke Dr. Cheneys so verrückt nun auch wieder nicht war, nahmen Wissenschaftler in anderen Ländern die Forschung auf. In den sechziger Jahren komprimierten ungarische Wissenschaftler einen Kohlfaktor in Tabletten; sie behaupteten, diese Tabletten hätten bei menschlichen Patienten peptische Magengeschwüre geheilt. Deutsche und indische Wissenschaftler heilten ebenfalls Magengeschwüre mit Kohl. Ein Team von angesehenen indischen Wissenschaftlern am Central Drug Research Institute in Lucknow, geleitet von Dr. G.B. Singh, deckte ebenfalls den Heilmechanismus von Kohl auf. In ausgedehnten Versuchen mit Meerschweinchen rief Dr. Singhs Gruppe Magengeschwüre hervor und heilte sie dann mit Kohlsaft. Das Team untersuchte und fotografierte die Zellveränderungen der Magengeschwüre in verschiedenen Stadien der Heilung. Dadurch wurde deutlich, daß die Verjüngung der geschwürgeschädigten Zellen in direktem Zusammenhang steht mit der Menge der Magenmuzine (das sind Schleimstoffe, die die Magenwand vor Säure schützen). Bei der Analyse von Kohl stellte das Team dann fest, daß er große Mengen von muzinähnlichen Substanzen enthielt. Sie schrieben die Vorbeugung gegen Magengeschwüre und die schnelle Heilung bei Tieren diesen Stoffen zu.

1973 fiel Wissenschaftlern, die sich mit modernen Medikamenten gegen Magengeschwüre beschäftigten, ein interessanter Zusammenhang auf. Ein Wirkstoff namens Gefarnat ist im Weißkohl enthalten. Bei Tierversuchen stimuliert das Gefarnat die Zellen der Magenwand, eine Schutzschicht aus Schleim gegen schädliche Stoffe wie Säure aufzubauen. Als natürlicher Bestandteil von Kohl könnte das Gefarnat also dazu beitragen, Magengeschwüre zu bekämpfen. Trotz all dieser positiven Erkenntnisse besteht ein Restproblem: Offenbar gibt es große Unterschiede bei den geschwürbekämpfenden Fähigkeiten des Kohls, die je auf Jahreszeit und Bodenbedingungen zurückzuführen sind. Dennoch stimmen die Studien im allgemeinen darin überein, daß die heilenden Faktoren des Kohls nur vorhanden sind, wenn er roh verzehrt wird (meistens in Form von Saft). Für Interessierte hier Dr. Cheneys Rezept:

Dr. Cheneys Kohlcocktail gegen Magengeschwüre

o Nur frische grüne Kohlköpfe verwenden; am besten sind sie im Frühling und im Sommer. Im Herbst sind

Kohlsorten weniger wirksam; die Wintersorten sind die schwächsten.

○ Den Kohl im Entsafter oder im Mixer verarbeiten. Für einen Liter Saft sind etwa 2 bis 2 1/2 Kilo Frühlings- oder Sommerkohl nötig – bei Winterkohl ist die doppelte Menge zu nehmen, weil er weniger Saft enthält.

○ Je nach Geschmack 75 Prozent Kohlsaft mit 25 Prozent Selleriesaft (aus Stauden und Blättern) vermischen, denn auch in Sellerie ist die betreffende Substanz gegen Magengeschwüre.

○ Jedes Glas Kohlsaft mit 2 Eßlöffeln Tomaten-, Ananas- oder Zitrussaft würzen.

○ Kalt stellen. Täglich einen Liter trinken.

○ Die Ergebnisse sollten sich innerhalb von drei Wochen einstellen, wenn nicht früher.[1]

Praktische Hinweise

○ Vergessen Sie nicht, daß zum Kohl nicht nur die typischen Weißkohlköpfe gehören, sondern auch Blumenkohl, Brokkoli, Rosenkohl, Wirsing, Sellerie und Chinakohl. Sie alle sind Mitglieder der Kreuzblütlerfamilie, die krebsbekämpfende chemische Stoffe enthält.

○ Rat: Essen Sie wenigstens einen Teil des Kohls roh. Etliche therapeutische Stoffe werden durch Erhitzen teilweise zerstört. Nicht wenige Studien haben festgestellt, daß besonders roher Kohl sowie Krautsalat vor Magenkrebs schützen.

---

1 Nach Dr. Cheneys Anweisungen in *Journal of the American Dietetic Association*, September 1950.

Widersprüchliche Beweise

Obwohl die meisten Wissenschaftler Kohl als potentiellen Krebsbekämpfer sehen, kam eine japanische Studie 1985 zu Ergebnissen, die im Widerspruch zur neuesten Forschung standen. Die Studie zeigte, daß Menschen, die oft Kohl aßen – viermal die Woche —, ein relativ höheres Risiko hatten, Dickdarm- und Magenkrebs zu bekommen. Eine der Erklärungen, die Fachleute dafür hatten: In Japan wird Kohl oft sauer eingelegt, vergoren und lange aufbewahrt, was möglicherweise zur Bildung krebserregender Stoffe führt.

In anderen Studien stieg bei Mäusen und Hamstern, die mit Kohl gefüttert und gleichzeitig einem Karzinogen ausgesetzt wurden, die Erkrankungsrate bei Bauchspeicheldrüsenkrebs. Außerdem trat bei mit Kohl gefütterten Mäusen vermehrt Hautkrebs auf.

Krusten- und Schalentiere

Möglicher therapeutischer Nutzen:

- Gute Nahrung für Herz und Gehirn
- Senken des Cholesterin im Blut
- Reduzieren Triglyzeride
- Stimulieren chemische Stoffe im Gehirn, stärken die geistige Energie

---

Wieviel? 90 bis 100 Gramm ausgelöstes Fleisch von Krusten- und Schalentieren liefert im allgemeinen eine ausreichende Menge von geistig stimulierenden chemischen Stoffen, die Sie »munter machen« und das »Gehirnschmalz« aktivieren. Dieselbe Menge ist gut für Ihr Herz- und Gefäßsystem.

Überlieferung

Seit Jahrhunderten sind Austern als Aphrodisiakum gerühmt worden.

Fakten

Vielleicht habe Sie auch schon einmal gehört, daß Krusten- und Schalentiere – vor allem Austern, Muscheln und Krabben[2] – gefährlich seien für Ihr Herz- und Gefäßsystem, weil sie das Blutcholesterin erhöhten. Das können Sie getrost vergessen, denn das genaue Gegenteil ist richtig: Krusten- und Schalentiere sind weit davon entfernt, etwa »böse Buben« zu sein, sondern sie schützen in Wirklichkeit die Arterien und die Blutgefäße, weil sie das schädliche Blutcholesterin beträchtlich senken.

Sie enthalten außerdem in hoher Konzentration die legendären Omega-3-Fettsäuren, die dazu beitragen, gefährlichen Thromben (Blutgerinnseln) in den Blutgefäßen vorzubeugen, andere erstaunliche Dinge für das Herz bewirken und möglicherweise eine günstige Wirkung auf eine lange Liste von Krankheiten haben, darunter rheumatische Arthritis, Asthma, Allergien, Kopfschmerzen, Schuppenflechte und Krebs.

Laut Dr. Marian Childs, einer Expertin auf dem Gebiet des Fettstoffwechsels an der medizinischen Fakultät der University of Washington, ist es ein schrecklicher Irrtum (im Glauben, sie seien eine Gefahr für das Herz), Krusten- und Schalentiere vom Speisezettel zu verbannen oder sie einzuschränken.

Auch Frau Dr. Childs hat sich früher Sorgen darüber ge-

---

2 Gemeint sind Kurzschwanzkrabben, Gattung Brachyura, zu denen u. a. die Wollhand- und Strandkrabbe gehören (auch in Dosen als Crab meat erhältlich).

macht, weil sie und ihr Mann leidenschaftlich gern Austern essen. Deshalb hat sie Austern getestet, zusammen mit Muscheln, Krabben, Garnelen[3] und Tintenfischen. Drei Wochen lang aßen freiwillige männliche Versuchspersonen zweimal täglich der Reihe nach diese Meeresfrüchte, und zwar als Ersatz für die normalen Quellen ihres Eiweißbedarfs – Fleisch, Eier, Milch und Käse. Zu ihrer Freude stellte Frau Dr. Childs fest, daß Austern »einfach fabelhaft für die Gesundheit sind. Viel mehr Menschen sollten sie essen.« Austern, Krabben und Muscheln senkten das Blutcholesterin um etwa 9 Prozent. Außerdem unterdrückten Muscheln die Triglyzeride um stattliche 61 Prozent, Austern um 51 Prozent und Krabben um 23 Prozent. Dagegen senkten weder Garnelen noch Tintenfische das Blutcholesterin, erhöhten es aber auch nicht. »Garnelen und Tintenfische waren für das Blutcholesterin nicht besser oder schlimmer als Eier oder Fleisch«, sagt Frau Dr. Childs.

Falscher, weil schlechter Ruf

Krusten- und Schalentiere sind nicht zuletzt deshalb in Verruf geraten, weil sie bestimmte Sterine enthalten, die in überholten Analysen fälschlich für Cholesterin gehalten wurden. Es stellte sich inzwischen aber heraus, daß nur zwischen 30 und 40 Prozent der Sterine tatsächlich identisch mit dem Cholesterin sind. Und es stellte sich noch etwas heraus: Paradoxerweise scheinen die nicht mit dem Cholesterin identischen Sterine nützlich, also nicht schädlich zu sein. Bei einem weiteren Test dokumentierten Frau Dr. Childs und ihre Kollegen, daß die Sterine in den Meeresfrüchten die Cholesterin-

---

3 Zu den Garnelen gehören Scampi, Shrimps und die kleinen, im Handel »Krabben« genannten Nordseegarnelen.

absorption hemmten. Männer mit normalem Cholesterinspiegel aßen drei Wochen lang entweder eine Mischung aus Austern und Muscheln oder Krabben und Huhn. Zu einem bestimmten Zeitpunkt bekamen sie eine Dosis radioaktiv gekennzeichnetes Cholesterin, das sich im Körper verfolgen ließ. Die Männer, die Huhn und Krabben aßen, absorbierten etwa 55 Prozent des Cholesterins; diejenigen, die Austern mit Muscheln aßen, absorbierten nur 42 Prozent, also etwa ein Viertel weniger. Frau Dr. Childs: »Das cholesterinsenkende Medikament Cholestyramin wirkt nach demselben Prinzip.«

Noch eine gute Nachricht: Bei den Essern von Austern und Muscheln verbesserte sich das Verhältnis zwischen HDL-2 und HDL-3-Cholesterin – ein Zeichen für ein gesundes Herz. Laut Frau Dr. Childs zeigen neue Beweise, daß ein höherer Spiegel von HDL-2 im Blut – in der Relation zu HDL-3 – der stärkste bekannte Schutzfaktor gegen Herzkrankheiten sei. Und Austern und Muscheln verbesserten ganz eindeutig das günstige Verhältnis.

Was den Cholesteringehalt anbelangt, ist bei neuen Analysen durch Frau Dr. Childs und auch durch andere Mediziner festgestellt worden, daß Austern, Miesmuscheln, Jakobsmuscheln und Herzmuscheln wenig Cholesterin enthalten. Krabben und Garnelen haben einen etwas höheren Gehalt, aber die Mengen sind trotzdem bescheiden. Tintenfisch ist dagegen reich an Cholesterin.

Gehirnnahrung

Krusten- und Schalentiere stimulieren tatsächlich, wie von jeher behauptet wurde, die geistige Energie. Dr. Judith Wurtman, eine führende Forscherin am Massachusetts Institute of Technologie auf diesem Gebiet, sagt, Meeresfrüchte (und Meeresfisch) heben am schnellsten Ihre Stimmung und geistige Leistungsfähigkeit. Der Grund: Meeresfrüchte, mit niedrigem Gehalt an Fett und Kohlenhydraten, bestehen fast ausschließlich aus Eiweiß und liefern dem Gehirn große Mengen einer Aminosäure namens Tyrosin, das dann zu den beiden geistig stimulierenden Gehirnstoffen Dopamin und Norepinephrin verarbeitet wird.

Ausgedehnte Versuche an Tieren wie an Menschen bewiesen, daß Stimmung und Energie sich bessern, wenn das Gehirn die Neurotransmitter Dopamin und Norepinephrin produziert. So können Menschen schneller denken und reagieren, sind aufmerksamer, motiviert und geistig leistungsfähig. Mit den Worten von Frau Dr. Wurtman: Sie sind »geistig in Hochform, in ihrem Kopf stellen sich die Zusammenhänge mühelos her ... Das kommt von der Wirkung des Dopamins und des Norepinephrins in ihrem Gehirn.«

Das Massachusetts Institute of Technology hat außerdem ziemlich genau gemessen, wieviel Eiweißkost nötig ist, um die Aminosäuren zu liefern, die das Gehirn zur Stimulierung braucht. Für die meisten Menschen sind das 90 bis 100 Gramm. Meeresfrüchte gehören zu den eiweißreichsten Nahrungsmitteln, die es gibt.

Praktische Hinweise

o Das Fritieren von Meeresfrüchten kann ihren Nutzen umkehren, weil das Fett das Blutcholesterin erhöht. Am besten für die Arterien sind im Ofen gebackene, gegrillte, gedünstete oder geschmorte Schalen- und Krustentiere.

o Das Essen von Meeresfrüchten und anderer proteinreicher Nahrungsmittel mit wenig Fett und Kohlenhydraten führt dazu, daß im Gehirn energiesteigernde chemische Stoffe produziert werden, ganz gleich, ob Sie nur die Eiweißkost oder Kohlenhydrate (wie Brot oder Kartoffeln) dazu essen. Aber wenn Sie Ihre geistige Wachheit besonders schnell ankurbeln wollen, dann essen Sie Meeresfrüchte ohne Beilagen. Dadurch bekommt das Gehirn einen Schub Tyrosin.

o Wenn Sie mehr als die empfohlene Menge von 90 bis 100 Gramm auf einmal essen, hat das keine zusätzliche Steigerung der geistigen Energie zur Folge. Das Tyrosin stimuliert die Produktion der chemischen Stoffe im Gehirn nur dann, wenn sie benötigt werden, das heißt, wenn das Gehirn schon im Begriff ist, sie aufzubrauchen. Meeresfrüchte tragen so zwar eine Menge dazu bei, daß Ihr Gehirn auf Hochtouren arbeitet, aber mehr als das, wozu es fähig ist, können sie nicht bewirken.

Kürbisse

Möglicher therapeutischer Nutzen:

o Senken das Risiko auf Krebs, vor allem auf Lungenkrebs

Wieviel? Etwa 100 Gramm Kürbis am Tag senken möglicherweise das Lungenkrebsrisiko um die Hälfte.

Überlieferung

Die medizinischen Eigenschaften dieses Fruchtfleischs wurden lange nicht beachtet, denn es waren meist die

Kürbissamen, die gegen eine Reihe von Krankheiten verordnet wurden. Die Äthiopier beispielsweise kauten den Samen als Abführmittel. Auf der ganzen Welt verbreitet ist dagegen die Verwendung von Kürbissamen gegen Würmer, darunter auch Bandwürmer.

Fakten

Sowohl der Samen als auch das Fruchtfleisch sind pharmakologisch vielversprechend bei der Vorbeugung von Krebs. Vor ein paar Jahren entdeckten Forscher in Polen und in den Vereinigten Staaten im Kürbissamen chemische Stoffe, die möglicherweise Krebsprozesse hemmen. Dabei handelt es sich um eine Familie von Protease-Trypsin-Hemmstoffen, die im Kürbis enthalten sind und verhindern, daß Viren und krebserregende chemische Stoffe im Verdauungstrakt aktiviert werden. Noch wichtiger ist, daß Kürbisse, vor allem die dunkelgelben Wintersorten, reichhaltig sind an krebsbekämpfenden Karotinoiden (darunter auch Betakarotin).
Das Geheimnis, so glauben die meisten Wissenschaftler, besteht darin, daß die Karotine Antioxidantien sind, die gegen die freien Radikale kämpfen und sie unschädlich machen. Deshalb tragen diese orangegelben Früchte möglicherweise dazu bei, Sie nicht nur vor allen Arten von verheerenden Schäden durch Krebs und durch andere chronische Krankheiten, sondern auch vor vorzeitigem Altern zu bewahren. Wenn sie nämlich unbehindert wüten, können die freien Sauerstoffradikale die Wände der Blutgefäße zerstören, den Altersprozeß beschleunigen, Entzündungen verschlimmern und sich an Zellteilen wie der DNS festsetzen und Zellveränderungen bewirken, die zu Krebs führen.

Breitbandmittel gegen Krebs

Orangegelber Kürbis scheint dem Krebs auf vielseitige Weise vorzubeugen. Als gelbe Frucht taucht er in weltweiten (epidemiologischen) Bevölkerungsübersichten auf, wenn es um die Verringerung des Krebsrisikos geht, so vor allem beim Krebs der Lunge, der Speiseröhre, des Magens, der Blase, des Kehlkopfs und der Prostata.

Bei einer Gruppe von Männern in New Jersey gehörte gelber Kürbis zum »Triumvirat« der Gemüse (die anderen beiden waren Karotten und Süßkartoffeln), die laut einer Studie des National Cancer Institute am besten vor Lungenkrebs schützten. Viele Männer in dieser Gruppe hatten jahrelang geraucht. Diejenigen, die am wenigsten von diesen Gemüsen aßen, hatten ein fast doppelt so hohes Risiko, Lungenkrebs zu bekommen. Zwischen den Männern mit dem höchsten und dem niedrigsten Risiko bestand der Unterschied bei der Nahrungsaufnahme lediglich in etwa 100 Gramm Kürbis, Karotten oder Süßkartoffeln pro Tag – das waren täglich nur zweieinhalb Portionen von einem dieser Gemüse.

Karotten und dunkelgelbe Kürbisse verlangsamen offenbar den krebsfördernden Prozeß, der sich in geschädigten Zellen über Jahre hinziehen kann. Auch Nichtraucher, die dem Passivrauchen ausgesetzt sind, scheinen ebenfalls vor Lungenkrebs geschützt zu werden, wenn sie solche Gemüse essen.

Rat

Jedermann – vor allem aber Raucher und Menschen, die von Rauchern umgeben sind – sollte unbedingt mehr orangegelbe Gemüse essen, darunter natürlich auch Kürbisse.

Mais

Möglicher therapeutischer Nutzen:

○ Enthält chemische Stoffe, die vorbeugend gegen Krebs wirken
○ Senkt das Risiko auf bestimmte Krebsarten, Herzkrankheiten und Karies
○ Maisöl senkt das Blutcholesterin

Überlieferung

In manchen Gegenden Mexikos wird Mais zur Behandlung von Ruhr verwendet, in mehreren Ländern gelten die Körner als Mittel zur Behandlung von Diabetes, und in der amerikanischen Volksmedizin ist Mais außerdem als Entwässerungsmittel und leichtes Stimulans bekannt.

Fakten

Es gibt nur spärliche Hinweise für die pharmakologischen Kräfte von Mais.

Hinweise darauf, daß er krebsbekämpfend wirken könnte, gibt es jedoch. Mais gehört zu den »Saatgutfrüchten, die reich an Proteasehemmstoffen sind, von denen bekannt ist, daß sie bei Versuchstieren krebsvorbeugend wirken. Und eine weltweite Studie, über die 1981 Pelayo Correa vom Medical Center der Louisiana State University berichtete, stellte einen engen Zusammenhang fest zwischen niedrigen Todesraten an Dickdarm-, Brust- und Prostatakrebs sowie Herzkrankheiten und dem erhöhten Prokopfverzehr von Süßmais (dasselbe galt für Bohnen und Reis).

Eine weitere Übersicht in siebenundvierzig Ländern ergab, daß in Gegenden, wo die Menschen mehr Maisstärke essen als Weizen- oder Reisstärke, die Kariesraten niedriger lagen.

Maisöl

Es ist seit über drei Jahrzehnten bekannt, daß das Maisöl bei der Senkung des Blutcholesterins erfolgreicher ist als andere höher ungesättigte Pflanzenöle. Maisöl senkt jedoch ebenfalls das HDL-Cholesterin (den gesunden Typ). Obwohl Maisöl früher für gute Herznahrung gehalten wurde, sind viele Experten jetzt der Meinung, Olivenöl sei viel besser.

Mögliche schädliche Wirkungen

○ In Studien, die als erster Kenneth Carroll an der University of Western Ontario durchführte, wurde gezeigt, daß Maisöl bei Versuchstieren Krebs erregte. Das hat etliche Fachleute zu der Empfehlung bewogen, den Verzehr von höher ungesättigten Ölen, zu denen das Maisöl gehört, einzuschränken und nicht mehr als 10 Prozent der Gesamtmenge an Fett in dieser Form zu sich zu nehmen.

○ In neueren Studien hat Maisöl außerdem die Immunität von Mäusen geschwächt, so daß sie anfälliger wurden gegen Infektionen und Krebs.

Melonen

Möglicher therapeutischer Nutzen:

- Verdünnen das Blut (Antikoagulans)
- Reich an chemischen Stoffen, die möglicherweise Krebs vorbeugen

Überlieferung

Die gelbliche Melone, bekannt als Zucker- oder Honigmelone, wird in China zur Behandlung von Hepatitis verwendet. In Guatemala werden die Samen zerstampft und gegen Würmer gegessen, auf den Philippinen zur Behandlung von Krebs und zur Auslösung der Menstruation, in Indien als Entwässerungsmittel, und in Afrika werden sie zu einem Brei verarbeitet, der zur Abtreibung verhelfen soll.

Fakten

Die Beweise über Honigmelonen, die jetzt auftauchen, machen die Frucht sogar noch wichtiger, als aus dem Brauchtum einzelner Völker vermutet werden kann. In einem neuen, interessanten Experiment argentinischer und deutscher Forscher erwies sich diese Melonenart – genau wie Zwiebeln, Knoblauch, schwarze Chinamorcheln (Mu-Err) und Ingwer – als Antikoagulans. Wie ihre Kollegen, die die Wirkung anderer Nahrungsmittel im Blut untersuchten, spendeten die Forscher eigene Blutplättchen und mischten sie dann »mit dem süßen, wäßrigen, im Mixer homogenisierten Fruchtfleisch der Melone«. Ihre Schlußfolgerung: »Die Melone enthält einen Stoff, der stark hemmend auf die Ballung menschlicher Blutplättchen wirkt.« Die Blutplättchen wurden an der Zusammenballung gehindert, was die Gerinnselbildung unwahrscheinlicher machte. Diese Gerinnsel verursachen Herzinfarkte und Schlaganfälle.

Wenn die Spender sich das Blut nach der Einnahme von Aspirin abnehmen ließen, war darüber hinaus die Zusammenballung der Plättchen noch unwahrscheinlicher – die Melonen und das Aspirin taten sich zusammen und sorgten für eine noch stärke antikoagulatorische Wirkung. Die Forscher identifizierten den antikoagulatorischen Stoff als Adenosin, also dieselbe Substanz, die auch in Zwiebeln, Knoblauch und Chinamorcheln gefunden wurde und von der angenommen wird, daß sie zumindest teilweise für die Wirkung dieser Nahrungsmittel als Antikoagulantien verantwortlich ist. Es hat den Anschein, als sei die Melone eine weitere Nahrungspflanze, die zur Blutverdünnung beitragen und das Risiko auf Herzinfarkte und Schlaganfälle verringern kann.

Gegengift gegen Krebs

Es gibt außerdem Berichte darüber, daß Melonen vor Krebs schützen. In epidemiologischen Studien, in denen die Ernährung mit Krebsraten verglichen wird, tauchen Melonen zusammen mit anderen orangegelben Früchten und grünen Gemüsen als krebsschützend auf. 1985 stellte beispielsweise eine Studie fest, daß unter 1271 Einwohnern von Massachusetts, die über sechsundsechzig Jahre alt waren, diejenigen, die am meisten grünes und gelbes Obst sowie Gemüse aßen, darunter frische Melonen, die niedrigsten Todesraten durch Krebs hatten. Diejenigen, die davon das meiste aßen, hatten sogar im Vergleich mit denjenigen, die so gut wie nie grünes und gelbes Obst und Gemüse aßen, nur ein Risiko von 0,3 Prozent, an Krebs zu sterben. Neue wissenschaftliche Erkenntnisse schreiben es der hohen Konzentration von Karotinoiden in Melonen und ähnlichem Obst und Gemüse zu, warum diese Früchte krebsbekämpfend wirken.

Obst und Gemüse, die wie Honigmelonen reich an Betakarotin sind, werden in zahlreichen Übersichten vor allem mit niedrigen Lungenkrebsraten in Verbindung gebracht.

Milch

Möglicher therapeutischer Nutzen:

- o Beugt der Osteoporose (Knochenschwund) vor
- o Bekämpft Infektionen, vor allem Durchfall
- o Besänftigt den Magen nach Reizungen durch Nahrung und Medikamente
- o Beugt peptischen Magengeschwüren vor
- o Beugt Karies vor
- o Beugt chronischer Bronchitis vor
- o Steigert die geistige Energie
- o Senkt hohen Blutdruck
- o Senkt das Cholesterin im Blut
- o Hemmt bestimmte Krebsarten

Wieviel? Ein halber oder ein dreiviertel Liter Magermilch pro Tag, angereichert mit Vitamin D, trägt möglicherweise zur Abwehr von Dickdarmkrebs bei; ein halber Liter Vollmilch täglich könnte Magengeschwüren vorbeugen; und schon ein viertel Liter Magermilch oder fettarme Milch kann Ihrer geistigen Energie Auftrieb geben.

Überlieferung

»Milch wirkt sich häufig äußerst günstig aus ... auf die Linderung von Magen-Darm-Reizungen, von Unwohlsein, Unruhe und Schlaflosigkeit.«
King's American Dispensatory, 1900

Fakten

Unterschätzen Sie die Milch nicht, denn neue wissenschaftliche Forschungen belegen: Sie ist ein erstaunlich vielseitiges Gesundheitselixier. So enthält Milch etliche chemische Stoffe, die biologisch aktiv sind, und außerdem das wohlbekannte Kalzium – Stoffe also, die wie heilende und vorbeugende Medikamente gegen eine lange Liste von Gesundheitsbeschwerden wirken.

Gegengift gegen Krebs

Seit einem Jahrzehnt gibt es unzählige Beweise dafür, daß Milch vorbeugend gegen Krebs wirkt, vor allem gegen Dickdarmkrebs. Dieser Theorie gab 1985 eine Studie von Dr. Cedric Garland von der University of California in San Diego großen Auftrieb. Seine Analyse der Ernährung von zweitausend Männern innerhalb eines Zeitraums von 20 Jahren kam zu dem Ergebnis, daß Männer, die am Tag etwa zweieinhalb Gläser Milch tran-

ken, eindeutig einen gesünderen Dickdarm und nur
etwa ein Drittel des Risikos auf Dickdarmkrebs gegenüber denjenigen hatten, die Milch verschmähten, sich
ansonsten aber ähnlich ernährten. Deshalb empfiehlt
Dr. Garland zur Vorbeugung gegen Dickdarmkrebs zwei
bis drei Gläser Magermilch täglich, angereichert mit Vitamin D. Wie viele andere Forscher schreibt er die
Schutzwirkung dem hohen Gehalt der Milch an Kalzium und Vitamin D (das die Kalziumabsorption fördert)
zu. Sein Kollege bei dieser Studie, Dr. Richard B. Shekelle, meint jedoch, es stehe nicht fest, welcher Stoff in der
Milch das Dickdarmkrebsrisiko verringere.

Die Theorie wird weiterhin gestützt durch einen 1987
veröffentlichten Bericht über eine umfangreiche Studie
aus Australien, wo die Rate von Dickdarmkrebs relativ
hoch ist. Die Australier stellten ebenfalls fest, daß Männer und Frauen, die weniger als 600 Milliliter Milch pro
Woche tranken, mit größerer Wahrscheinlichkeit Dick-
darm- oder Mastdarmkrebs entwickelten.

Wissenschaftler setzten auf Kalzium als den Schutzfaktor, weil sorgfältig durchgeführte Experimente zeigen,
daß Kalzium im Verdauungstrakt Gallensäure entgiftet –
und Gallensäure kann die Krebsbildung fördern. Eindrucksvolle Studien am Memorial Sloan Kettering Cancer Center in New York ergaben, daß Kalzium die Wachs-
tumsrate präkarzinogener Zellen im Dickdarm von
Menschen »dämpfte«, die ein hohes Risiko auf Dickdarmkrebs hatten.

Joghurtgetränke mit Acidophilusbakterien sind ebenfalls gut bei der Abschreckung von Dickdarmkrebs,
wenn auch aus ganz anderen Gründen: Acidophilusbakterien können, wie Forscher in Boston festgestellt haben, beim Menschen Zellveränderungen verhindern,
die zu Krebs führen. Sie unterbinden die Umwandlung

von natürlichen Substanzen im Dickdarm zu krebserregenden Stoffen.

Tägliches Milchtrinken wird in Japan außerdem mit weniger Magenkrebs in Verbindung gebracht. Mehre internationale Übersichten zeigen auch, daß Milchtrinker und begeisterte Konsumenten von Nahrungsmitteln mit Vitamin A, zu denen die Milch gehört, weniger Lungenkrebs haben.

Milch für Raucher

Vor kurzem sorgten Forscher der Johns Hopkins University mit einer faszinierenden Nachricht für Aufsehen. Sie sind der Meinung: Milchtrinker sind viel weniger anfällig für chronische Bronchitis als Nicht-Milchtrinker – und zwar nicht etwa, weil Milchtrinker ein vernünftigeres Leben führen. Selbst als sie Faktoren wie Rauchen, Alkohol und Kaffee in Betracht zogen, kamen die Forscher immer noch zu der Schlußfolgerung: Milch scheint auf ganz besondere Weise gerade *Raucher* vor Bronchitis zu schützen, weniger jedoch Nichtraucher. Raucher, die ein oder zwei Päckchen Zigaretten pro Tag konsumieren und keine Milch tranken, bekamen mit etwa 60 Prozent höherer Wahrscheinlichkeit als milchtrinkende Raucher chronischen Bronchitis.

»Das läßt darauf schließen, daß das Milchtrinken eine starke Wirkung hat«, lautete das Resümee der Autoren. Der Grund? Etwas in der Milch, möglicherweise Vitamin A, könnte »das respiratorische Epithel (die Zellen der Lungenwände) bis zu einem gewissen Grad vor der Anfälligkeit gegen chronische Bronchitis als auch Lungenkrebs schützen.«

Arznei für Herz und Blutdruck

Im Gegensatz zu fetthaltiger Vollmilch ist Magermilch wahrscheinlich gut für Ihre Arterien. Mehrere Untersuchungen zeigen, daß Magermilch beim Menschen das Blutcholesterin unterdrücken kann. Dr. George Mann von der Vanderbilt University, ein führender Forscher auf diesem Gebiet, hat einen »Milchfaktor« identifiziert, der seiner Meinung nach den Cholesterinausstoß der Leber verringert. Vor kurzem dokumentierte dann ein japanisches Experiment, daß die Aorten von Kaninchen, die Magermilch bekamen, viel weniger Cholesterinbelag und andere Schäden aufwiesen, was die Forscher zu der Schlußfolgerung veranlaßte, daß »Magermilch möglicherweise vorbeugende Wirkungen gegen die Entwicklung von Hypercholesterinämie (hoher Cholesterinspiegel im Blut) und Arteriosklerose (verhärtete, von Belag verstopfte Arterien) hat.«

Laut Experten an der Cornell University könnte durch Milch auch leichter Bluthochdruck zurückgehen. Der Grund: Durch umfangreiche Forschungen ist festgestellt worden, daß Kalziummangel bei manchen Menschen zur Erhöhung des Blutdrucks beiträgt, vor allem bei denjenigen, die überempfindlich für die blutdrucksteigernde Wirkung von Salz sind. Erhöhte Kalziumzufuhr könnte daher den üblen Auswirkungen von Natrium entgegenwirken.

Obwohl bei den meisten Studien zusätzliches Kalzium verwendet wurde, meint Dr. John Laragh, der Leiter des Forschungszentrums für hohen Blutdruck an der Cornell University, daß es gegen leicht erhöhten Blutdruck (diastolischer Wert zwischen 90 und 104) helfen könnte, wenn man mehr Milch tränke. Das wiederum wurde bestätigt durch eine groß angelegte Studie von etwa achttausend Männern in mittleren Jahren, die vom National Heart, Lung and Blood Institute durchgeführt wurde. Die Studie ergab, daß diejenigen, die keine Milch tranken, mit zweimal so großer Wahrscheinlichkeit hohen Blutdruck hatten wie diejenigen, die jeden Tag einen Liter Milch zu sich nahmen.

Wenn Sie eine Ratte wären, würde das Milchtrinken Ihr Magengeschwür eindämmen

Zu ihrer großen Überraschung entdeckten Forscher am gesundheitswissenschaftlichen Zentrum der State University of New York vor kurzem, daß Milchfett reich ist an biologisch aktiven Prostaglandinen vom Typ E2. Und als sie Versuchsratten Vollmilch gaben und sie danach Streß aussetzten, bekamen im Vergleich zu 90 Prozent der Ratten, denen Salzlösung gegeben worden war, nur 50 Prozent Magengeschwüre. Um sicherzugehen, daß das wirklich die Milchprostaglandine bewirkten, gaben die Forscher außerdem einer Gruppe von Ratten Milch, der die Prostaglandine entzogen worden waren. Ergebnis: 80 Prozent erkrankten an Magengeschwüren. Es ist eine faszinierende Tatsache, daß die Milchprostaglandine identisch sind mit denjenigen, aus denen ein neues Medikament gegen Magengeschwüre namens Cytotec besteht, das G.D. Searle 1986 auf den Markt brachte. Bei Tests an Tieren und Menschen war das reine Prostaglandin E2 erstaunlich erfolgreich, was den Schutz des Magens und der Wände des Verdauungstrakts gegen giftige Chemikalien anbelangte, darunter auch Säure und Zigarettenrauch, eine Hauptursache von Magengeschwüren. Offenbar befehlen die Prostaglandine den Zellen der Magenwand, eine undurchdringliche Sperre gegen chemische Angriffe aufzubauen. Eine Theorie: Sie veranlassen die Zellen dazu, eine geleeähnliche Schleimschicht auf den Zellen der Magenwand anzulegen, etwa so, wie wenn die innere Oberfläche des Magens mit Vaseline bestrichen würde.

Wieviel Milch mußten die Ratten trinken? Nur zwei Tropfen aus einer Pipette – hochgerechnet auf einen Durchschnittsmenschen ergibt das etwa einen halben Liter pro Tag. Die Prostaglandine sitzen im Milchfett; deshalb sind sie am konzentriertesten in Sahne; dann folgen Vollmilchjoghurt, Vollmilch und fettarme Milch. Magermilch enthält so gut wie keine Prostaglandine.

Das scheint eine plausible Erklärung dafür zu sein, warum Milchtrinker weniger zu Magengeschwüren neigen. Eine großangelegte Studie von Forschern der Harvard University und des kalifornischen Gesundheitsamts ergab 1974, daß männliche Studenten, die Milch tranken, im späteren Leben mit größerer Wahrscheinlichkeit von Magengeschwüren verschont blieben als diejenigen, die keine Milch zu sich nahmen. Selbst Männer, die wegen anderer Faktoren ein hohes Risiko hatten, schienen durch Milch davor bewahrt zu bleiben, und der Schutz nahm zu, je mehr Milch konsumiert wurde. Männer, die über vier Glas Milch pro Tag tranken, hatten eine nicht einmal halb so hohe Rate an peptischen Magengeschwüren wie diejenigen, die keine Milch tranken.

Milch ist jedoch möglicherweise keine so gute Behandlungsmethode für diejenigen, die schon Magengeschwüre haben, selbst wenn sie die Schmerzen lindert. Das Naturprodukt, seit Jahren bei der Behandlung von Magengeschwüren routinemäßig eingesetzt, wird immer weniger verwendet. Das hat seinen Grund, denn Milch stimuliert anscheinend die Magensäure. So ergab erst vor kurzem eine Studie in Indien, daß Vollmilch die Heilung von Zwölffingerdarmgeschwüren bei Patienten

zu verzögern schien, die Cimetidin nahmen (Tagamet).
Die Geschwüre derjenigen, die anderthalb Liter Milch
am Tag tranken, heilten nicht so gut wie die Geschwüre
derjenigen, die keine Milch zu sich nahmen, obwohl
Milch die Schmerzempfindung verringerte.

Etliche Experten glauben, daß die Prostaglandine in der
Milch zwar die Kraft haben, die Geschwürbildung zu
verhindern, aber nicht, die Geschwüre zu heilen. Eine
Studie an der medizinischen Fakultät der University of
California in Los Angeles kam zu dem Ergebnis, daß
Milch im Magen von Patienten, die bereits Zwölffinger-
darmgeschwüre hatten, Säureausscheidungen anregte,
die das Geschwür verschlimmerten.

Eine Reaktion in Darm und Magen

Milch enthält infektionsbekämpfende Stoffe – vorgebildete Antikörper gegen Viren und unbekannte, im Fett
sitzende Faktoren, die Mikroben im Verdauungstrakt
abwehren. Dr. Robert Yolken, Professor für Infektionskrankheiten an der Johns Hopkins University, der die
Antikörper in der Milch entdeckte – Immunkrieger, die
Viren und Bakterien im Körper entwaffnen –, sagt, es sei
unbekannt, wie gut normale Milch Menschen vor Magen-Darm-Infektionen schütze, aber wenn die Antikör-
permengen ausreichend seien, müsse es eigentlich
funktionieren. Bei Mäusen funktioniert es: Versuchs-
mäuse, die mit einem Rotavirus infiziert und danach
mit Milch gefüttert wurden, entwickelten keine Infektionen oder Durchfall – im Gegensatz zu all den infizierten Mäusen, die keine Milch bekamen (siehe auch S.
179 ff..

Eine weitere Überraschung

Infektionsbekämpfende Stoffe im Milchfett tragen zur Abwehr von Magen-Darm-Krankheiten bei, vor allem zur Abwehr von Durchfall bei Kindern. Eine große Studie in den Vereinigten Staaten über etwa zwölfhundert Kinder im Alter zwischen eins und sechzehn ergab, daß Kinder, die nur fettarme Milch tranken, fünfmal so anfällig für akute Magen-Darm-Krankheiten waren wie diejenigen, die Vollmilch tranken. Der Forscher, Dr. James S. Koopman von der Fakultät für öffentliche Gesundheit an der University of Michigan gibt bei etwa 14 Prozent aller Fälle medizinisch behandelter Magen-Darm-Krankheiten der fettarmen Milch die Schuld. Am stärksten gefährdet, so sagt er, seien die Ein- bis Zweijährigen.

Andere Forschungen bestätigen, daß chronischer Durchfall bei Kleinkindern, die Magermilch bekommen (manchmal zur Vorbeugung gegen spätere Arteriosklerose), schnell geheilt wird, wenn man ihnen Milchfett zuführt. Die alte Behauptung, es sei gefährlich, Kindern, die schon Durchfall haben, Milch zu geben, wird von einer ausgezeichneten Studie aus Finnland bestritten. Die Schlußfolgerung: »Kuhmilch und Milchprodukte können Kindern über sechs Monate als Teil der Mischkost bei akuter Gastroenteritis gefahrlos gegeben werden.«

Der durchfallbekämpfende Faktor im Milchfett ist immer noch ein Rätsel, sagt Dr. Koopman. Ein Indiz: Laborstudien haben ergeben, daß Milchfettsubstanzen bakterielle Toxine abtöten und außerdem die Ablagerung von klebrigen Stoffen hemmen, die es den Escherichia-coli-Keimen ermöglichen, sich an der Dünndarmwand festzusetzen.

Milch für Schlaflose? Auf keinen Fall

Die Volksweisheit, ein Glas warme Milch wirke ein-
schläfernd, ist völlig falsch. Anfangs mag die Richtigkeit
dieser Annahme ja noch zutreffen: Eine Aminosäure in
der Milch namens Tryptophan half bei Tests mit hohen
Dosen- mindestens ein Gramm – Menschen, die unter
leichter Schlaflosigkeit litten, beim Einschlafen (ein
Glas Milch enthält etwa ein Zehntelgramm Tryptophan). Das führte zu der fälschlichen Annahme, das
Tryptophan mache die Milch zu einem Beruhigungsmittel. Aber das stimmt nicht. Das Gegenteil ist richtig:
Milch – zumindest fettarme Milch – macht chemische
Stoffe im Gehirn munter.

Laut Richard und Judith Wurtman, beide Doktoren und
Pioniere der Forschung auf dem Gebiet der Gehirnnahrung am Massachusetts Institute of Technology, gehört
es zu den kleinen Rätseln der Natur, daß Milch, die Tryptophan enthält, das einschläfernde Tryptophan nicht
ins Gehirn transportiert. Nach dem Trinken von Milch
neigt der Tryptophanspiegel im Gehirn sogar dazu, daß
er sinkt. Das liegt daran, daß beim Kampf um das Vordringen ins Gehirn die kleinen Tryptophanmengen in
der Milch von anderen, reichlicher in der Milch vorhandenen Aminosäuren überwältigt werden. Es ist seltsam,
aber wahr, daß Zucker, der kein Tryptophan enthält, aufgrund komplizierter Gefechte zwischen den Molekülen
um die Überwindung der Sperre zum Gehirn mehr beru-
higendes Tryptophan im Gehirn freisetzt.

Wie auch immer, Milch, vor allem Magermilch oder fettarme Milch, regt in Wahrheit Ihre geistige Energie an,
statt sie einzuschläfern. Milch liefert dem Gehirn Tyrosin, das dort die Produktion von Dopamin und Norepinephrin auslöst, was Sie dazu stimuliert, schneller
und genauer zu denken. Vollmilch dagegen neigt wegen

ihres Fettgehalts dazu, Ihre geistige Aktivität zu verlangsamen.

Laut Dr. Judith Wurtman kann schon ein achtel Liter Magermilch oder fettarme Milch die chemischen Stoffe in Ihrem Gehirn aktivieren. Aber wenn Ihr Gehirn schon über ausreichende Mengen von energiespenden chemischen Stoffen verfügt, werden durch das Trinken von weiterer Milch keine zusätzlichen Wachmacher stimuliert – allerdings wird dadurch ständig Nachschub geschaffen, der Sie in Schwung hält.

Ein Jugendelixier für brüchige alte Knochen

Milch schützt möglicherweise vor Osteoporose (einem schweren Knochenschwund, der im Alter zu Verformungen und Brüchen führt), obwohl sich das aus dem Kalziumgehalt der Milch allein nicht erklären läßt. Wissenschaftler wissen seit langem, daß der Körper das Kalzium – das Mineral, von dem angenommen wird, daß es für starke Knochen sorgt – besser abbauen kann, wenn er es mit der Milch statt in Tablettenform bekommt. Milch ist synthetischem Kalzium außerdem überlegen, was die Hilfe bei der Selbsterneuerung des Knochengewebes betrifft. Die meisten Wissenschaftler bezweifeln zwar, daß hohe Kalziummengen – oder viel Milch – bei Frauen über fünfunddreißig Jahren der Osteoporose vorbeugen, wenn nicht außerdem Östrogene eingenommen werden, aber es gibt Beweise dafür, daß die Knochen von Frauen, die in der Jugend viel Milch getrunken haben, bei der Menopause kräftiger sind, was sie vermutlich weniger anfällig für die verheerenden Auswirkungen der Osteoporose macht. Zusätzlich zum Kalzium scheint ein nicht identifizierter »Milchfaktor« vorhanden zu sein, der Knochenkrankheiten verzögert.

Noch eine rühmliche Eigenschaft

Als wäre das alles noch nicht genug Rühmenswertes an einem einzigen Nahrungsmittel aus der Apotheke der Natur, kann Milch – und Käse – Karies hemmen. Eine Reihe von Studien über Tierzähne haben ergeben, daß Molkereiprodukte vorbeugend gegen Karies wirken, obwohl nicht sicher ist, worin ihre Wirkungsweise besteht. Vielleicht liegt es am Kalzium in der Milch, am Phosphat, am Kasein oder an unbekannten Substanzen. Bei einem Tierversuch ging vor kurzem durch konzentrierte Milchminerale die Karies bis zu 30 Prozent zurück. Besonders wirksam ist Chesterkäse, der an Tieren und an Menschen getestet wurde. Anhand eines eigens entwickelten Modells für den menschlichen Mund stellten Forscher an der University of Toronto fest, daß Chesterextrakt die Fähigkeit von Tafelzucker, Karies zu verursachen, um 56 Prozent verringerte.

Praktische Hinweise

o Am besten für Erwachsene ist Magermilch; sie enthält dieselben Nährstoffe, darunter das besonders wichtige Kalzium, wie Vollmilch, hat aber kein Fett. Fettarme Milch stimuliert außerdem die chemischen Stoffe im Gehirn; fette Milch lullt sie möglicherweise ein.

o Wenn Sie die größtmögliche Steigerung ihrer »Gehirnkraft durch magere oder fettarme Milch erreichen wollen, dann trinken Sie ein Glas, bevor Sie etwas essen. Lassen Sie den Eiweißmolekülen in der Milch den Vortritt, damit sie chemische Stoffe zur Stimulierung des Gehirns produzieren, sonst verzögert der Wettkampf mit chemischen Stoffen in anderen Nahrungsmitteln die energiesteigende Wirkung.

o Der Grundsatz, Kinder unter zwei Jahren nicht auf

fettarme Diät zu setzen, gilt auch für die fettarme Milch (oder Magermilch). Experten warnen, das könne die Kinder – aus welchen Gründen auch immer – um den Schutz vor Magen-Darm-Infektionen bringen und das normale Wachstum und die normale Entwicklung beeinträchtigen.

○ Man sollte sich nicht darauf verlassen, daß Milch bei allen Menschen den Blutdruck senkt. So ergab eine Studie folgendes: Bei Betroffenen, die unter hohem Blutdruck litten, senkte sich der Blutdruck nur bei 44 Prozent beträchtlich, obwohl alle pro Tag 1 000 Milligramm Kalzium in Tablettenform bekamen (ein viertel Liter Milch enthält etwa 300 Milligramm Kalzium).

Mögliche schädliche Wirkungen

○ Manche Menschen können keine Milch trinken, weil sie an Laktoseunverträglichkeit leiden und von Milch leichte oder heftige Magenbeschwerden bekommen, aber nicht von Joghurt.

○ Milch gehört außerdem zu den Hauptverdächtigen in Fällen von Nahrungsunverträglichkeiten, die mit bestimmten Darmstörungen in Verbindung gebracht werden, darunter Darmreizungen.

○ Gesättigtes Fett, wie es in der Milch enthalten ist, wird mit erhöhtem Blutcholesterin in Zusammenhang gebracht, also mit dem Risiko von Herzkrankheiten und bestimmten Krebsarten, vor allem mit Brust-, Darm-, Kehlkopf-, Blasen- und Mundkrebs.

○ Vor allem Brustkrebs scheint mit fettreicher Nahrung zusammenzuhängen. Eine Studie in den Vereinigten Staaten stellte einen Zusammenhang her zwischen dem Pro-Kopf-Verzehr von Molkereiprodukten und dem Risiko von Brustkrebs. In einer Kontrollstudie, die 1986 in Frankreich durchgeführt wurde, war das Milchtrinken an sich nicht mit einem Brustkrebsrisiko verbunden, wohl aber das Essen großer Mengen fettreichen Käses und das Trinken fetter Milch. Das führt zu der Annahme, daß das Milchfett – und kein anderer Milchfaktor – mit dem Krebsrisiko zusammenhängt. Und das entspricht zahlreichen Studien, die Fett in der Nahrung als brustkrebsfördernd bezeichnen.

Widersprüchliche Beweise über Krebs

Bei einer großangelegten Studie in Australien wurde festgestellt, daß Männer – nicht jedoch Frauen —, die über zweieinhalb Liter Milch pro Woche tranken, ein leicht erhöhtes Risiko auf Dickdarmkrebs hatten.

Nüsse

Möglicher therapeutischer Nutzen:

- Enthalten chemische Stoffe, die bei Tieren Krebs vorbeugen
- Das Öl senkt das Blutcholesterin
- Regulieren den Blutzucker

Überlieferung

Die Walnuß galt im antiken Rom als die »Königin« unter den Nüssen, wurde ihr doch zugeschrieben, sie bringe Glück und Gesundheit.

Fakten

Obwohl Nüsse äußerst nahrhaft sind (reich an Spurenmineralen), sind sie nur wenig gegen Krankheiten getestet worden. Alle Nüsse – Erdnüsse, Mandeln, Paranüsse, Cashewnüsse, Pinienkerne und so weiter – enthalten hohe Mengen an Substanzen, die Proteasehemmstoffe genannt werden und von denen bekannt ist, daß sie bei Versuchstieren gegen Krebs wirken. Deshalb setzen Experten wie Dr. Walter Troll von der New York University Nüsse weit oben auf die Liste möglicher Gegengifte bei Krebs. Nach Meinung von Dr. Troll stören sie wahrscheinlich die Förderung und das Fortschreiten verschiedener Krebsarten. Nüsse sind außerdem reich an bestimmten Polyphenolen, chemischen Stoffen, die bei Tieren krebsbekämpfend gewirkt haben.

Walnußöl gilt, wie andere pflanzliche Öle, als gesund, weil es höher ungesättigt ist und dazu neigt, das Blutcholesterin zu senken.

Regulator für den Blutzucker

Erdnüsse schnitten auf dem »glykämischen Index« am besten ab – unter fünfzig getesteten Nahrungsmitteln neigten sie am wenigsten dazu, einen starken Anstieg des Blutzuckers zu verursachen. Sie fördern vielmehr eine stetige, langsame Zunahme von Blutzucker und Insulin, und das macht sie zu einem guten Nahrungsmittel für Menschen, die sich Sorgen über den Blutzuckerspiegel machen (und vor allem für Diabetiker).

Mögliche schädliche Wirkung

○ Wie andere ungesättigte Öle verursacht Erdnußöl bei Affen und anderen Versuchstieren schwere Arteriosklerose (verstopfte, geschädigte Arterien). Von Experten für Herzkrankheiten wird es, obwohl es das Blutcholesterin senkt, jedenfalls nicht empfohlen.

○ Erdnüsse und auch Erdnußbutter sind oft von einem Schimmel namens Aflatoxin befallen, der ein Karzinogen ist. In Ländern der Dritten Welt ist Aflatoxin eine weitverbreitete Ursache von Leberkrebs. Obwohl es gesetzliche Vorschriften für den Aflatoxingehalt gibt, halten viele Experten die Grenzwerte für zu hoch.

Olivenöl

Die Italiener ... schienen niemals
zu sterben. Sie essen den ganzen Tag
Olivenöl ... und das ist der Grund.

William Kennedy

Möglicher therapeutischer Nutzen:

o Gut für das Herz
o Verringert schlechtes LDL-Cholesterin
o Erhöht gutes HDL-Cholesterin
o Verdünnt das Blut
o Enthält chemische Stoffe, die Krebs und das Altern
  verzögern
o Senkt den Blutdruck

Wieviel? Nur ein Eßlöffel Olivenöl hebt die cholesterinsteigernde Wirkung von zwei Eiern auf. Vier bis fünf Eßlöffel Olivenöl verbessern auf spektakuläre Weise das Blutbild von Herzinfarktpatienten. Und zwei Drittel eines Eßlöffels pro Tag wirken bei Männern – so eine Studie – blutdrucksenkend.

Überlieferung

Olivenöl ist im Mittelmeerraum seit viertausend Jahren ein Gesundheitselixier. Ramses II. beispielsweise, der von 1290 bis 1224 v. Chr. in Ägypten herrschte, soll gegen jede Art von Beschwerden Olivenöl geschluckt haben.

Fakten

Die Einwohner von Kreta essen mehr Fett als alle anderen Menschen auf der Erde. Etwa 45 Prozent ihrer Kalorien bestehen aus Fett, und stattliche 33 Prozent dieser Kalorien bestehen wiederum aus Olivenöl. Das müßte dazu führen, daß Kreter mehr Herzkrankheiten haben und früher sterben. Falsch. Kreta gehört zu den Anomalien auf den Schaubildern, die einen Zusammenhang zwischen Herzkrankheiten und Fettverzehr zeigen. Es ist eine Tatsache, daß die Bevölkerung von Kreta weltweit eine der niedrigsten Raten an Herzkrankheiten und Krebs hat. Wissenschaftler, die versuchen, den »Langlebigkeitsfaktor« der Kreter aufzuspüren, kommen immer wieder auf das Olivenöl zurück. In Kreta fließt das Olivenöl fast wie Wein, und so ist es kein Wunder, daß dort mehr Olivenöl pro Kopf verbraucht wird als in jeder anderen Region unserer Erde. Nicht weit dahinter rangiert Italien, Griechenland und andere Länder im Mittelmeerraum.

Wer viel Olivenöl zu sich nimmt, lebt länger

Als wolle er die Beobachtung des Schriftstellers William Kennedy bestätigen, stellte Ancel Keys, ein berühmter Pionier der ernährungswissenschaftlichen Forschung über Fett an der University of Minnesota, vor kurzem in einer Studie fest, daß unter 2 300 Männern in mittleren Jahren aus sieben Ländern die Todesraten durch Herzkrankheiten und *alle anderen Ursachen* bei denjenigen Männern, deren wichtigster Fettlieferant das Olivenöl war, außergewöhnlich niedrig lagen.

Mehrere streng kontrollierte wissenschaftliche Studien zeigen, daß Olivenöl chemische Substanzen enthält, die wahre Wunder für das Blut bewirken, zum Beispiel die Gerinnungsneigung des Blutes hemmen, das wohltätige HDL-Cholesterin anheben und gefährliche Cholesterinablagerungen in den Arterien bekämpfen. Die Folge ist, daß etliche Experten jetzt Olivenöl »verschreiben«, weil das eine ausgezeichnete Methode ist, das Risiko von Herzinfarkten und Schlaganfällen zu verringern.

In Mailand gibt ein Ärzteteam Patienten nach Herzoperationen pro Tag als Teil der therapeutischen Nachbehandlung vier bis fünf Eßlöffel Olivenöl. Innerhalb von sechs Monaten weisen die Patienten eindeutig verbesserte Blutwerte auf und werden dadurch weniger anfällig für zukünftige Herzinfarkte und Schlaganfälle. Ärzte am Health Science Center der University of Texas in Dallas, einem führenden Zentrum für die Therapie von Herzkrankheiten, haben außerdem festgestellt, daß die ungesättigten Fette im Olivenöl auf spektakuläre Weise das Blutcholesterin senken und zum Guten verändern.

Bei Tests an Amerikanern in mittleren Jahren reduzierte Olivenöl das Blutcholesterin um 13 Prozent und das gefährliche LDL-Cholesterin um 21 Prozent. Der Forscher Dr. William Grundy schloß daraus, daß die ungesättigten Fette hohe Cholesterinwerte so wirkungsvoll bekämpften wie eine fettarme Diät. Dr. Grundy rät Amerikanern, andere Öle durch Olivenöl zu ersetzen, um Herz- und Gefäßkrankheiten vorzubeugen.

Wie wirkt das Olivenöl? Unter anderem dominieren im Olivenöl sogenannte einfach ungesättigte Fettmoleküle, die eine stärkere Schutzwirkung auf das Blut haben als die oft empfohlenen höher ungesättigten Pflanzenöle (wie etwa Maisöl). Olivenöl senkt jedoch nicht nur den Gesamtwert von Cholesterin im Blut, sondern im Gegensatz zu anderen Pflanzenölen verschont es das gute HDL-Cholesterin und verbessert so das entscheidend wichtige Verhältnis zwischen dem LDL-Cholesterin und dem »guten Cholesterin« – dem HDL —, das ja zur Abwehr von Herzkrankheiten beiträgt. Andere

Pflanzenöle neigen hingegen dazu, sowohl das gefährliche LDL- aus auch das wohltätige HDL-Cholesterin zu senken.

Bis vor kurzem schien das schon die ganze Erklärung zu sein. Aber neue Forschungen zeigen, daß Olivenöl außerdem wirksame Stoffe zur Bekämpfung von Herzkrankheiten enthält, die günstige physiologische Reaktionen bewirken – indem sie zum Beispiel als Antikoagulans arbeiten (das Blut verdünnen und das Risiko auf Gerinnselbildung und Verstopfung verringern) und einen Teil der Absorption von überschüssigem Cholesterin im Körper verhindern.

Ein Team italienischer Wissenschaftler unter der Leitung von Dr. Bruno Berra, einem Professor für Biochemie an der pharmakologischen Fakultät der Universität Mailand, hat den Stoffwechselweg von mehreren der etwa tausend aktiven chemischen Substanzen, die im Olivenöl gefunden wurden, identifiziert und aufgezeichnet. Laut Dr. Berra können diese chemischen Stoffe sogar dazu beitragen, einer fett- und cholesterinreichen Ernährung entgegenzuwirken. Vor allem ein chemischer Stoff, Cycloarthanol genannt, neutralisiert Cholesterin während der Absorptionsphase und trägt dazu bei, es aus dem Blutkreislauf herauszuhalten. In Dr. Berras Studien machte ein Eßlöffel Olivenöl die cholesterinsteigernde Wirkung von zwei Eiern zunichte. Forscher an der University of Kentucky haben außerdem festgestellt, daß Olivenöl den Blutdruck senkt. Nur zwei Drittel eines Eßlöffels pro Tag verringerten den Blutdruck von Männern um etwa fünf systolische und vier diastolische Punkte.

Ein Wirkstoff gegen das Altern und gegen Krebs?

Wenn menschlichen Zellen Olivenöl zugeführt wird, macht es die Zellmembranen stabiler und weniger anfällig gegen die Zerstörung durch die sogenannten »freien Radikale«, die den Körper durchstreifen. Es wird vermutet, daß Antioxidantien im Olivenöl, wenn sie von menschlichen Zellen in ausreichendem Maß absorbiert werden, zur Verzögerung des Alterns beitragen können, indem sie die Zelle länger am Leben erhalten, und daß sie Angriffe abwehren können, die Zellen in Unordnung bringen und anfälliger für Krebs machen.

Olivenöl hat außerdem eine leicht abführende Wirkung.

Praktische Hinweise

○ Die beste Sorte für das Herz: Unter den vielen Arten von Olivenöl ist das wirksamste mit den meisten chemischen Stoffen, die Herzkrankheiten bekämpfen, das jungfräuliche Öl, das kalt aus den hochwertigsten Oliven gepreßt wird. Je näher das Öl der ursprünglichen Frucht kommt, sagt Dr. Berra, desto höher ist die Konzentration an herzschützenden chemischen Stoffen.

○ Wie steigern Sie die cholesterinsenkende Wirkung? Reduzieren Sie gesättigte tierische Fette (in Fleisch und Molkereiprodukten), indem Sie mehr Olivenöl zu sich nehmen. Das steigert die Aktivitäten der LDL-Rezeptoren und schwemmt mehr von dem schädlichen Blutfett aus. Wenn Sie lediglich einer Ernährung, die reich ist an gesättigtem Fett, große Mengen von Olivenöl hinzufügen, bewirkt das keine annähernd so starken Rückgang des Cholesterins. Zuviel gesättigtes Fett arbeitet gegen die günstige Wirkung von Olivenöl.

Mögliche schädliche Wirkungen

o In seltenen Fällen leiden Menschen, die große Mengen von Olivenöl zu sich nehmen – vor allem dann, wenn die Mengen auf einmal verzehrt werden —, vorübergehend unter leichtem Durchfall.

Orangen

Möglicher therapeutischer Nutzen:

o Bekämpfen bestimmte Viren
o Senken das Blutcholesterin
o Bekämpfen arteriellen Belag
o Senken das Risiko auf bestimmte Krebsarten

Überlieferung

»Die Orange wirkt sich sehr günstig aus bei allen bronchialen und asthmatischen Beschwerden, bei Auszehrung, als Stärkungsmittel für das Herz und als Kreislaufstimulans. Der tägliche Verzehr einer Orange hilft bei der Kräftigung des ganzen Systems, reinigt das Blut, wirkt als inneres Antiseptikum, stärkendes Stimulans und als kräftigender Stoff.«

American Medicine, 1927

Fakten

Forscher vom National Cancer Institute sagen, ein

Hauptgrund für den Rückgang von Magenkrebs in den USA sei wohl, daß Zitrusfrüchte das ganze Jahr über erhältlich seien. Ein krebshemmender Stoff in der Frucht ist das Vitamin C, von dem bekannt ist, daß es starken Karzinogenen, die Nitrosamine genannt werden, entgegenwirkt. Darüber hinaus tauchen in großangelegten Studien vor allem Orangen als die Nahrungsmittel auf, die am häufigsten von Menschen mit niedrigen Krebsraten gegessen werden. So hatten in einer Studie diejenigen, die die meisten Orangen aßen, im Vergleich zu denjenigen, die am wenigsten davon aßen, ein etwa nur halb so hohes Risiko auf Krebs im allgemeinen und ganz besonders auf Krebs der Speiseröhre. Und vor kurzem nahmen in einer schwedischen Studie Zitrusfrüchte (zusammen mit Karotten) den ersten Platz unter den Nahrungsmitteln ein, die von Menschen mit den niedrigsten Raten von Bauchspeicheldrüsenkrebs besonders gern gegessen werden.

Forscher in Florida weisen außerdem darauf hin, daß Orangen und andere Zitrusfrüchte das Blutcholesterin senken können. Zahlreiche Befunde zeigen, daß das Pektin, ein Ballaststoff in der Schale und den Häuten von Orangen (und Grapefruits), bei Menschen und Versuchstieren das Blutcholesterin senkt.

Wissenschaftler haben außerdem mit dem Gedanken geflirtet, daß Orangen, vor allem Orangensaft, Virusinfektionen bekämpfen könnten. In einer faszinierenden Studie testeten Forscher der University of Florida den therapeutischen Wert von Orangensaft an Menschen, die dem Rubeola- oder Röteln-Virus ausgesetzt worden waren. Nachdem sie durch die Nase mit dem Virus infiziert worden war, strich die Hälfte der Versuchspersonen alle Zitrusfrüchte vom Speiseplan und nahm auch keine Vitaminpräparate mehr ein. Die andere Hälfte trank jeden Tag einen Liter Orangensaft. Das Ergebnis: Das Trinken von Orangensaft bekämpfte die Rubeolainfektion; die Symptome im respiratorischen Trakt gingen zurück, und Antikörper, die gegen die Röteln vorgingen, tauchten schneller im Blut auf. Die Forscher schrieben den therapeutischen Nutzen zusätzlich zum Vitamin C unbekannten natürlichen Substanzen zu, die virenbekämpfend wirken.

Andere Wissenschaftler haben festgestellt, daß Stoffe in den Orangenschalen dazu beitragen, Bakterien und Pilze abzutöten, und dazu neigen, das Blutcholesterin zu senken.

Praktische Hinweise

o Wenn Sie die größtmögliche Wirkung bei der Senkung des Cholesterins und dem Schutz der Arterien erzielen wollen, achten Sie darauf, daß Sie auch die Häutchen und das Innere der Schale essen, denn dort sitzt das Pektin.

Widersprüchliche Beweise

Bei kanadischen Tests zeigte Orangensaft, der in Supermärkten gekauft worden war, im Reagenzglas keine virusbekämpfende Aktivität.

Pflaumen

Möglicher therapeutischer Nutzen:

o Wirken als starkes Abführmittel

> *Wieviel?* Schon ein achtel Liter Pflaumensaft am Tag hat bei den meisten Menschen eine abführende Wirkung.

Überlieferung

»Pflaumen sind abführend und nahrhaft … Wenn man den abführenden Saft in kochendes Wasser gibt, wirkt er als angenehme und nützliche Ergänzung zum darmreinigenden Absud. Ihr Fruchtfleisch wird zu Abführpräparaten verwendet. Wenn zuviel von ihnen eingenommen wird, können sie zu Blähungen, Bauchschmerzen und Magenverstimmungen führen.«

Dispensatory of the United States, 1907

Fakten

Pflaumen sind – wer weiß es nicht? – ein ausgezeichnetes Abführmittel. Erstaunlicherweise ist dennoch der abführende Wirkstoff in Pflaumen nie eindeutig identifiziert worden (obwohl konzentrierter Pflaumenextrakt als Abführmittel verkauft wird). Und Wissenschaftler haben viel Zeit darauf verwendet, nach dem Wirkstoff zu suchen. Pflaumen sind reich an löslichen Ballaststoffen, die möglicherweise eine abführende Wirkung haben. Trotzdem sind die Ballaststoffe nicht die einzige Erklärung. Pflaumensaft, der so gut wie keine Ballaststoffe enthält, eignet sich nämlich ebenfalls als Abführmittel.

Ein Regierungsprojekt

In den fünfziger und sechziger Jahren widmete das Western Regional Research Center des amerikanischen Landwirtschaftsministeriums der Lösung des Rätsels beträchtlich viel Arbeit. Forscher fütterten Mäuse mit zahllosen Pfunden getrockneter Pflaumen. Die Mäuse reagierten erwartungsgemäß. Es gibt keinen Zweifel daran, sagt Dr. Joseph Corse, einer der Forscher, daß »die abführenden Eigenschaften von Pflaumensaft tatsächlich vorhanden sind«.

Aber der Wirkstoff blieb unauffindbar. Nach buchstäblich Hunderten von Experimenten konnten die Forscher nur vermuten, es handle sich um einen Zuckerstoff oder um Magnesium in den Pflaumen. Dr. M. Sidney Masri, ein Forschungsbiochemiker, der für das Landwirtschaftsministerium arbeitet und an den Pflaumenstudien über Mäuse beteiligt war, ist überzeugt davon, der Wirkstoff sei das Mineral Magnesium. Falls das stimmt, wirkt es auf seltsame Weise und bestätigt wieder einmal: Ein isolierter chemischer Stoff ist nicht dasselbe wie der Extrakt aus dem Nahrungsmittel selbst. So ist etwa Bittersalz (schwefelsaures Magnesium) ein bekanntes Abführmittel – aber Nüsse, die ebenfalls reich an Magnesium sind, wirken nicht abführend.

Das Rätsel blieb knifflig. Als die Forscher den Pflaumen das Magnesiumphosphat entzogen, sank die abführende Wirkung fast auf Null. Aber als sie den Mäusen das reine Magnesium aus den Pflaumen gaben, tat sich ebenfalls nicht viel. Offenbar wirkt der berühmte Stoff nur dann, wenn er in Form von Pflaumen eingenommen wird. Dr. Masri glaubt, das Magnesium gehe mit anderen Pflaumenstoffen, die seine abführende Wirkung verstärken, ein »Chelat« ein, eine chemische Koordinationsverbindung. Pfirsiche und Aprikosen, beide reich an Magnesium, seien aus demselben Grund milde Abführmittel. Er glaubt, chemische Stoffe in den Pflaumen wirken ähnlich wie Bittersalz, indem sie der Dickdarmwand Wasser entziehen und es in den Verdauungstrakt fließen lassen, wo es den Inhalt verdünnt.

Ende der sechziger Jahre gab das amerikanische Landwirtschaftsministerium schließlich die Recherchen auf – mit der Begründung, sie seien die Zeit und das Geld nicht wert.

Pflaumenkraft

Trotzdem kann das Wissen gesundheitlich und finanziell eine Goldgrube sein. Falls Sie Zweifel an den Kräften der Pflaumen haben sollten, dann lassen Sie sich durch ein Fallbeispiel im geriatrischen Zentrum von Essex County in Belleville, New Jersey, überzeugen. Der leitende Arzt tat sich mit den Leitern der Abteilungen für Diät und Ernährung zusammen, um dreihundert ältere Patienten von Abführmitteln zu entwöhnen, da viele unter starker Verstopfung litten und täglich auf Abführmittel angewiesen waren.

Das Team fügte zunächst den Frühstücksflocken 30 Gramm ballastreiche Kleie hinzu. In 60 Prozent der Fälle war die Kleie wirksam. Den restlichen schwierigen Fällen gab das Team zusätzlich einen achtel Liter Pflaumensaft, vermischt mit etwas Apfelmus und/oder Kleieflocken.

Ein Jahr später nahmen 90 Prozent der Heimbewohner keine Abführmittel mehr; sie zogen die abführende Wirkung der Nahrungsmittel vor. Nach anfänglichem Klagen über Blähungen und Verdauungsbeschwerden fühlten sie sich bald besser – und für das geriatrische Zentrum kam ein finanzielles Plus hinzu: Im ersten Jahr sanken die Ausgaben für Abführmittel um 44 000 Dollar.

Praktische Hinweise

o Wer nur selten Pflaumen gegessen hat, könnte anfangs unter Völlegefühl, Blähungen und anderen Magen-Darm-Beschwerden leiden. Aber der Verdauungstrakt stellt sich normalerweise in kurzer Zeit – innerhalb von drei Wochen – darauf ein, und das Unbehagen verschwindet.

o Wenn Sie Nahrung als Abführmittel verwenden, übertreiben Sie es am Anfang nicht. Gewöhnen Sie sich langsam daran. Nehmen Sie jeden Tag etwas mehr, etwa 30 Gramm, bis die Darmbewegungen normal sind.

Pilze

Möglicher therapeutischer Nutzen:

o Verdünnen das Blut
o Beugen bei Tieren Krebs vor
o Stimulieren das Immunsystem
o Machen Viren unschädlich

Überlieferung

Im asiatischen Brauchtum werden Pilze als Stärkungsmittel geschätzt, die zu einem langen Leben verhelfen. So ist auch das Symbol für den chinesischen Gott der Langlebigkeit, Shoulau, ein Gehstock mit einem Pilzornament als Knauf, und die schwarze Chinamorchel, Mu-Err, wird zur Behandlung von Kopfschmerzen und zur Vorbeugung von Herzinfarkten verwendet. In Japan dagegen sind Ständerpilze in der Volksmedizin schon oft gegen Krebs verwendet worden.

Fakten

Bis jetzt sind nur wenige medizinische Nutzeffekte mit den in der westlichen Welt so beliebten Champignons in Verbindung gebracht worden, aber asiatische Pilze enthalten Stoffe, die das Immunsystem stimulieren, die Blutgerinnselbildung hemmen und die Krebsentwicklung verzögern können. Die magischen vier Pilze mit bewiesenem Wert: Shiitake, Austernpilze, Enoki und Chinamorcheln (Mu-Err).

Japanische Wissenschaftler haben die medizinischen Eigenschaften von Pilzen ausgiebig untersucht, vor allem die von dem Shiitake, einem Pilz, der in den Vereinigten Staaten immer häufiger angebaut und auch gegessen wird. Die Pilze sind für die Wissenschaftler so außergewöhnlich aufregend, weil etliche über stimulierende oder kräftigende Eigenschaften verfügen, die das Immunsystem möglicherweise nicht nur gegen eine Reihe von Infektionen stärken, sondern auch gegen Krebs und vielleicht auch gegen Autoimmunkrankheiten wie rheumatische Arthritis, Polyarthritis und multiple Sklerose.

Die Überraschung durch den Shiitakepilz

Unter den Speisepilzen, die am häufigsten gegessen werden und am besten analysiert worden sind, ist der Shiitake derjenige mit den größten erwiesenen therapeutischen Kräften. Auch als Pasaniapilz (Eichenpilz) oder unter seinem botanischen Namen Tricholomopsis edodes bekannt, hat dieser Pilz einen rötlich-braunen Hut (bis zu 10 Zentimeter breit) und einen leicht rauchigen Geschmack. Ein Amerikaner, Dr. Kenneth Cochran von der University of Michigan, brachte 1960 die Analyse des Shiitake ins Rollen. Zu seiner großen Überraschung entdeckte er, daß der Pilz über einen starken virenbekämpfenden Stoff verfügte, der die Funktionen des Immunsystems stimulierte. Es stellte sich heraus, daß es sich bei diesem Stoff um Lentinan handelt, ein hochmolekulares Kohlenhydrat, das zu den Polysacchariden gehört.

Bei daran anschließenden japanischen Tests erwies sich der Stoff gegen Influenzaviren als wirksamer als das starke verschreibungspflichtige Medikament Amantadinhydrochlorid. Weitere Tests ergaben ferner: Lentinan ist ein Breitbandkiller zahlreicher Viren.

Offenbar stimuliert der Shiitakepilz das Immunsystem, mehr Interferon zu produzieren, einen natürlichen Abwehrstoff gegen Viren und Krebs. Deshalb hat sich der Shiitakestoff als erstaunlich erfolgreich bei der Krebsbekämpfung erwiesen. Er ist in China an Leukämiepatienten und in Japan bei der Bekämpfung von Brustkrebs getestet worden.

Das Essen von Shiitakepilzen trägt möglicherweise dazu bei, das Cholesterin im Blut zu senken, und sogar dazu, einem Teil der schlimmen Folgen von hochgesättigtem Fett entgegenzuwirken. Bei einem Test senkte eine Gruppe von dreißig gesunden jungen Frauen ihren Cholesterinspiegel um durchschnittlich 12 Prozent, nachdem sie eine Woche lang etwa 100 Gramm Shiitake am Tag gegessen hatten. Um herauszufinden, ob der Shiitakepilz auch fetter Ernährung entgegenwirken könne, versuchten es die Forscher mit einem anderen Test. Eine Gruppe aß eine Woche lang jeden Tag 60 Gramm Butter; ihr Cholesterinspiegel stieg um 14 Prozent. Eine zweite Gruppe aß ebenfalls Butter, aber außerdem 100 Gramm Shiitake; ihr Cholesterinspiegel sank um 4 Prozent.

Blutverdünnende Chinamorcheln

Schon eine kleine Menge der schwarzen Chinamorcheln, die an Bäumen wachsen (Mu-Err genannt oder auch Baumtrompeten oder Judasohren), reicht aus, um die Blutgerinnselbildung zu verhindern. Wie Dr. Dale Hammerschmidt entdeckte, kann der Pilz – in Mengen, wie sie im allgemeinen in Kochrezepten benutzt werden – die Blutplättchen davon abhalten, sich zusammenzuballen (weitere Einzelheiten siehe S. 54 ff.). Diese Aktivität des Antikoagulans könnte dazu beitragen, Herzkrankheiten und Schlaganfällen vorzubeugen, weil sie das Blut dünn hält. Bei Tieren haben Chinamorcheln außerdem den Krebsprozeß verzögert.

Der Enoki ist ein weißer, fadenförmiger, spaghettiähnlicher Pilz, der in den Vereinigten Staaten immer beliebter wird. Er wird im allgemeinen roh oder leicht geköchelt in Suppen gegessen. Auch der Enoki stimuliert das Immunsystem von Tieren und trägt deshalb möglicherweise zur Abwehr von Viren und Tumoren bei. So ist in einer Gegend Japans, wo Enokipilze kommerziell angebaut und vermutlich in großen Mengen gegessen werden, die Krebsrate jedenfalls sehr niedrig.

Der Austernpilz oder Austernseitling (Pleurotus ostreatus) ist ein weißlicher, lilienähnlich geformter Pilz. Auch er könnte, wie Tierversuche gezeigt haben, Tumore bekämpfen.

Krebsbekämpfend

Aus einer Studie, die das japanische Institut für Pilzforschung 1986 durchgeführt hat, geht hervor, daß mehrere Pilze tumorhemmende Kräfte haben. Die Forscher setzten Mäuse Karzinogenen aus und fütterten sie dann mit einer Mischung aus getrockneten Pilzen, bestehend aus Champignons, Shiitakepilzen, Chinamorcheln, Enoki, Austernpilzen und Strohpilzen. Die Tumore der Mäuse, die Pilze bekamen, wuchsen um 50 bis 60 Prozent langsamer als die Tumore der Mäuse, die nicht mit Pilzen gefüttert wurden. Offenbar hemmten die Pilze das Krebswachstum im Spätstadium.

Widersprüchliche Beweise

Laut Dr. Bela Toth vom Krebsforschungszentrum der University of Nebraska enthalten *rohe* Champignons Hydrazide, die, wie er sagt, krebserregende Stoffe sind, beim Erhitzen aber zerstört werden.

Preiselbeeren

Möglicher therapeutischer Nutzen:

- O Beugen Entzündungen der Harnwege vor (Cystitis)
- O Töten Viren und Bakterien ab
- O Beugen Nierensteinen vor
- O Verbessern den Geruch des Urins

Wieviel? Neue Forschungen haben festgestellt, daß schon ein achtel Liter Preiselbeersaft am Tag bei besonders gefährdeten Personen Entzündungen der Blase und der Harnwege abwehren kann.

Überlieferung

Seit mindestens hundert Jahren wird die Preiselbeere in den Vereinigten Staaten, vor allem im Nordosten, wo sie wächst, wegen ihrer Kräfte zur Bekämpfung von Infek-

tionen der Blase, der Nieren und der Harnwege angepriesen. Sogar die Ärzte empfehlen sie.

Fakten

Es ist wahr. Der Rat: »Wenn Sie zu Blasen- oder Harn-
wegsinfektionen neigen, trinken Sie Preiselbeersaft« gehört nicht mehr allein der reinen Volksmedizin an, sondern erweist sich als wissenschaftlich fundiert. Mehrere
Studien bestätigen, daß Preiselbeeren zur Bekämpfung
von Infektionen der Harnwege beitragen. Der klassische
Grund: Die Beeren erhöhen den Säuregehalt des Urins,
vor allem die Hippursäure, und diese Säure tötet die Bakterien ab.
Darüber hinaus zeigen neue Forschungen folgendes:
Auch einzigartige chemische Stoffe in den Preiselbeeren machen selbst Bakterien den Garaus. Preiselbeerstoffe überleben die Verdauung und landen schließlich
im Urin. Hier umgeben sie die dort lebenden Bakterien
mit einer Art »Teflonschicht«, so daß die Keime sich
nicht an den Oberflächenzellen der Harnwege festsetzen können. Wenn die Bakterien keinen Halt finden,
können sie keine Infektion verursachen und werden
ausgespült, ohne Schaden angerichtet zu haben. Der
Mechanismus ist auf geniale Weise einfach und wirkt
gegen Bakterien, von denen bekannt ist, daß sie am häufigsten Infektionen der Blase, der Nieren, der Prostata
und des gesamten Harntrakts verursachen. Diese Entdeckung ist Dr. Anthony Sobota zu verdanken, einem
Mikrobiologen an der Youngstown (Ohio) State University (weitere Einzelheiten siehe unter »Das merkwürdige
Antibiotikum der Preiselbeere«, S. 147 ff.).
»Seit einem halben Jahrhundert befassen sich Wissenschaftler mit dem »Preiselbeereffekt«. In einer häufig zi-

tierten Studie verabreichte Dr. Prodromos N. Papas, emeritierter Professor für klinische Urologie an der medizinischen Fakultät der Tufts University, sechzig Patienten mit akuten Infektionen der Harnwege drei Wochen lang einen halben Liter Preiselbeersaft am Tag. 53 Prozent der Patienten ging es auf spektakuläre Weise besser, 20 Prozent zwar mäßig, aber deutlich – und nach sechs Wochen hatten siebzehn Patienten keinerlei Infektionssymptome mehr.

Ein achtel Liter am Tag

Eine neuere Studie von Dr. J.P. Kilbourn in einem Privatlabor in Portland, Oregon, hat ergeben, daß niedrige Mengen von Preiselbeersaft solchen Infektionen möglicherweise vorbeugen, sie aber vermutlich nicht heilen. Der Test wurde mit achtundzwanzig älteren Menschen durchgeführt, die zu Infektionen der Harnwege neigten. Sie alle tranken sieben Wochen lang täglich zwischen einem achtel und einem fünftel Liter Preiselbeersaft (normal oder kalorienarm). Während dieser Zeit schienen die Beeren »bei neunzehn Versuchspersonen Infektionen der Harnwege vorzubeugen – eine Erfolgsquote von siebenundsechzig Prozent«, berichten die Forscher. In einem anderen Test nahmen Menschen Kapseln mit Preiselbeerkonzentrat, das zweifünftel Liter Saft entsprach. Die Kapseln wirkten zwar auch, heilten aber diejenigen Menschen nicht, die schon an Infektionen der Harnwege litten.

Es gibt außerdem Beweise dafür, daß Preiselbeeren dazu beitragen, die Bildung von Nierensteinen zu verzögern, ja sogar dazu, sie aufzulösen. Wie das bewirkt wird, ist nicht bekannt. Eine Theorie: Preiselbeeren könnten den Urin so stark säuern, daß das Kalziumoxalat aufgelöst wird, das sich zur Steinbildung anhäuft. Eine weitere Theorie: der »Preiselbeerenfaktor« könnte die Bakterien darin hindern, daß sie Klümpchen bilden und die Steinbildung fördern.

Stark riechender Urin

Wenn Uringerüche zum Problem werden, ist Preiselbeersaft ein guter Tip. Nachdem er die medizinische Fachliteratur ausgiebig studiert hatte, kam Dr. Ara H. Der Marderosian am Philadelphia College of Pharmacy and Science 1977 zu der Schlußfolgerung, daß Preiselbeeren dazu beitragen, starkem Uringeruch entgegenzuwirken. Es habe den Anschein, sagte er, daß Preiselbeeren, indem sie dabei helfen, den Urin von Escherichia coli zu befreien, die Bakterien darin hinderten, den stark riechenden Ammoniak freizusetzen. In einer Studie wurde festgestellt, daß der Geruch durch einen halben Liter Preiselbeersaft am Tag verschwand.

Infektionsbekämpfer auf allen Gebieten?

Wenn Preiselbeersaft eine unsichtbare Schutzschicht zwischen Zellen und Bakterien aufbaut, ist dann nicht auch zu erwarten, daß Preiselbeerstoffe gegen andere Infektionsarten wirken? Vielleicht. Dr. Sobota hat festgestellt, daß Preiselbeersaft das Festsetzen etlicher Bakterien an Zellen im Mund verhindert. Faszinierende, in Kanada durchgeführte Studien ergaben außerdem, daß Preiselbeerextrakt im Reagenzglas mehrere Viren, die häufig im Verdauungstrakt vorkommen, recht wirkungsvoll unterdrückte. Aber es bleibt abzuwarten, ob der Preiselbeerwirkstoff stark genug ist oder in anderen Teilen des Körpers so lange mit den Bakterien und Viren in Kontakt bleibt, daß er schützend wirken kann. Dr. Sobota weist darauf hin, daß der Urin mit den Preiselbeerstoffen viele Stunden lang in der Blase bleibt, was vermutlich zur Erklärung der starken Wirkung der Preiselbeeren beiträgt.

Praktische Hinweise

○ Welche Dosis ist die beste? Allgemein werden zwei Gläser Preiselbeersaft pro Tag empfohlen, also etwa ein halber Liter, obwohl Dr. Kilbourn festgestellt hat, daß schon ein achtel Liter vorbeugend wirkt. Dr. Sobota wiederum hat herausgefunden, daß zwei Gläser am Tag den Urin mit so vielen chemischen Stoffen anreichern, daß die Bakterien ausgeschwemmt werden, und so sind seiner Meinung nach zwei Gläser eine wirksame Dosis.

○ Preiselbeersaft wirkt jedoch nicht bei allen Menschen. Zwei mögliche Gründe: Nicht bei jedem Menschen speichert der Urin den »Preiselbeerfaktor« in ausreichenden Mengen. Auch könnten die Harnwege von einem Bakterientyp angegriffen werden, der unempfindlich gegen die »Preiselbeersperre« ist, denn es gibt Hunderte von Escherichia-coli-Arten, der Bakterie, die am häufigsten Infektionen der Harnwege verursacht. Dr. Sobota hat den »Preiselbeerfaktor« an etwa zweihundert Bakterienarten getestet und festgestellt, daß er in 60 Prozent der Fälle wirksam ist.

○ Auch kalorienarmer Preiselbeersaft ist wirksam, weil der therapeutische Stoff in der Preiselbeere selbst enthalten ist. Natürlich befinden sich auch in ganzen Preiselbeeren konzentrierte Mengen des Wirkstoffs.

Vorsicht

○ Preiselbeersaft ist *kein Ersatz für antibiotische Medikamente*. Wie Dr. Sobotas Arbeit gezeigt hat, ist der Saft bei der *Vorbeugung gegen das Festsetzen von Bakterien an den Zellen* wirksamer als herkömmliche Antibiotika, aber eines ist eindeutig: Preiselbeersaft tötet *Bakterien weniger wirkungsvoll ab als Antibiotika*, sobald sich die Infektion voll entwickelt hat. Befürworter, zu denen viele Ärzte gehören, halten Preiselbeersaft nichtsdestotrotz für eine der genialsten Methoden der Natur, eine Infektion zu verhindern oder ihre Ausbreitung im frühen Stadium zu unterbinden.

Deshalb ist es am besten, im Preiselbeersaft ein Vorbeugungsmittel zu sehen, vor allem für diejenigen, die anfällig für Infektionen der Harnwege sind. Aber sobald die Bakterien erst einmal Fuß gefaßt haben, sind möglicherweise pharmazeutische Medikamente nötig, um die Infektion in den Griff zu bekommen, die schwere Nierenschäden verursachen könnte, wenn man ihr erlaubte, ungehindert fortzuschreiten. Betroffene, die Symptome von Harnweginfektionen haben, sollten sich auf jeden Fall ärztlich beraten lassen. Preiselbeeren sind zwar die wunderbare Methode der Natur, uns langfristig gesund zu erhalten, aber in kritischen Situationen können sie mit Antibiotika nicht konkurrieren.

Reis

Möglicher therapeutischer Nutzen:

- Senkt den Blutdruck
- Bekämpft Durchfall
- Beugt Nierensteinen vor
- Bessert Schuppenflechte
- Enthält chemische Stoffe, die krebsvorbeugend wirken

Überlieferung

»Reis ist eine leichte und verdauliche Kost für diejenigen, die zu Durchfall oder Ruhr neigen ... Ein Reisabsud, meistens Reiswasser genannt, wird in der Arzneimittelkunde Indiens als linderndes, kühlendes Getränk bei Fieber, Entzündungen, Dysurie oder ähnlichen Beschwerden empfohlen. Reiswasser kann mit Limonensaft gesäuert und mit Zucker gesüßt werden.«

Maud Grieve, *A Modern Herbal*, 1931

Fakten

Als Mittel gegen extrem hohen Blutdruck, Nierenkrankheiten und Diabetes hat Reis eine lange Geschichte. Neuere Studien zeigen: Reis verhindert, vor allem im Vergleich mit einem anderen Stärkelieferanten, der Kartoffel, bei nicht vom Insulin abhängigen Diabetikern die Cholesterinsynthese und stabilisiert das Insulin und den Blutzucker in einem ausgeglichenen Verhältnis.

Dr. Walter Kempner vom Medical Center der Duke University war in den vierziger Jahren der Pionier der »Reisdiät« zur Behandlung von hohem Blutdruck und Nierenkrankheiten. Und es gibt eine Fülle von Beweisen dafür, daß diese Diät wirkt. Zumindest im ersten Monat besteht sie ausschließlich aus ungesalzenem Reis sowie Obst. Dr. Kempner hat immer gesagt, er wisse nicht, worin »das Wirkungsprinzip besteht«. Es ist nicht klar, ob der Reis irgendwelche physiologischen Wirkungen hat, abgesehen davon, daß er andere Kalorien ausschaltet, das Natrium reduziert und zum Gewichtsverlust führt, lauter Faktoren, die blutdrucksenkend wirken und die Nieren entlasten. Eine Pflanzenanalyse durch indische Wissenschaftler hat ergeben, daß Reis über eigene blutdrucksenkende Eigenschaften verfügt.

Vor kurzem erlebten Menschen, die sich an der Reisdiät beteiligten, um abzunehmen, einen positiven Nebeneffekt: Durch die Reisdiät besserte sich Schuppenflechte auf spektakuläre Weise – und das sogar in Fällen, bei denen jahrelange Behandlungen durch orale und lokale Medikamente versagt hatten.

Tumorbekämpfender Stoff

Reis enthält, weil er ein Saatgut ist, hohe Mengen von Proteasehemmstoffen, von denen angenommen wird, daß sie Krebs verzögern. Darüber hinaus hat Reiskleie in Tierversuchen das Risiko auf Darmkrebs verringert (aber nicht annähernd so wirkungsvoll wie Weizenkleie). 1981 meldeten japanische Wissenschaftler aus Sapporo dennoch drei aus Reiskleie isolierte tumorbekämpfende Substanzen zum Patent an. Ein amerikanischer Professor wiederum verglich den Pro-Kopf-Verzehr verschiedener Nahrungsmittel mit bestimmten Krankheiten und stellte fest, daß der höchste Reisverbrauch (wie der von Bohnen und Süßmais) in Zusam-

menhang stand mit den niedrigsten Raten von Dick-
darm-, Brust- und Prostatakrebs.

Kur gegen Durchfall

Seit Jahrhunderten sind gekochte Reislösungen zur Behandlung von Durchfall bei Kindern verwendet worden. Das erste dieser Rezepte wurde vor 3 000 Jahren auf
Sanskrit geschrieben. Erst vor kurzem ist dieser Gedanke
weltweit auf wissenschaftliche Billigung gestoßen. So
hat das internationale Zentrum zur Erforschung von
Durchfallerkrankungen in Bangladesh Müttern beige-
bracht, orale Reissalzlösungen zuzubereiten, die wieder
Flüssigkeit im Körper binden und so Durchfall heilen.
Dazu braucht man zwei Handvoll Reis, einen gestriche-
nen Teelöffel Salz und einen Liter Wasser. Die Forscher
berichteten: Die Reislösung lindert den Durchfall, bin-
det wieder Wasser im Körper, verringert die Stuhlmenge
und heilt – nach Meinung der Mütter – den Durchfall.

Bekämpfer von Nierensteinen

Wenn Kalziumnierensteine ein Problem für Sie sind,
dann denken Sie über die neuesten Forschungen nach.
Laut japanischen Wissenschaftlern ist es eine ausgezeichnete Methode, diesen Nierensteinen vorzubeugen, wenn man zweimal am Tag etwa 10 Gramm Reiskleie ißt. Sie testeten Reiskleie zusammen mit kalzium-
reicher Ernährung, von der bekannt ist, daß sie zur Bildung von Nierensteinen beiträgt, an siebzig Patienten.
Alle Freiwilligen, die über einen Zeitraum von einem
Monat bis zu drei Jahren hinweg Reiskleie aßen, hatten
beträchtlich weniger Kalzium im Urin. Und diejenigen,
die zwischen einem und drei Jahren regelmäßig Reis-

kleie aßen, hatten eindeutig weniger Nierensteine vom Kalziumtyp. Japanische Forscher schätzten denn auch die Reiskleie so wirksam ein wie bestimmte Pharmazeutika, wobei die Reiskleie frei von schädlichen Nebenwirkungen ist. Offenbar hemmen die Phytinsäure oder die Inosite in der Reiskleie die Absorption von unerwünschtem Kalzium im Verdauungstrakt, so daß es nicht in den Urin gelangen und Steine bilden kann. Die Patienten hatten zu Beginn des Experiments einen ungewöhnlich hohen Kalziumspiegel im Urin, Hyperkalzurie genannt (wer dagegen aus anderen gesundheitlichen Gründen die Absorption von Kalzium steigern möchte, sollte selbstverständlich keine großen Menge von Reiskleie zu sich nehmen).

Widersprüchliche Beweise

Bei einer ausgedehnten Studie der Bevölkerung wurde 1981 in Japan festgestellt, daß diejenigen Menschen, die am meisten Reis aßen (und außerdem viel eingelegte Gemüse und getrockneten, gesalzenen Fisch), eine höhere Rate von Magenkrebs zu haben schienen.

Rosenkohl

Möglicher therapeutischer Nutzen:

o Ein guter Tip als Hemmstoff gegen Krebs, vor allem gegen Dickdarm- und Magenkrebs

Fakten

Als Methode, um die Körperabwehr zu stärken, wenn Sie

sich Sorgen über Krebs machen, vor allem Magenkrebs, ist Rosenkohl besonders gut geeignet. Er gehört zur Familie Brassica, den Kreuzblütlern, die auch Kohl und Brokkoli umfaßt und ganz oben auf dem Speiseplan von Menschen steht, die niedrige Krebsraten im allgemeinen und niedrige Raten von Dickdarm- und Magenkrebs im besonderen haben.

Wenn Sie rund um die Welt die Regionen besuchen, die niedrige Krebsraten aufweisen, werden sie immer wieder feststellen: Dort werden grüne Gemüse, besonders Rosenkohl, bevorzugt. Von den sieben Großuntersuchungen über den Zusammenhang von Ernährung und Dickdarmkrebs, die auf der ganzen Welt durchgeführt worden sind, weisen volle sechs (zwei aus den Vereinigten Staaten, eine aus Japan, eine aus Griechenland, eine aus Norwegen, eine aus Israel) grüne Gemüse, darunter Rosenkohl, als starke Vorbeugemittel gegen Krebs aus.

In Dr. Saxon Grahams bahnbrechender Studie von 1978 in Buffalo erwies sich unter diesen Gemüsen Rosenkohl (gemeinsam mit Kohl und Brokkoli) als besonders wirksam bei der Rettung von Männern vor Dickdarmkrebs. Das Essen von mehr Kreuzblütlergemüsen, zu denen ja der Rosenkohl gehört, unterdrückt möglicherweise sogar die präkarzinomen Wucherungen im Dickdarm, Polypen genannt, wie aus einer neuen ebenfalls bahnbrechenden Studie in Norwegen hervorgeht. In Übersichten ist festgestellt worden: Rosenkohl und andere Kreuzblütlergemüse verringern möglicherweise auch das Risiko auf Mastdarm-, Magen-, Lungen-, Blasen- und Speiseröhrenkrebs.

Vollgepackt mit krebsbekämpfenden chemischen Stoffen

Wissenschaftler haben in den grünen Knospen chemische Stoffe entdeckt, die bei Versuchstieren Krebs verzögern, darunter Chlorophyll, Indole, Dithiolthione, Karotinoide und Glucosinolate. Tiere, die mit solcher Nahrung oder solchen Stoffen gefüttert und dann starken krebserregenden Chemikalien ausgesetzt werden, bekommen mit geringerer Wahrscheinlichkeit Krebs als diejenigen, deren Futter weder Rosenkohl noch dessen Wirkstoffe enthalten. Dr. Lee Wattenberg hat beispielsweise festgestellt, daß Tiere, die Rosenkohl bekamen und dann dem starken Karzinogen Benzopyrin ausgesetzt wurden, nicht nur weniger Krebsgewächse entwickelten, sondern auch deutliche Anzeichen einer gesteigerten Leberenzymaktivität aufwiesen, von der bekannt ist, daß sie die Krebsbildung bekämpft. Unter mehreren Gemüsesorten, die getestet wurden – Kohl, Rübenkraut, Brokkoli, Blumenkohl, Spinat und Luzerne – und die die Krebsabwehr stimulierten, erwies sich Rosenkohl als die wirksamste Sorte: Die Schutzwirkung war doppelt so groß wie beim Kohl bzw. Weißkohl, dem zweiten Gemüse auf der Liste.

Bei anderen Tests entgiftete Rosenkohl eines der stärksten Karzinogene der Welt, das Aflatoxin, ein Schimmelpilzstoff, der mit hohen Krebsraten in Zusammenhang gebracht wird, vor allem hinsichtlich des Leberkrebs. Aflatoxin verseucht häufig Lebensmittel wie Erdnüsse, Mais und Reis und ist eine besondere Bedrohung für Länder in der Dritten Welt.

Während eines Experiments an der Cornell University fütterten Forscher verschiedene Gruppen von Ratten mit Rosenkohl, mit Glucosinolaten (den chemischen Stoffen, von denen angenommen wird, daß sie das Aflatoxin entwaffnen) und eine dritte Gruppe mit nichts dergleichen. Dann bekamen die Ratten Dosen von Aflatoxin, die mit Sicherheit zur Bildung von Lebertumoren führen. Doch die Ratten, die entweder Rosenkohl oder die reinen Glucosinolate bekommen hatten, blieben relativ frei von bösartigen Wucherungen – ihre Leber produzierte hochkonzentrierte Enzyme, die das krebserregende Potential des Aflatoxins neutralisierten. Die chemischen Stoffe im Rosenkohl machen Tiere außerdem immun gegen andere Krebserreger.

Praktische Hinweis

o Weil sie chemische Stoffe enthalten, von denen angenommen wird, daß sie der Schilddrüsenfunktion schaden, gelten Kreuzblütlergemüse im allgemeinen als mögliche Kropfursache. Vor kurzem zeigten sich jedoch bei einem Test, bei dem Menschen vier Wochen lang täglich 150 Gramm gekochten Rosenkohl aßen, keine Anzeichen für eine gestörte Schilddrüsenfunktion. Die Wissenschaftler schlossen daraus, daß das Kochen die für die Schilddrüse schädlichen chemischen Stoffe neutralisiert.

Seetang[1]

Möglicher therapeutischer Nutzen:

o Tötet Bakterien ab
o Hemmt bei Tieren Krebs
o Stärkt das Immunsystem
o Heilt Magengeschwüre
o Reduziert das Blutcholesterin

---

1 Seetang ist eine Sammelbezeichnung für Braun- und Rotalgen. Im heutigen Sprachgebrauch sind im allgemeinen Braunalgen der Gattung Laminaria damit gemeint.

○ Senkt den Blutdruck
○ Beugt Schlaganfällen vor
○ Verdünnt das Blut

Überlieferung

»Seetang wird in der Volksmedizin zur Behandlung von Verstopfung, Bronchitis, Emphysemen, Asthma, Verdauungsstörungen, Magengeschwüren, Kolitis, Gallensteinen und Fettleibigkeit verwendet, gegen Störungen der Fortpflanzungssysteme und der Harnwege, und zwar sowohl bei Männern als auch bei Frauen. Außerdem wird behauptet, Seetang reinige den Widerstand gegen Krankheiten, heile Rheumatismus und Arthritis, wirke als Beruhigungsmittel, bekämpfe Streß und lindere Hautkrankheiten, Verbrennungen und Insektenstiche.« So hat der Dekan der Fakultät für Pharmazie, Krankenpflege und Gesundheitswissenschaften an der Purdue University, Varro Tyler, das Brauchtum über den Seetang in seinem Buch *The Honest Herbal* zusammengefaßt. Eins hat er dabei übersehen: In Ägypten und China gibt es eine alte Tradition, Seetang, vor allem Braunalgen, zur Behandlung von Krebs zu verwenden.

Fakten

Die moderne Wissenschaft bestätigt: Seetang gehört zu den pharmazeutischen Wundern der Natur auf allen Gebieten, steckt er doch voller chemischer Stoffe, die so gut wie alles leisten können – von der Bekämpfung und Behandlung mehrerer Krebsarten über das Senken von Blutcholesterin und Blutdruck, die Verdünnung von Blut, die Vorbeugung gegen Magengeschwüre und das

Abtöten von Bakterien bis hin zur Heilung von Verstopfung.

Theorien über die Krebsbekämpfung

1981 entwickelte Jane Teas von der Fakultät für öffentliche Gesundheit an der Harvard University eine faszinierende Theorie: Möglicherweise erkläre Seetang, der in Japan so häufig gegessen wird, warum Japanerinnen so selten Brustkrebs hätten. In Japan beträgt die Brustkrebsrate nur ein Sechstel von derjenigen in den Vereinigten Staaten. Darüber hinaus leben Japanerinnen, die Brustkrebs bekommen haben, mit der Krankheit länger als Amerikanerinnen und Britinnen.

In der amerikanischen Ernährung ist Seetang so gut wie nicht vorhanden, in der japanischen dagegen reichlich. Die Gattung Laminaria der Braunalgen mit den langen, riemenförmigen Blättern (Riementang) ist in Japan ein Grundnahrungsmittel, das in Salaten und Vorspeisen und als Gemüse gegessen wird und, was am wichtigsten ist, traditionell zum Würzen von Dashi dient, dem Fischfond für die Misosuppe. Diese Braunalgen werden außerdem als Gewürz für viele japanische Speisen verwendet. Da die meisten Japaner mindestens zweimal am Tag Misosuppe essen, ist es nicht verwunderlich, wenn Laminariaalgen 33 Prozent des Seetangs, der in Japan geerntet wird, ausmachen.

Noch ein durchschlagender Beweis: In den ländlichen Gegenden Japans, in denen der Verzehr von Braunalgen zunimmt, sind die Raten von Brustkrebs niedriger als in den Städten, wo Seetang nicht so oft auf dem Speiseplan steht.

Frau Dr. Teas und ihre Kollegen entdeckten tatsächlich, daß es Ratten gegen bösartige Wucherungen beschützte, wenn man ihnen Laminarialalgen fütterte und dann chemische Stoffe verabreichte, von denen bekannt ist, daß sie Brusttumore verursachen. Die Ratten hatten im Vergleich zu denjenigen, die vor der Infizierung keinen Seetang bekommen hatten, eine um 13 Prozent niedrigere Krebsrate. Darüber hinaus dauerte es bei den mit Seetang gefütterten Tieren doppelt so lange, bis der Krebs auftauchte. Forscher der American Health Foundation stellten weitere verblüffende Wirkungen fest: Die Braunalgen unterdrückten bei 30 Prozent der betroffenen Tiere Brustkrebs durch hohe Fettzufuhr. Noch erstaunlicher ist, was in früheren Experimenten 1973 in Japan herausgefunden wurde. Laminaria wirkten nicht nur als Gegengift gegen die Entwicklung von Krebs, sondern auch als chemotherapeutischer Stoff, der die Ausbreitung hemmte. Der Seetang verlangsamte bei 95 Prozent der Versuchstiere das Fortschreiten von Krebs, und bei sechs von neun Tieren kam es zu einer vollständigen Remission.

Das Geheimnis des Seetangs: Frau Dr. Teas hat festgestellt, daß Laminaria viele Stoffe enthalten, die möglicherweise Brustkrebs verzögern. Am meisten verspricht eine Substanz namens Fucoidan. Seetang, darunter die Laminariaalgen, wirkt außerdem antibiotisch, was sowohl im Reagenzglas als auch bei Tierversuchen bewiesen wurde. Deshalb ist es möglich, daß Seetang Brust- und Dickdarmkrebs noch auf andere Weise bekämpft: Er könnte die Bakterien im Dickdarm ausschalten, die krebserregende Substanzen produzieren – oder die Mikroorganismen im Verdauungstrakt aktivieren, die Hormone produzieren, Hormone, die dazu beitragen, Brustkrebs einzudämmen.

Eine wahre Goldgrube für die Krebsbekämpfung

Zahlreiche Arten von Seetang sind vielversprechende
Krebsbekämpfer. 1985 stellten japanische Wissenschaftler unter der Leitung von Dr. Ichiro Yamamoto
von der Fakultät für Hygienewissenschaft an der Universität Kitasato in Kanagawa bei der Analyse eßbarer brauner Seealgen auf krebsbekämpfende Aktivitäten fest,
daß sechs Arten bei Ratten die Entwicklung von Dickdarmkrebs hemmten. Besonders wirksam waren zwei
Gattungen von Laminaria mit dem krebsbekämpfenden
Wirkstoff Fucoidan. 1986 stellte dasselbe wissenschaftliche Team bei einer weiteren Analyse fest, daß neun
von elf getesteten Algenarten tumorbekämpfend wirkten. Wenn sie Mäusen verabreicht wurden, unterdrückten Laminariaextrakte Krebs im Verdauungstrakt zwischen 70 bis 84 Prozent. Die Wissenschaftler schreiben
die Wirksamkeit von Seetang der Fähigkeit zu, das Immunsystem der Tiere zu stärken, so daß es besser dazu in
der Lage ist, Krebs abzuwehren.
Bei einer weiteren Studie über Mäuse und Krebs ging es
um Undaria pinnantifida, Wakame genannt, die getrocknet wie schwarze Fäden aussehen und sich nach
dem Einweichen in lange, satinglatte Wedel verwandeln, ähnlich wie Spinat aussehen (nur glatter) und ein
mildes Aroma haben. Pharmakologen von der John A.
Burns School of Medicine an der University of Hawaii in
Honolulu testeten eine in Japan beliebte Gesundheitsnahrung namens Vita-Natural, die aus getrockneten
Wakame besteht. Wenn sie Mäusen verabreicht wurde,
trug sie zur Vorbeugung und zur Heilung von Lungenkrebs bei. Besonders verblüfft waren die Wissenschaftler über Beweise dafür, daß die Seetangsubstanz die Aktivität der Immunzellen stimulierte, was darauf schließen

läßt, daß der Wirkstoff Tumore bekämpft, indem er das Immunsystem aktiviert.

Kombu: Ein blutdrucksenkendes Getränk

In der japanischen Volksmedizin werden Teile von Laminaria und ähnlichen Algenarten in einem Präparat namens Kombu als blutdrucksenkendes Medikament verwendet. Ein japanischer Wissenschaftler bestätigte, daß bei Menschen mit ausgeprägter Hypertonie der Blutdruck beträchtlich sank, und zwar ohne Nebenwirkungen, wenn sie den Seetangextrakt in heißem Wasser tranken. Andere Wissenschaftler haben aus dieser Algenart hypotensive (blutdrucksenkende) chemische Stoffe isoliert, darunter Histamin.

1986 entdeckten Forscher außerdem, daß pulverisierte Ballaststoffe aus Braunalgen möglicherweise dazu beitragen, Schlaganfällen vorzubeugen. Zu Schlaganfällen neigende Ratten mit hohem Blutdruck erhielten Überdosen Salz – aber wenn sie gleichzeitig mit Seetangpulver gefüttert wurden, ging die Häufigkeit der Schlaganfälle deutlich zurück. Darüber hinaus bekamen alle nicht mit Seetangpulver gefütterten Ratten Schlaganfälle, wohingegen nicht eine einzige der Ratten, denen Seetangpulver verabreicht worden war, einen Schlaganfall erlitt. Seetang schien also als Gegengift gegen extrem hohen Natriumkonsum zu wirken.

Seetang, darunter Laminaria, reduziert bei Ratten das Blutcholesterin. Forscher mutmaßen daher, daß Stoffe in den Algen auf irgendeine Weise das Cholesterin aus dem Verdauungstrakt entfernen.

Nori gegen Magengeschwüre

Japanische Wissenschaftler haben außerdem eine Substanz gegen Magengeschwüre aus mehreren Arten von Meeresalgen von der japanischen Küste getestet. In einer Rotalgengattung, Porphyra (von den Japanern Nori genannt), wurde eine Substanz gefunden, die eindeutig gegen Magengeschwüre wirkte. Die Substanz verfügte außerdem über mikrobenbekämpfende Aktivitäten gegen eine lange Liste von Bakterien, die bei Menschen Krankheiten verursachen, darunter Escherichia coli, Pseudomonas aeruginosa, Salmonellen, Staphylokokken, Aspergillus, Fusobakterien und Shigellen.

Manche Algenarten verdünnen das Blut. Viele japanische Berichte zeigen, daß Polysaccharide aus Braunalten eine antikoagulatorische Wirkung haben, die der des Heparins ähnelt, einem beliebten pharmazeutischen Antikoagulans. Unter anderem nimmt man an, daß die Algenstoffe das Blut auf dieselbe Weise wie das Heparin von fettigen Substanzen reinigen. Wenn man zum Beispiel nach einer fettreichen Mahlzeit Heparin injiziert, beschleunigt es das Verschwinden von sichtbaren Fetten, reduziert das schädliche LDL-Cholesterin und erhöht das gute Cholesterin vom Typ HDL.

Für ein Experiment ernteten Wissenschaftler Wakame in der Schimodabucht im Bezirk Schisuoka, Japan. Wakame ist von alters her ein typisches Nahrungsmittel aus Meeresalgen. Bei einem Test mit Ratten wurde ein chemischer Stoff aus Wakame mit Heaparin verglichen. Die Wakamesubstanz war als Antithrombin (Gerinnsellöser) doppelt so wirksam wie das Heparin.

Widersprüchliche Beweise

Dr. B.S. Reddy von der American Health Foundation in

New York City hat festgestellt, daß Braunalgen bei Nagetieren das Risiko auf Dickdarmkrebs erhöhen. Carragi-
nin, ein aus Seetang gewonnener Stoff, der in den Vereinigten Staaten häufig als Bindemittel verwendet wird,
hat bei bestimmten Versuchstieren Krebs erregt.

Sojabohnen

Möglicher therapeutischer Nutzen:

○ Ausgezeichnete Arznei für das Herz und die Gefäße
○ Senken das Blutcholesterin
○ Beugen Gallensteinen vor und/oder lösen sie auf
○ Reduzieren Triglyzeride
○ Regeln den Stuhlgang
○ Lindern Verstopfung
○ Senken das Krebsrisiko
○ Ersetzen das Östrogen
○ Tragen zur Empfängnisverhütung bei

Wieviel? Ein Teller Misosuppe (Suppe mit Sojabohnenpaste)
pro Tag verringert bei Japanern das Risiko auf Magenkrebs um
30 Prozent. Wer täglich sechsmal Sojabohnen ißt, in welcher
Form auch immer, kann abnorm hohe Cholesterinwerte im
Blut um 20 Prozent senken.

Fakten

Sojabohnen fördern die Gesundheit auf vielfältige Weise. Sie sind eine Nahrung, die vor allem Fleischesser auf
ihren Speiseplan setzen sollten. Wer mit einiger Regelmäßigkeit Sojabohnenprodukte ißt, kann bei extrem
hohem Cholesterinspiegel das Blutbild auf spektakulä-

re Weise verbessern und vielleicht sogar schon entstandene Arterienschäden zum Teil beheben. Es gibt außerdem Beweise dafür, daß Sojabohnen dazu beitragen, den Insulin- und Blutzuckerspiegel und die Darmfunktion zu regulieren und bestimmten Krebsarten vorzubeugen, vor allem Magenkrebs.

Herznahrung

Italienische Wissenschaftler am Forschungszentrum für Hyperlipidämie der Universität Mailand begannen 1972 mit der Erforschung der Sojabohnen. Sie stellten dabei ständig fest, daß Sojabohnen Wunder wirkten für Menschen mit genetisch bedingten hohen Cholesterinwerten, die im allgemeinen über 300 lagen. Wenn Sie für ihren Eiweißbedarf statt Fleisch und Molkereiprodukten Sojabohnen aßen, ging das zerstörerische LDL-Cholesterin um 15 bis 20 Prozent zurück. Auch bei Kindern hatten die Sojabohnen Erfolg.

Die Sojabohnen wirkten sogar den Folgen einer fettreichen Ernährung entgegen. Wenn die Forscher unter der Leitung von Dr. C.R. Sirtori der Ernährung 500 Milligramm Cholesterin hinzufügten (die Menge, die in zwei Eiern enthalten ist), überwältigten die Sojabohnen offenbar das cholesterinerhöhende Potential der Eier und hielten die Cholesterinwerte konstant. Sobald die Cholesterinwerte gesunken waren, kehrten die Patienten zu ihrer üblichen fleischhaltigen Ernährung zurück, aßen aber mindestens sechsmal in der Woche eine Mahlzeit, bei der sie gepreßtes Sojabohneneiweiß verwendeten. Erstaunlicherweise blieb ihr Cholesterinspiegel dadurch während der zweijährigen Dauer des Experiments niedrig.

Darüber hinaus erklärt Dr. Sirtori, daß die Sojabohnendiät nach einer Weile das gute HDL-Cholesterin erhöhe und nicht nur das Fortschreiten von arteriell bedingten Herzkrankheiten zum Stillstand bringe, sondern sie in einem gewissen Maß auch behebe. Dr. Sirtori gibt ein weiteres Beispiel: Eine Frau erlebte nach drei Jahren Sojabohnendiät, wie ihr Blutcholesterin von 332 auf 206 Milligramm pro Deziliter zurückgegangen war, ihre Triglyzeride von 68 auf 59 Milligramm pro Deziliter gesunken waren und sich der Blutstrom in ihrem Herzen spürbar verbessert hatte, wie Elektrokardiogramme belegten.

Sojabohnen scheinen am besten bei denjenigen zu wirken, die genetisch bedingt extrem hohe Blutcholesterinwerte haben, und weniger stark bei denjenigen mit Grenzwerten oder normalen Blutspiegeln. Wenn man jedoch zusätzlich zu einer ohnehin schon fettarmen Ernährung, die reich ist an Kohlehydraten und Ballaststoffen, auch noch Sojabohnenballaststoffe ißt, kann das therapeutisch von beträchtlichem Nutzen sein. 1985 gab Andrew P. Goldberg von der Washington University bei einer Studie Menschen, die sich bereits zur Cholesterinsenkung fettarm ernährten, Kekse aus Ballaststoffen von Sojabohnen. Die Sojakekse senkten das Blutcholesterin noch stärker. Sie trugen außerdem dazu bei, unausgeglichene Glukosewerte zu korrigieren und den Insulinspiegel zu senken, was den Autor der Studie dazu veranlaßte, vor allem Diabetikern Sojabohnenballaststoffe zu empfehlen.

Was die Kontrolle des Blutzuckers angeht, sind Sojabohnen einfach unschlagbar. Auf einer langen Liste von Nahrungsmitteln, die eine wünschenswerte niedrige Blutzuckerausschüttung fördern, zusammengestellt von dem Experten Dr. David Jenkins an der University of Toronto, rangieren Sojabohnen gleich hinter den Erdnüssen an zweiter Stelle. Bohnen sind ganz allgemein großartige Regulatoren des Blutzuckers, aber auf dem »glykämischen Index« von Dr. Jenkins schneiden die Sojabohnen unter allen Gemüsesorten am besten ab.

Vegetarische Arterien

Am Wistar Institute in Philadelphia stellten die bekannten Forscher David Klurfeld und David Kritchevsky fest, daß es vermutlich nicht nötig ist, vollkommen vegetarisch zu leben, um die Arterien auf verblüffende Weise zu verjüngen. Sie entdeckten, daß es schon ausreichte, Kaninchen zusätzlich zur üblichen fleischhaltigen Ernährung Sojabohnen zu füttern, damit sie die Arterien von Vegetariern bekamen. Anfangs fraßen die Kaninchen ihren gesamten Eiweißbedarf in der Form von Sojabohnen und überhaupt kein Fleisch – ihr Blutcholesterin und ihre Rate von Arteriosklerose sanken um 50 Prozent. Aber noch wichtiger war, daß das Blutcholesterin und die Arteriosklerose immer noch um 50 Prozent sanken, als die Forscher den Tieren die Hälfte des Eiweißbedarfs in Form von Sojabohnen und die andere Hälfte in Form von Fleisch und Molkereiprodukten fütterten!

Das ist ein Hinweis darauf, sagt Dr. Klurfeld, daß Ihre Arterien wieder vitaler werden könnten, wenn Sie die Hälfte Ihres Eiweißbedarfs in Form von Sojabohnennahrung zu sich nähmen, die Arterien weniger anfällig machen könnte für Herzkrankheiten und Schlaganfälle. Vielleicht sollten Sie sich statt für Fleisch und Käse für Tofu, Sojamilch, Tempeh oder für ganz normale gekochte Sojabohnen entscheiden!?

»Steinbrecher«

Sojabohnen schützen möglicherweise auch vor Gallensteinen. Dr. Klurfeld und Dr. Kritchevsky fütterten Hamster mit einer Ernährung, die entweder Sojabohneneiweiß oder Kasein enthielt, ein Milcheiweiß. Volle 58 Prozent der Tiere, die Kasein fraßen, bekamen Gallensteine – gegenüber ganzen 14 Prozent, die mit Sojabohneneiweiß ernährt wurden. Bei einem Anschlußexperiment wurde darüber hinaus ein Drittel der Hamster, die Kasein fraßen, nach vierzig Tagen dem Dienst der Wissenschaft geopfert: Die Hälfte davon hatte Gallensteine. Bei den restlichen zwei Dritteln gaben die Forscher von nun an der einen Hälfte Sojabohneneiweiß. Es stellte sich heraus, daß 58 Prozent der Gruppe, die weiterhin ausschließlich mit Kasein ernährt wurden, Gallensteine hatte – gegenüber nur 32 Prozent, die auf Sojabohnenkost umgestellt worden waren. Das bedeutete, daß die Sojabohnen die Gallensteine auf irgendeine Weise bekämpften – sie vielleicht auf irgendeine Weise auflösten!

Suppe gegen Krebs

Japanische Umfragen, die auf der Suche nach Hinweisen darauf sind, welche Nahrungsmittel gegen Krebs schützen, haben ergeben, daß offenbar Miso, jene Suppe mit Sojabohnenpaste, ein solches Nahrungsmittel ist. Sowohl Japaner als auch Japanerinnen, die einen Teller Miso pro Tag aßen, hatten ein um ein Drittel niedrigeres Risiko auf Magenkrebs als diejenigen, die nie Miso zu sich nahmen. Selbst wenn die Sojabohnensuppe nur gelegentlich gegessen wurde, ging das Magenkrebsrisiko bei Männern um 17 und bei Frauen um 19 Prozent zurück.

Wie andere Gemüsearten sind Sojabohnen reich an krebsbekämpfenden Proteasehemmstoffen. So wurden bei einem Experiment Ratten Röntgenstrahlen ausgesetzt, die normalerweise Brustkrebs erzeugen. Nach der krebserregenden Dosis wurden einer Gruppe Sojabohnen verabreicht, einer zweiten Gruppe nicht. Nur 44 Prozent der mit Sojabohnen gefütterten Tiere entwickelten erwartungsgemäß Krebs – gegenüber 74 Prozent, die keine Sojabohnen bekamen.

Gut für regelmäßigen Stuhlgang

Hülsenfrüchte aller Art fördern auf hervorragende Weise einen gesunden Dickdarm und gesunde Darmfunktionen. Auch Sojabohnen verhelfen zu weicherem, umfangreicheren Stuhl, von dem die Wissenschaftler meinen, daß er vor Verstopfung, Divertikulitis, Hämorrhoiden, anderen Darmstörungen und möglicherweise gegen Dickdarmkrebs schütze.

Ein Mittel zur Empfängnisverhütung

Wie Erbsen und andere Hülsenfrüchte sind Sojabohnen reich an natürlichen Östrogenen (weiblichen Hormonen), und es ist vorstellbar, daß sie die Fruchtbarkeit hemmen oder bei Frauen in der Menopause dazu beitragen können, das Östrogen zu ersetzen. Ärzte an den Universitäten von Harvard und Duke arbeiten mit Mitteln von den National Institutes of Health an Tests, bei denen sie einer Gruppe von Frauen nach der Menopause tägliche Dosen von Sojabohnen verabreichen, um herauszufinden, ob ihr Hormonspiegel steigt.

Der Verdacht, daß natürliche Hormone in Sojabohnen möglicherweise empfängnisverhütend wirken, kam unter anderem durch eine Untersuchung exotischer Katzen im Zoo von Cincinnati auf. Solche Tiere sind häufig unfruchtbar. Auf der Suche nach den Gründen entdeckten die Forscher, daß die Katzennahrung im Zoo ungefähr zur Hälfte aus Sojabohnenprodukten bestand, vollgepackt mit pflanzlichen Östrogenen. Als die Sojabohnen durch Huhn ersetzt wurden, wiesen die Katzen Anzeichen erhöhter Fruchtbarkeit und anderer Aktivitäten auf, was nur durch eine Veränderung im Hormonhaushalt zu erklären war.

Obwohl hohe Mengen von Östrogen mit höheren Raten von menschlichem Brustkrebs in Verbindung gebracht worden ist, ist nicht bekannt, wie sich das Essen von Hülsenfrüchten auswirkt. Ein Forscher stellt fest, daß schwache Dosen von Östrogenen in Nahrungsmitteln über einen langen Zeitraum hinweg vielleicht sogar östrogenbekämpfend wirken könnten, indem sie dazu beitrügen, die üblen Folgen überschüssigen Östrogens, das die Bildung von Brustkrebs fördere, zu unterdrücken. Die Theorie: Niedrige Dosen von Östrogen in der Nahrung könnten das Brustgewebe unempfindlich machen gegen die Verheerungen von zuviel Östrogen – etwa so, wie kleine Dosen von Allergenen in Spritzen gegen Allergien einen Menschen gegen allergische Reaktionen unempfindlich machen. Deshalb könne, sagt der Forscher, das Essen von Sojabohnen ein Grund für niedrigere Brustkrebsarten bei Vegetarierinnen sein.

Obwohl die Tatsachen noch nicht vorliegen, erkennt die wissenschaftliche Fachwelt jetzt an, daß Hormone in Sojabohnen und dreihundert anderen Pflanzen möglicherweise über eine tiefgreifende Wirkung verfügen, und die Fachwelt ist dabei, herauszufinden, woran das liegt.

Praktische Hinweise

○ Vergessen Sie die folgenden Sojabohnenprodukte nicht: Sojaöl, Sojapulver, Sojamilch (aus gekochten Sojabohnen), Sojagrütze, Sojanüsse (geröstete Bohnen), Tofu (geronnene Sojabohnenmilch), Tempeh (vergorene Sojabohnen), Sojabohnensprossen, gepreßtes Pflanzeneiweiß aus Sojabohnen und Sojabohnenflocken, die in zahlreichen Produkten zum Strecken von Fleisch oder als Ersatz dafür verwendet werden, darunter pflanzlicher Schinken, Würstchen, Frankfurter und Pasteten.

Spinat

Möglicher therapeutischer Nutzen:

○ Senkt das Risiko auf Krebs
○ Reduziert bei Tieren das Blutcholesterin

Wieviel? Laut umfangreicher Studien könnte sich das Krebsrisiko, vor allem das Risiko auf Lungenkrebs, durch das Essen von nur 100 Gramm Spinat am Tag um die Hälfte verringern.

Überlieferung

Spinat ist der »König unter den Gemüsen« genannt worden – und einem Artikel von 1927 in *American Medicine* zufolge galt er als »therapeutisch angezeigt in allen Fällen von Anämie, Blutarmut, Herzunregelmäßigkeiten, Nierenstörungen, Dyspepsie und Hämorrhoiden und bei allen Zuständen von Antriebsschwäche und deutlicher Debilität«.

Fakten

Als mögliches Vorbeugemittel gegen Krebs gehört Spinat auf jeden Fall, wie viele Forschungen zeigen, zu den internationalen Königen unter den Gemüsen. Vor allem ehemalige Raucher sollten auf Spinat aufmerksam werden. Als dunkelgrünes Blattgemüse steht Spinat – zusammen mit Karotten – ganz oben auf der Liste der Nahrungsmittel, die auf der ganzen Welt häufiger von Menschen mit niedrigeren Raten aller Krebsarten gegessen werden, vor allem mit niedrigen Raten von Dickdarm-, Mastdarm-, Speiseröhren-, Magen-, Prostata-, Kehlkopf-, Rachen-, Gebärmutter-, Gebärmutterhals- und besonders von Lungenkrebs. Studien haben festgestellt, daß Menschen, die am wenigsten dunkelgrüne Gemüse essen, die reich an Stoffen sind, die Karotinoide genannt werden (Spinat enthält sie in besonders hohen Mengen), ungefähr ein doppelt so hohes Risiko auf Lungenkrebs haben. Die Studien haben außerdem ergeben, daß Menschen, die pro Tag eine Portion Spinat oder ein ähnliches Gemüse essen, weniger dazu neigen, Lungenkrebs zu entwickeln, sogar dann, wenn es sich um ehemalige Raucher handelt.

Volle zehn von elf internationalen Übersichten sind zu diesem Ergebnis gekommen. Eine Übersicht, erstellt von Dr. Richard Shekelle, einem Epidemiologen an der University of Texas, ergab, daß Karotinnahrung zur Rettung von Rauchern beitragen kann: Diejenigen, die am wenigsten karotinhaltige Nahrung aßen, hatten ein achtmal höheres Risiko, Lungenkrebs zu entwickeln, als diejenigen, die am häufigsten solche Kost zu sich nahmen. Laut einer Analyse von Forschern der Johns Hopkins University ist es darüber hinaus bei Menschen mit dem höchsten Betakarotinspiegel im Blut am unwahrscheinlichsten, daß sie Lungenkrebs entwickeln. Offenbar können vor allem ehemalige Raucher einen Teil des Schadens an den Lungenzellen wiedergutmachen, also die Förderung oder das Fortschreiten von Krebs verhindern, indem sie Spinat und ähnliche Gemüse essen.

Warum im Spinat alles enthalten ist

Spinat wird von Wissenschaftlern vor allem deshalb als vielversprechendes Gegengift gegen Lungenkrebs gepriesen, weil er Karotinoide (darunter Betakarotin) in außerordentlich hoher Konzentration enthält. Karotinoide, das konnte in Laborversuchen gezeigt werden, unterdrückten nachhaltig die Förderung bestimmter Krebsarten. Eine neue Analyse des amerikanischen Landwirtschaftsministeriums stellte fest, daß roher Spinat pro 100 Gramm eine Gesamtmenge von 36 Milligramm Karotinoide enthält, während rohe Karotten pro 100 Gramm 14 Milligramm enthalten, das meiste davon in Form von Betakarotin. Obwohl Betakarotin sich als krebsbekämpfender Stoff erwiesen hat, könnte die Karotinoidvielfalt im Spinat über krebsbekämpfende Aktivitäten verfügen und vielleicht sogar noch stärker als das Betakarotin dafür verantwortlich sein, daß der Spinat bei Bevölkerungsübersichten über krebsvorbeugende Nahrungsmittel so glänzend abschneidet.

Spinat ist außerdem gesegnet mit hohen Mengen von Chlorophyll, einem weiteren potentiellen Hemmstoff gegen Krebs. Etliche Forscher schreiben es denn auch der Menge an Chlorophyll zu, daß Spinat Mutationen verhindern kann, jene ersten Schritte zur Krebsbildung. Vor kurzem stellten nun italienische Wissenschaftler fest, daß Spinat im Reagenzglas auf spektakuläre Weise die Bildung eines der stärksten Karzinogene hemmte, die bekannt sind: Nitrosamin. Von fünf getesteten Nahrungsmitteln (die anderen waren Blumenkohl, Erdbeeren, Karotten und grüner Salat) war Spinatsaft bei weitem am wirkungsvollsten.

Japanische Wissenschaftler entdeckten schon 1969, daß Spinat bei Versuchstieren das Blutcholesterin senkt. Anschlußstudien ergaben, daß das Blattgemüse wirkte, indem es die Umwandlung von Cholesterin in Koprosterin beschleunigte, das dann ausgeschieden wurde.

Steckrüben

Möglicher therapeutischer Nutzen:

○ Senken das Krebsrisiko

Überlieferung

Steckrüben stehen im Ruf, gut gegen eine Reihe von Hautkrankheiten zu sein, das Blut zu reinigen und zur Behandlung von Lungen- und Knochentuberkulose geeignet zu sein.

Fakten

Steckrüben werden bestimmt nicht wegen ihres Gehalts an Vitaminen und Mineralen einen Preis gewinnen. Aber was andere, nicht nahrhafte Substanzen angeht, so können sie sich durchaus sehen lassen.

Sowohl die Wurzel als auch das Grün sind erstklassige Kandidaten bei der Krebsbekämpfung, weil sie, wie Kohl und andere Kreuzblütlergemüse, Stoffe enthalten, die bei Versuchstieren die Krebsbildung unterdrücken.

Auch die Wasserrübe oder Weiße Rübe steckt voller chemischer Stoffe, die antikarzinogen sind.

Starke Krebsbekämpfer in der Kreuzblütlerfamilie sind zum Beispiel Substanzen, die Glukosinolate genannt werden. Bei Versuchstieren hemmen diese Substanzen die Entwicklung von Krebs. Analysen zeigen, daß das Grün von Wasser- und Steckrüben pro 100 Gramm 39 bis 166 Milligramm Glukosinolate enthält. Gekocht sinkt diese Konzentration auf 21 bis 94 Milligramm. Das ist selbst im Vergleich zu anderen Kreuzblütlergemüsen ungewöhnlich, von denen bekannt ist, daß sie einen hohen Gehalt an Glukosinolaten haben. So rangiert zum Beispiel roher Blumenkohl zwischen 14 und 208 Milligramm auf 100 Gramm, Brunnenkresse bis zu 95, Kohlrabi bis zu 109 und gekochter Rosenkohl zwischen 15 und 40 Milligramm.

Das Grün von Steckrüben gehört wie Grünkohl und Spinat zu den grünen Blattgemüsen, die ebenfalls ganz oben auf dem Speiseplan von Menschen stehen, die niedrigere Raten verschiedener Krebsarten als der Durchschnitt haben, vor allem aber weniger Lungenkrebs. Weltweite Studien kommen immer wieder zu dem Ergebnis, daß dunkelgrüne Blattgemüse vermutlich unter allen Nahrungsmitteln die vielversprechendsten sind, wenn es um die Eindämmung der Krebsbildung geht. Solche dunkelgrünen Gemüse sind außerdem reich an Karotinoiden, darunter Betakarotin, und an Chlorophyll, die beide Antikarziogene sind.

Praktische Hinweise

O Essen Sie wenigstens einen Teil der Rüben roh. Beim Kochen gehen Glukosinolate verloren.

O Wie Sie Weiße Rüben und Steckrüben voneinander

unterschieden: Weiße Rüben haben eine weiße Wurzel mit einem purpurroten Ring um den Hals. Die Wurzeln der Steckrüben sind gelb bis purpurrot und sind größer und fester als weiße Rüben.

Süßkartoffeln

Möglicher therapeutischer Nutzen:

○ Senken das Krebsrisiko
○ Senken möglicherweise das Blutcholesterin

Wieviel? 70 bis 80 Gramm pro Tag können das Risiko auf Lungenkrebs um die Hälfte verringern, auch wenn Sie schon lange mit dem Rauchen aufgehört haben. Wenn Sie mehr essen, sind Ihre Lungen wahrscheinlich noch besser gegen Krebs gewappnet, glauben die Forscher, obwohl sie nicht wissen, wie hoch die optimale Dosis ist.

Überlieferung

In der Volksmedizin wird die Süßkartoffel so oft als Mittel gegen Arthritis gepriesen, daß sie auch die »Rheumaknolle« genannt wird – und außerdem die »Kolikknolle«. In *A Modern Herbal* nennt Maud Grieve die Süßkartoffel das »vermutlich beste Mittel zur Linderung von Gallenkoliken, besonders hilfreich bei Übelkeit in der Schwangerschaft«. In manchen Kulturen gilt die Süßkartoffel außerdem als krampflösend, Entwässerungsmittel, als Wirkstoff zur Einleitung der Menstruation und zur Verhütung von Fehlgeburten und als Mittel gegen Asthma.

Fakten

Süßkartoffeln scheinen eine gewisse Prophylaxe gegen Krebs zu sein, vor allem gegen Lungenkrebs. Verschiedene Studien haben ergeben, daß das orangegelbe Trio – Süßkartoffel, Winterkürbis und Karotte – besonders wirksam bei der Bekämpfung des langfristigen Lungenkrebsprozesses ist, auch bei ehemaligen Rauchern. In einer 1986 veröffentlichen Studie über Männer in New Jersey wurden beispielsweise Männer mit und ohne Lungenkrebs nach ihren Ernährungsgewohnheiten gefragt. Ganz oben auf der Liste der Nahrungsmittel, die mit der größten Wahrscheinlichkeit vorbeugend gegen Lungenkrebs wirken, standen dabei dunkelgelbe Gemüse – Süßkartoffel, Winterkürbis und Karotte. Laut Forschern vom National Cancer Institute war es bei Männern, die nur 70 Gramm von diesen drei Gemüsen pro Tag aßen, nur halb so wahrscheinlich, daß sich Lungenkrebs entwickelte, wie bei denjenigen, die keines dieser Gemüse zu sich nahmen.

Weil fast alle Männer, die in dieser Studie befragt wurden, Raucher oder ehemalige Raucher waren, schlossen die Forscher daraus, daß Süßkartoffeln – wie andere dunkelgelbe Gemüse – auf irgendeine Weise schon ganz am Anfang in Prozesse eingreifen, die zu Lungenkrebs führen. Bei den Männern, die innerhalb der letzten fünf Jahre mit dem Rauchen aufgehört hatten, war es am wahrscheinlichsten, daß es sich nachteilig für sie auswirkte, wenn sie keine solchen Gemüse aßen. Aber sogar diejenigen, die schon vor über zehn Jahren mit dem Rauchen aufgehört hatten, verringerten ihr Risiko leicht, wenn sie dunkelgelbe und andere Gemüse aßen. Die Lehre daraus: Es sieht so aus, als wäre es nie zu früh oder zu spät für Raucher und ehemalige Raucher, viel Süßkartoffeln und viel von ihren dunkelgelben Verwandten zu essen, um das Risiko auf Lungenkrebs zu verringern. Japanische Forschungen haben außerdem ergeben, daß sogar ehemalige *starke* Raucher davon profitieren, daß sie orangegelbe und dunkelgrüne Gemüse essen. Verlassen Sie sich aber nicht auf solche Nahrungsmittel als Gegengifte, wenn Sie weiter rauchen, denn Raucher, die Gemüse essen, bekommen mit höherer Wahrscheinlichkeit Lungenkrebs als Nichtraucher.

Nichtraucher, die befürchten, sie könnten durch das Passivrauchen oder durch Umwelt- oder Arbeitsplatzgefährdungen Lungenkrebs bekommen, könnten ebenfalls durch das Essen von Süßkartoffeln vorbeugen. Das National Cancer Institute hat jedenfalls neue Beweise dafür vorgelegt, daß dunkelgelbe Gemüse Raucher wie Nichtraucher schützen, vor allem Frauen.

Betakarotin – ein bekannter krebsbekämpfender Faktor – ist möglicherweise der Stoff in der Süßkartoffel, der in erster Linie gegen Krebs wirkt, aber es ist möglich, daß andere, unentdeckte Substanzen in der Knolle ebenfalls dazu beitragen. Süßkartoffeln sind außerdem reich an Proteasehemmstoffen, die bei Tieren die Krebsbildung unterdrücken können. Die Proteasehemmstoffe schlagen außerdem krankheitserregenden Viren ein Schnippchen. Und bei Versuchstieren kann das Betakarotin nichtmelanomen Hautkrebsarten vorbeugen.

Am aufregendsten ist vielleicht, was japanische Forscher 1984 entdeckten: daß die Süßkartoffel über eine »auffällig starke antioxidative Aktivität« verfügt. Das macht sie zu einem potentiellen Gegenspieler der bösartigen »freien Radikale«, die Körperzellen verwüsten und zu allen möglichen Störungen führen, darunter Krebs und vielleicht auch vorzeitiges Altern. Die Wissenschaftler schreiben die antioxidative Wirkung des Süßkartoffelextrakts einer Reihe von Polyphenolen zu, zum Beispiel der Chlorogensäure.

Interessanterweise ist der Süßkartoffelextrakt selbst ein viel stärkeres Antioxidans als ihr Polyphenolgehalt für sich genommen. Die Forscher vermuten, daß andere chemische Stoffe in der Süßkartoffel die natürlichen Kräfte der Polyphenole verstärken.

Es ist auch möglich, daß Süßkartoffeln das Blutcholesterin senken. Vor kurzem wirkten sie bei einem Test ähnlich wie das Cholestyramin, ein cholesterinsenkendes Medikament. Von achtundzwanzig Ballaststoffen aus Obst und Gemüse war der Ballaststoff der Süßkartoffel, wie Laborversuche ergaben, bei denen das menschliche Verdauungssystem simuliert wird, bei der Cholesterinbildung der wirksamste: Beim Aufsaugen von Cholesterin schnitt der Ballaststoff der Süßkartoffel fast so gut ab wie das Cholestyramin.

Der Zwillingseffekt

Manche Experten, darunter Dr. Percy Nylander, ein Professor an der Universität Ibadan in Nigeria, nehmen an, daß der Verzehr großer Mengen von Süßkartoffeln die Geburt von Zwillingen fördert. Das liegt daran, daß der nigerianische Yorubastamm, mit dem sich Dr. Nylander beschäftigt hat, bei weitem die höchste Rate von Zwillingsgeburten auf der Welt aufweist – doppelt so hoch wie in jedem anderen Gebiet der Erde. Und die Yorubas essen besonders viel Süßkartoffeln, da es ein Grundnahrungsmittel ihres Stammes ist. Die Theorie: Süßkartoffeln sind reich an hormonähnlichen Stoffen, die das Freisetzen von Hormonen auslösen, darunter das follikelstimulierende Hormon (FHS). Von diesem FHS, das sich bei Yorubafrauen, die Zwillinge geboren haben, in besonders hohen Mengen findet, wird vermutet, daß es die Eierstöcke dazu stimuliert, mehr als ein Ei freizugeben, so daß eine doppelte Empfängnis möglich wird. Dr. Nylander weist außerdem darauf hin, daß die wohlhabenden Yorubas, die statt der von Süßkartoffeln dominierenden Stammesnahrung westliche Kost essen, viel seltener Zwillinge bekommen.

Praktische Hinweise

○ Je dunkelgelber die Süßkartoffel ist, desto höher die Konzentration von krankheitsbekämpfenden Karotinoiden.

Mögliche schädliche Wirkungen

○ Das Essen großer Mengen Süßkartoffeln ist nicht gefährlich – etwa im Gegensatz zu der übermäßigen Einnahme von Vitamin A in Form von Leber. Aber durch den hohen Verzehr von Betakarotin könnte Ihre Haut gelblich oder bräunlich werden. Die Hautfärbung verschwindet jedoch ohne langfristige toxische Nebenwirkungen, wenn sie die Süßkartoffeln (oder Karotten oder Kürbisse) nicht mehr im Übermaß essen.

Tee

Möglicher therapeutischer Nutzen:

o Reduziert Karies
o Zerstört Bakterien und Viren
o Bekämpft Infektionen
o Enthält chemische Stoffe, die bei Tieren Krebs vorbeugen
o Senkt den Blutdruck
o Kräftigt die Kapillaren
o Verzögert Arteriosklerose (Arterienverhärtung)
o Wirkt (koffeinfrei) als mildes Beruhigungsmittel

Überlieferung

Tee hat eine ruhmreiche Geschichte. Ganz normaler grüner und schwarzer Tee werden in China seit viertausend Jahren als Arznei verwendet. Im Griechenland der Antike war Tee das »Götterblatt«, gut vor allem gegen Asthma, Erkältungen und Bronchitis (daher das Wort Theophyllin, ein modernes brochienerweiterndes Medikament, das aus Tee gewonnen wird).
Der Leibarzt Ludwigs XIV. verschrieb Tee zur Bekämpfung königlicher Kopfschmerzen, und russische Wissenschaftler nannten den Tee im 19. Jahrhundert »Das Lebenselixier«, das fähig sei, ein ganzes Bündel von Wohltaten zu bewirken, für »die Verdauung, das Nervensystem und die Blutgefäße, die Herz- und Gefäßfunktion, den Blutdruck und die vitale Energie«.

Fakten

Vielleicht wirkt es eine Spur absurd, Tee als Gesundheitsgetränk ernst zu nehmen, ist er doch so weit verbreitet, so alltäglich, so preiswert. Wie können ein paar schwarze oder grüne Krümel eines Pflanzenblattes (oder einer Wurzel) in heißem Wasser eine Metamorphose zu einem Gesundheitspräparat erleben, wie es im ganzen Altertum lautstark verkündet wurde und was jetzt in Laboratorien auf der ganzen Welt untersucht wird? Aber Wissenschaftler, die Tee erforschen, nicht nur exotische Teearten, sondern die ganz normalen grünen und schwarzen Teesorten aus Indien und China, das beliebteste Getränk der Welt, bestätigen immer wieder: daß Tee gewaltige gesundheitliche Kräfte hat, die den meisten Teetrinkern nicht bewußt sind. Es ist kein Wunder, daß Tee seit Jahrhunderten fast überall auf der Welt das Getränk Nummer eins ist. Tee enthält verschiedene chemische Stoffe, die Bakterien und Viren in Schach halten können, krebserregende Stoffe neutralisieren, den Blutdruck und das Blutcholesterin senken, Blutgefäße zusammenziehen und schützen sowie nervenberuhigend wirken. Im Land der Wissenschaft ist Tee ein äußerst ernsthaftes Thema.

Stoff gegen Viren

Es ist unbestreitbar, daß Tee, vermutlich wegen seiner Tannine – durch sie bekommt Tee den adstringierenden Geschmack –, antibakteriell und antiviral wirkt. In den vierziger Jahren entdeckten amerikanische Wissenschaftler, daß Tannin ein Grippevirus bekämpft. Indische Wissenschaftler wiederum stellten vor kurzem fest, daß sowohl aufgebrühter Tee als auch isoliertes Tannin das Herpes-simplex-Virus »deutlich hemmten«, aber nur dem Tee selbst gelang es, ein Poliovirus zu unterdrücken.Bei kanadischen Reagenzglasversuchen erwies sich Tee als starker Hemmstoff gegen eine Reihe von krankheitserregenden Viren.

Ein Aufguß von grünem Tee wird in der Sowjetunion häufig zur Behandlung von Infektionen verwendet, vor allem gegen Ruhr. Sowjetische Ärzte berichten außerdem, daß sie mit Erfolg grünen Tee zur Behandlung von chronischer viraler Hepatitis eingesetzt haben.

Munddusche gegen Karies

Vor allem wegen seiner Tannine und wegen des hohen Fluoridgehalts ist Tee ein starker Gegenspieler von Karies. Die Vorstellung, daß ganz gewöhnlicher Tee dem Zahnverfall vorbeugt, ist laut Dr. Shelby Kashket, einem leitenden Wissenschaftler am Forsyth Dental Center in Boston, schon lange im Umlauf. Japanische Studien haben darüber hinaus ergeben, daß Kinder, die Tee aus besonders fluoridhaltigen Blättern trinken, sehr selten mit Löchern in den Zähnen zu kämpfen haben. Die Japaner sind es auch, die eine Zahnpasta auf Tanninbasis entwickelt haben.

Faszinierende Beweise für die kariesbekämpfenden Kräfte des Tees stammen aus Tierversuchen. Forscher in Taiwan spülten die Mäuler von Ratten mit Tee und stellten fest, daß die »Kariesaktivität« um die Hälfte bis zu drei Vierteln zurückging. 1983 impften Wissenschaftler an der Ohio State University und an der zahnmedizinischen Fakultät der Washington University Ratten mit karieserregenden Bakterien, fütterten sie mit Zucker und stellten ihnen vier verschiedene Teesorte hin, aufgegossen aus Teeblättern – aus grünem chinesischen und schwarzem indischen Tee —, von denen die Ratten fünf Wochen lang tranken, soviel sie wollten. Am Ende des Experiments hatten die teetrinkenden Ratten verfärbte Zähne, aber viel weniger Zahnverfall als die Ratten, die nur Wasser tranken – und eine Teesorte (Young Hyson) verringerte den Kariesbefall sogar um die Hälfte. Forscher vom Forsyth Dental Center haben festgestellt, daß unter mehreren kariesbekämpfenden Getränken, die getestet wurden (darunter auch Kaffee und Furchtsäfte), Tee mit weitem Abstand den besten Schutz bot – in diese Fall handelte es sich um ganz gewöhnliche Teebeutel, die drei Minuten lang in eine Tasse heißes Wasser gehängt werden. Bei Tests unterband der Tee dann 95 Prozent der Wechselbeziehung zwischen Zucker und Bakterien, die das klebrige Dextran erzeugt, jenen Stoff, der sich an den Zähnen festsetzt und zu Karies führt.

Hemmstoff gegen Krebs

Immer mehr Wissenschaftler glauben, daß Tee krebsbekämpfend wirkt. Die Teetannine, die Viren und Bakterien zerstören, können auch bestimmte Krebsarten hemmen. Ein japanisches Regierungsprojekt, bei dem nach natürlichen Gegengiften für Krebs geforscht wird, setzt Tee ständig ganz oben auf die Liste, vor allem asiatischen grünen Tee. 1985 erklärten mehrere prominente Wissenschaftler vom japanischen Nationalinstitut für Genetik, daß Epigallo-Catechin-Gallat, das Tannin, das in japanischem grünen Tee am häufigsten vorkommt, sei ein starkes Mutagen und deshalb ein Bekämpfer von Krebs. Unter mehreren hundert Pflanzen, die von den Japanern in einem Großrahmenprojekt zur Identifizierung von Antimutagenen untersucht wurden, war der grüne japanische Tee (Camellia sinensis) der stärkste Wirkstoff. Ihre Entdeckung, sagten die Wissenschaftler, werde außerdem gestützt durch die Tatsache, daß der chemische Stoff im Tee bei Mäusen Sarkome unterdrückt und daß Menschen, die regelmäßig grünen Tee trinken, in Japan auf spektakuläre Weise niedrigere Magenkrebsraten haben.

Kanadische Forscher am British Columbia Cancer Research Center berichten außerdem, Tee wirke der Bildung von Nitrosaminen entgegen, einer Familie starker Karzinogene, die bei Versuchstieren alle Arten von Krebs verursachen. Stoffe im Tee, darunter Tannin, unterdrückten die Nitrosamine sogar noch besser als die Ascorbinsäure (Vitamin C), die häufig dafür verwendet wird. Auch kleine Mengen von aufgebrühtem Tee aus Japan, China und Ceylon wirkten bei Tests dem krebserregenden Stoff entgegen.

Dr. Hans Stich, der Leiter der Abteilung für Umweltkarzinogene an diesem Zentrum sagt: »Tee – und Kaffee – sind vollgepackt mit Phenolsäuren, die Antikarzinogene und Antioxidantien sind.« Bei einer Studie stellte Dr. Stich fest, daß ganz normale Dosen von Tee krebserregenden Stoffen in einem mit Salz haltbar gemachten, fermentierten chinesischen Fisch namens Wik entgegenwirkte, der für die hohen Raten von Nasenkrebs in Hongkong, Südchina, Indonesien und auf den Philippinen verantwortlich gemacht wird.

Das Teetrinken könnte also gegen Krebs wirken?

»Stimmt. Das haben wir bei Tierstudien und in Gewebekulturen gezeigt.« Verblüffenderweise hemmten sowohl Tee als auch Kaffee sogar bei Menschen die Bildung eines Nitrosamins. Dr. Stich ist von der krebsbekämpfenden Eigenschaft des Tees so überzeugt, daß er Catechinkapseln, extrahiert aus Teeblättern, versuchsweise zur Hemmung von Mundkrebs bei Menschen in verschiedenen Teilen der Welt einsetzt, die Schnupftabak nehmen und Tabak kauen.

Weitere Tests in der Sowjetunion, Indien und Japan zeigen, daß Tee möglicherweise gegen Langzeitschäden durch Strahlungen schützt. So erklärten japanische Wissenschaftler, daß Teecatechine Strontium 90 aus dem Körper hinausschleusten, ehe es sich im Knochenmark festsetzte.

Herz- und Gefäßkrankheiten

In mehreren Kulturkreisen wird Tee ohne Bedenken gegen Herzkrankheiten verschrieben. Nach ausgedehnten Studien an Patienten rühmen russische Wissenschaftler die Fähigkeit von Tee – hauptsächlich der Catechine wegen –, Arteriosklerose zu verzögen, die Kapillaren zu kräftigen, das Blut zu verdünnen, den Blutdruck zu senken und »eine günstige regulierende Wirkung auf jede wichtige Komponente des menschlichen Stoffwechsels auszuüben«. Zum Beispiel berichtet Michail A. Bokuschawa vom Bach-Institut für Biochemie in Moskau, bei russischen Patienten habe Tee hohen Blutdruck und Kopfschmerzen gelindert, der Thrombose vorgebeugt und die Blutgefäße gekräftigt. Er sagt von den Teecatechinen, sie seien »jedem bekannten kapillarkräftigenden Medikament überlegen«.

Tatsächlich gibt es weitere Beweise dafür, daß Tee das Herz und die Gefäße schützt. Ende der sechziger Jahre verglichen Wissenschaftler der Lawrence Livermore Labs der University of California das Ausmaß von Arteriosklerose in den Koronar- und Gehirnarterien von etwa dreihundert westlichen Kaffeetrinkern und hundert chinesischen Teetrinkern anhand von Werten, die vierzehn Jahre lang bei Autopsien zusammengetragen worden waren. Teetrinker hatten nur zwei Drittel soviel Herzarterienschäden und nur ein Drittel soviel Gehirnarterienschäden wie die Kaffeetrinker. Die Forscher te-

steten daraufhin verschiedene Getränke an fettreich ernährten Kaninchen. Bei denjenigen, die Tee erhielten,
waren die Aorten am wenigsten erkrankt – viel weniger
als bei denjenigen, die nur Wasser bekamen. »Es ist eindeutig, daß Tee die Aorta vor der Bildung von Atherom
(Belag) zu schützen scheint«, war die Schlußfolgerung
der Forscher. Tee bekämpfte die Arteriosklerose am besten, wenn er gleichzeitig mit oder kurz nach fettreicher
Nahrung getrunken wurde.

Mehrere Studien, die in den achtziger Jahren in Japan
durchgeführt wurden, zeigen, daß Tee bei Tieren und
Menschen, die zu hohe Fettmengen zu sich nehmen,
das Cholesterin und die Triglyzeride reduziert, was zu
der Annahme führt, »daß Tannine im grünen Tee möglicherweise bei der Aufrechterhaltung eines normalen
Cholesterinspiegels mitwirken«. Diese neuen Recherchen ergaben auch, daß Teetannine die Leber schützen.

Beruhigungsmittel und Blutdrucksenker

Kalifornische Forscher berichteten 1984, daß entkoffei-
nierter Tee eine beruhigende Wirkung auf Mäuse habe.
Laut Dr. James P. Henry, einem Professor für Psychiatrie
an der medizinischen Fakultät der Loma Linda University, schien der koffeinfreie Tee die Tiere zu entspannen,
indem er auf das zentrale Nervensystem und das neuro-
endokrine System wirkt. Der Tee senkte außerdem eindeutig den Blutdruck der Tiere. Darüber hinaus lebten
Mäuse, die Tee bekamen, länger. Französische Wissenschaftler haben bei Ratten, die mit zwei bestimmten Flo-
vonoiden gefüttert wurden, dasselbe festgestellt: ihr
Blutdruck wurde beträchtlich gesenkt. Die Franzosen
schlossen daraus, daß die Bioflavonoide vermutlich auf

ähnliche Weise den Blutdruck senken wie Beta-Sympatholytika (Betablocker), zum Beispiel das Inderal.

Japanische Wissenschaftler wiederum haben aus grünem und schwarzem Tee eine Substanz isoliert, die bei Kaninchen den Blutzucker senkt.

Auch die führenden Forscher Japans räumen dem Tee vielseitigen therapeutischen Wert ein. Sie stellen fest: »Es wurde berichtet, daß verschiedene Arten therapeutischer Wirkung – wie Schutz der Blutgefäße, Unterdrückung von Krebs und Verlängerung der Lebensdauer – gleichzeitig eintraten. Es ist schwierig, die Wirkkraft einer einzigen Substanz zuzuschreiben.« Sie halten vier verschiedene Catechine für die Wirkstoffe, allesamt Antioxidantien, die sie aus dem Tee isoliert haben. Die Antioxidantien sind sowohl im Teeblatt als auch im gebrühten Tee reichlich vorhanden. Auch russische und kanadische Wissenschaftler schätzen Tee als ein Antioxidans ein.

Hier könnte der Ansatz zu einer Theorie liegen, die Brauchtum und Wissenschaft eint und erklärt, warum beide so begeistert vom Tee als einem Beschützer des ganzen Körpers sind. Als Antioxidans könnte Tee ein breites Wirkungsspektrum haben und den Körper vor zahlreichen chronischen Krankheiten wie Herzkrankheiten und Krebs schützen, selbst vor den täglich geballten Angriffen auf den Körper, die das Altern beschleunigen. Antioxidantien werden im Körper als Müllabfuhr tätig und sammeln die »freien Radikale« ein, die Zellen schädigen, was zu Krankheiten führt.

Praktische Hinweise

○ Bei dem Tee, den die Wissenschaftler getestet haben, handelt es sich um den herkömmlichen *echten* Tee,

Camellia sinensis, der aus Asien stammt. Sogenannte Kräutertees haben möglicherweise auch medizinische Eigenschaften, aber eben weil sie aus verschiedenen Pflanzen mit unbekannten Konzentrationen von therapeutischen chemischen Stoffen hergestellt werden, ist die Wirksamkeit von Fall zu Fall unterschiedlich.

o Grüner Tee scheint eine viel stärkere Schutzwirkung zu haben als schwarzer Tee, der fermentiert wird und dabei einen Teil seiner Polyphenole einbüßt, vor allem Tannine. Grüne Teeblätter enthalten im allgemeinen eine doppelt so hohe Konzentration starker Catechine wie schwarze Teeblätter. Darüber hinaus hat grüner Pulvertee etwa dreimal sowie Catechine wie schwarzer Pulvertee. Je stärker der Tee ist, desto größer ist der erhoffte gesundheitliche Nutzen.

o Wenn Koffein ein Problem ist, kaufen sie koffeinfreien Tee. Der Koffeinentzug verringert den Gehalt an anderen chemischen Stoffen mit möglicher therapeutischer Wirkung nicht.

o Trinken Sie den Tee nicht kochend heiß. Es gibt Beweise dafür, daß zu heißer Tee (genau wie andere zu heiße Flüssigkeiten) die Wände von Hals und Speiseröhre schädigen und zu Krebs führen könnte. Vor kurzem wurde zum Beispiel in einer indischen Studie festgestellt, daß starke Teetrinker stärker zur Entwicklung von Speiseröhrenkrebs neigen. Früher glaubten die Fachleute, daß Stoffe im Tee für höhere Raten von Speiseröhrenkrebs verantwortlich seien; heute sind sie der Meinung, daß das eher an dem zu heiß getrunkenen Tee liegt als am Tee selbst.

Mögliche schädliche Wirkungen

○ Tee verfärbt die Zähne.

○ Er enthält Stoffe, darunter Koffein, die angeblich bei manchen Frauen Brustzysten fördern; das ist stark umstritten und noch ungeklärt. Die Koffeinmenge in Teeblättern ist ziemlich hoch, aber in gebrühtem Tee ist pro Tasse im allgemeinen nur ein Drittel soviel Koffein enthalten wie in einer Tasse Kaffee. Außerdem ist Koffein ein Stimulans für das zentrale Nervensystem.

○ Tee stimuliert die Freisetzung von Magensäure (und ist deshalb nicht empfehlenswert für Menschen mit Magengeschwüren), aber das läßt sich durch etwas Milch und Zucker reduzieren. Jedoch: Milch neutralisiert etliche der wohltätigen Substanzen, zum Beispiel der Tannine, und verringert ihre Schutzwirkung.

○ Exzessives Teetrinken kann die Absorption von Eisen aus pflanzlicher Nahrung stark beeinträchtigen und dadurch möglicherweise Anämie verursachen. Die israelischen Gesundheitsämter haben zum Beispiel davor gewarnt, Kindern große Teemengen zu geben, und sich dabei auf hohe Raten von Anämie berufen.

○ Exzessives Teetrinken – zwei Liter am Tag – kann zur Verstopfung führen.

Warum die Engländer den Tee mit Milch trinken

Am Anfang war das britische Ritual, Milch in den Tee zu geben, eine Gesundheitsmaßnahme. Mindestens bis 1660 galt Tee als exotische, starke Droge, voll von gefährlichen chemischen Stoffen, die nur von englischen Apotheken verkauft wurde. Das Teetrinken wurde erst populär, als angesehene Mediziner erklärten, es sei unbedenklich, regelmäßig Tee zu sich zu nehmen, wenn man Milch dazugebe. Das Milcheiweiß binde die Tannine, von denen angenommen wurde, sie seien schädlich. Wenige Menschen glauben immer noch, die Briten seien wegen dieser Tradition vor Speisröhrenkrebs gerettet worden, aber es gibt keine überzeugenden Beweise dafür. Milch kann aber die positiven Wirkungen von Tee neutralisieren, darunter auch krebsbekämpfende Aktivitäten der Tannine. Außerdem wirkt Milch der antikariösen Aktivität der Fluoride entgegen. Milch in den Tee zu geben, ist jedoch möglicherweise eine gute Idee, wenn Sie ein Magengeschwür haben, denn die Milch (Vollmilch wie Magermilch) hemmt die Flüssigkeit der Teetannine, die Freisetzung von Magensäure zu stimulieren.

Ginseng: Der König unter den therapeutischen Teesorten?

Halten Sie es für möglich, daß die Russen mehr als vierhundert Studien über eine einzige Ginsengart durchgeführt haben? Dabei ist immer wieder bestätigt worden, daß Menschen, die sibirischen Ginsengtee trinken, im allgemeinen gesünder wirken, sich besser fühlen, Streß besser gewachsen sind, mehr Energie haben und sich besser konzentrieren können. Dr. Norman Farnsworth, eine internationale Autorität, was das Wissen über therapeutische Pflanzen betrifft, hat die Studien aus dem Russischen übersetzen lassen, die einen großen Teil des alten Ruhms von Ginseng als einer starken lebensspendenden Droge bestätigen.

Mit seiner Theorie, Ginseng wirke als »Adaptogen« – ein medizinisches Konzept, das der Denkweise westlicher Mediziner fremd ist —, steht Dr. Farnsworth nicht allein, denn sie ist auch so von einem angesehenen russischen Arzt, Dr. I.I. Brechman von der sowjetischen Akademie der Wissenschaften, definiert worden, der viele Ginsengstudien durchgeführt hat. Ein Adaptogen ist eine unschädliche Substanz, die normalisierend wirkt, das heißt, sie korrigiert, was auch immer im Körper nicht stimmt. Wenn Ihr Blutdruck zu hoch ist, wird er durch das Adaptogen gesenkt; ist er zu niedrig, wird er erhöht. Deshalb könnten Adaptogene in Nahrungsmitteln weitreichende physiologische Wirkungen haben; genau wie die Antioxidantien (übrigens enthält Ginseng tatsächlich Antioxidantien die möglicherweise zu seinen adaptogenen Fähigkeiten beitragen).

Wenn die Vorstellung von Adaptogenen für Sie wenig verständlich wirkt, dann bedenken Sie, daß Wissenschaftler vom amerikanischen Landwirtschaftsministerium kürzlich entdeckt haben, daß das Spurenmineral Chrom bei Menschen den Blutzuckerspiegel nach oben wie nach unten reguliert – es erhöht oder senkt ihn und bringt ihn dadurch auf den Normalwert. Es ist wahrscheinlich, daß viele Stoffe in der Nahrung diesen biologischen Yin-Yang-Balanceakt beherrschen, was ansonsten unerklärlichen überlieferten Behauptungen über die Gesundheitswirkungen von Ginseng und anderen Nahrungsmitteln zu neuer Glaubwürdigkeit verhilft.

Tomaten

Möglicher therapeutischer Nutzen:

o Senken das Krebsrisiko
o Beugen der Blinddarmentzündung vor

Überlieferung

In der amerikanischen Volksmedizin gelten Tomaten als gut gegen Dyspepsie, Leberbeschwerden, alle Nierenkrankheiten und, laut einem Arzt zu Anfang unseres Jahrhunderts, »als das beste natürliche Heilmittel bei Beschwerden, die eine Neigung zu Verstopfung mit sich bringen«. Im 18. Jahrhundert wurde die leuchtendrote Frucht in Europa für ein Aphrodisiakum gehalten.

Fakten

Die Tomate hat wenig Eindruck auf die moderne Wissenschaft gemacht, bis sie plötzlich auf der Liste der Nahrungsmittel auftauchte, die von Menschen, die keinen Krebs haben, besonders gern gegessen werden. Tomaten gehören zu den Lebensmitteln, die besonders häufig verzehrt werden – von Hawaiianern mit einem niedrigeren Magenkrebsrisiko, von Norwegern mit einem niedrigeren Lungenkrebsrisiko, von Amerikanern mit weniger Prostatakrebs und von älteren Amerikanern mit niedrigeren Sterberaten an allen Krebsarten. Bei einer großen Gruppe von älteren Amerikanern, die leidenschaftlich gern Tomaten aßen, bestand gegenüber denjenigen, die wenig Tomaten aßen, nur das halbe Risiko, an Krebs zu sterben.

Daß Tomaten vor Lungenkrebs schützen, war eine totale

Überraschung. Bei einer Studie über etwa 14 000 Amerikaner und 3 000 Norweger entdeckten Wissenschaftler, daß sich bei den Männern, die über vierzehnmal im Monat Tomaten (oder Karotten oder Kohl) aßen, im Vergleich zu denjenigen, die seltener als einmal im Monat Tomaten oder die anderen Gemüse zu sich nahmen, das Risiko auf Lungenkrebs verringerte. Tomaten sind nicht besonders reich an Betakarotin, das als der wichtigste krebsbekämpfende Stoff im Gemüse gilt. Die Tomate zeichnet sich jedoch durch eine hohe Konzentration eines anderen Karotinoids namens Lykopin aus – was bedeutet, daß möglicherweise das Betakarotin nicht der einzige von Krebs schützende Stoff in der Familie der Karotinoide ist.

Bei einer großen Bevölkerungsübersicht in Wales standen Tomaten außerdem als Schutz vor akuter Blinddarmentzündung weit oben auf der Liste.

Vorsicht und – Märchen

○ Die moderne Volksmedizin beschuldigt die Tomate, sie verschlimmere Arthritis, weil sie zur »giftigen Nachtschattenfamilie« gehört, aber dafür gibt es weder gültige Beweise noch eine logische Erklärung. Tomaten wird häufig die Schuld an Lebensmittelallergien gegeben. Daß die Tomate ein Aphrodisiakum sei, ist ein kolossales Mißverständnis, das nicht zuletzt durch Übersetzungsfehler entstanden ist.

Die Frucht der Leidenschaft – ein Mißverständnis

Wie kommt es nur, daß die Tomate auf französisch Liebesapfel heißt? Wer ist denn je dadurch leidenschaftlich geworden, daß er eine Tomate aß?

Es gibt keinen wissenschaftlichen Beweis dafür, daß Tomaten den sexuellen Appetit steigern. Wie Peter Taberner in seinem Buch *Aphrodisiacs: The Science and the Myth* schreibt, kam es dazu vermutlich bei der Übersetzung von einer Sprache in die andere. Und die Tomate hatte die notwendigen Attribute. Sie ist leuchtendrot, das Symbol für Leidenschaft; eine Zeitlang war sie außerdem selten und teuer; das trug dazu bei, ihren Ruf als Aphrodisiakum zu unterstreichen. Aber sie verdankt ihn der Sprachverwirrung. Ihr ursprünglicher lateinischer Name lautet *mala oethopica* oder »Mohrenapfel«. Daraus wurde im Italienischen *pomi dei mori*, was bei der Übersetzung ins Französische zu *pomme d'amour* verfälscht wurde. Von da war es nur noch ein kleiner Schritt zum englischen *love apple* und zum deutschen Liebesapfel. Aber als Tomaten im 19. Jahrhundert beliebt wurden und weit verbreitet waren, büßten sie ihren Ruf als Aphrodisiakum ein. Aus dem Liebesapfel wurde schlicht und einfach eine Zutat zur Spaghettisauce.

Trauben

Möglicher therapeutischer Nutzen:

o Schalten Viren aus
o Bekämpfen Zahnverfall
o Sind reich an Stoffen, die bei Tieren Krebs hemmen

Überlieferung

»Trauben sind zusammen mit den Äpfeln zu den Königinnen unter den Früchten gekrönt worden. Trauben sind gut gegen alle dyspeptischen Zustände, Fieber, Leber- und Nierenkrankheiten, Lungen- und Knochentuberkulose, Hämorrhoiden, Krampfadern, Knochenmarkentzündung, Wundbrand, Krebs und viele andere bösartigen Krankheiten.« Das erklärte Dr. A.M. Liebstein aus New York City 1927 seinen Ärztekollegen. Im folgenden Jahr schrieb die Südafrikanerin Johanna Brandt ein Buch, *Die Traubenkur*, in dem sie behauptete, Trauben hätten ihren Unterleibskrebs geheilt. Die »Traubenkur« wurde sofort in mehreren Kontinenten populär und ist es in manchen Teilen Europas immer noch.

Fakten

Obwohl Trauben wegen ihrer hohen Konzentration von bestimmten Polyphenolen, den Tanninen, als vielversprechende Bekämpfer von Viren und Tumoren wirken, haben sie leider noch keinen richtigen Platz an der wissenschaftlichen Sonne gefunden. Die kanadischen Forscher Dr. Jack Konowalchuk und Joan Speirs erklärten, Trauben hätten sich in Reagenzgläsern als starke Killer von krankheitserregenden Viren erwiesen. Die beiden Forscher kauften in Lebensmittelläden am Ort Trauben, Traubensaft, Rosinen und Weiß-, Rosé- und Rotwein. Sie fügten dann dem Traubenextrakt aus dem Fruchtfleisch, dem Traubensaft, einem Rosinenextrakt und den Weinen Viren hinzu. Alle schalteten die Viren aus. Trauben wirkten gegen das Poliovirus und das Herpessimplex-Virus, die Erreger von Kinderlähmung und Herpesinfektionen.

Ob Trauben im Körper Viren zerstören können, ist nicht bekannt. Solche Tests sind an Tieren und Menschen nicht durchgeführt worden. Trauben enthalten jedoch ein bestimmtes Tannin, von dem angenommen wird, es sei ein Feind von Viren, das im Verdauungstrakt absorbiert werden kann. Außerdem sind radioaktive Tannine aus Trauben durch das Verdauungssystem bis in den Blutkreislauf von Mäusen verfolgt worden. Das deutet darauf hin, daß Traubentannine die Verdauung überleben und im Blut zirkulieren, wo sie möglicherweise Viren angreifen. Auch von Traubensaft ist bekannt, daß er Bakterien abtötet, und in Tierstudien hat er auf spektakuläre Weise den Zahnverfall bekämpft.

Die Frucht verfügt außerdem über einen außerordentlich hohen Gehalt an Koffeinsäure, einer Polyphenverbindung, die bei Tieren stark vorbeugend gegen Krebs wirkt. Vor kurzem wurden bei einer Studie über eine Gruppe älterer Amerikaner Rosinen mit einer niedrigeren Sterberate an Krebs in Verbindung gebracht.

Widersprüchliche Beweise

Mehrere Tests zeigen mutagene Aktivitäten von rotem Traubensaft, also die Tendenz, das genetische Material in Zellen zu verändern, was ein Vorbote von Krebs ist.

Wein

Das gesündeste und hygienischste aller Getränke.

Louis Pasteur

Trink ein Glas Wein nach der Suppe, dann hast du deinem Arzt einen Rubel gestohlen.

Altes russisches Sprichwort

Möglicher therapeutischer Nutzen:

○ Tötet Bakterien und Viren ab
○ Beugt Herzkrankheiten vor
○ Erhöht das gute HDL-Blutcholesterin
○ Reich an chemischen Stoffen, die bei Tieren Krebs vorbeugen

---

Wieviel? Ein Glas Wein am Tag erhöht vermutlich das wohltätige HDL-Cholesterin in Ihrem Blut um im Durchschnitt 7 Prozent.

Überlieferung

Wein gehört zu den ältesten Mitteln der Medizin – äußerlich und innerlich angewandt, allein oder zusammen mit anderen natürlichen Heilmitteln. Im antiken Griechenland wurde er auf dem Schlachtfeld als Antiseptikum zur Reinigung von Wunden verwendet. Im alten Ägypten wurde Wein zusammen mit Honig und Zwiebeln zu Klistieren verarbeitet, die in die Vagina eingeführt wurden. Im Altertum wurde Wein getrunken, um »den Urin zu regulieren, den Darm zu reinigen, Bandwürmer abzutöten, Appetitlosigkeit zu bekämpfen, Schlaflosigkeit zu lindern und alle Krankheiten, bei denen Husten auftritt«. Wein war außerdem ein weit verbreitetes Anästhetikum, vor allem bei Entbindungen.

Fakten

Die Alten hatten recht. Wein ist erwiesenermaßen ein starkes, aber kurzlebiges Antiseptikum: Er tötet die meisten Bakterien rasch und in niedriger Konzentration ab. Außerdem schaltet er Viren aus. Deshalb kann er Wasser in Minuten oder Stunden sterilisieren. Ferner erhöht er das HDL-Cholesterin, von dem Experten sagen, daß es Herzkrankheiten bekämpft. Das Trinken von Wein wird jedenfalls – wenn auch aus unbekannten Gründen – mit niedrigen Raten von Herzkrankheiten in Verbindung gebracht. Möglicherweise liegt es an biologisch aktiven Stoffen, die in den Trauben sitzen oder während der Weingärung entstehen.

Mikrobenkiller

Die moderne Bakteriologie hat die seit langem geschätzte antiseptische Wirkung des Weins gründlich bestätigt. Zum ersten Test kam es 1892 unmittelbar nach einer Choleraepidemie in Paris. Ein Arzt beobachtete, daß Weintrinker eher dazu neigten, die Seuche zu überleben, und empfahl, dem Trinkwasser Wein hinzuzufügen. Das veranlaßte einen österreichischen Militärarzt, Alois Pick, den Rat zu testen. Er füllte Fläschchen mit Wasser, Rot- und auch Weißwein, verdünnte einen Teil des Weines im Verhältnis 50 zu 50 und fügte Cholera- und Typhoidkeime hinzu. Während im reinen Wasser die Bakterien gediehen, wurden alle Cholerakeime im reinen Wein und im verdünnten Wein innerhalb von zehn bis fünfzehn Minuten abgetötet. Innerhalb von vierundzwanzig Stunden waren alle Typhoidbakterien im Wein ebenfalls tot. Dr. Pick stimmte seinem französischen Kollegen zu, es sei eine außerordentlich vernünftige Idee, während einer Cholera- oder Typhoidepidemie mit Wein vermischtes Wasser zu trinken.

Alle derartigen Tests von Wein zeigten mit erstaunlicher Beständigkeit dasselbe. Wein tötete Cholerakeime in dreißig Sekunden bis zehn Minuten ab, Escherichia coli in fünfundzwanzig bis sechzig Minuten und Escherichia typhi in fünf Minuten bis vier Stunden.

Lange wurde geglaubt, der mörderische Stoff im Wein sei der Alkohol. Aber wenn man dem Wein den Alkohol entzieht, tötet er die Bakterien auch weiterhin ab. Überlassen wir es den Franzosen, den Grund dafür zu erklären. J. Masquelier, ein Professor für Pharmakologie an der Fakultät für Medizin und Pharmazie in Bordeaux, entdeckte das Geheimnis Anfang der fünfziger Jahre bei einer Reihe von Studien. Er stellte fest, daß Weinstoffe, die Polyphenole genannt werden – eigentlich eine Unterabteilung, Anthozyane genannt, und vor allem eine namens Malvosid –, die Bakterien auf ganz ähnliche Weise zerstören wie das Penicillin. Er hielt fest, daß Rotwein, der im Verhältnis eins zu vier mit Wasser verdünnt wird, nach fünfzehn Minuten dieselbe Wirkkraft hat wie fünf Einheiten Penicillin pro Milliliter. Sogar Wein, der bis auf 2 Prozent verdünnt ist, zeigt noch leichte antibakterielle Aktivitäten.

Dr. Guido Manjo, ein Chirurg und Medizinhistoriker, der ebenfalls Wein gegen Bakterien getestet hat, sagt, die Griechen hätten »recht daran getan, Wein in Wunden und über die Verbände zu gießen«, auch wenn die Kraft des Weins nur kurzlebig ist, was, wie Dr. Manjo sagt, erklärt, warum Wein nicht zur Ausrüstung für die Erste Hilfe gehört. Die Griechen befanden sich auf festerem Boden, als man sich hätte träumen lassen. Dr. Manjo: »Indem die Griechen Wunden mit Wein reinigten, desinfizierten sie sie tatsächlich mit Polyphenol, einer komplexeren Variante von Listers Phenol – dem Pioniermedikament der antiseptischen Chirurgie. Und das Polyphenol im Wein, das Malvosid – in gleichen Mengen an Escherichia coli getestet —, ist dreiunddreißigmal so stark wie das Phenol!«

Den Tests von Dr. Masquelier zufolge ist Wein so viel wirksamer als Trauben oder unvergorener Traubensaft, weil die antibakteriellen Eigenschaften des Weins, die im Pigment der Traubenschale sitzen, erst während der Gärung völlig chemisch freigesetzt werden. Kanadische Forschungen durch Dr. Jack Konowalchuk haben ebenfalls ergeben, daß Wein, vor allem Rotwein, Viren besser ausschaltet als Trauben oder Traubensaft.

Ein Stärkungsmittel für das Herz?

Alkoholische Getränke, vor allem Wein, sind möglicherweise Stärkungsmittel für das Herz- und Gefäßsystem. Epidemiologen haben einen Zusammenhang zwischen einer niedrigeren Rate von Herzkrankheiten und höherem Alkoholkonsum im allgemeinen festgestellt. Der kanadische Forscher Dr. Amin A. Nanji, ein Pathologe an der University of Ottawa in Ontario, stieß jedoch vor kurzem auf eine faszinierende Tatsache, als er den Alkoholkonsum von Nationen in Prozentzahlen zerlegte, die sich auf die *Art* der alkoholischen Getränke bezogen. Dabei zeigte sich, daß das Weintrinken am engsten mit niedrigen Raten an tödlichen Herzkrankheiten verbunden war. In Ländern, in denen mehr Alkohol in

Form von Wein konsumiert wurde, sanken die Sterberaten an Herzkrankheiten bei Männern (für Bier galt das Gegenteil, aber, wie der Autor vermerkt, widerspricht das etlichen anderen Studien). Länder, in denen über 90 Prozent des Alkohols in Form von Wein getrunken wurde, hatten die niedrigsten Sterberaten an Herzkrankheiten. Dr. Nanji meint, die Herzmedizin im Wein sei nicht der Alkohol, sondern bestehe aus anderen unbekannten Substanzen.

Trotz widersprüchlicher Beweise scheinen alkoholische Getränke das wohltätige HDL-Cholesterin zu erhöhen. Vor kurzem zeigte eine eindrucksvolle britische Studie über hundert Männer und Frauen, daß mindestens ein alkoholisches Getränk am Tag – in der Studie wahlweise ein Glas Wein oder Sherry – das wünschenswerte Blutcholesterin vom Typ HDL um 7 Prozent erhöhte. Als die Versuchspersonen abstinent wurden, sanken die HDL-Werte wieder.

Gegengift gegen Krebs?

Die mikrobenbekämpfenden Stoffe im Wein könnten möglicherweise auch dazu beitragen, Krebs entgegenzuwirken, wie Dr. Hans Stich meint, ein angesehener Experte für Karzinogene. »Wein, vor allem Rotwein, enthält hohe Konzentrationen von Gallinsäure, einer der Tanninsäuren, die dem Wein das Bukett geben«, sagt Dr. Stich. »Gallinsäure ist außerdem ein Antikarziogen. Bei Tests, die wir durchführten, verhütete sie, daß verschiedene Karzinogene Chromosomenmutationen bewirkten.« Sie verhinderte also Mutationen, von denen angenommen wird, daß sie krebserzeugendes Potential schaffen. Das bedeutet, daß Wein krebsbekämpfend wirken könne, sagt Dr. Stich.

Bei einer Analyse wurde festgestellt, daß Rotwein von allen getesteten Getränken mit weitem Abstand die meiste Gallinsäure enthielt.

Praktische Hinweise

O Wein und Gewicht. Wein stimuliert den Appetit, was gut ist, wenn es daran mangelt. Zum Beispiel steigert ein Glas Wein vor dem Essen den Appetit älterer Menschen, die zu Unterernährung neigen. Aber macht Alkohol denn nicht alle Diätanstrengungen zunichte? Zu dieser Frage liegen faszinierende neue Beweise vor. Die schlechte Nachricht, Tests an der Mayo-Klinik zufolge: Tiere, die auf eine kalorienreduzierte Diät gesetzt worden waren, fraßen mehr, wenn ihnen Alkohol gegeben wurde, und das nicht nur, weil der Alkohol die Willenskraft zerstörte. Der erhöhte Appetit ist möglicherweise alkoholbedingten Veränderungen im Körper zuzuschreiben. Wer eine Diät macht, sollte also auf alkoholhaltige Getränke vor dem Essen verzichten.

Aber jetzt die verblüffende gute Nachricht: Überschüssige Alkoholkalorien werden vermutlich nicht so bereitwillig in Fett umgewandelt wie andere Kalorien. Forscher der Stanfort University überhäuften übergewichtige Männer in den mittleren Jahren mit Essen und gaben ihnen außerdem im Durchschnitt zwei alkoholische Getränke pro Tag. Wie zu erwarten war, nahmen die Männer durch den zusätzlichen Alkohol mehr Kalorien zu sich und aßen außerdem im Vergleich zu Abstinenzlern auch etwas mehr. Aber es geschah Seltsames: Bei denen, die Alkohol tranken, nahm die Stoffwechselaktivität deutlich zu, wodurch ein Teil der überschüssigen Alkoholkalorien verbrannt wurde. Bei den Männern, die am Tag eines bis drei alkoholische Getränke zu sich nahmen, führte die Stoffwechselbeschleunigung im Vergleich mit Abstinenzlern oder ganz mäßigen Trinkern zum teilweisen Abbau der überschüssigen Alkoholkalorien. Obwohl die Forscher über den Grund für das Paradox nur spekulieren konnten, lautete ihre unausweichliche Schlußfolgerung: »Alkohol ist möglicherweise, zumindest in Maßen, kein solcher Dickmacher, wie von jeher angenommen wurde.«

○ Reisende in Weltgegenden, wo das Wasser nicht frei von Bakterien ist, desinfizieren es, indem sie es zur Hälfte mit Wein mischen. Was das Abtöten der Bakterien anlangt, wirken roter und weißer Wein gleich gut, wobei schwere Südweine wie Portwein einen leichten Vorsprung haben.

○ Sie können auch etwas Rotwein verdunsten lassen und mit dem Rückstand Frostbeulen betupfen. Dr. Konowalchuk sagt, das bringe sie schnell zum Verschwinden und stille den Schmerz sofort.

Mögliche schädliche Wirkungen

○ Falls Sie anfällig für Migräne sind, seien Sie vorsichtig mit Rotwein. Rotwein ist als einer der häufigsten Auslöser von Migräne bekannt.

○ Alkoholische Getränke, darunter auch Wein, sind ein Risiko für Menschen, die zu Gicht neigen.

○ Alkohol, auch in mäßigen Mengen, ist in Zusammenhang gebracht worden mit höhere Raten von bestimmten Krebsarten, darunter Brust-, Dickdarm-, Mastdarm- und Lungenkrebs.

○ Andere Gefahren des Trinkens: Alkoholismus, Leberzirrhose, höherer Blutdruck, Bauchspeicheldrüsenentzündung, Herzrhythmusstörungen und fetales Alkoholsyndrom bei Kindern.

Widersprüchliche Beweise

Bei einer großen Studie, die vor kurzem in Großbritannien durchgeführt wurde, ist festgestellt worden: Mäßiges Trinken soll nicht tödlich verlaufenden Herzinfarkten bei Männern mittleren Alters keineswegs vorbeugen.

Weizenkleie

Möglicher therapeutischer Nutzen:

- Lindert Verstopfung
- Beugt Divertikulose vor, Krampfadern, Hämorrhoiden und Hiatushernie
- Verbessert die Darmfunktion im allgemeinen
- Wird in Verbindung gebracht mit niedrigeren Raten von Dickdarmkrebs

---

Wieviel? Als Abführmittel reichen normalerweise nur drei Eßlöffel Weizenkleie pro Tag aus, um chronische Verstopfung zu beseitigen. Dagegen hat die doppelte Menge bei manchen Menschen Durchfall verursacht, obwohl aus der Forschung hervorgeht: Es gibt riesige Unterschiede darin, wie einzelne Menschen auf Weizenkleie reagieren.

Überlieferung

Daß Vollkornbrot abführend wirkt, hat schon Hippokrates festgestellt. In den Vereinigten Staaten wurde der

Gedanke Anfang des 19. Jahrhunderts populär, gleichzeitig mit einer breiten Bewegung in der Bevölkerung im Hinblick auf eine vegetarische Ernährung und den missionarischen Bestrebungen von Sylvester Graham, nach dem das Grahambrot benannt ist. Trotzdem wurde der gesundheitliche Nutzen der Weizenkleie von einem großen Teil der medizinischen Zunft bis in die dreißiger Jahre als reiner Volksglaube angesehen. Viele Ärzte verboten gar den Verzehr von Kleie, weil sie meinten, »Kroppzeug« sei für den Dickdarm schädlich und reize ihn.

Fakten

Weizenkleie ist das großartigste Heilmittel der Natur gegen Verstopfung. Darüber hinaus sind viele Experten der Meinung, daß das Vermeiden von Verstopfung das Risiko verringert, Hämorrhoiden, Divertikulose, Krampfadern oder Hiatushernie zu bekommen, möglicherweise auch das Risiko auf Dickdarmkrebs. Im Gegensatz zu einer weit verbreiteten Meinung senkt Weizenkleie jedoch weder das Blutcholesterin noch den hohen Blutdruck. Auch von einem spezifischen Nutzen gegen Herz- und Gefäßkrankheiten ist nichts bekannt.
Die Kräfte der Weizenkleie werden ihrem hohen Gehalt an Ballaststoffen zugeschrieben. Die Kleie – die Außenschicht oder Hülle des Weizenkorns – ist die reichste Quelle an unlöslichen Ballaststoffen in der Ernährung, die bekannt ist. Am wichtigsten ist dabei die Tatsache, daß Kleie bei den meisten Menschen die Stuhlmenge auf spektakuläre Weise vergrößert. Das, sagen die Experten, ist der Hauptfaktor bei der Bekämpfung von Verstopfung und anderer Verdauungs- und Darmstörun-

gen, außerdem bei der Verringerung der Anfälligkeit für Dickdarmkrebs.

Ein kräftiges Abführmittel

Die Fähigkeiten der Weizenkleie bei der Heilung von Verstopfung sind legendär. Kein anderes Mittel kommt ihr darin gleich, umfangreicheren, weicheren, aber schwereren Stuhl zu erzeugen, den Kot schneller durch den Dickdarm zu schleusen und andere positive Stoffwechselwirkungen für die Darmfunktion zu bewirken. Das belegt auch eine interessante Studie: In der Hoffnung, beweisen zu können, Gemüse sei als Quelle für stuhlvergrößernde Ballaststoffe eine Alternative, gab ein Spitzenteam britischer Ballaststoffexperten vom Dunn Clinical Nutrition Centre in Cambridge, England, unter der Leitung von Dr. John H. Cummings neunzehn gesunden Männern konzentrierte Weizenkleie zu essen, aber auch eine ballastreiche Kost, die aus Karotten, Kohl und Äpfeln bestand. Sie stellten fest, daß Gemüse und Äpfel zwar ebenfalls nützlich waren, aber im Vergleich zur Weizenkleie kläglich abschnitten. Im einzelnen fanden sie heraus, daß 50 Gramm Weizenkleie pro Tag im allgemeinen das Gewicht des Stuhls verdoppelten. Um dasselbe zu bewirken, müßte man etwa 14 Scheiben Vollkornbrot essen oder 100 Gramm gekochte Karotten oder 725 Gramm gekochten Kohl oder 11 Äpfel. Obwohl Gemüse und Äpfel also durchaus eine Wirkung erzielten, war die Weizenkleie absolute Spitze!
Laut dem Briten Dr. Denis Burkitt, dem Vater der Ballaststofftheorie, ist es für die Bevölkerung der westlichen Welt nötig, den Stuhlumfang mindestens zu verdoppeln. Dr. Burkitt hat festgestellt, daß in den ländlichen Gebieten von Afrika und Indien, wo der Ballaststoffver-

zehr hoch ist und Darmkrankheiten so gut wie unbekannt sind, der Stuhl im Durchschnitt 300 bis 500 Gramm pro Tag wiegt und den Ernährungstrakt vom Mund bis zum Anus in etwa dreißig bis fünfunddreißig Stunden passiert. Im Gegensatz dazu beträgt das Stuhlgewicht in der westlichen Welt knapp über hundert Gramm pro Tag, und die Durchgangszeit liegt bei gesunden jungen Erwachsenen bei etwa drei Tagen und bei älteren Menschen bei bis zu über zwei Wochen.

Weizenkleie wirkt

Krankenhäuser und Pflegeheime, die Abführmittel durch Weizenkleie ersetzt haben, sind dafür reich belohnt worden. Bei einem britischen Test im Brighton General Hospital fügten die Ärzte den Frühstücksflocken, der Milch, der Suppe, den Kartoffeln und Puddings, aber auch anderer Kost, die alte behinderte Patienten mit langwieriger Verstopfung bekamen, am Tag 15 Gramm Weizenkleie hinzu. Sie wirkte, vor allem bei Männern. In einem Pflegeheim in New Jersey heilten 15 Gramm Vollwertweizenkleie pro Tag, mit Haferflocken vermischt, in etwa 60 Prozent der Fälle die Verstopfung.

Die Krebshypothese

Die Theorie besteht darin: Jemand, der mehr Getreideballaststoffe ißt, wie sie in der Weizenkleie enthalten sind, ist weniger wahrscheinlich für Dickdarm- und Mastdarmkrebs anfällig. Dr. John Weisburger und seine Kollegen von der American Health Foundation haben dokumentiert, daß finnische Bauern, obwohl sie – in Form von Milchprodukten – zuviel Fett zu sich nehmen, durch ihren hohen Verzehr von Vollkornprodukten und

Vollkornweizenbrot in einem gewissen Grad gegen Dickdarmkrebs immunisiert zu sein scheinen. Ballaststoffreiche Weizenprodukte scheinen auch in Nordschweden die Krebsarten, die durch eine zu fettreiche Ernährung gefördert wird, zu hemmen. Ein Schlüssel zu diesem Schutz, glauben die Wissenschaftler, ist der umfangreichere Stuhl. Dr. Weisburger sagt, Dickdarmkrebs stehe in umgekehrt proportionalem Verhältnis zu dem Stuhlumfang.

Und was hat ein umfangreicherer Stuhl durch das Essen von Weizenkleie mit bösartiger Krebsbildung zu tun? Hier die Theorie: Aufgrund normaler Stoffwechselprozesse wird der Dickdarm durchspült von Gallensäuren, von denen angenommen wird, daß sie Krebs fördern. Auch andere Karzinogene passieren den Dickdarm, die vermutlich aus pestiziden Rückständen in der Nahrung stammen, und so weiter. Wenn der Stuhl umfangreicher ist, werden die Karzinogene stärker voneinander getrennt und sind weniger dazu in der Lage, mit anfälligen Zellen an der Dickdarmwand Kontakt aufzunehmen. Außerdem passiert umfangreicherer Stuhl den Dickdarm schneller und schleust die Karzinogene aus dem Körper, so daß sie nicht »seßhaft« werden und Zellen schädigen können. Gleichzeitig verändert Weizenkleie den Dickdarmschleim und bildet dadurch vermutlich eine Abwehrschicht gegen die frühe Tumorbildung. Weizenkleie fermentiert Stoffwechselsubstanzen im Dickdarm und setzt sie frei – und diese Substanzen hemmen möglicherweise die Krebsaktivität, darunter auch die Umwandlung bestimmter Gallensäuren in Karzinogene.

Volle zweiunddreißig von vierzig weltweiten epidemiologischen Studien zeigen, daß das Essen von ballaststoffreicher Nahrung, darunter Weizenprodukte, mit niedrigeren Raten von menschlichem Dickdarmkrebs in Verbindung steht. Bei Versuchstieren hemmt denn auch Weizenkleie die Entwicklung von Dickdarmkrebs konstanter als jeder andere Ballaststoff – in etlichen Fällen hat sie den Krebs sogar dann abgewehrt, wenn die Forscher den Dickdarm der Tiere mit karzinogener Gallensäure überschwemmten.

Das Geheimnis des Weizens könnte tatsächlich in einer bestimmten Substanz seines Ballaststoffs liegen. Einem britischen Arzt fiel auf, daß die Sterberate an Dickdarmkrebs bei Schotten ein Drittel höher war als diejenige der Einwohner von Südostengland – und machte sich daran, die Gründe herauszufinden. Er verglich die verzehrten Ballaststoffmengen und stellte keinen Unterschied fest. Aber er entdeckte, daß die Schotten viel weniger Pentose aßen, einen Ballaststoffzucker, der am häufigsten in Getreideprodukten auf Weizenbasis gefunden wird. Eine Studie der Internationalen Zentralstelle für Krebsforschung ergab, daß die Einwohner von Kopenhagen – mit einer dreimal so hohen Dickdarmkrebsrate wie die Einwohner der ländlichen Gemeinde Kuopio in Finnland – nur halb soviel Pentose aßen wie die Finnen.Pentose ist außerdem der Stoff, der in erster Linie für die Fähigkeit der Weizenkleie, umfangreicheren Stuhl zu erzeugen, verantwortlich ist.

Praktische Hinweise

o Wenn Sie schon länger unter Verstopfung leiden, brauchen Sie vermutlich mehr Weizenkleie, um regelmäßige, angenehme Darmbewegungen zu bewirken, als ein Mensch, der im allgemeinen einen umfangreicheren Stuhl hat. Das zeigen umfangreiche Studien. Dr. Cummings hat bei seinen Tests riesige

Unterschiede bei der Reaktion auf Ballaststoffe festgestellt. Manche Menschen brauchen sechsmal soviel Ballaststoffe wie andere, um die Stuhlmenge zu vergrößern.

o Im allgemeinen ist die Wirkung um so stärker, je gröber die Kleie ist.

o Fügen Sie Kleie Ihrer Ernährung schrittweise hinzu, in kleinen Mengen, statt eine große Dosis auf einmal zu nehmen – und warten Sie das Ergebnis ab.

Mögliche schädliche Wirkungen

o Zuviel Weizenkleie kann Durchfall verursachen.

o Wer unter Divertikeln leidet, sollte ärztlichen Rat suchen, ehe er große Mengen Kleie ißt. Zuviel Ballaststoffe können Darmeinklemmungen verursachen.

o Ballaststoffreiche Nahrung wie Kleie ist nicht ratsam für Menschen, die an der Crohnschen Krankheit leiden, einer Entzündungskrankheit des Darmtrakts.

Zitronen und Limonen

Wahrscheinlich ist die Zitrone unter allen Früchten die wertvollste zur Erhaltung der Gesundheit.

Maud Grieve, A. Modern Herbal, 1931

Möglicher therapeutischer Nutzen:

o Beugen Skorbut vor und heilen ihn

o Enthalten chemische Stoffe, die Krebs hemmen

Überlieferung

Im 3. Jahrhundert n. Chr. glaubten die Römer, die Zitrone sei ein Gegengift gegen alle möglichen Arten von Giften – wie auch die Geschichte von Verbrechern zeigt, die Giftschlangen vorgeworfen wurden: Der eine, der zuvor eine Zitrone gegessen hatte, überlebte den Schlangenbiß, der andere starb. Auch eine weitere Legende rankt sich um die Zitrusfrucht: Aus dem Glauben heraus, sie könne eine im Hals steckengebliebene Gräte auflösen, wurde sie zur Beilage von Fisch. Zitronensaft wird auch seit langem gerühmt als Entwässerungsmittel, als schweißtreibendes Mittel, als Adstringens (und deshalb als gutes Gurgelmittel gegen Halsschmerzen und als lindernde Einreibung gegen Sonnenbrand), zur Beruhigung von Schluckauf und auf der ganzen Welt als Stärkungsmittel. In Indien besteht die traditionelle »Morgenstärkung« aus zwei Löffeln Zitronensaft, vermischt mit zwei Eßlöffeln Honig und drei Eßlöffeln Wasser.

Fakten

Zitronen und Limonen wurden berühmt durch die Fähigkeit, Skorbut vorzubeugen, die ehemalige Geißel der Seeleute, die monatelang ohne frisches Obst und Gemüse auskommen mußten. Etwas mehr als ein Eßlöffel Zitronensaft am Tag beugt wegen des Vitamin-C-Gehalts Skorbut vor. Skorbut ist eine gefährliche, potentiell tödliche Krankheit, die durch den Mangel an Vitamin C entsteht (die Muskeln schwinden, Wunden heilen nicht, die Haut wird schrundig, die Gaumen bluten und faulen). Jahrelang war englischen Schiffen gesetzlich vorgeschrieben, so viel Zitronensaft an Bord zu nehmen, daß jeder Seemann nach zehn Tagen auf See drei

Eßlöffel täglich bekommen konnte. Dieser Umstand hat den Engländern mancherorts den Spitznamen »Limeys« eingebracht.

Am Vitamin C liegt es vermutlich auch, daß Zitronensaft ein Antioxidans ist. Deutschen Studien zufolge, über die 1986 berichtet wurde, weisen Zitronenschalen darüber hinaus eine erstaunliche antioxidatorische Aktivität auf, die nichts mit dem Vitamin C zu tun hat. Von Antioxidantien wird angenommen, daß sie eine tiefgreifende, wohltätige Wirkung auf menschliche Zellen haben und unter anderem karzinome Veränderungen bekämpfen und das Altern verzögern. Pektin (ein Ballaststoff), das in Fruchtfleisch von Zitrusfrüchten gefunden wird, senkt außerdem das Blutcholesterin.

Bei einer Analyse von Pflanzen, die im Menschen Fadenwürmer abtöten, war Zitronenextrakt wirksam. Zitronenöl kann außerdem Pilze abtöten. Und die Jugoslawen haben festgestellt, daß Zitronenöl auf das Nervensystem von Fischen eine leicht beruhigende Wirkung hat.

Zucker

In anstrengenden Zeiten süße den Tee.
Chinesisches Sprichwort

Möglicher therapeutischer Nutzen:

○ Wirkt beruhigend
○ Lindert Angstzustände und Streß
○ Führt zu Entspannung und Schlaf
○ Steigert bei manchen Menschen die Konzentration
○ Wirkt als Antidrepessivum

o Tötet Bakterien ab

o Heilt Wunden

Wieviel? Etwa zweieinhalb Eßlöffel weißer Zucker, ein Schokoladeriegel von 60 Gramm oder 60 Gramm Weingummi (jeweils etwa 30 Gramm reine Kohlenhydrate) reichen im allgemeinen aus, um Angstzustände und geistigen Streß zu lindern und Entspannung und Schläfrigkeit herbeizuführen.

Fakten

Nur im Altertum scheint die Wirkung von Zucker und Süßigkeiten richtig begriffen worden zu sein. Während die meisten Menschen glauben, Zucker steigere die Energie und mache Kinder sogar hyperaktiv, hat er im allgemeinen die gegenteilige Wirkung: Er wirkt auf die meisten Nervensysteme als Tranquilizer, bringt Sie zur Ruhe, steigert Ihre Konzentration und macht Sie schläfrig. Genau wie Honig wirkt er außerdem wahre Wunder bei der Heilung von Wunden.

Zucker im Gehirn

Die Legende behauptet, Süßigkeiten würden Zucker in Ihr Blut pumpen und Ihnen so zu mehr Energie verhelfen. Die Wahrheit ist, daß es so gut wie nichts mit Ihrer Stimmung oder Energie zu tun hat, wieviel Zucker Sie im Blut haben. Das haben Hunderte von Experimenten am Massachusetts Institute of Technology ergeben. Wie Sie sich geistig fühlen, hat nichts mit dem Blutzuckerspiegel zu tun, sondern mit chemischen Vorgängen im Gehirn. Und Nahrung mit Zucker löst einen Prozeß physiologischer Veränderungen aus und erzeugt einen chemischen Stoff im Gehirn, der beruhigt, statt die Energie zu steigern.

Durch das Essen von Zucker oder anderen Kohlenhydraten steigt das Insulin im Blut und löst die Produktion einer größeren Menge eines chemischen Stoffes namens Tryptophan aus. Das Tryptophan eilt ins Gehirn und produziert dort Serotonin – einen Neurotransmitter, der als beruhigender chemischer Stoff bekannt ist. Und je mehr Tryptophan ins Gehirn kommt, desto mehr Serotonin kann hergestellt werden. »Als Folge davon werden Sie sich weniger angespannt fühlen, weniger nervös, konzentrierter und entspannter«, sagt Dr. Judith Wurtman, eine führende Forscherin am Massachusetts Institute of Technology auf diesem Gebiet.

Die richtige Zuckerdosis, sagt sie, lasse sich ziemlich genau feststellen. Wer sich ruhiger fühlen will, braucht etwa 30 Gramm reine Kohlenhydrate; das sind umgerechnet etwa 2 1/2 Eßlöffel Zucker oder 60 Gramm Süßigkeiten. Menschen mit 20 Prozent Übergewicht brauchen etwas mehr – ein Drittel oder die Hälfte zusätzlich. Tests zeigen, daß mehr als die Minimaldosis die Anspannung weder schneller noch besser lindert und auch nicht schneller oder besser einschläfert. Beim Heben des Serotoninspiegels zählen die ersten Löffel Zucker, die geschluckt werden.

Bei manchen Menschen wirkt Zucker als Antidepressivum. Experten haben festgestellt, daß Menschen mit niedrigen, vom Zucker beeinflußten Serotoninwerten im Gehirn zu Depressionen neigen, die so schwer werden können, daß sie sogar bis zum Selbstmord führen. Dr. Norman Rosenthal vom National Institute of Mental Health hat eine Gruppe von Menschen untersucht, die an einer jahreszeitlich bedingten Depression leiden, die offenbar durch den Rückgang des Tageslichts in den

Wintermonaten verursacht wird. Dr. Rosenthal glaubt, der Lichtmangel senke bei Menschen, die für diese Störung anfällig sind, den Serotoninspiegel im Gehirn. Im Versuch, das Serotonin anzuheben und die Depression zu bekämpfen, sagt Dr. Rosenthal, äßen viele der Betroffenen »als eine Art Selbstmedikation« in den dunklen Monaten große Mengen von Kohlenhydraten.

Frau Dr. Wurtman führt aus, daß der Mechanismus von Zucker tatsächlich ähnlich zu wirken scheint wie der von Antidepressiva. »Vielleicht verstärken Kohlenhydrate genau wie die meisten Antidepressiva die serotoninabhängige Neurotransmission«, stellt sie fest. Bei manchen Bevölkerungsgruppen gehen die Selbstmordraten zurück, wenn der Verzehr von Kohlenhydraten steigt. Und Autopsien von Selbstmördern zeigen häufig niedrigere Serotoninspiegel im Gehirn.

Laut sorgfältig durchgeführten Studien von Forschern am National Health Institute gibt es im Gegensatz zu einem weit verbreiteten Glauben keine überzeugenden Beweise dafür, daß Zucker Kinder übertrieben aufgedreht macht. Ganz im Gegenteil: Es ist wahrscheinlicher, daß Süßes Kinder beruhigt. Auch die Vorstellung, daß gezuckerte Nahrung kriminelles Verhalten verursacht, ist völlig ungerechtfertigt.

Eine Ausnahme

Manche Menschen – Frau Dr. Wurtman zählt sich dazu – werden jedoch mit einem chemischen System im Gehirn geboren, das ihre Reaktion auf Zucker verändert. Zucker und andere Kohlenhydrate machen sie dann nicht schläfrig, sondern konzentrierter und wach. Laut Frau Dr. Wurtman fühlen sich solche Menschen, die nach Kohlenhydraten »schmachten«, oft unmittelbar vor einem »Kohlenhydratschub« antriebsschwach, ruhelos und gelangweilt. Nachdem sie Zucker oder andere Kohlenhydrate gegessen haben, fühlen sie sich weniger zerstreut, sind besser fähig, sich zu konzentrieren, und werden ruhiger. Wenn ihnen ein Medikament gegeben wird, das die Serotoninwerte erhöht, lassen darüber hinaus ihre Gelüste nach Kohlenhydraten auf spektakuläre Weise nach, was beweist, daß sie aus irgendeinem Grund einen Mangel an diesem chemischen Gehirnstoff haben.

Süße Wunden

Wie Honig ist Zucker eine phantastische Wundheilsubstanz. Dr. Richard A. Knutson, ein Chirurg am Delta Medical Center in Greenville, Mississippi, hat dreitausend Patienten mit Verbrennungen, Magengeschwüren, Platzwunden, Schußwunden, offenen Brüchen und nach Amputationen mit »einer nahezu vollkommenen Erfolgsrate« mit Zucker behandelt. In vielen Fällen wirkte Zucker, wo Antibiotika versagten, sagt er, und war besonders erfolgreich bei Verbrennungen. Anfangs habe er befürchtet, daß Zucker das Bakterienwachstum fördere, sagte er, aber genau das Gegenteil sei der Fall gewesen: Zucker habe Infektionen schnell unterdrückt.

Zucker wird in der modernen Medizin allgemein zur Beschleunigung von Wundheilungen verwendet – in Großbritannien, Israel, Deutschland und vor allem in Argentinien. Ein Team in Buenos Aires unter der Leitung von Dr. Leon Herzsage setzte für die Wunden von 120 Patienten Zucker ein, nachdem die herkömmliche Behandlung fehlgeschlagen war. Die Erfolgsrate lag bei 69 Prozent.

Damit der Zucker mit den Wunden in Berührung

kommt, mischt Dr. Knutson vier Teile weißen Tafel-
zuckers mit einem Teil Betadinesalbe, einer Salbe auf
Jodbasis, die in den meisten Apotheken erhältlich ist
(die Konsistenz gleicht der von Erdnußbutter).

Praktische Hinweise

Einige Tips von Frau Dr. Wurtman:

o Wenn Sie die bestmögliche beruhigende Wirkung erzielen wollen, nehmen Sie die Kohlenhydrate rein –
ohne Eiweiß und mit sowenig Fett wie möglich. Eiweiß und Fett verlangsamen oder hemmen den Prozeß, durch den Serotonin ins Gehirn gelangt.

o Fruchtzucker bewirkt nicht, daß beruhigende chemische Stoffe im Gehirn erzeugt werden.

o Manche Menschen spüren innerhalb von fünf Minuten eine mentale Besserung. Im allgemeinen dauert es
etwa zwanzig Minuten, bis die Süßigkeit verdaut ist
und die Wirkung im Gehirn einsetzt. Wenn Sie dazu
gehören, versuchen Sie es mit koffeinfreien, zucker-
haltigen Limonaden, mit Kräutertee, den Sie mit zwei
Eßlöffeln Zucker süßen, oder mit einer Tasse Pulver-
kakao, den Sie mit Wasser zubereiten.

o Versuchen Sie es gegen Schlaflosigkeit mit »dreißig
bis fünfzig Gramm von etwas Süßen oder Stärke vor
dem Schlafengehen«. Bei den meisten Menschen ist
das »so wirkungsvoll wie eine Schlaftablette, aber
ohne die Nebenwirkung der Benommenheit am Morgen und ohne den möglichen Mißbrauch, der bei
Schlafmitteln nicht auszuschalten ist«, sagt Frau Dr.
Wurtman.

Vorsicht

○ Zucker hat bis auf Kalorien, die Energie liefern, keinerlei Nährwert. Wer im Übermaß gezuckerte Nahrung ißt, kann zunehmen – aber was noch schlimmer ist: Vor allem bei Kindern wird dann in vielen Fällen nahrhafte Kost durch wertlose ersetzt, und der Körper wird so sehr wichtiger Nährstoffe beraubt.

○ Zucker fördert eindeutig Karies.

○ Zucker kann ein steiles Ansteigen von Insulin und Blutglukose verursachen, obwohl Tafelzucker in seiner Fähigkeit, den Blutzucker schnell zu erhöhen, hinter bestimmten Gemüsen wie Kartoffeln, Karotten und Reis rangiert.

○ Verwenden Sie keinen Zucker auf Wunden als Ersatz für korrekte medizinische Versorgung. Es könnte gefährlich sein, Zucker auf die Wunde zu geben, bevor die Blutung zum Stillstand gekommen oder die Wunde gereinigt worden ist.

Zucker wird oft falsch eingeschätzt

Zucker ist von etlichen Verdachtsmomenten freigesprochen worden. Reiner Zucker führt nicht zu Hyperaktivität bei Kindern, kriminellem Verhalten, Diabetes, Herzkrankheiten, Akne, Fettleibigkeit. Obwohl Zucker zu diesen Störungen beitragen kann, sind fette Nahrungsmittel – häufig fette, gesüßte Nahrungsmittel – die eigentlichen Auslöser.

Zwiebeln

Wenn ich erkältet bin, besteht mein Patent-
rezept darin, kurz vor dem Schlafengehen
eine heiße, geröstete Zwiebel zu essen.
George Washington zugeschrieben

Möglicher therapeutischer Nutzen:

o Eindeutig eine vielseitige Arznei für Herz und Blut
o Fördern günstiges HDL-Cholesterin
o Verdünnen das Blut
o Verzögern die Blutgerinnselbildung
o Senken das Blutcholesterin
o Regulieren den Blutzucker
o Töten Bakterien ab
o Befreien die Bronchien von Sekretstau
o Hemmen bei Tieren Krebs

> *Wieviel?* Nur eine halbe rohe Zwiebel am Tag kann Ihr gutes HDL-Blutcholesterin im Durchschnitt um 30 Prozent steigern. Ein bloßer Eßlöffel gekochte Zwiebeln kann nach einer fettreichen Mahlzeit die Neigung des Bluts zur Gerinnselbildung unterbinden. Und 100 Gramm Zwiebeln am Tag – roh oder gekocht – sorgen dafür, daß Ihr Blut in vielerlei Hinsicht in blendender Verfassung bleibt.

Überlieferung

Zwiebeln in der Suppe, roh, geröstet oder zu einem Sirup gekocht, sind jahrhundertalte Heilmittel gegen Erkältungen. Wie ihr Vetter, der Knoblauch, wird die Zwiebel seit fast sechstausend Jahren angebaut, und im Verlauf dieser Zeit wurde ihr nachgesagt, sie könne so gut wie jede dem Menschen bekannte Krankheit heilen oder ihr vorbeugen. In der modernen Volksmedizin wird die Zwiebel überall auf der Welt im allgemeinen gegen Infektionen verwendet, vor allem gegen Ruhr, als Entwässerungsmittel, zur Senkung des Blutdrucks, als Expektorans, zur Stärkung des Herzens, als Empfängnisverhütungsmittel und als Aphrodisiakum. Eine amerikanische Medizinzeitschrift von 1927 nennt Zwiebeln »Blutreiniger, Beruhigungsmittel, Expektorantien ... wohltätig in Fällen von Schlaflosigkeit, allgemeiner nervöser Reizbarkeit, Husten und Bronchialproblemen.«

Fakten

Die Zwiebel und ihr Vetter, der Knoblauch, sind vollgepackt mit ähnlichen therapeutischen Stoffen. Aber Zwiebeln haben einzigartige Eigenschaften, die am Knoblauch nicht beobachtet werden, und werden in größeren Mengen gegessen. Die Zwiebel gehört zu den besten getesteten Wundernahrungsmitteln in der Lebensmittelapotheke – eine wirksame, vielseitige Knolle gegen eine lange Liste von menschlichen Beschwerden, genau wie von alters her vermutet wurde.

Herzhafte Zwiebeln

Dr. Victor Gurewich, ein Professor für Medizin an der Tufts University, hat ein Rezept für seine Herzpatienten: »Essen Sie Zwiebeln.« Dr. Gurewich hat festgestellt, daß rohe, scharfe Zwiebeln das wichtige HDL-Blutcholesterin eindeutig erhöhen. Seine therapeutische Dosis besteht normalerweise aus nicht mehr als einer halben, mittelgroßen Zwiebel pro Tag – oder der entsprechenden Menge Zwiebelsaft. Das reiche im allgemeinen aus, sagt er, die HDL-Werte bei etwa drei von vier seiner herzkranken Patienten »auf spektakuläre Weise« um durchschnittlich 30 Prozent zu steigern. In etlichen Fällen haben sich die HDL-Werte durch die Zwiebelkur sogar verdoppelt und verdreifacht. Dr. Gurewich hat den chemischen Stoff in der Zwiebel, der das HDL fördert, nicht identifiziert, obwohl er in seinem Labor für Gefäßkrankheiten 150 chemische Stoffe aus Zwiebeln isoliert hat. Er weiß jedoch, daß rohe Zwiebeln am besten wirken, während beim Erhitzen die Kraft der Zwiebeln, die HDL-Werte anzuheben, geschwächt oder gar zerstört wird.

Trotzdem sind gekochte Zwiebeln in anderer Hinsicht gut für das Herz- und Gefäßsystem. Wie Dr. Gurewich ebenfalls festgestellt hat, wirken Zwiebeln als Antikoagulans und stimulieren das schützende fibrinolytische (gerinnselauflösende) System des Körpers. Der Körper verfügt über ein ausgetüfteltes System zur Gerinnselbildung und zur Auflösung von Gerinnseln. Hinderliche Gerinnsel in den Herzarterien oder in anderen Blutgefäßen können den Sauerstoffnachschub abschnüren und dadurch den Herzmuskel sowie Gehirnzellen zerstören. Zwiebeln steigern einerseits die Neigung des Blutes, Gerinnsel aufzulösen, und verringern andererseits die Bereitschaft der Blutzellen, sich zusammenzuballen und dadurch Gerinnsel zu bilden. Sowohl britische als auch indische Wissenschaftler haben verblüffende Beweise dafür entdeckt, daß Zwiebeln auf verschiedene Weise das Risiko auf Herzkrankheiten verringern können.

Anfang der sechziger Jahre war die Theorie, daß das Essen von Fett das Blut vergiftet und zu Herz- und Gefäßkrankheiten führt, im Begriff, sich durchzusetzen. Zahlreiche Wissenschaftler hatten Substanzen – Medikamente, Nährstoffe, Östrogene, Salicylate – als mögliche das Blut verändernde, Herzkrankheiten bekämpfende Stoffe getestet, aber die meisten hatten schwerwiegende Nachteile. Dr. N.N. Gupta, ein Professor für Medizin am K.G. Medical College in Lucknow, Indien, kam auf eine glänzende Idee: Warum sollte man es nicht mit etwas versuchen, das bereits ein Bestandteil der Ernährung war – mit Zwiebeln? Das führte zu einer bahnbrechenden Entdeckung. Er setzte jungen Männern und Männern mittleren Alters eine fettreiche Mahlzeit vor, mit und ohne Zwiebeln, und maß die Veränderungen in ihrem Blut. Die Testmahlzeit enthielt 900 der insgesamt 1000 Kalorien in Form von Fett – aus Butter, Sahne und Eiern. Die Forscher wußten, daß eine derartig hohe Fettmenge sich schädlich auf das Blut auswirken würde – daß sie das Cholesterin erhöhen und die Neigung des Blutes zur Gerinnselbildung steigern würde. Anfangs aßen die Versuchspersonen nur die fettreiche Kost, doch später nahmen sie zusätzlich zu der fetthaltigen Mahlzeit etwa 60 Gramm Zwiebeln zu sich, paniert mit Kichererbsenmehl und leicht gebraten.

Eine verblüffende Umkehrung: Dr. Gupta und seine Kollegen waren verblüfft, als sie die Laborergebnisse des vor dem Essen und zweieinhalb Stunden danach abgenommenen Bluts zu Gesicht bekamen. Es gab keinen Zweifel daran, daß die Zwiebeln den erwarteten schädlichen Blutveränderungen durch das Fett entgegenwirkten. In allen Fällen, bei denen die fettreiche Mahlzeit das Blutcholesterin erhöht hatte, wurde es durch die Zwiebeln wieder reduziert. Besonders verblüffend war außerdem die Fähigkeit der Zwiebeln, die entscheidend wichtige gerinnsellösende Funktion des Blutes voll wiederherzustellen. Eine Reihe von Anschlußstudien zeigte außerdem: Ob die Zwiebeln nun roh, gekocht, gedünstet, geröstet oder getrocknet waren – die Wirkung war im wesentlichen gleich.

Es ist erstaunlich, was für geringe Zwiebelmengen erforderlich sind, um Blutveränderungen entgegenzuwirken, die durch Fett verursacht werden. Bei einer Studie aßen fünfundvierzig gesunde Menschen in Neu-Delhi fünfzehn Tage lang eine Kost mit 3 000 Kalorien täglich – etwa 45 Prozent davon in Form von Fett. Ihr Blutcholesterin stieg von durchschnittlich 219 auf 263. Aber wenn zusammen mit dem fettreichen Essen 10 Gramm Zwiebeln – nur ein Eßlöffel – verzehrt wurden, sank das Cholesterin auf einen Durchschnitt von 237. Der ursprüngliche Wert war zwar noch nicht wieder erreicht, aber trotzdem war die Wirkung von sowenig Zwiebeln bei soviel Fett gewaltig – und eine größere Menge Zwiebeln führte dann auch zu einer wirkungsvolleren Reduzierung des Blutcholesterins.

Je mehr, desto besser

Begeisterte Esser von Zwiebeln (und Knoblauch) machen einen gesünderen Eindruck, was Herz und Gefäße anlangt. Bei einer großen Übersicht – über eine vegetarische Dschaingemeinde in Indien – wurde festgestellt, daß Freunde von Zwiebeln und Knoblauch viel bessere Blutwerte (Cholesterin, Triglyzeride und HDL-Werte) hatten als diejenigen, die weniger davon aßen oder überhaupt nichts von Zwiebeln und Knoblauch wissen wollten. Eine Abhängigkeit von der Dosis war zwar vorhanden, doch selbst diejenigen, die wenig Zwiebeln und Knoblauch aßen, wiesen mehr Faktoren auf, die sich bei der Bekämpfung von Herzkrankheiten auswirken, als diejenigen, die beide Knollen ganz mieden. Das beste Blut hatten diejenigen, die etwa 600 Gramm Zwiebeln pro Woche aßen. Selbst bloße 200 Gramm Zwiebeln in der Woche sorgten dafür, daß das Blut besser zur Bekämpfung von Herz- und Gefäßkrankheiten gewappnete war.

Zwiebeln enthalten außerdem einen Stoff, der bei Versuchstieren den Blutdruck senkt. Es handelt sich um ein Prostagladin – das erste, das je aus einem pflanzlichen Nahrungsmittel isoliert wurde.

Ein Medikament für Diabetiker?

Im Altertum wurden Zwiebeln zur Behandlung von Diabetes verwendet, und 1923 entdeckten Forscher in Zwiebeln hypoglykämische Stoffe – Stoffe, die den Blutzucker senken. Bis in die sechziger Jahre ließ das Interesse daran nach. Dann isolierten Wissenschaftler aus der Zwiebel diabetesbekämpfende Stoffe, die dem Tolbutamid (Orinase) ähneln, einem weit verbreiteten Pharmazeutikum gegen Diabetes, das die Produktion und Freigabe von Insulin stimuliert. Beim Test an Kaninchen war ein Zwiebelextrakt in der Wirkung mit der des Tolbutamids ohne weiteres vergleichbar, und bei anderen Tierversuchen wurde außerdem festgestellt, daß Zwiebelsaft den Blutzucker senkte. Indische Forscher entdeckten, daß Zwiebelextrakt und ganz gewöhnliche rohe und gekochte Zwiebeln das Absinken des Zuckerspiegels von Menschen beschleunigen, nachdem ihnen Glukose gegeben worden war. Die Schlußfolgerung: Zwiebeln trugen dazu bei, dem durch Zucker verursachten Blutzuckeranstieg entgegenzuwirken. Vor kurzem isolierten ägyptische Pharmakologen eine Substanz aus der Zwiebel, Diphenylamin, und stellten fest, daß es bei hyperglykämischen Versuchskaninchen den Blut-

zuckerspiegel stärker senkte als das Medikament Tolbutamid.

Ein scharfes Antibiotikum

Zwiebeln sind auch ein starkes natürliches Antibiotikum. Als erster testete sie Pasteur Mitte des 19. Jahrhunderts. Er stellte fest, daß sie antibakteriell wirkten. Seitdem ist immer wieder bewiesen worden, daß Zwiebeln
und ihre Substanzen eine lange Liste krankheitserre-
gender Bakterien abtöten, darunter Escherichia coli und
Salmonellen. Bei einem Test gegen Tuberkulosekultu-
ren waren sowohl Zwiebeln als auch Schnittlauch erfolgreich. Vom Schnittlauch hieß es, er sei fast so wirksam gewesen wie Streptomycin.
Russische Wissenschaftler, die sich seit vielen Jahren
mit der Pharmakologie von Zwiebeln und Schnittlauch
befassen, analysierten 150 Pflanzen auf antibakterielle
Eigenschaften und stellten fest, daß Zwiebeln und
Knoblauch die wirksamsten sind. Der Leiter des Teams,
B. Tokin, nannte die Zwiebel ein wirksames Antiseptikum. Er wies darauf hin, daß die Mundhöhle vollkommen steril werde, wenn man drei bis acht Minuten lang
rohe Zwiebeln kaue, und daß die Dämpfe von Zwiebel-
brei von russischen Sanitätern im Zweiten Weltkrieg regelmäßig zur Behandlung von Wunden eingesetzt wurden. Ärzte berichten, der Zwiebeldampf habe den
Wundschmerz rasch gelindert und schnell zur Heilung
geführt. Ein Forscher, der sich mit den antibiotischen
Kräften der Zwiebel beschäftigt hat, bemerkte dazu, daß
das »Essen roher Zwiebeln möglicherweise eine heilende Wirkung bei Erkältungshalsschmerzen hat«.
Aus einem anderen Grund bezeichnet auch der Lungen-
experte Dr. Irwin Ziment Zwiebeln als ein gutes Heilmit-

tel gegen Erkältungen. Ihrer Schärfe wegen bringen sie, wie er sagt, den Magen dazu, einen »Tränenstrom« freizugeben, der in den Luftwegen von Hals und Lunge den Sekretstau löst. Deshalb haben Zwiebeln auch den Ruf, sie seien Expektorantien – Stoffe, die den Schleim durch die Lungen in den Hals befördern, wo er abgehustet wird. Auch das hilft den Lungen bei Erkältungen und Bronchitis.

Krebsbekämpfende Knollen

Neuerdings erweisen sich Zwiebeln auch als mögliche Gegengifte gegen Krebs, vor allem wegen ihres konzentrierten Gehalts an Schwefel, der Zellveränderungen, die dem Krebswachstum vorausgehen, abwehren kann. Forscher am Krebsinstitut des M.D. Anderson Hospital haben aus Zwiebeln Propylsulfid isoliert, das bei Tests Enzyme hemmte, die zur Aktivierung einer krebserregenden Substanz nötig sind. Forscher an der zahnmedizinischen Fakultät der Harvard University haben sogar festgestellt, daß Zwiebelextrakt in Kulturen von tierischen Mundkrebszellen die Vermehrung der Krebszellen beträchtlich hemmte und etliche zerstörte. Die Schlußfolgerung der Forscher: »Weil Zwiebelextrakt ein ungiftiger natürlicher Stoff ist, sollte sein Einsatz als mögliche chemoprophylaktische Substanz gegen Krebs gründlich erforscht werden.« Das National Cancer Institute subventioniert viele Studien über Sulfide in Zwiebeln und Knoblauch und nennt diese Stoffe vielversprechende Substanzen bei der Krebsabwehr.

Praktische Hinweise

○ Wenn Sie die HDL-Cholesterin-Werte erhöhen wollen, essen Sie Zwiebeln roh. Der Stoff, der das bewirkt, ist derjenige, von dem die Zwiebeln den scharfen Geschmack haben; wenn Sie also die Zwiebeln kochen, bis sie nach gar nichts mehr schmecken, ist die Wirkung auf die HDL-Werte zerstört. Wählen Sie außerdem gelbe und weiße Zwiebeln; die milderen roten Zwiebeln ohne den beißenden Geschmack sind nicht so wirkungsvoll.

○ Zwiebeln erhöhten nicht bei allen Menschen die HDL-Werte – bei einem von vier tritt nur eine schwache oder überhaupt keine Wirkung ein. Rechnen Sie mit zwei Monaten Zwiebelkur – mit mindestens einer halben mittelgroßen Zwiebel am Tag —, bis sich die HDL-Werte beträchtlich erhöhen.

○ Was andere herzschützende Wirkungen angeht, die sich auf die Gerinnselbildung im Blut beziehen, sind sowohl rohe als auch gekochte Zwiebeln geeignet.

Vierter Teil
Krankheiten und Nahrung

Ein kurzer Führer durch Heilung und Vorbeugung

Ein Mensch kann sich glücklich schätzen,
wenn das, was er ißt, auch seine Medizin ist.

Henry David Thoreau

Arthritis

Bei rheumatischer Arthritis: Fisch, der reich an Omega-3-Fettsäuren ist, zum Beispiel Lachs, Sardine, Seeforelle und Makrele, kann den Schmerzen und den Schwellungen vorbeugen oder sie lindern. Bei Tieren wirken Fischöle auf eindrucksvolle Weise vorbeugend gegen Lupus.

Asthma

Kaffee: zwei Tassen starker Kaffe können einen Asthmaanfall unterdrücken. Weitere gute Bronchiodilatoren: sehr scharfe Nahrung, zum Beispiel Chilipfeffer, Knoblauch, Zwiebeln, Senf, Meerrettich. Außerdem haben Fischöle auf spektakuläre Weise Bronchialasthma gelindert.

Blinddarmentzündung

Am besten: ballaststoffreiche Nahrung wie Weizenkleie, die dafür sorgt, daß der Stuhl weich und umfangreich bleibt. Eine britische Übersicht ergab, daß Erbsen, Kohl, Blumenkohl, grüne Bohnen, Rosenkohl und Tomaten vorbeugend gegen Blinddarmentzündungen wirken.

Blutdruck, hoher

Makrelen – zwei Dosen pro Woche – können den Blutdruck senken. Hilfreich sind auch Haferkleie sowie ballaststoffreiches Obst und Gemüse jeder Art. Als blutdrucksenkend haben sich außerdem erwiesen: Olivenöl, Knoblauch, Seetang (Algen), Joghurt, grüner Tee, Hülsenfrüchte und Milch. Überraschenderweise verursacht Kaffee weder hohen Blutdruck, noch verschlimmert er ihn (wobei Raucher hier in der Regel anders reagieren).

Cholesterin

Zur Senkung schädlichen LDL-(Low-Density Lipoprotein-) Cholesterins: Erste Wahl ist Haferkleie. Darauf folgen Haferflocken und getrocknete Bohnen, darunter auch ganz gewöhnliche Baked beans aus der Dose. Sojabohnen sind ausgezeichnet für Erwachsene und Kinder mit genetisch bedingtem hohen Cholesterinspiegel. Grapefruit (das Fruchtfleisch und die Häutchen, nicht der Saft) senkt ebenfalls das Cholesterin – außerdem frische Orangen, Äpfel, Joghurt, Magermilch, Karotten, Knoblauch, Zwiebeln, Gerste, Ingwer, Auberginen, Artischocken, unreife Kochbananen, Shiitakepilze, Olivenöl. Ersetzen Sie Fleisch und Huhn durch Meeresfisch, darunter auch Schalen- und Krustentiere. Gut sind alle Früchte mit hohem Pektingehalt, darunter Erdbeeren und Bananen.
Zur Erhöhung guten HDL-(High-Density Lipoprotein-)Cholesterins: Am besten sind starke, rohe Zwiebeln – mindestens eine halbe mittelgroße Zwiebel pro Tag. Ersetzen Sie andere Pflanzenöle und gesättigte Fette durch Olivenöl. Alkoholische Getränke wie Wein, Bier, Schnaps erhöhen, in Maßen getrunken (eines bis zwei Gläser am

Tag) ebenfalls die HDL-Werte. *Zusätzlicher Rat:* Reduzieren Sie die Gesamtmenge an Fett (vor allem gesättigte Fette wie tierisches Fett und Kokosnuß- und Palmöl). Das verstärkt die Wirkung der oben genannten natürlichen Cholesterinbekämpfer.

Diabetes

Konzentrieren Sie sich auf Nahrungsmittel, die zu einem langsamen, stetigen statt zu einem schnellen Anstieg des Blutzuckerspiegels führen. Die Nahrungsmittel, die bei Tests am besten auf dem »glykämischen Index« abgeschnitten haben – einer Meßskala dafür, wie schnell Nahrung den Blutzucker erhöht –, der Reihe nach: Erdnüsse, Sojabohnen, Linsen, Kidneybohnen, Augenbohnen, Milch, Kichererbsen, Joghurt, Eiskrem, Äpfel und Baked beans.

Wie Lebensmittel Cholesterin bekämpfen*

Tägliche Dosis	Durchschnittliche Senkung des Gesamtcholesterins (in Prozent)	Durchschnittliche Erhöhung des guten HDL-Cholesterins (in Prozent)
Äpfel (2 bis 3)	10	
Bier (1/4 Liter)		7
Bohnen, getrocknet (150 g gekocht)	19	
Gerste (3 Portionen)	15	
Haferkleie (40 g trockene Haferkleie)	20	15
Joghurt (3 200-g-Becher)	10	
Karotten (2 1/2 mittelgroße)	11	
Knoblauch, roh (9 Zehen)	10	
Knoblauchsaft (3 cl)	30	
Milch, mager (1 Liter)	8	
Olivenöl (40% der täglichen Kalorien)	13	
Pilze, Shiitake (100 g)	12	
Sojabohnen (1 Portion Sojabohneneiweiß	20	
Wein (1 Glas)		7
Zwiebeln, roh (eine halbe, mittelgroße)		30

* Zum Vergleich: Die cholesterinsenkende Wirkung der üblichen Medikamente liegt bei Cholestyramin und Colestipol zwischen 15 und 20 Prozent; bei Gemfibrozil zwischen 5 und 15 Prozent; bei Probucol zwischen 10 und 15 Prozent; bei der Neuentwicklung Lovastatin zwischen 30 und 40 Prozent. Gemfibrozil erhöht die HDL-Werte um etwa 20 Prozent.

Divertikulose

Allererste Wahl: Weizenkleie. Außerdem andere ballaststoffreiche Nahrung, die den Stuhl umfangreicher
macht, zum Beispiel Hülsenfrüchte, Hafer, Kohl, Karotten und Äpfel. Wenn Sie schon an der Krankheit leiden,
sprechen Sie mit Ihrem Arzt, ehe Sie eine ballaststoffreiche Kost zu sich nehmen.

Durchfall

Versuchen Sie es mit Joghurt, der von lebenden Kulturen hergestellt ist (vor allem wenn der Durchfall von
verschreibungspflichtigen Antibiotika wie Penicillin
verursacht worden ist). Außerdem Heidelbeeren,
schwarze Johannisbeeren und Honig (aber nicht für
Kinder, wegen der Botulismusgefahr). Bei Kindern
könnte mehr Vollmilch heilend wirken. Zu wenig Fett
in der Kinderernährung fördert Durchfall und andere
Infektionen des Verdauungstrakts. Möglicherweise tragen auch Sojamilch oder Sojabohnen zur Bekämpfung
von durchfallerregenden Bakterien bei.

Emphysem und chronische Bronchitis

Chilipfeffer, scharfer Knoblauch, Zwiebeln, Senf, Meerrettich – alle Arten von besonders scharfer Nahrung. Sie
trägt dazu bei, die Lungen gesund zu erhalten, indem sie
dafür sorgt, daß der Schleim flüssig und die Bronchien
offen bleiben. Auch das Trinken von Milch ist mit niedrigeren Raten von chronischer Bronchitis in Verbindung gebracht worden.

Energie (geistig)

Koffeinhaltige Getränke steigern die geistige Leistungs-
fähigkeit. Am stärksten wirkt Kaffee. Außerdem Tee,
Cola, Kakao. Auch eiweißreiche, fettarme Nahrung wie
Schalen- und Krustentiere, magerer Fisch, fettarme
Milch und fettarmer Joghurt stimulieren chemische
Stoffe im Gehirn, die geistige Energie spenden.

Hämorrhoiden

Essen Sie Nahrung, die einen weichen, umfangreichen
Stuhl erzeugt und die Darmbewegungen entspannter
macht. Am besten: Weizenkleie. Außerdem ballaststoffreiches Obst und Gemüse.

Harntrakterkrankungen

Preiselbeeren, sowohl der Saft als auch die ganzen Beeren, können der Zystitis (Blasenentzündung) vorbeugen, unangenehmen Uringeruch stark verringern und
zur Vorbeugung von Nierensteinen beitragen. Wirksame Dosis: ein achtel bis ein halber Liter Preiselbeersaft
pro Tag. Möglicherweise tragen Omega-3-Fischöle zur
Vorbeugung von Nierenkrankheiten bei. Reiskleie –
etwa 20 Gramm am Tag – kann Nierensteinen vorbeugen.

Herz- und Gefäßsystem

Um das Blut frei von Gerinnseln zu halten, versuchen
Sie es mit fettem Fisch, Knoblauch, Ingwer, Melonen,
Chinamorcheln (Mu-Err-Pilze), Olivenöl, Zwiebeln und
Seetang. Grüner Tee, Bier, Johannisbeeren, Heidelbee-
ren, Auberginen und Fisch mit Omega-3-Fettsäuren

(Lachs, Sardinen) scheinen über besondere Fähigkeiten beim Schutz der Arterien und Kapillaren vor Schäden zu verfügen, die zu Arteriosklerose und Herzinfarkt führen.

Infektionen (allgemein)

Joghurt und Knoblauch sind anerkannte antibiotische »Superstars«. Wirksam bei der Abwehr von Viren und Bakterien sind außerdem Orangensaft, Äpfel, Tee, Traubensaft, Apfelsaft, Honig, Wein, Heidelbeeren, Preiselbeeren, Trauben, Pflaumen, Himbeeren, Erdbeeren, Pfirsiche und Feigen.

Karies

Tee ist erwiesenermaßen die beste natürliche Munddusche gegen Karies. Ebenfalls ganz oben auf der Liste bei der Bekämpfung von Bakterien, die zu Karies führen: Traubensaft und schwarzer Kirschsaft, Milch, Kaffee und Käse (gereifter Chesterkäse, Blauschimmelkäse, Brie, Gouda, Mozzarella und Emmentaler).

Krebs[1]

Im allgemeinen: grüne Blattgemüse, vor allem die großen fünf – Brokkoli, Spinat, Kohl, Grünkohl, Rosenkohl —, aber auch andere ballaststoffreiche Gemüse, Früchte, Körner und Hülsenfrüchte. Außerdem können Milch, Tomaten, Zitrusfrüchte, getrocknete Früchte (Apriko-

---

1 Die einzelnen aufgelisteten Nahrungsmittel sind in epidemiologischen Studien mit niedrigeren Raten der jeweiligen Krebsarten in Verbindung gebracht worden oder haben bei physiologischen Studien gezeigt, daß sie schützende Veränderungen bewirken.

sen, Pflaumen, Rosinen), Erdbeeren und an Omega-3-Fettsäuren reicher Fisch zur Vorbeugung von verschiedenen Krebsarten beitragen. Knoblauch, Zwiebeln, Seetang, Olivenöl, Tee (vor allem grüner Tee) sind wie Meeresfisch, Krustentiere und Hülsenfrüchte, Nüsse, Reis und Körner reich an krebsbekämpfenden Stoffen.

Bauchspeicheldrüsenkrebs: Zitrusfrüchte, Karotten.

Blasenkrebs: Karotten, Milch, Brokkoli, Rosenkohl, Kohl, Blumenkohl, Krautsalat, Grünkohl, Pastinak, Steckrüben.

Brustkrebs: Joghurt, an Karotinoiden reiches Obst und Gemüse.

Dickdarmkrebs: grüne Blattgemüse, vor allem Kohl, Brokkoli, Rosenkohl. Außerdem Blumenkohl, Joghurt oder Trinkjoghurt, vor allem diejenigen Sorten mit Acidophiluskulturen. Milch vorzugsweise Magermilch, angereichert mit Vitamin D. Weizenkleie.

Kehlkopfkrebs: grüne und gelbe Gemüse.

Lungenkrebs: Karotten, Grünkohl, Spinat, Brokkoli, dunkelgelber Kürbis, Süßkartoffeln, Aprikosen. Alle dunkelgrünen und orangegelben Gemüse sowie rote und gelbe Früchte, die reich sind an Karotinoiden. Wenn Sie je geraucht haben, sollten Sie solch eine Kost stark bevorzugen. Sie trägt möglicherweise Jahre später dazu bei, Lungenkrebs vorzubeugen.

Magenkrebs: rohe Karotten, Krautsalat, grüner Salat, Kohl, Tomaten, Mais, Auberginen, Milch, Zwiebeln, Süßkartoffeln, Kürbis.

Prostatakrebs: gelbe und grüne Gemüse. Karotten, Tomaten, Kohl, Erbsen, Brokkoli, Rosenkohl, Blumenkohl.

Speiseröhrenkrebs: grüne und gelbe Gemüse, Äpfel, Kirschen, Trauben, Melonen, Zwiebeln, Erbsen, Bohnen, Pflaumen, Kürbis.

Magen- und Zwölffingerdarmgeschwüre

Kochbananen (unreif, groß und grün, vor allem in konzentrierter pulverisierter Form) bekämpfen Magengeschwüre. Vollmilch und Joghurt, die schützende, Medikamenten ähnelnde Prostaglandine enthalten, beugen Magengeschwüren möglicherweise zwar vor, heilen sie aber nicht. Frischer Kohlsaft heilt oder bekämpft bei manchen Menschen Magengeschwüre.

Migräne

Fischöle (Omega-3-Fettsäuren) können in etlichen Fällen Migräneanfällen vorbeugen oder sie lindern.

Osteoporose

Wenn Sie in der Jugend Milch trinken, werden Ihre Knochen kräftiger, so daß sie in späteren Jahren weniger anfällig für Osteoporose sind. Milch selbst ist wirksamer als reines Kalzium.

Reisekrankheit

Nehmen Sie etwa eine halbe Stunde vor Reiseantritt Ingwer, etwa einen halben Teelöffel in Pulverform, den Sie in Tee oder in ein andere Getränk einrühren (es gibt das Pulver auch schon fertig in Kapseln).

Schlaganfälle

Frisches Obst und Gemüse – einer Studie zufolge schon eine zusätzliche Portion pro Tag – können das Risiko, an einem Schlaganfall zu sterben, um 40 Prozent verringern. Bei Tierversuchen haben Stoffe aus schwarzen Johannisbeeren und Heidelbeeren zur Vorbeugung von Blutgefäßschädigungen im Gehirn beigetragen. Bei Nagetieren haben Braunalgen Schlaganfällen vorgebeugt.

Schlaflosigkeit

Ein guter Tip: Zucker oder Honig. Die Behauptung, Milch schläfere ein, gehört in den Bereich der Märchen. Das Gegenteil ist der Fall: Milch macht munter!

Schuppenflechte und Hautentzündungen

Meeresfisch, der reich an Omega-3-Fettsäuren ist (Lachs, Sardinen, Hering, Makrelen etc.), lindert möglicherweise Schuppenflechte. Außerdem gehen Hautentzündungen durch Haferflockenpackungen zurück.

Verstopfung

Allererste Wahl: Weizenkleie, das stärkste stuhlvergrößernde Abführmittel der Natur. Wenn das nicht wirkt, fügen Sie der Weizenkleie Pflaumensaft hinzu. Bei manchen Menschen wirken getrocknete Bohnen Wunder. Die meisten ballaststoffreichen Obst- und Gemüsearten, zum Beispiel Karotten, Kohl und Äpfel, sind stuhlvergrößernde Abführmittel mit etwa einem Viertel der Wirksamkeit von Weizenkleie. Nahrung mit löslichen Ballaststoffen wie Hafer und Gerste kann ebenfalls helfen. Außerdem Seetang. Die Behauptung, Rhabarber vom westlichen Typ wirke nicht abführend, im Gegensatz zum asiatischen medizinischen Rhabarber, vergessen Sie am besten rasch – sie ist schlichtweg falsch.

Literatur

Da es unmöglich ist, im Rahmen dieses Buches alle wissenschaftlichen Querverweise (sie gehen in die Tausende!) aufzuführen, die zu seiner Entstehung beigetragen haben, folgt hier eine Liste maßgeblicher wissenschaftlicher Veröffentlichungen. Soweit einzelne Berichte mehreren Früchten oder Gemüsearten gelten, werden sie nur in dem Nahrungsabschnitt aufgeführt, in dem sie zuerst erscheinen.

In vielen Fällen wurden die Forschungsergebnisse noch nicht veröffentlicht und durch persönliche Interviews oder anläßlich wissenschaftlicher Konferenzen ermittelt.

Äpfel
Konowalchuk, J., u.a.: »Antiviral Effect of Apple Beverages«. Applied and Environmental Microbiology (Dezember 1978) 36(6), 798–801.
Reiser, S.: »Metabolic Effects of Dietary Pectins Related to Human Health«. Food Technology (Februar 1987), 91–99.
Sablé-Amplis, R., u.a.: »Further Studies on the Cholestrol-Lowering Effect of Apple in Humans: Biochemical Mechanisms Involved«. Nutrition Research (1983) 3; 325–328.

Aprikosen
Mahmud, S. A., u.a.: »Apricot in the Diet of Hunza Population«. Hamdard (Januar-Juni 1984) 27, 166.

Auberginen
Ibuki, F., u.a.: »An Improved Method for the Purification of Egg-

plant Trypsin Inhibitor«. Journal of Nutritiional Science and Vitaminology (1977), 23(2), 133–143.

Mitschek, G. H.: »Weitere Untersuchungen über die Wirkung von Salonum Melongena auf die cholesterininduzierte Atheromatose des Kaninchens. Die Histochemie der enzymatischen Veränderungen. Biologie und Schlußbetrachtung«. Experimentelle Pathologie (1975) 10(3-4), 167–179.

Bananen

Best, R., u.a.: »The Anti-Ulcerogenic Activity of the Unripe Plantain Banana (Musa Species)«. British Journal of Pharmacology (1984) 82, 107–116.

Goel, R. K., u.a.: »Anti-Ulcerogenic Effect of Banana Powder (Musa Sapientum Var. Paradisiaca) and Its Effect on Mucosal Resistance«. Journal of Ethno-Pharmacology (1986) 18, 33–44.

Usha, V., u.a.: »Effect of Dietary Fiber from Banana (Musa Paradisiaca) on Cholesterol Metabolism«. Indian Journal of Experimental Biology (Oktober 1984) 22, 550–554.

Bier

Burr, M. L., u.a.: »Alcohol and High-Density-Lipoprotein Cholesterol: A Randomized Controlled Trial«. British Journal of Nutrition (1986) 56, 81–86.

Hennekens, C. H., u.a.: »Daily Alcohol Consumption and Fatal Coronary Heart Disease«. American Journal of Epidemiology (1978) 107, 196–200.

Kune, S., u.a.: »Case-Control Study of Alcoholic Beverages as Etiological Factors: The Melbourne Colorectal Cancer Study«. Nutrition and Cancer (1987) 9(1), 43–56.

Le, M. G., u.a.: »Alkoholic Beverage Consumption and Breast Cancer in a French Case-Control Study«. American Journal of Epidemiology (September 1986) 120(3), 244–247.

Nanji, A. A.: »Alcohol and Ischemic Heart Disease: Wine, Beer or Both?« International Journal of Cardiology (August 1985) 8(4), 487–489.

Bohnen

Andersen, J. W., u.a.: »Dietary Fiber: Hyperlipidemia, Hypertension, and Coronary Heart Disease«. American Journal of Gastroenterology (1986) 81(10), 907–919.

Anderson, J. W., u.a.: »Hypocholesterolemic Effects of Oat-Bran and Bean Intake for Hypercholesterolemic Men«. American Journal of Clinical Nutrition (Dezember 1984) 40, 1146–1155.

Correa, P.: »Epidemiological Correlations Between Diet and Cancer Frequency«. Cancer Research (1981) 41, 3685–3690.

Fleming, S. E., u.a.: »Influence of Frequent and Long-Term Bean Consumption on Colonic Function and Fermentation«. American Journal of Clinical Nutrition (Mai 1985) 41, 909–918.

Troll, W., u.a.: »Protease Inhibitors: Possible Anticarcinogens in Edible Seeds«. Prostate (1983) 4, 345–349.

Brokkoli

Colditz, G. A., u.a.: »Increased Green and Yellow Vegetable Intake and Lowered Cancer Deaths in an Elderly Population«. American Journal of Nutrition (Januar 1985) 41(1), 32–66.

Graham, S., u.a: »Diet in the Epidemiology of Cancer of the Colon and Rectum«. Journal of the National Cancer Institute (September 1978) 61(3), 709–714

Wattenberg, L.W.: »Inhibition of Carcinogenic Effects of Polycyclic Hydrocarbons by Benzyl Isothiocyanate and Related Compounds«. Journal of the National Cancer Institute (Februar 1977) 58(2), 395–398.

Wattenberg, L. W., u.a.: Inhibition of Polycyclic Aromatic Hydrocarbon-Induced Neoplasia by Naturally Occuring Indoles«. Cancer Research (Mai 1978) 38(5), 1410–1413.

Chilipfeffer

Henry, C. J. K., u.a.: »Effect of Spiced Food on Metabolic Rate«. Human Nutrition: Clinical Nutrition (März 1986) 40(2), 165–168.

»Hot Peppers and Substance P». Lancet (28. Mai 1983), 1198.

Lundberg, J. M., u.a.: »Cigarette Smoke-Induced Airway Oedema Due to Activation of Capsaicin-Sensitive Vagal Afferents and Substance P. Release«. Neuroscience (Dezember 1983) 10(4), 1361–1368.

Sambaiah, K., u.a.: »Hypocholesterolemic Effect of Red Pepper & Capsaicin«. Indian Journal of Experimental Biology (August 1980) 18, 898 f.

Visudhiphan, S., u.a.: »The Relationship Between High Fibrinolytic Activity and Daily Capsicum Ingestion in Thais«. American Journal of Clinical Nutrition (Juni 1982) 35(6), 1452–1458.

Ziment, I. (Hrgs.): Practical Pulmonary Disease. New York, Wiley 1983.

Ziment, I.: Respiratory Pharmacology and Therapeutics. Philadelphia, Saunders 1978.

Erbsen

Barker, D. J. P., u.a.: »Vegetable Consumption and Acute Appendicitis in 59 Areas in England and Wales«. British Medical Journal (5. April 1986) 292, 927–930.

Beiler, J. M., u.a.: »Anti-Fertility Activity of Pisum Sativum«. Experimental Medicine and Surgery (1953) 11, 179–185.

Sanyal, S. & N.: »Ten Years of Research on an Oral Contraceptive from Pisum Sativum«. Science and Culture (Juni 1960) 25(12), 661–665.

Feigen

Kochi, M., u.a.: »Antitumor Activity of a Bezaldehyde Derivative«. Cancer Treatment Report (Mai 1985) 69(5), 533–537.

Takeuchi, S., u.a.: »Benzalhyde as a Carcinostatic Principle in Figs«. Agricultural and Biological Chemistry (1978) 42(7), 1449 ff.

Fisch

Altschulte, M. D.: »A Tale of Two Lipids. Cholesterol and Eicosapentaneoic Acid«. Chest (1986) 89(4), 601f.

Caroll, K. K.: »Biological Effects of Fish Oils in Relation to Chronic Deseases«. Lipids (1986) 21(12), 731f.

Cartwright, I. J., u.a.: »The Effects of Dietary Omega-3 Polyunsaturated Fatty Acids and Erythrocyte Membrane Phospholipids, Erythrocyte Deformability and Blood Viscosity in Healthy Volunteers«. Atherosclerosis (Juni 1985) 55(3), 267–281.

Chanmugam, P., u.a.: »Differences in the W3 Fatty Acid Contents in Pond-Reared and Wild Fish and Shellfish«. Journal of Food Science (1986) 51(6), 1556f.

Harris, W. S.: »Health Effects of Omega-3 Fatty Acids«. Contemporary Nutrition (August 1985) 10(8).

Herold, P. & M., u.a.: »Fish Oil Consumption and Decreased Risk of Cardiovascular Disease: A Comparison of Findings from Animal and Human Feeding Trials«. American Journal of Clinical Nutrition (April 1986) 43(4), 566–598.

Kagawa, Y., u.a.: »Eicosapolenoic Acid of Serum of Japanese Islanders with Low Cardiovascular Disease«. Journal of Nutritional Science and Vitaminology (1982) 24,441.

Kensella, J. & E.: »Food Components with Potential Therapeutic Benefits: The n-3 Polyunsaturated Fatty Acids of Fish Oils«. Food Technology (Februar 1986), 89–97.

Kragballe, K., u.a.: »Arachidonic Acid in Psoriasis. Pathogenic Role and Pharmacological Regulation«. Acta Dermato-Venereologica (Suppl.) (1985) 120, 12–17.

Kromhout, D., u.a.: »The Inverse Relation between Fish Consumption and 20-Year Mortality from Coronary Heart Disease«. New England Journal of Medicine (9. Mai 1985) 312(19), 1205–1254.

Lands, W. E. M.: Fish and Human Health. Orlando, Acedemic Press 1983.

Podell, R. N.: »Nutritional Treatment of Rheumatoid Arthritis. Can Alternations in Fat Intake Affect Disease Course?« Postgraduate Medicine (15. Mai 1985) 77(7), 68f. u. 72.

Robinson, D. R., u.a.: The Protective Effect of Dietary Fish Oil on Murine Lupus«. Prostaglandins (Juli 1985) 30(1), 51–75.

Singer, P., u.a.: »Long-Term Effect of Mackerel Diet on Blood Pressure, Serum Lipids and Thromboxane Formation in Patients with Mild Essential Hypertension«. Atherosclerosis (1986) 62, 259–265.

Weber, P. C.: »Dietary Supplementation of Eicosapentaenoic Acid (C20:5 Omega-2; EPA), Platelet Function and Blood Pressure Regulation«. British Journal of Clinical Practice (Symposion Suppl.) (1984) 31, 122–125.

Woodcock, B. E., u.a.: »Benefical Effect of Fish Oil on Blood Viscosity in Peripheral Vascular Disease«. British Medical Journal (Clinical Research Edition) (25. Februar 1984) 288(6417), 592–594.

Gerste

Odes, H. S., u.a.: »Pilot Study of the Efficacy of Spent Grain Dietary Fiber in the Treatment of Constipation«. Israel Journal of Medical Science (Januar 1986) 22(1), 12–15.

Qureshi, A. A., u.a.: »Suppression of Cholestrogenesis by Plant Constituents; Review of Wisconsin Contributions to NC-167«. Lipids (November 1985) 20(11), 817–824.

Grapefruit

Baig, M. M., u.a.: »Citrus, Pectic Polysaccharides – Their In Vitro Interaction with Low Density Serum Lipoproteins«. ACS Symposium Series (1983) 214, 185–190.

Baig, M. M., u.a.: »Studies on the Role of Citrus in Health and Disease«. ACS Symposium Series (1980) 143, 25–41.

Krayer, G.: »Über die antioxidative Aktivität von Zitrusfruchtschalen«. Zeitschrift für Ernährungswissenschaft (März 1986) 25(1), 63–69.

Grünkohl

Khachik, F., u.a.: »Separation, Identification and Quantification of the Major Carotenoid and Chlorophyll Constituents in Extracts of Several Green Vegetables by Liquid Chromatography«. Journal of Agricultural & Food Chemistry (Juli/August 1986) 34(4), 603–616.

MacLennan, R. u.a.: »Risk Factors for Lung Cancer in Singapore Chinese, a Population with High Female Incidence Rates«. International Journal of Cancer (1977) 20, 854–860.

Hafer

Anderson, J. W.: »Physiological and Metabolic Effects of Dietary

Fiber«. Federation Proceedings (November 1985) 44(14), 2902–2906.

Degroot, A. P., u.a.: »Cholesterol-Lowering Effect of Rolled Oats«. Lancet (1983) 2, 203 f.

Judd, P. A., u.a.: »The Effect of Rolled Oats on Blood Lipids and Fecal Steroid Excretion in Man«. American Journal of Clinical Nutrition (1981) 34, 2061.

Kirby, R. W., u.a.: »Oat-Bran Intake Selectively Lowers Serum Low-Density Lipoprotein Cholesterol Concentrations of Hypercholesterolemic Men«. American Journal of Clinical Nutrition (Mai 1981) 34, 824–829.

Roth, G., u.a.: »Langzeiteinfluß ballaststoffreicher Frühstückscerealien auf die Blutlipide beim Menschen«. Aktuelle Ernährungsmedizin (1985) 10, 106–109.

Saeed, S. A., u.a.: »Inhibitor(s) of Prostaglandin Biosynthesis in Extracts of Oat (Avena sativa) Seeds«. Biochemical Society Transactions (1981) 9, 444.

Valle-Jones, J. C.: »An Open Study of Oat-Bran Meal Biscuits ('Lejfibre) in the Treatment of Constipation in the Elderly«. Current Medical Research and Opinion (1985) 9(10), 716–720.

Van Horn, L. V., u.a.: »Serum Lipid Response to Oat Product Intake with a Fat-Modified Diet«. Journal of the American Dietetic Association (Juni 1986) 86(6), 759–764.

Heidelbeeren

Konowalchuk, J., u.a.: »Antiviral Activity of Fruit Extracts«. Journal of Food Science (1976) 41, 1013–1017.

Miskulin, M., u.a.: »Effect of Experimental Hypertension and Cholesterol-Induced Atheroma on the Permeability and Biochemical Composition of Brain Microvessels. Protective Effect of Anthocyanosides«. International Symposium on Patholophysiology and Pharmacotherapy of Cerobrovascular Disorders, 1980.

Honig

Armon, P. J.: »The Use of Honey in the Treatment of Infected Wounds«. Tropical Doctor (April 1980), 10(2), 91.

Bergmann, A., u.a.: »Acceleration of Wound Healing by Tropical Application of Honey: An Animal Model«. American Journal of Surgery (März 1983) 145(3), 374ff.

Haffejee, I. E., u.a.: Honey in the Treatment of Infantile Gastroenteritis«. British Medical Journal (Juni 1985) 290, 1866f.

Jeddar, A., u.a.: »The Antibacterial Action of Honey«. South African Medical Journal (Februar 1985) 67(7), 257f.

Majno, G.: The Healing Hand: Man and Wound in the Ancient World. Cambridge (Mass.), Harvard University Press 1975.

Ingwer

Dorso, Ch. R., u.a.: »Correspondence«. New England Journal of Medicine (25. September 1980) 303(13), 756 f.

Giri, J., u.a.: »Effect of Ginger on Serum Cholesteral Levels«. Indian Journal of Nutrition and Dietetics (Oktober 1984) 21, 433–436.

Srivastava, K. C.: »Effects of Aqueous Extracts of Onion, Garlic and Ginger on Platelet Aggregation and Metabolism of Arachidonic Acid in the Blood Vascular System. In Vitro Study«. Prostaglandis, Leukotrienes and Medicine (1984) 13, 227–235.

Joghurt

Alm, L.: »Survival Rate of Salmonella and Shigella in Fermented Milk Products with and without Added Human Gastric Juice: An In Vitro Study«. Progress in Food and Nutrition Science (1983) 7(3–4), 19–28.

Friend, B. A., u.a.: »Nutritional and Therapeutic Aspects of Lactobacilli«. Journal of Applied Nutrition (1984), 36/(2), 125–153.

Goldin, B. R., u.a.: »The Effect of Milk and Lactobacillus Feeding on Human Intestinal Bacterial Enzyme Activity«. American Journal of Clinical Nutrition (1984) 39, 756–761.

Hamdan, I. Y., u.a.: »Acidolin: An Antibiotic Produced by Lactobacillus Acidophilus«. Journal of Antibiotics (August 1974) 27(8), 631–636.

Hepner, G., u.a.: »Hypocholesterolemic Effect of Yogurt and Milk«. American Journal of Clinical Nutrition (Januar 1979), 32, 19–24.

Kyosawa, H., u.a.: »Effect of Skim Milk and Yogurt on Serum Lipids and Development of Sudanophilic Lesions in Cholesterol-Fed Rabbits«. American Journal of Clinical Nutrition (September 1984) 40(3), 479–484.

Lankester, E. R.: »Elisas Metchnikoff«. Nature (27. Juli 1916) 97(2439), 443–446.

Le, M. G., u.a.: »Consumption of Dairy Produce and Alcohol in a Case-Control Study of Breast Cancer«. Journal of the National Cancer Institute (September 1986) 77(3), 633–636.

Mann, G. V.: »Factor in Yogurt Which Lowers Cholesteremia in Man«. Atherosclerosis (1977) 26(3), 335–340.

Metchnikoff, E.: The Prolongation of Life. Optimistic Studies. London, Heineman 1907.

Niv, M., u.a.: »Yogurt – In the Treatment of Infantile Diarrhea«. Clinical Pediatrics (Juli 1963) 2(7), 407–411.

Reddy, G. V., u.a.: »Antitumor Activity of Yogurt Components«. Journal of Food Protection (1983) 46, 8–11.

Savaiano, D. A., u.a.: »Nutritional and Therapeutic Aspects of Fermented Dairy Products«. Contemporary Nutrition (Juni 1984) 9 (6).

Shahani, K. M., u.a.: »Properties of and Prospects for Cultured Dairy Foods.« Society for Applied Bacterology Symposium Series (1983) 11, 257–269.

Vesely, R., u.a.: »Influence of a Diet Additionend with Yogurt on the Mouse Immune System«. EOS – Journal of Immunology and Immunopharmacology (1985) 5(1), 30–35.

Johannisbeeren

Jones, E., u.a.: »Quercetin, Flavonoids and the Life-Span of Mice«. Experimental Gerontology (1982) 17(3), 213–217.

Kyerematen, G., u.a.: »Preliminary Pharmacological Studies of Pecarin, a New Preparation from Ribes Nigrum Fruits«. Acta Pharmaceutica Suececa (1986) 23(2), 101–106.

Millet, J., u.a.: »Improvement of Blood Filtrability with a Purified Extract of Black Currant Anthocyanosides in Cynomologus Monkeys on a Fat Diet«. Journal of Pharmacology (Oktober-Dezember 1984) 15(4), 439–445.

Kaffee

Becker, A. B., u.a.: »The Broncodilator Effects and Pharmacokinetics of Caffeine in Asthma«. New England Journal of Medicine (22. März 1984) 310(12), 743–746.

Boulenger, J. P., u.a.: »Increased Sensitivity to Caffeine in Patients with Panic Disorders. Prelimary Evidence«. Archives of General Psychiatry (November 1984) 41(11), 1067–1071.

Costill, D. L., u.a.: »Effects of Caffeine Ingestion on Metabolism and Exercise Performance«. Medicine and Science in Sports (1978) 10(3), 155–158.

Curb, J. D., u.a.: »Coffee, Caffeine and Serum Cholesterol in Japanese Men in Hawaii«. American Journal of Epidemiology (April 1986) 123(4), 648–655.

Gong, H. Jr., u.a.: »Bronchodilator Effects of Caffeine in Coffee. A Dose-Response Study of Asthmatic Subjects«. Chest (März 1986) 89(3), 335–342.

Kashket, S., u.a.: »In Vitro Inhibition of Glucosyltransferase from the Dental Plaque Bacterium Streptococcus Mutans by Common Beverages and Food Extracts«. Archives of Oral Biology (1985) 30(11–12), 821–826.

Nomura, A., u.a.: »Prospective Study of Coffee Consumption and the Risk of Cancer«. Journal of the National Cancer Institute (April 1986) 76(4), 587–590.

Shirlow, M. J. u.a.: »A Study of Caffeine Consumption and Symptoms; Indigestion, Palpitations, Tremor, Headache and Insomnia«. International Journal of Epidemiology (Juni 1985) 14(2), 239–248.

Wattenberg, L. W.: »Inhibition of Neoplasia by Minor Dietary Constituents«. Cancer Research (Suppl.) (Mai 1983) 43, 2488s–2453s.

Karotten

Colditz, G. A., u.a.: »Diet and Lung Cancer – A Review of the Epidemiologic Evidence in Humans«. Archives of International Medicine (Janur 1987) 147, 157–160.

Menkens, M. S., u.a.: »Serum Beta-Carotene, Vitamins A and E, Selenium, and the Risk of Lung Cancer«. New England Journal of Medicine (13. November 1986) 315(20), 1250–1254.

Norell, S. E., u.a.: »Diet and Pancreatic Cancer. A Case Control Study«. American Journal of Epidemiology (1986) 124(6), 894–902.

Peto, R., u.a.: »Can Dietary Beta-Carotene Materially Reduce Human Cancer Rates?« Nature (19. März 1981) 290, 201–208.

Robertson, J., u.a.: »The Effect of Raw Carrot on Serum Lipids and Colon Function«. American Journal of Clinical Nutrition (September 1979) 32(9), 1889–1892.

Shekelle, R. B. u.a.: »Dietary Vitamin A and Risk of Cancer in the Western Electric Study«. Lancet (28. November 1981), 1185–1189.

Ziegler, R. G., u.a.: »Carotenoid Intake, Vegetables, and the Risk of Lung Cancer Among White Men in New Jersey«. American Journal of Epidemiology (1986) 123(6), 1080–1093.

Kartoffeln

Brandl, W. u.a.: »Occurence of Chlorogenic Acids in Potatoes«. Zeitschrift für Lebensmittel-Untersuchung und -Forschung (1984) 178(3), 192ff.

Kantorovich-Prokudina, E. N., u.a.: »Effects of Protease Inhibitors on Influenza Virus Reproduction.« Voprosy Viruslogii (Juli/August 1982) 27(4), 452–456.

Knoblauch

Apitz-Castro, R. u.a.: »Ajoene, the Antiplatelet Principle of Garlic, Synergistically Potentiates the Antiaggregatory Action of Prostacyclin, Forskolin, Indomethacin and Dypiridamole on Human Platelets«. Thrombosis Research (1986) 42(3), 303–311.

Augusti, K. T., u.a.: »Hypercholesteraemic Effect of Garlic (Allium sativum Linn.)«. Indian Journal of Experimental Biology (1977) 15, 489.

Block, E.: »The Chemistry of Garlic and Onions«. Scientific American (März 1985), 114–119.

Bordia, A. K., u.a.: »Effect of the Essential Oil (Active Principle) of

Garlic on Serum Cholesterol, Plasma Fibrinogen Whole Blood Coagulation Time and Fibrinolytic Activity in Alimentary Lipaemia«. Journal of the Association. of Physicians of India (1974) 22, 267.

Bordia, A. K., u.a.: »Effect of the Essential Oils of Garlic and Onion on Alimentary Hyerlipemia«. Atheorsclerosis (1975) 21, 15–19.

Bordia, A. K.: »Effect of Garlic an Blood Lipids in Patients with Coronary Heart Disease«. American Journal of Clinical Nutrition (1981) 34, 2100.

Bordia, A. K., u.a.: »Essential Oil of Garlic on Blood Lipids and Fibrinolytic Activity in Patients with Coronary Artery Disease«. Atherosclerosis (1977) 28, 155.

Chutani, S. K., u.a.: »The Effect of Fried vs. Raw Garlic on Fibrinolytic Activity in Man«. Atherosclerosis (1981) 38, 417.

Delaha, E. C., u.a.: »Inhibition of Mycobacteria by Garlic Extract (Allium sativum)«. Antimicrobial Agents and Chemotherapy (April 1985) 27(4), 485f.

Departments of Neurology and Traditional Chinese Medicine and Pharmacology of the First Affiliated Hospital and Departments of Microbiology, Human Medical College, Changsha. »Garlic in Cryptococcal Meningitis: A Preliminary Report of 21 Cases.« Chinese Medical Journal (1980) 93(2), 123 u. 126.

Fenwick, G. R.: »The Genus Allium-Part 3«. CRC Critical Reviews in Food Science and Nutrition (1985) 23(1), 1–73.

Lau, B. H. S., u.a.: »Allium Sativum (Garlic) and Atherosclerosis: A Review«. Nutrition Research (1983) 3, 119–128.

Sainani, G. S., u.a.: »Effect of Dietary Garlic and Onion on Serum Lipid Profile in Jain Community«. Indian Journal of Medical Research (1979), 69, 776.

Srivastava, K. C.: »Evidence for the Mechanism by Which Garlic Inhibits Platelet Aggregation«. Prostaglandins, Leukotrienes, and Medicine (1986) 22, 313–321.

Sucur, M.: »Effect of Garlic on Serum Lipids and Lipoproteins in Patients Suffering from Hyperlipoproteinemia«. Diabetologia Croatia (1980) 9, 323.

Tsai, Y., u.a.: »Antiviral Properties of Garlic: In Vitro Effects on Influenza B, Herpes Simplex and Coxsackie Viruses«. Planta Medica (Oktober 1985) 5, 460f.

Kohl (Weißkohl)

Albert-Puleo, M.: »Physiological Effects of Cabbage with Reference to Its Potential as a Dietary Cancer-Inhibitor and Its Use in Acient Medicine«. Journal of Ethnopharmacology (Dezember 1983) 9(2), 261–272.

Ansher, S. S., u.a.: »Biochemical Effects of Dithiolthiones«. Food and Chemical Toxicology (Mai 1986) 24(5), 405–415.

Barker, D. J. P., u.a.: »Vegetable Consumption and Acute Appendicitis in 59 Areas in England and Wales«. British Medical Journal (5. April 1986) 292, 927–930.

Boyd, J. N., u.a.: »Modification of Beet and Cabbage Diets of Aflatoxin B1-induced Rat Plasma Alpha-foetoprotein Elevation, Hepatic Tumorigenesis, and Mutagenecity of Urine«. Food and Chemical Toxicology (Februar 1982) 20(1), 47–52.

Cheney, G., u.a.: »Anti- Peptic Ulcer Dietary Factor. (Vitamin ›U‹ in the Treatment of Peptic Ulcer«. Journal of the American Dietetic Association (1950) 26, 668–672.

Graham, S., u.a.: »Diet and Colon Cancer«. American Journal of Epidemiology (Januar 1979) 109 (1), 1–20.

Haenszel, W., u.a.: »A Case-Control Study of Large Bowel Cancer in Japan«. Journal of the National Cancer Institute (Januar 1980) 64(1), 17–22.

Hoff, G., u.a.: »Epidemiology of Polyps in the Rectum and Sigmoid Colon. Evaluation of Nutritional Factors«. Scandinavian Journal of Gastroenterology (1986) 21, 199–204.

Manouses, O., u.a.: »Diet and Colorectal Cancer: A Case-Control Study in Greece«. International Journal of Cancer (15. Juli 1983), 32(1), 1–5.

Singh, G. B., u.a.: »Effect of Brassica Oleracea Var. Capitata in the Prevention and Healing of Experimental Peptic Ulceration«. Indian Journal of Medical Research (September 1962) 50(5), 741–749.

Spector, H., u.a.: »Reduction of X-Radiation Mortality by Cabbage and Broccoli«. Proceedings of the Society of Experimental Biology and Medicine (1959) 100, 405ff.

Tajima, K., u.a.: »Dietary Habits and Gastro-intestinal Cancers: A Comparative Case-Control Study of Stomach and Large Intestinal Cancers in Nagoya, Japan«. Japanese Journal of Cancer Research (August 1985) 86(8), 705–716.

Wattenberg, L. W.: »Inhibition of Neoplasia by Minor Dietary Constituents«. Cancer Research (Suppl.) (Mai 1983) 43, 2488s–2453s.

Kürbisse

Wieczorek, M., u.a.: »The Squash Family of Serine Proteinase Inhibitors. Amino Acid Sequences and Association Equilibrium Constants of Inhibitors from Squash, Summer Squash, Zucchini and Cucumber Seeds«. Biochemical and Biophysical Research Communications (31. Januar 1985) 126(2), 646–652.

Melonen

Altmann, R., u.a.: »Identification of Platelet Inhibitor Present in the Melon (Cucurbitacea Cucumis Melo)«. Thrombosis and Haemostatis (1985) 53(3), 312f.

Milch

Bellanti, J. A. (Hrsg.): Acute Diarrhea: Its Nutritional Consequences in Children. New York, Raven Press 1983.

Editorial: »Milk, Fat, Diarrhoea, and the Ileal Brake«. Lancet (22. März 1986).

Garland, C. u.a.: »Dairy Vitamin D and Calcium and Risk of Colorectal Cancer: A 19-Year Prospective Study in Men«. Lancet (9. Februar 1985), 307ff.

Kiyosawa, H., u.a.: »Effects of Skim Milk and Yogurt on Serum Lipids, Development of Atherosclerosis and Excretion of Fecal Sterols in Cholesterol-Fed Rabbits«. Sapporo Medical Journal (1984) 53(5), 493–504.

Koopman, J. S.: »Milk Fat and Gastrointestinal Illness«. American Journal of Public Health (Dezember 1984) 74, 1371ff.

Kumar, N.: »Effect of Milk on Patients with Duodenal Ulcers«. British Medical Journal (13. September 1986) 293, 666.

Materia, A., u.a.: »Prostaglandins in Commercial Milk Preparations: Their Effect in the Prevention of Stress-Induced Gastric Ulcer«. Archives of Surgery (März 1984) 119, 290 ff.

Mietens, C., u.a.: »Treatment of Infantile E. coli Gastroenteritis with Specific Bovine Anti-E. coli Milk Immunoglobulins«. European Journal of Pediatrics (1979) 132, 239–252.

Paffenberger, R. S. Jr.: »Chronic Disease Among Former College Students«. American Journal of Epidemiology (1974) 100, 307–315.

Tockman, M. S., u.a.: »Milk-Drinking and Possible Protection of the Respiratory Epithelium«. Journal of Chronic Diseases (1986) 39(3), 207ff.

Yolken, R. H.: »Antibody to Human Rotavirus in Cow's Milk«. New England Journal of Medicine (7. März 1985), 312, 605–610.

Nüsse

Senter, S. D., u.a.: »Comparative GLC-MS Analysis of Phenolic Acids of Selected Tree Nuts«. Journal of Food Science (1983) 48, 798 ff.

Wood, A. W., u.a.: »Inhibition of the Mutagenicity of Bay-Region Diol Epoxides of Polycyclic Hydrocarbons by Naturally Occuring Plant Phenols: Exceptional Activity of Ellagic Acid«. Proceedings of the National Academy of Science USA (September 1982) 79, 5513–5517.

Olivenöl

Ferro-Luzzi, A., u.a.: »Changing the Mediterranean Diet: Effects on

Blood Lipids«. American Journal of Clinical Nutrition (November 1984), 40, 1027–1037.

Grundy, S. M.: »Comparison of Monounsaturated Fatty Acids and Carbohydrates for Lowering Plasma Cholesterol«. New England Journal of Medicine (20. März 1986) 314(12), 745–748.

Keys, A., u.a.: »The Diet and 15-Year Death Rate in the Seven Countries Study«. American Journal of Epidemiology (Dezember 1986) 124(6) 903–915.

Sirtori, C. R., u.a.: »Controlled Evaluation of Fat Intake in the Mediterranean Diet: Comparative Activities of Olive Oil and Corn Oil on Plasma Lipids and Platelets in High-Risk Patients«. American Journal of Clinical Nutrition (1986) 44, 635–642.

Zoppi, S., u.a.: »Effectiveness and Reliability of Medium Term Treatment with a Diet Rich in Olive Oil of Patients with Vascular Diseases«. Acta Vitaminologica et Enzymologica (1985) 7(1–2), 3–8.

Orangen

Baig, M. M., u.a.: »Studies on the Role of Citrus in Health and Disease«. ACS Symposium Series (1980) 143, 25–41

Ganguly, R., u.a.: »Effect of Orange Juice on Attenuated Rubella Virus Infection«. Indian Journal of Medical Research (September 1977) 66(3), 359–363.

Kroyer, G., u.a.: »Über die antioxidative Aktivität von Zitrusfruchtschalen«. Zeitschrift für Ernährungswissenschaft (März 1986) 25(1), 63–69.

Pflaumen

Hull, C., u.a.: »Alleviation of Constipation in the Elderly by Dietary Fiber Supplementation«. Journal of the American Geriatrics Society (September 1980) 28(9), 410–414.

Pilze

Cheng, T. O.: »Changing Prevalence of Heart Diseases in People's Republic of China«. Annuals of Internal Medicine (1974) 80, 108f.

Chibuta, I., u.a.: »Lentinan: A New Hypocholesterolemic Substance in Lentinus Edodes«. Experimentia (1969) 25, 1237.

Chihara, G.: »Experimental Studies on Growth Inhibition and Regression of Cancer Metastases«. Gan to Kagaju Ryoho (Juni 1985) 12(6), 1196–1209.

Hammerschmidt, D. E.: »Szechuan Purpura«. New England Journal of Medicine (22. Mai 1980) 302(21), 1191ff.

Makheja, A. N., u.a.: »Identification of the Antiplatelet Substance in Chinese Black Tree Fungus«. New England Journal of Medicine (1981) 304(3), 175.

Sugano, N., u.a.: »Anticarcinogenic Actions of Water-Soluble and Alcohol-Insoluble Fractions from Culture Medium of Lentinus Edodes Mycelia«. Cancer Letters (1982), 17, 109–114.

Takehara, M., u.a.: »Isolation and Antiviral Activities of the Double-Strained RNA from Lentinus Edodes (Shiitake)«, Kobe Journal of Medical Science (August 1984) 30(3–4), 25–34.

Tam, S. C., u.a.: »Hypotensive and Renal Effects of an Extract of the Edible Mushroom Pleurotus Sajor-cajua«. Life Sciences (März 1986) 38(13), 1155–1161.

Preiselbeeren

Der Marderosian, A. H.: »Cranberry Juice.« Drug Therapie (November 1977), 151–160.

Moen, D. V.: »Observations on the Effectivness of Cranberry Juice in Urinary Infections«. Wisconsin Medical Journal (1962) 61, 282 f.

Papas, P. N., u.a.: »Cranberry Juice in the Treatment of Urinary Tract Infections«. Southwestern Medicine (Janur 1966) 47(1), 17–20.

Sobota, A.E.: »Inhibition of Bacterial Adherence by Cranberry Juice: Potential Use for the Treatment of Urinary Tract Infections«. Journal of Urology (Mai 1984) 131, 1013–1016.

Reis

Krempner, W., u.a.: »Treatment of Massive Obesity with Rice/Reduction Diet Program«. Archives of Internal Medicine (Dezember 1975) 135, 1575–1584.

Khin-Maung-U., u.a.: »Effect of Boiled-Rice Feeding in Childhood Cholera on Clinical Outcome«. Human Nutrition: Clinical Nutrition (1986) 40C, 249–254.

Newborg, B.: »Disappearance of Psoriatic Lesions on the Rice Diet«. North Carolina Medical Journal (Januar 1986) 47(1), 253ff.

Ohkawa, T., u.a.: »Rice Bran Treatment for Patients with Hypercalciuric Stones: Experimental and Clinical Studies« Journal of Urology (Dezember 1984) 132, 1140–1145.

Rahman, A. S. M. M.: »Mothers Can Prepare and Use Rice-Salt Oral Rehydration Solution in Rural Bangladesh«. Lancet (7. September 1985), 539f.

Rosenkohl

Bradfield, C. A., u.a.: »Effect of Dietary Indole-3-Carbinol on Intestinal and Hepatic Monooxygenase, Glutathione S-Transferase and Epoxide Hydrolase Activities in the Rat«. Food Chemistry Toxicology (Dezember 1984) 22(12), 977–982.

Godlewski, C. E., u.a.: »Hepatic Glutahione S-Transferase Acitivity and Aflatoxin B1-Induced Enzyme Altered Foci in Rats Fed Fractions of Brussels Sprouts«. Cancer Letter (15. September 1985) 28(2), 151–157.

Wattenberg, L. W.: »Studies of Polycyclic Hydrocarbon Hydroxylases of the Intestine Possibly Related to Cancer«. Cancer (Juli 1971) 28, 99–102,

Schellfisch

Childs, M. T., u.a.: »Effect of Shellfish Consumption on Cholesterol Absorption in Normolipidemic Men«. Metabolism (Januar 1987) 36(1), 31–35.

Seetang

Fujihara, M., u.a.: »Purification and Chemical and Physical Characterization of an Antitumor Polysacchariade from the Brown Seaweed Sargassum fulvellum«. Carbohydrate Research (1984) 125, 97–106.

Funayama, S., u.a.: Hypotensive Principle of Laminaria and Allied Seaweeds«. Journal of Medicinal Plant Research (Januar 1981) 41(1), 29–33.

Furusawa, E., u.a.: »Anticancer Activity of a Natural Product, Viva-Natural, Extracted from Undaria pinnantifida on Intraperitoneally Implanted Lewis Lung Carcinoma«. Oncology (1985) 42(6), 364–369.

Hopps, H. A., u.a.: (Hrsg.): Marine Algae in Pharmaceutical Science. New York, DeGruyter 1982.

Shimada, A.: »Regional Differences in Gastric Cancer Mortality and Eating Habits of People«. Gan No Rinsho (Mai 1986) 32(6), 692–698.

Teas, J.: »The Consumption of Seaweed as a Protective Factor in the Etiology of Breast Cancer«. Medical Hypotheses (1981) 7(5), 601–613.

Sojabohnen

Grundy, S. M., u.a.: »Comparison of Actions of Soy Protein and Casein on Metabolism of Plasma Lipoproteins and Cholesterol in Humans«. American Journal of Clinical Nutrition (August 1983) 38, 245–252.

Lo, G. S., u.a.: »Soy Fiber Improves Lipid and Carbohydrate Metabolism in Primary Hyperlipidemic Subjects«. Atherosclerosis (1986) 62, 239–248.

Messadi, D. V., u.a.: »Inhibiton of Oral Carcinogenesis by a Protease Inhibitor«. Journal of the National Cancer Institute (März 1986) 76(3), 447–452.

Sitori, C. R., u.a.: Studies on the Use of a Soybean Protein Diet for the Mangement of Human Hyerlipoproteinemias. Animal and Vegetable Proeteins in Lipid Metabolism and Atherosclerosis. New York, Alan R. Liss 1983.

Takeshi, H.: »Epidemiology of Human Carcinogenesis: A Review of Food-Related Diseases«. In: Stich, H. F.: Carciongens and Mutagens in the Environment, Band 1 Boca Raton, CRC Press 1982, 13–30.

Troll, W., u.a.: »Soybean Diet Lowers Breast Tumor Incidence in Irradiate Rats«. Carcinogenises (Juni 1980) 1, 469–472.

Spinat

Barale, R., u.a.: »Vegetables Inhibit, In Vivo, the Mutagenicity of Nitrite Combined with Compounds«. Mutation Research (1983) 120, 145–150.

Iritani, N., u.a.: »Effect of Spinach and Wakame on Cholesterol Turnover in the Rat«. Atherosclerosis (1972) 15, 87–92.

Lai, C.-N., u.a.: »Antimutagenic Activities of Common Vegetables and Their Chlorophyll Content«. Mutation Research (1980) 77, 245–250.

Marshall, J. R., u.a.: »Diet and Smoking in the Epidemiology of Cancer of the Cervix«. Journal of the National Cancer Institute (Mai 1983) 70(5), 847–851.

Tee

Bokuchava, M. A., u.a.: »The Biochemistry and Technology of Tea Manufacture«. CRC Critical Reviews in Food Science and Nutrition (1980) 12(4), 303–370.

Dubey, P., u.a.: »Effect of Tea on Gastric Acid Secretions«. Digestive Diseases and Sciences (März 1984) 29(3), 202–206.

Friedman, M., u.a.: »Fluoride Concentrations in Tea. Its Uptake by Hydroxyapatite and Effect on Dissolution Rate«. Clinical Preventive Dentistry (Januar/Februar 1984) 6(1(), 20ff.

Henry, J. P., u.a.: »Reduction of Chronic Psychosocial Hypertension in Mice by Decaffeinated Tea«. Hypertension (Mai/Juni 1981) 6(3), 437–444.

John, T. J., u.a.: »Virus Inhibition by Tea, Caffeine and Tannic Acid«. Indian Journal of Medical Research (April 1979) 69, 542–545.

Kada, T.: »Desmutagens: An Overview«. In: Stich, H. F. (Hrsg.): Carcinogens and Mutagens in the Environment, II. Boca Raton, CRC Press 1983, 63–83.

Kada, T., u.a.: »Detection and Chemical Identification of Natural Bio-Antimutagens. A Case of the Green Tea Factor«. Mutation Research (1985) 150, 127–132.

Kashket, S., u.a.: »In-Vitro Inhibition of Glucosyltransferase from the Dental Plaque Bacterium Streptococcus Mutans by Common Beverages and Food Extracts«. Archives of Oral Biology (1985) 30 (11–12), 821–826.

Oguni, I. K., u.a.: »On the Regional Differences in the Mortality of Cancer for Cities, Town and Villages of Shizuoka Prefecture (1972–1978)«. Annual Report of Shizuoka Womens's College (1981) 29, 39–93.

Onisi, M., u.a.: »Epidemiological Evidence about the Caries Preventive Effect of Drinking Tea«. Journal of Preventive Dentistry (1980) 6, 321–325.

Rosen, S., u.a.: »Anticariogenec Effects of Tea in Rats«. Journal of Dental Research (Mai 1984) 63(5), 658ff.

Stich, H. F., u.a.: »Inhibition of Mutagenicity of a Model Nitrosation Reaction by Naturally Occurring Phenolics, Coffee and Tea«. Mutation Research (August 1982) 95(2–3), 119–128.

Stich, H. F., u.a.: »Inhibitory Effects of Phenolics, Teas and Saliva on the Formation of Mutagenic Nitrosation Products of Salted Fish«. International Journal of Cancer (15. Dezember 1982) 30(6), 719–724.

Tanizawa, H., u.a.: »Natural Antioxidants. I. Antioxidative Components of Tea Leaf (Thea sinensis L)«. Chemical and Pharmaceutical Bulletin (1984), 32(5), 2011–2014.

Young, W., u.a.: »Tea and Atherosclerosis«. Nature (9. Dezember 1967) 216, 1015f.

Tomaten

Taberner, P. V.: Aphrodisiacs: The Science and the Myth. Philadelphia University of Pennsylvania 1985.

Trauben

Konowalchuk, J., u.a.: »Virus Inactivation by Grapes and Wines«. Applied Environmental Microbiology (Dezember 1976) 32(6), 757–763.

Masquelier, J.: »The Bactericidal Action of Certain Phenolics of Grapes and Wine«. In: The Pharmacology of Plant Phenolics. New York, Academic Press 1959.

Shackleton, B.: The Grape Cure: A Living Testament. London, Thorsons Publ. 1964.

Wein

Masquelier, J.: »The Bactericidal Action of Certain Phenolics of Grapes and Wine«. In: The Pharmacology of Plant Phenolics, New York, Academic Press 1959.

Weizenkleie

Benson, J. A. Jr., u.a.: »Simple Chronic Constipation«. Postgraduate Medicine (1975), 57, 55

Burkitt, D. P., u.a.: »How to Manage Constipation with High-Fiber Diet«. Geriatrics (Februar 1979), 33–40.

Burkitt, D. P., u.a.: Refined Carbohydrate Foods and Disease. London u.a., Academic Press 1975.

Cummings, J. H., u.a.: »Colonic Response to Dietary Fibre from Carrot, Cabbage, Apple, Bran and Guar Gum«. Lancet (7. Februar 1978), 5–8

Cummings, J. H., u.a.: Short Chain Fatty Acids in the Human Colon«. Gut (1981) 22, 763–779.

Talbot, J. M.: »Role of Dietary Fiber in Diverticular Disease and Colon Cancer«. Federation Proceedings (Federation of American Societies for Experimental Biology (Juli 1981) 40(9), 2337–2342.

Zitronen und Limonen

Kroyer, G.: »Über die antioxidative Aktivität von Zitrusfruchtschalen«. Zeitschrift für Ernährungswissenschaft (März 1986) 25(1), 63–69.

Risch, H. A., u.a.: »Dietary Factors and the Incidence of Cancer of the Stomach«. American Journal of Epidemiology (1985) 122(6), 947–957.

Zucker

Bollenback, G. N.: »The Sweet Story of Sugar's Amazing Healing Powers«. Nutrition Today (Januar-Februar 1986), 25ff.

Brewerton, T. D., u.a.: »Psychiatric Aspects of the Relationship Between Eating and Mood«. Nutrition Reviews (Suppl.) (Mai 1986) 44, 78–88.

Fernstrom, J. D.: »Acute and Chronic Effects of Protein and Carbohydrate Ingestion on Brain Tryptophan Levels and Serotonin Synthesis«. Nutrition Reviews (Suppl.) (Mai 1986) 44, 25–36

Kruesi, M. J. P.: »Carbohydrate Intake and Childen's Behavior«. Food Technology (Januar 1986), 150ff.

Kruesi, M. J. P.: »Diet and Human Behavior: How Much Do They Affect Each Other?« Annual Review of Nutrition (1986), 6, 113–130.

Spring, B. J., u.a.: »Effects of Carbohydrates on Mood and Behavior«. Nutrition Reviews (Suppl.) (Mai 1986) 44, 51–60.

Wurtman, J. J.: Managing Your Mind and Mood Through Food. New York, Rawson Associates 1986.

Wurtman, J. J.: »Ways That Food Can Affect the Brain«. Nutrition Reviews (Suppl.) (Mai 1986) 44, 2–6.

Zwiebeln

Attrep, K. A., u.a.: »Separation and Identification of Prostaglandin Al in Onion«. Lipids (1980) 15, 292.

Augusti, K. T., u.a.: »Partial Identification of the Fibrinolytic Activators in Onion«. Atherosclerosis (1975) 21, 409–416.

Bordia, A., u.a.: »The Effect of Active Principle of Garlic and Onion on Blood Lipids and Experimental Atherosclerosis in Rabbits and Their Comparison with Clofibrate«. Journal of the Association of Physicians of India (1977) 25, 509.

Gupta, N. N., u.a.: »Effect of Onion on Serum Cholesterol, Blood Coagulation Factors and Fibrinolytc Activity in Alimentary Lipaeimia«. Indian Journal of Medical Research (1966) 54(1), 48–53

Jain, R. C., u.a.: »Onion and Blood Fibrinolytic Activity«. British Medical Journal (1969) 258, 514.

Sharma, K. K., u.a.: »Antihyperglycaemic Effect of Onion; Effect on Fasting Blood Sugar and Induced Hyperglycemia in Man.« Indian Journal of Medical Research (1977) 65, 422.

Sudhakaron Menon, I.: »Onions and Blood Fibriolysis«. British Medical Journal (1970), 421.

Register

Helma Danner

Biologisch kochen und backen
Das Rezeptbuch der natürlichen Ernährung

288 Seiten, TB 20191-3

Aktualisierte Neuausgabe

Das Standardwerk der biologischen Küche! Erst durch falsche Zubereitung verlieren Lebensmittel ihre wichtigen Vitalstoffe. Jedes der in Familie und Großküche erprobten Rezepte legt besonderen Wert auf die schonende Zubereitung, den guten Geschmack und die leichte Bekömmlichkeit der Speisen.

ECON Taschenbuch Verlag
Postfach 30 03 21 · 40403 Düsseldorf

Cora Besser-Siegmund

Easy Weight
Der mentale Weg zum natürlichen Schlanksein

192 Seiten, TB 20458-0

Überarbeitete Neuauflage

Wie ungesund Übergewicht ist, weiß jeder. Wie schwer es ist, durch schiere Willensanstrengung schlank zu werden und zu bleiben, wissen alle, die sich mit Kalorienzählen und »Wunderdiäten« abgeplagt haben. Easy Weight bietet einen völlig neuen Ansatz. Die Autorin zeigt systematische Übungen zur Selbsthilfe und erklärt an vielen Fallbeispielen, wie jeder sein wahres Gewicht erreichen kann.

ECON Taschenbuch Verlag
Postfach 30 03 21 · 40403 Düsseldorf